HANNE-VIBEKE HOLST

Kronprinsessan

Översättning av
MARGARETA JÄRNEBRAND

Albert Bonniers Förlag

Ett tack till alla dem som genom sin stora välvilja och generösa öppenhet har gjort det möjligt för mig att skapa denna historia, som kanske ser ut att vara, men inte är, en bild av verkligheten

HVH

www.albertbonniersforlag.se

ISBN 91-0-010692-5
Danska originalets titel: Kronprinsessen (2002)
© Hanne-Vibeke Holst & Gyldendalske Boghandel,
Nordisk Forlag A/S, Köpenhamn 2002
© Omslag Harvey Macaulay Foto Eric Larrayadieu/Gettyimages
Författarporträtt Morten Holtum Nielsen
Första svenska utgåva 2003
Bonnierpocket 2004
Specialutgåva för Damernas värld 2005
Tryckning: GGP Media GmbH, Tyskland 2005

"De goda grät och de onda skrattade. Så kort kan det sägas. Kunde det ha gått annorlunda? Borde det ha gått annorlunda? Helvete. Journalister är svin, politiker är svin. Men hon var det inte. Det var hela skillnaden. Och däri låg dramat."

Hon är inte rädd för mörkret. Bara för bilden.

Det är långt efter midnatt, natten mellan den tjugonde och tjugoförsta december. Charlotte sover inte. Hon ligger i sin säng med vidöppna ögon för att inte se den träda fram ur sömnlösheten. Anstränger sig i stället för att urskilja föremålen i rummets filtlika mörker – skåpet, stolen, de latinamerikanska bonaderna på väggen, persiennens lameller. Lyssnar till det avlägsna trafikbruset från Jagtvejen, hör knallen från en rysk smällare, följer sirenen från ett utryckningsfordon, uppfattar en kvinnas skratt nere på gatan. Svävar bort med musiken från lägenheten under, långsam jazz, sensuella saxofonsolon, som stiger upp mot taket likt glödande cigarretters blåaktiga rökslöjor. Hon tänker på New York, klubben i The Village där de dansade en gång. Före tvillingarna. Tvillingarna, vars hosta med jämna mellanrum hörs från andra sidan väggen. I synnerhet Jens astmatiska skrällande tränger igenom. Hon vecklar ut sig ur sin älskades långa ben, lossar hans arm från sin axel. Den faller tungt ner på lakanet. Thomas sover ifrån allting. Ryska smällare, ambulanser, barnhosta. Den rättfärdiges sömn, säger han, som aldrig jagas av demoner. Hur ska han då kunna förstå hennes?

Utan att tända rör hon sig genom sovrummet mot korridoren till barnkammaren. Tar sig barfota runt klossar, dockor och bilar fram till Jens säng, sätter sig på sängkanten och stöttar hans bakhuvud medan han nätt och jämnt vaken dricker ur vattenglaset hon håller fram. Klappar honom lätt i ryggen, talar lugnande till honom, smeker honom över kinden och lägger honom försiktigt ner igen. Ett leende glider över hans runda ansikte medan hon stoppar täcket om honom och håller honom i handen tills hans andhämtning är regelbunden igen. Betvingar lusten att lägga sig bredvid honom i den alltför korta sängen eller bära in honom till sin egen. Vänder sig mot den andra sängen, där Johanne som vanligt ligger på tvären med täcket avsparkat. Hon är lillasystern, född tio minuter efter sin storebror. Men det är hon som är den starka. Så har det alltid varit i deras familj. Åt det hållet. Som hennes mor brukar säga: "Glyttarna har alltid varit ena riktiga krakar." Medan kvinnorna har varit tunnbandet som har hållit ihop allting. Generation efter generation. Johanne blir också omstoppad och kysst. Kanske inte riktigt lika ömt. Henne har hon aldrig varit rädd för att mista. Hon kommer säkert att klara sig. Som hon själv har gjort.

Thomas öppnar sin famn för henne när hon kommer tillbaka och gnider sina kalla fötter mot hans vad.

"Kan du inte sova?" mumlar han.

"Jens hostar", svarar hon och kryper intill honom.

"Ska vi älska?" frågar han och låter handen glida över hennes mage.

"Vi ska sova", avgör hon och gäspar. Blundar. Känner tyngden i kroppen. Nu *kan* hon sova. Den är på väg, sömnen.

Men så gäckar den henne i alla fall. Just när hon tror att hon har sluppit undan kommer bilden. Eller rättare sagt den filmsekvens som börjar med att modern tar ut den bruna sockerkakan ur ugnen och ber henne gå och ropa in fadern och Kesse till kaffet, och hon går eller rättare sagt hoppar på ett ben över gårdsplanens krattade grus och hinner både få in en sten mellan foten och sandalsulan, lirka ut den och fundera över om de kanske ska hinna med att gå till stranden i eftermiddag. Innan hon kommer fram till den gamla vattenpumpen mitt på gårdsplanen med zinkbaljan, som modern har planterat ringblommor i, har hon också hunnit räkna till tre på engelska – *one, two, three* – och höra sin mor klirra med porslinet och sätta på radion för att lyssna på Giro 413. *"Något är på tok i Danmark/Dybbøls kvarn mal så att det går raka vägen åt helvete"*, skrålar John Mogensen ut genom det öppna köksfönstret, och hon skrålar med.

Fram till det ögonblicket är det så mycket sommarsöndag som det kan bli. Ända till dess att Kesse, stor som en jätte, kommer ut ur ladan med hennes far upphivad över höger axel. På samma sätt som han brukade bära självdöda grisar. Senare har hon inte med säkerhet kunnat avgöra om det var Kesses vrål eller anblicken av faderns dinglande strumpfötter som fick henne att kissa på sig.

Under alla omständigheter var det då hennes värld blev svart. Juli 1974. När hon var nio år gammal.

Hon biter i en flik av täcket för att slippa ifrån fortsättningen. Raden av bilder av det som hon faktiskt inte såg. Hur han gjorde det. Hur han först tvinnade ett rep och sedan gjorde en snara av självbindarsnöret. Hur han klättrade upp och fäste repet i takbjälken. Hur han släpade fram ett gammalt oljefat, lade snaran kring halsen, fuktade läpparna, spärrade upp ögonen och sparkade bort tunnan. Hur en ryckning drog över hans ansikte när han ångrade sig.

Det är ångern hon klamrar sig fast vid. Fortfarande. Efter alla dessa år. Naturligtvis ångrade han sig. Men då var det för sent.

Bilderna släpper henne, tonar ljudlöst bort. Men skräcken sitter kvar i henne. Som kalla, knotiga fingrar som griper henne hårt om nacken. Hon famlar efter Thomas hand.

"Thomas?" viskar hon.

"Mmm."

"Jag är rädd…"

"Jag är här hos dig, älskling", säger han och drar henne intill sig. Sluter handen om hennes bröst, som plötsligt känns tungt som ett mjölkstint juver.

"Å, vad du är varm!" stönar han, redan andfådd.

Hon tar emot honom, kysser hans hals när han glider in i henne. Så välbekant. Så levande.

Efteråt sover hon. Tryggt. Som sina egna barn.

Charlotte Damgaard var inte statsministerns idé.

Hennes namn hade aldrig antecknats i någon liten svart bok, hon stod inte ens på den lista han hade så gott som färdig när han vaknade denna tidiga, kolsvarta decembermorgon. Men även om klockan bara var några minuter i fem visste han att det var meningslöst att försöka somna om.

I stället gladde han sig åt att för en gångs skull vakna hemma på Stockholmsgade och inte i någon lyxig hotellsvit i någon annan tidszon eller för den delen ute på Marienborg. I och för sig trivdes han bra där ute, mycket bättre än Gitte, hans sjutton år yngre journalisthustru, men han tyckte inte om att vara där när hon var borta på reportageresa. Dessutom hade de vid det här laget flyttat in för vintern efter en lång, mild höst på landet, som för honom själv hade fungerat som ett slags rekreativ tillflykt under de uppslitande månaderna och veckorna före och efter den ödesdigra EMU-omröstningen. Utan denna fristad i vackra, rofyllda omgivningar var han inte säker på att han skulle ha klarat det. Men när ministerbilen kom fram till Nybrovej och rullade in på den stenlagda infarten till statsministerns sommarresidens, en gång testamenterat till staten av en rik judisk mecenat, undslapp han sig alltid en djup lättnadens suck. Nu kunde han tillåta sig att slappna av, lossa på slipsknuten och sänka axlarna. Förutsatt att han inte var starkt försenad och väntad som värd vid någon officiell middag, eller att inte Gitte själv stod i köket och vässade den kniv hon hotade att sticka i magen på honom om han inte kom hem till hennes i regel medelhavsinspirerade måltid NU, brukade han låta chauffören bära in portfölj och kavaj och själv gå raka vägen till parken och sakta vandra runt mellan de gamla sällsynta träd som mecenaten hade låtit plantera.

När han strök med fingret över barken fylldes han varje gång av samma känslor – tacksamhet över att ha tillgång till denna paradisiska trädgård med kvittrande fåglar och fladdrande trollsländor, respekt för mecenatens generositet och ängslan för om de nuvarande makthavarna, vilka han betecknade som "beslutsfattare", hade samma sinne för långsiktigt tänkande – för att "plantera träd" – åt eftervärlden. Som ärkesocialdemokrat med rötterna i en härdig västjylländsk bonde-/hantverkarmiljö hade han alltid varit en inbiten förkämpe för välfärdsstaten och därmed en inbiten motståndare till hela den gamla mecenatinstitutionen med dess spridda filantropiska insatser och hattklädda välgörenhetsdamer som när allt kom omkring bara gav otillräcklig gottgörelse för det cyniska utnyttjandet av arbetarklassen. Han måste emellertid erkänna att omfördelningen och välfärdsstatens framgångsrika jämlikhetsarbete också hade sitt pris. Numera var det få danskar som föddes med guldsked i mun. I gengäld var de flesta utrustade med en silversked, som de inte betraktade som någon särskild gåva kopplad till en rad förpliktelser att göra sitt för gemenskapen, eller för *nästan*, om det skulle vara fint. Tvärtom hade danskarna blivit så bortskämda och kräsna att de för länge sedan hade slutat tacka för det överflöd de levde i och i stället krävde att få mer. Här och nu. Mecenatens moraliska förpliktelse att stödja samhällets stöttepelare eller hans önskan att skapa sig ett eftermäle som en aktningsvärd och ansvarskännande medborgare hade med tiden blivit svår att uppbringa.

Kortsiktighet var ett problem. I tiden. Och inte minst i politiken, vilket han älskade att undervisa de yngre i partigruppen om när han någon enstaka gång slog sig ner i deras krets eller bjöd in särskilt utvalda till förtroliga samtal på tjänsterummet. Dessa bar visserligen mest prägeln av långa monologer, i vilka han prövade somliga av de analyser och teman som senare finputsades, modererades och formades till tal eller inlägg på spektakulära möten eller i viktiga TV-debatter. Inte minst i samband med valkampanjen fram till EMU-debatten, som han hade satsat allt på att vinna och ända till slutet räknat med att gå segrande ur. Nederlaget hade skakat om honom, inte bara därför att det var en svidande örfil mot honom själv utan också därför att han för första gången kände sig desorienterad och förvirrad inför det folk som han uppenbart hade missbedömt så kapitalt. Om han skulle vara fullkomligt ärlig förstod han inte danskarna längre. Eller det gjorde han kanske. Men han vägrade kännas vid att man fortfarande kunde tala om en topp och en botten i det danska samhället, om massan och eliten, ett *de* och ett *vi*. I statsministerns Danmarksbild hade socialdemokratin segrat av bara fan, och även om motsättningar möjligen ännu existerade kunde det göra honom fullkomligt ursinnig när någon försökte antyda att det under den till synes så glatta fasaden fortfarande fanns markanta brottytor i sådan grad att föreställningen om det homogena klasslösa samhället inte höll.

Även om Gitte, hans älskling, kallade hans envishet för både "rörande och tragisk" och påstod att den först och främst speglade honom själv och hans anspråk på att *inte ha svikit*, var han orubblig. De hade gjort det rätta, han hade gjort det rätta. Visst hade han varit en sådan som bröt mönstren, visst var avståndet stort till den proletära barndomens margarinklumpar och röda kampsånger, visst utgjorde han historien om mjölkbudet som blev statsminister, men ingen skulle någonsin få antyda att han hade glömt varifrån han kom. Allt han gjorde gjorde han för *dem*. För deras barn, barnbarn och barnbarnsbarn. Och vem kunde påstå att det inte hade lyckats? Fick arbetarbarn inte ta studentexamen? Var arbetslösheten inte så gott som avskaffad? Kunde de äldre inte se ålderdomen an med tillförsikt? Till och med statsskulden hade de lyckats hyvla av så pass att ingen behövde frukta för den danska välfärdsstatens sammanbrott. Och vad främlingsrädslan beträffade hade också de visat tillmötesgående gentemot den stora del av befolkningen som kände att danskheten var hotad. Han var villig att värna om danska värden, han var *garant* för dem, för även om han klarade sig förvånansvärt väl på bortaplan och sedan länge hade lärt sig att vippa med ett champagneglas var han innerst inne lika dansk som en varmkorv med rostad lök.

Därför blev han också så frustrerad över att väljarna bedömde honom som "icke trovärdig". Det var orättvist. Trots det hade han sedan EMU-nederlaget lyssnat till de problemlösare som ansåg att om inte socialdemokratin snart förstod att ansiktslyftningar och populistisk fettsugning definitivt inte räckte för att eliminera den "politikerleda" det faktiskt handlade om, att det i varje fall i människors inbillning fanns ett "över-Danmark" och ett "under-Danmark", skulle Partiets dagar som gemensam nämnare vara räknade. Hela teamet måste i en rasande fart hitta på något *annat*. Bevisa att man kunde tolka tidsandan, förstå de yngre generationernas politiska likgiltighet och fånga upp den famlande frustration och osäkerhet som hade smugit sig in i snart sagt varje vrå av det land han annars kände som sin pappas overallficka. De måste *stå* för något. Skärpa profilen och visa integritet och värdighet. Så att de kunde vända de opinionssiffror som vecka för vecka rasade ner till långt under smärtgränsen. Siffror där statsministerns personliga popularitet också närmade sig botten. Allt fler talade öppet om att han borde ta konsekvenserna och avgå, vilket exempelvis tidningen Børsens ledare hade uppmanat honom till under de senaste dagarnas presspekulationer efter först försvarsministerns och sedan utrikesministerns avgång. Inför sin stab slog han bort de allt grövre personangreppen, men någonstans under den tjocka elefanthuden gjorde det ont. Inte så att han var dödligt träffad, absolut inte, men han märkte ju själv att han hade kort stubin och emellanåt kände något av den modlöshet som under tidigare perioder hade gjort honom till en retlig, kolerisk och besvärlig chef för medarbetarna inom Statsministeriet. Det faktum att några, alltför många, hade tagit konsekvenserna och sökt sig bort och därvid fått Statsministeriet att likna ett tornadodrabbat genomgångsläger var beklagligt.

Ohållbart. För att inte använda ett fulare ord. Att det just nu var relativt lugnt berodde dels på att han med en viljeansträngning modell större hade lyckats tygla sitt temperament, dels på att alla väntade på *rockaden*. Med de båda ministeravgångarna var osäkerheten över – nu var frågan inte längre *om* utan *när*. Borgen formligen surrade av gissningar och skvaller, journalister läste i kaffesump, tonfall och ansiktsuttryck och ställde samman nya listor och förslag på vem och när.

Likadant även i dag, konstaterade han när han stod vid köksbordet och flyktigt bläddrade igenom tidningarna medan han smuttade på ett glas färskpressad juice. Om inte annat kunde han åtminstone glädja sig åt att även om flera av de gamla tidningsrävarna hade bra förslag var det ingen som hade lyckats få jackpot och föra fram den lista som han räknade med skulle bli den slutgiltiga under dagens lopp. På mötet i går kväll hade de enats om att de nya ministrarna skulle kunna presenteras för drottningen torsdagen den 21 december – på årets kortaste dag. Hovet hade redan informerats, i all hemlighet, och patiensen hade också gått ut så pass i går kväll att man hade förhandlat med Radikale Venstre vad gällde deras intressen. Deras krav på biträdande ministerposter föreföll anspråkslösa nog, men Per Vittrup kände den radikala partiledaren tillräckligt väl för att veta att hon var klokare än så. Framsynt var ett ord man skulle kunna använda om henne.

Nu låg bollen hos dem själva. Eller rättare sagt hos Elizabeth Meyer, den nuvarande hälsoministern. På mobiltelefon från Genève hade hon preliminärt accepterat förslaget att bli utnämnd till ny utrikesminister. Visserligen motvilligt. Så motvilligt att han bävade för villkoren. För villkor ställde hon alltid, *Frau Meyer*, och till hans mångåriga förargelse och irritation lyckades hon i stort sett alltid få dem uppfyllda. Detta eftersom både han och Gert Jacobsen, finansministern, trots sin erfarenhet och sin oomtvistliga förmåga att se flera drag framåt inte besatt samma förmåga som hon att kika runt hörn inom politiken. Dessutom stod hon på ett orubbligt fundament av solitt folkligt stöd – inte minst bland de kvinnliga väljarna hade hon varit röstvärvare i åratal – och med årens rätt hade hon förvärvat en pondus och en moderlig fyllighet som kunde föra tankarna till Gro Harlem Brundtland. En gång i deras nyvalda röda ungdom hade han och Elizabeth Meyer båda varit pretendenter på tronföljarposten, men då, i början av sjuttiotalet, hade tiden inte varit mogen för en kraftfull kvinna som hon i toppen, och sedan hade hon efter flera spektakulära "affärer", som kom att ligga henne i fatet, själv givit upp ambitionerna. Men man kunde aldrig veta. Kanske skulle hon plötsligt dyka upp som en livsfarlig joker. Därför var både han och Gert Jacobsen tyst eniga om att Meyer till nästan varje pris måste göras till lags och därmed passiviseras.

Hon kunde inte kräva att bli invigd i hans funderingar om rockaden; enligt god dansk regeringssed var det statsministerns plikt och privilegium att egenhändigt sätta ihop sin regering. Men han visste mycket väl att han skulle få ett litet helvete om han höll henne utanför. Ministerlistan måste helt enkelt godkännas av henne först. Och de idéer han i förbigående hade luftat för henne i telefon föreföll inte väcka någon större entusiasm. Sent i går kväll efter mötet hos Karen Hermansen, Radikale Venstres partiledare och landets ekonomiminister, hade de per telefon kommit överens om att träffas ansikte mot ansikte på hans tjänsterum när hon hade landat med planet från Genève på eftermiddagen. Underförstått utan Gert.

Vad hon själv hade tänkt sig gav hon inte minsta antydan om. Sådan var hennes strategi. En plötslig, oväntad attack. Att det var Charlotte Damgaards namn hon hade i rockärmen hade Per Vittrup med andra ord ingen aning om när han morgonpigg och högljutt trallande *Jinglebells* infann sig på tjänsterummet omkring halv åtta efter att ha tillbringat sin sedvanliga timme på gymmet med den personliga tränare som hade tilldelats uppgiften att få statsministern i fysisk toppform. Hittills hade han gått ner elva kilo, en av de få prestationer han kunde skryta med under en i övrigt föga uppmuntrande tid. Vilket han också gjorde. Hans sekreterare, Tove Munch, hejade på och följde viktkurvan kilo för kilo, och hon hade vid flera tillfällen varit hos skräddaren med byxor som måste tas in. Hon unnade honom den barnsliga glädjen över viktnedgången. Hon hade länge hyst medlidande med honom och med sedvanligt tålamod översett med hans humörsvängningar, som gick ut inte minst över henne. Denna morgon gladde hon sig alltså uppriktigt över att barometern tydligen hade stigit – ett säkert tecken på att något var i görningen. Någonting som han såg fram emot. Med andra ord – rockaden.

Och när hon serverade honom kaffe och han, efter att med sitt speciella förtroliga tonfall ha givit henne en komplimang för hennes parfym, förberedde henne på att hon nog skulle bli tvungen att inställa sin bokcirkelkväll, behövde hon bara nicka konspiratoriskt. Ingen av Statsministeriets nyckelpersoner skulle komma hem på den här sidan om tidningarnas deadline. Men det skulle de inte få veta förrän någon gång i eftermiddag. På det sättet blev risken för läckor minst.

Vilket inte var liktydigt med att Borgens politiska djur, från hyenor till små möss, inte hade fått upp vittringen. Allteftersom morgonen övergick i förmiddag blev det fler och fler som kretsade kring hennes rum, varifrån hon som en hök bevakade sin chefs stängda dubbeldörrar. Hon blev nedringd av journalister; till och med hennes kolleger från andra ministerier där den sittande ministern var särskilt nervös för sin post hittade förevändningar för att försöka pumpa henne. Men Tove Munch höll stånd, även gentemot presschefen, som var så frustrerad över att än en gång hållas utanför att han demonstrativt lämnade sitt skrivbord för att "äta lunch ute på stan". När han ett par timmar senare kom tillbaka, efter ett regelrätt jobbsamtal på Berlingske Tidende, var klockan omkring två, och Elizabeth Meyer hade just svept förbi Tove Munchs bord och raka vägen in i Per Vittrups tjänsterum. Innan dörrarna stängdes hörde hon hans litet för jovialiska: "Så roligt att se dig, Beth!" Sedan stängdes dörren, men som lyhörd sekreterare uppfattade Tove Munch snabbt att förmiddagens flitiga och målmedvetna idyll, som bara störts av flera uppringningar till och från Gitte Bæk, för tillfället i Kosovo, hade torpederats i och med Elizabeth Meyers ankomst. Ljudnivån steg helt enkelt så märkbart att man måste vara döv för att inte uppfatta att de båda var våldsamt oeniga.

Till och med långt mer oeniga än vad statsministern hade förutsett. Visst hade han varit förberedd på att det måste förhandlas. Att maktbalansen mellan partiets två huvudfalanger, hans och Gerts, möjligen måste finjusteras, och att Elizabeth, som den rättvisa storasystern, skulle insistera på att ingen blev förfördelad. Men att hon i princip skulle vara beredd att kassera hela listan om hon inte fick sitt huvudkrav uppfyllt hade han inte väntat sig. På det hela taget ansåg hon att listan var för försiktig, för förutsägbar och för fantasilös – där saknades både unga och kvinnor och i synnerhet unga kvinnor. Vilket statsministern tyvärr måste medge, men han befann sig helt enkelt i kandidatnöd. Både han och Gert hade finkammat gruppen för att hitta de unga talangerna, men sanningen var den att fångsten var nedslående mager. I synnerhet när det gällde unga kvinnliga talanger som hade visat målmedvetenhet och styrka. Visst var de entusiastiska när de kom in i gruppen, men de flesta tappade snabbt flyghöjd och klarade bara av att sitta en period eller två. Tills de fick barn. Så var det, antingen man gillade det eller ej. De unga männen var mer stabila, kanske också mer primitiva i sitt maktbegär, men medan många av flickorna krympte med tiden var det som om pojkarna bokstavligt talat växte med uppgiften, så att de efter kort tid kunde fylla ut kostymerna och tala med tyngd och auktoritet. Av det skälet var det säkert möjligt att han hade favoriserat vissa av de unga männen på bekostnad av de unga kvinnor som i rättvisans namn hade visat goda takter. Det var han villig att "titta på".

Ett så vagt löfte var Meyer över huvud taget inte intresserad av, vilket hon gjorde helt klart. Faktum var att Per Vittrups patriarkala ton hade provocerat fram hennes gamla indignation över hur inte bara hon själv, utan också de andra kvinnorna i hennes generation, på sin tid och på det hela taget hade toppridits av gamla babianhannar och unga lejon, som tog till de fulaste knep och mest ojusta tacklingar för att skydda sig själva och stänga kvinnorna ute. Per Vittrup, som annars tyckte om att se sig själv som kvinnornas förkämpe och som bland annat skröt med att ha stridit för att införa lagen om lika lön på sjuttiotalet och som officiellt backade upp både kvinnogrupper, kvinnoår och kvinnokonferenser, var förtrogen med Elizabeth Meyers temperament när hon väl hade fått upp ångan, så i stället för att protestera försökte han sig på ett avvärjande: "Det är väl ingen som har toppridit dig!"

I det ögonblicket skiftade hon färg som en kameleont, från upphetsad rodnad till en marmorerad blekhet som fick fräknarna att träda fram. Till och med hennes annars så karakteristiska bladgröna ögon blev nästan färglösa medan hon obevekligt blängde på honom tillräckligt länge för att kan skulle känna en rysning utmed ryggraden innan hon väste: *"Varför tror du egentligen själv att det är du och inte jag som sitter i den där stolen?"*

Efteråt var han tvungen att erkänna att han hade hukat sig som en skolpojke, även om han tyckte att hon var oresonlig och tveklöst talade mot bättre vetande. De hade varit motståndare, konkurrenter, och han hade, precis som hon, använt de medel som stått honom till buds. Men därifrån och till att beskylla honom för förtryck av det kvinnliga könet och se manschauvinistiska konspirationer mitt på ljusa dagen! Han som alltid hade respekterat henne som en jämbördig motståndare! Med en avvärjande huvudskakning hade han sökt efter de rätta, väl valda orden, som han tyvärr inte hade hunnit hitta förrän hon på nytt skiftade färg, tillbaka till flammande rött, och hennes ögon blev fuktiga och munnen spänd på ett sätt som han bara hade sett några få gånger innan hon lutade sig fram och nästan viskade: "Du har visst glömt Eva? Ni har allihop glömt henne, inte sant? Både du och Gert och hela högen? Varför tror du att hon hoppade från bron den där gången?"

Anklagelsen var så grov att han tappade andan och inte kunde bemöta den, trots att han själv började koka av vrede. Han var så arg att han inte ens lade märke till Tove Munch, som i samma ögonblick öppnade dörren och slank in för att hämta några undertecknade dokument på hans skrivbord för vidare befordran. Hon tvärstannade när hon uppfattade hur upprörd han var. Underläppen framskjuten, händerna knutna, knogarna vita, medan Elizabeth Meyer satt stel som en vaxdocka i en återskapad historisk tablå.

"Jag älskade Eva", sa han lågt och med skälvande röst. "Jag glömmer henne aldrig. Det vet du mycket väl!"

Elizabeth Meyer sneglade i riktning mot Tove Munch, så att denna på nytt satte sig i rörelse och tog dokumenten ur skrivbordets ut-korg. Men situationen var så spänd att inte heller Meyer väntade på att de skulle bli ensamma förrän hon fortsatte i samma lågmälda ton. "Varför hoppade hon då? Enligt din mening?"

Per Vittrup reste sig för att gå bort till fönstret och mötte därvid sin sekreterare, som var på väg tillbaka mot dörren. "Därför att hon var för ömtålig för den här världen! Men det ville *du* inte se! Hon skulle föras fram med våld och makt!"

"Hon var idealist! En eldsjäl! Hon ville själv!"

"Eva var psykiskt labil", mumlade Per Vittrup för sig själv med ryggen till innan han vände sig om mot henne igen. "Hon saknade den nödvändiga brutaliteten. Vi förstod det bara inte på den tiden."

Hans axlar hade sjunkit ihop en aning, noterade Tove Munch medan hon rutinmässigt böjde sig fram över sammanträdesbordet för att ta med den tomma termosen ut. Nybryggt kaffe, statsministern kunde inte leva dessförutan. Avgjort inte en sådan här dag.

"På den tiden då vi alla var idealister", fortsatte Elizabeth Meyer syrligt samtidigt som hon satte sina Dior-läsglasögon, som hon bar i ett snöre kring halsen, på näsan och bad Tove Munch att komma in med en kanna nykokt te också.

Tove Munch nickade diskret och försvann medan statsministern återvände till sin stol. Därmed var ämnet "Eva Bøgelund" avslutat. Först och främst därför att ingen, kanske allra minst Vittrup och Meyer, i gruppen från den tiden tyckte om att riva upp de sår som de allihop hade tillfogats när hon – Partiets lysande sol – som 24-åring hade hoppat från Lilla Bält-bron kort efter partikongressen i september -82. Efter en hård kamp med många intriger hade Meyers fraktion, även kallad *Rödluvorna*, lyckats få henne vald till vice partiordförande i konkurrens med en motkandidat från Metall, den legendariske, grovkornige smedmästaren John Nielsen. Per Vittrup, som under längre tid haft ett utomäktenskapligt förhållande med Eva Bøgelund, hade inte desto mindre stött Smeden och dels deltagit i de taktiska manövrerna före valet, dels i efterhand, om än mer diskret, bidragit till att misstänkliggöra och så tvivel beträffande Bøgelunds kapacitet och lojalitet gentemot *hela* Partiet och inte minst Rörelsen. Medan Smeden hade lanserats som "hela Partiets vice ordförande" blev Eva Bøgelund i den anonyma förtalskampanj som följde på valet skälld för att vara "rödstrumpa", "skolflicka", "manshatare", "Meyers marionett" och så vidare. Kvällstidningarna tryckte det mesta och mer därtill, eftersom spaltutrymmet i stort sett stod till fritt förfogande för varje anonym källa i besittning av någon smörja användbar som avfyrningsramp för braskande rubriker och infama ledare.

Bortsett från den motsvarande kampanj som några år tidigare hade drivits i ett misslyckat försök att få Meyer på fall som socialminister efter anklagelser om missbruk av ministerbilen hade den danska mediavärlden aldrig tidigare bedrivit en så personlig klappjakt på en namngiven politiker. Att det i själva verket var Meyer och inte Bøgelund man ville åt insåg den känsliga folkskollärarinnan från Roskilde inte. Hon tog varje ord personligt, och även om hennes närmaste kunde se att kritiken tog hårt på henne var det ingen som hade märkt

hur skakad den unga, fortfarande ogarvade kvinnan hade varit. Desto våldsammare blev chocken när en fynsk småbåtsfiskare en tidig septembermorgon hittade henne i sitt nät några kilometer från bron, redan innan någon hade hunnit sakna henne, än mindre läsa de avskedsbrev som hon hade skickat i väg kvällen innan och som var poststämplade "Middelfart". Ryktena gjorde gällande att det förutom brev till hennes föräldrar och syskon, och ett till Partiet, också fanns ett brev till väninnan Elizabeth Meyer och ett personligen ställt till Per Vittrup, den unge kronprinsen och gruppledaren och, som alla snart skulle få veta, den dödas älskare. Den exakta ordalydelsen i breven till de båda senare blev aldrig känd, men det officiella brevet till Partiet blev enligt den avlidnas önskan dels uppläst vid det i all hast sammankallade gruppmötet, dels tryckt i faksimil i både partitidningen och i Aktuelt. "För att undvika mytbildning", som hon hade skrivit på en vidhäftad lapp. För övrigt var detta avskedsbrev ytterst kortfattat.
"Kära vänner och kamrater. Tack för det förtroende ni har visat mig. Jag är ledsen att jag inte förmår leva upp till det. Var rädda om varandra. 'Det är en kall tid vi lever i.' Gör den litet varmare! Kära hälsningar, er Eva."

Eva Bøgelunds självmord sände chockvågor inte bara genom Christiansborg, Partiet och Rörelsen utan också genom befolkningen, som utan att känna till något om sammanhanget anade att det unga löftet hade varit utsatt för en ful komplott. Vreden riktades först och främst mot den skandalpress som tidigare hade gått i spetsen för den nya formen av gammaldags häxjakt men som nu skummade grädden av sorgen genom att skriva salvelsefulla, sentimentala nekrologer och passa anklagelserna vidare till Partiet genom att bland annat påstå att "Evas hjärta krossades". Det antyddes rent ut att hennes "olyckliga kärlek" hade gällt Per Vittrup, som var gift och far till två små barn. Vissa artiklar gick också in på hennes förhållande till Meyers Rödluvor och kom fram till att "Eva var ingen furie". En anonym källa inom Partiet uppgavs ha sagt att "politik är ingenting för ömtåliga själar", underförstått att Eva Bøgelund "såsom varande en utpräglad känslomänniska med lätt till tårarna" hade blivit utnyttjad av Meyer. Varken Vittrup eller Meyer ville kommentera saken, men även om bägge bemödade sig om att upprätthålla fasaden framstod det tydligt för alla i omgivningen att båda två var djupt skakade. Under begravningen, som drog massor av folk, bar Elizabeth Meyer mörka

Jackie Onassis-solglasögon, och bilden där hon knäböjde vid kistan och lade ner sin mörkröda ros blev inte bara veckans och årets utan årtiondets succébild. Vittrup, som anlände till domkyrkan med ett krampaktigt grepp om sin hustrus hand, höll i sin egenskap av gruppledare ett tal, som i reportagen kallades "hans livs svåraste", hes, stammande och likblek. Och när han efter att ha kämpat länge mot gråten så småningom kom till manuskriptets sista rader – "*Eva, du var ett lysande exempel för oss alla. Genom ditt engagemang, din ärlighet och den humanistiska människosyn som man förr i tiden kallade godhet. Du var en god människa, Eva. Kanske den bästa av oss alla. Din korta kamp har inte varit förgäves. Vi kommer att minnas dig för det du stod för, värna om de värden du kämpade för. Jämlikhet, rättvisa, fred. Och vi kommer att minnas dig för den du var. Ung, klok, vacker …*" – hade hans röst spruckit, varpå han med flaxande armar och ett uttryck av barnslig hjälplöshet hade stigit åt sidan och formligen vacklat tillbaka till sin plats. Iakttagare noterade att hustrun lät sin hand ligga kvar i knäet för att en kort stund senare lämna begravningsföljet. Att äktenskapet upplöstes omedelbart efteråt kom därför inte som någon överraskning. Men att medierna bara nämnde brytningen ytterst diskret och begravde hela affären tillsammans med huvudpersonen, som nu var närmast helgonförklarad, förvånade kanske vissa. Den enkla förklaringen var att alla, till och med de mest hårdkokta tidningsmurvlar, hade blivit berörda. Både av dödsfallet, av reaktionen och av kritiken. På samma sätt som efter prinsessan Dianas död femton år senare talades det om en, om än kortvarig, smärtsam självrannsakan över hela linjen.

Därefter hade "Eva Bøgelund" blivit tabu. Inte minst inom Partiet. Man mindes henne visserligen, men man talade aldrig om henne. I den meningen höll han inte sitt löfte, Per Vittrup. Bortsett från att han varje år på hennes födelsedag försäkrade sig om att det lades en krans på hennes grav. De gamla Rödluvorna, som med tiden hade skingrats åt olika håll och inte längre existerade som fraktion, samlades också i stillhet varje år vid graven. Men de hade valt dödsdagen som minnesdag. Eller, rättare sagt, Meyer hade gjort det. De talade aldrig om varför. Det framgick emellertid tydligt att medan somliga av de gamla stridskamraterna hade nedprioriterat denna årliga minneshögtid och egentligen ansåg att tiden hade sprungit ifrån den, så var den helig för

Meyer. Oavsett vilken post hon innehade, oavsett hur fulltecknad hennes kalender var, så var den 22 september klockan 15.00 alltid inbokat. Som en av Rödluvorna en gång anförtrodde en journalist: "Den dagen är viktigare för henne än julafton." Det hade flera gånger hänt att hon anlänt i ministerbilen till Roskilde – antingen direkt från flygplatsen eller på väg till Kastrup. Ibland hade hon blivit tvungen att hoppa över den efterföljande sammankomsten med rödvin och purjolökspaj, sallad och ost, "Eva-menyn". Men det hade ännu aldrig hänt att hon försummat den tysta halvtimme som de gamla väninnorna brukade tillbringa vid graven. Och hon hade alltid lyckats skaffa samma sorts mörkröda ros.

Så även om Eva Bøgelund placerade Per Vittrup och Elizabeth Meyer i en plågsam ödesgemenskap var det ingenting som de någonsin gick närmare in på. Därför var det också något oerhört att Meyer kom med sitt utfall och därmed använde Eva mot Vittrup i en konfliktsituation, och hon lade snabbt ner sitt vapen. Av välgrundad rädsla för att falla på eget grepp.

I stället fortsatte hon och tillkännagav i kyligt affärsmässig ton att hon hade ställt samman "en alternativ lista" som hon sedan fiskade upp ur sin eleganta handväska, en Gucci, hade Gitte vid ett tidigare tillfälle upplyst honom om. Vilket enligt hans uppfattning var förklaringen till att det var han och inte Elizabeth Meyer, dotter till en välbärgad judisk körsnär av andra generationen, som hade blivit statsminister. Det var hennes *sätt*, från det honungsfärgade, uppsatta håret och den överdådiga pälsen till de smala cigarillerna, ja, hela stilen som var en italiensk operadiva värdig, och inte hennes kön som hade snuvat henne på den post som hennes politiska begåvning, ambition och engagemang annars hade berättigat henne till. Hon var kort sagt både *odansk* och *ofolklig* och, faktiskt, trots sina höga klackar och målade naglar *okvinnlig* på ett provocerande sätt. Med tiden hade denna barnlösa och i många år ogifta kvinna minsann fått massvis med goda råd om att byta image – klippa håret, visa sig i jeans och sweatshirt, låta sig fotograferas på cykel med matsäck i korgen. Skaffa ett barn! En man! En familj! Vad som helst som kunde göra henne tilltalande för den breda allmänheten. Hon vägrade blankt, hade alltid envist hållit fast vid att de fick ta henne som hon var, eller också låta bli. En attityd för vilken hon hade tvingats betala dyrt men som med åren hade blivit till en del av hennes kapital eftersom den visade på *integritet*.

Dessutom var tiden inte längre så politiskt korrekt, tvärtom. *Image* var allt, inte minst inom de yngre väljargrupperna, vilkas strävan var mer materialistisk än hos några andra före dem och som öppet erkände sig vara märkesjunkies. Det var ingen skam att deklarera sig som *fashion-victim*, och följaktligen förekom Elizabeth Meyer regelbundet på de mest hippa varuhusens innelistor och uppträdde villigt som modell åt nya designers som beundrade hennes "glam' look". I ett radioprogram hade han hört somliga säga att hon "gick till överdrift" och lät sig utnämnas till "kult" och rent av "Gud". Utåt ryckte Per Vittrup på axlarna åt Meyers flört med det som Gitte Bæk kallade "Wallpaper-segmentet", efter ett trendligt livsstilsmagasin, men egentligen var han orolig eftersom han hade en obehaglig känsla av att hon hade någonting i kikaren. Något som han inte begrep sig på.

Vilket var precis samma känsla – som av iglar som kröp under huden – som han erfor när han häpen fick den prioriterade ministerlistan körd i handen och därmed för första gången såg namnet *Charlotte Damgaard* intill *miljö- och energiminister*. Tillsammans med Meyers förtydligande stickord: "Ung, engagerad, kompetent, välutbildad, slagkraftig, gör sig utmärkt i media, kvinna, vacker, barn, gift. Bakgrund i nordjylländsk landsbygdsmiljö. Uppvuxen med ensam mor. Pol. mag. i Århus och Köpenhamn, ordförande i Naturens vänner, före detta kampanjledare inom Greenpeace, tidigare anställd inom Köpenhamns kommun. Aktiv i Frit Forum, medlem av (s) sedan 1990. Anställd som praktikant hos Elizabeth Meyer 96–97."

"Du förstår, jag har hållit ögonen på henne i flera år. Hon har allt. Och hon är mogen nu", hade Elizabeth Meyer sagt innan han hann yttra sig.

"Charlotte Damgaard", hade han sedan suckat och lyft blicken från utskriften. "Din skyddsling."

"En extraordinär politisk begåvning. Enorma fackkunskaper. Hon har arbetat upp Naturens vänner från en harmlös umgängesförening för söndagsvandrare till en politisk maktfaktor. De har över 100 000 medlemmar. Det är *betydligt* mer än vi har", sa hon snabbt.

"Såvitt jag känner till är hon en rabiat friåkare utan sinne för realiteter. Det är hon som vill ha totalförbud mot besprutningsmedel, inte sant?"

"Sinne för realiteter är just vad hon har. Hon fyller ut den plats hon får. Det var hon som skrev merparten av materialet till vårt reviderade miljöprogram. På sekretariatet var man också entusiastisk. Flera av hennes analyser håller fortfarande. Hennes tal på senaste kongressen var enligt min mening lysande."

"Om hon nu är så bra, varför behöll du henne inte då?"

"Hon tackade nej. På den tiden ansåg hon att det verkliga inflytandet i allt högre grad ligger utanför parlamentet. Den tesen ville hon pröva."

"Och vad anser hon nu?"

"Detsamma. Jag håller för övrigt med. I gengäld håller hon med mig om att det är svårt att kringgå det formella politiska systemet om man verkligen ska åstadkomma någonting. Gräsrötterna kan påverka lagstiftarna, men det är vi som skriver lagarna."

"Så det har hon insett?" undrade Per Vittrup och höjde skeptiskt på ögonbrynen.

"Ja. Men hon fjäskar inte för makten. Det är därför hon är den rätta. Vi behöver en skarp profil på det området. Annars drar Radikale Venstre längsta strået. Även där."

Elizabeth Meyer tog av sig glasögonen och släppte dem igen. Såg på sin chef utan att blinka.

"Den miljöminister vi redan har då?" hade han frågat rent retoriskt. "Vad har han gjort?"

"Ingenting. Det är det som är problemet. Han är utbränd. Saknar mod. Kan inte hävda sig mot jordbruket. Pressen har börjat nafsa honom i hälarna. Och dessutom har han tappat greppet om sin alkoholkonsumtion …"

Statsministern vände blicken mot taket.

"Det blir över Gerts döda kropp."

"Hon kan värva röster. Är det inte precis vad vi behöver?"

"Det stora fraktionskriget bryter ut igen!"

"Jag lovar att medla."

"Ha!" En hysterisk fnissning undslapp statsministern. Han visste det redan, kände det på sig. Detta var ett fait accompli. Som inte bara han själv utan också Gert Jacobsen skulle få svälja. Av skäl som inte utan vidare lät sig utredas. Vilket var ytterligare ett bevis för att politiken inte, som annars ofta hävdades, var rationell. Det visste Elizabeth

Meyer, och därför fick hon inte bara sin vilja igenom. Innan eftermiddagen var över och hon med ett uttryck som en blank japansk no-mask åter passerade Tove Munch med en kort nick hade hon dessutom lyckats med konststycket att få Per Vittrup övertygad om att Charlotte Damgaard hade varit hans egen idé.

Så självklar föreföll den honom att han gnuggade händerna när Tove Munch kom in för att duka fram rödvin och italienska smörgåsar medan de väntade på att den tillkallade finansministern skulle infinna sig.

"Du kan samla styrkorna och förbereda dem på att det blir sent", hade han sagt, belåten som en segerviss general inför det avgörande slaget. Sedan gjorde han det som Tove Munch avskydde mest, även om det var ett uttryck för osedvanligt gott humör. Han frågade utan förvarning om hennes åsikt.

"Tove, vad säger namnet *Charlotte Damgaard* dig?"

Varför hon svarade som hon gjorde hade hon ingen aning om. Svaret överrumplade henne själv lika mycket som frågeställaren. Men utan närmare eftertanke kom det bestämt och utan tvekan:

"Bråk."

★

"*Säg en sann mening!*"
"*Om vad då?*"
"*Om dig själv!*"
"*Jag ljuger inte.*"

Det var deras första sommar. Den sommaren de träffades. På ett värdshus i Løkken. De stod i samma båtformade bar sju veckor i sträck. De utgjorde ett kanonteam. Hon hade överblicken, och han var suverän på att hantera såväl fatölstunnan som de lokala fyllbultarna, som brukade bli närgångna på ett otrevligt sätt när hon ignorerade deras närmanden och vägrade le. Hon hade små, korta flätor och starka, bruna armar. Hans hår var lockigt och solblekt, och han var så lång att han måste böja sig för att komma i ögonhöjd med gästerna. De var båda två iförda röda matrosblusar med blå flugor. Förälskelsen var ögonblicklig och ömsesidig. Men samtidigt så överväldigande

22

att det trots kollegernas retsamheter tog dem tre veckor att komma sig för med att gå ner och bada nakna efter arbetspasset en ljus och nästan vindstilla natt. De gnabbades fortfarande om vem som egentligen förförde vem och om det verkligen hade varit mareld. Klart var emellertid att det var Thomas som hade kysst henne. Sedan hon hade sagt en sann mening. Därefter hade det blivit en lek. Det var alltid han som frågade henne. Och det var sant. Hon ljög inte.

*

Charlotte Damgaard ljög inte, och därför var det sant när hon senare bedyrade att hon den mörka eftermiddag när julpaniken hotade att drabba familjen Danmark var mer upptagen av att baka pepparkakor med barnen än av att förbereda sitt installationstal. Givetvis visste hon att en regeringsombildning var under uppsegling. Och det skulle vara lögn att påstå att den inte intresserade henne. Inne på kontoret hade det varit dagens hetaste samtalsämne. Hon hade hört nyheterna varje timme hela dagen, regelbundet kollat Text-TV och även varit ute på nätet. Som tidigare praktikant i socialdemokratins politisk-ekonomiska sekretariat, PØ, med täta besök på Christiansborg var det omöjligt att inte känna febern, även flera år senare. Och för en avgående ordförande i Naturens vänner var det väl bara naturligt att hon var särskilt intresserad av om statsministern äntligen skulle ta sig samman och sparka den mer och mer pinsamma och med tiden tydligt alkoholiserade Søren Schouw, som så uppenbart saknade handlingskraft och inte alls hade blivit den miljöminister de hade hoppats på. Hon spekulerade minsann ivrigt kring eventuella efterträdare och hade till och med diskuterat namn med sin gamla skolkamrat, Andreas Kjølbye på TV-nyheterna, som hade ringt för att höra om hon visste något. Det gjorde hon inte. Och om hon skulle vara ärlig trodde hon nog att Søren Schouw som en av De tre musketörerna antagligen skulle sitta säker under regeringens livstid. Om de inte fick för sig att göra honom till kommunikationsminister, vilket trots allt skulle vara ett fall framåt jämfört med den nuvarande, som hade lagt sig helt platt för den härskande trafikjuntan.

Men det var inte koketteri när hon senare vidhöll att hon inte hade haft en aning om att hon själv skulle komma att ingå i rockaden, än

mindre att det var hennes person som regeringens båda högst ranka-
de ministrar grälade mest om. Till dess att statsministern strax efter
åtta på kvällen, ungefär samtidigt som pepparkakorna var gräddade,
avsvalnade och nedlagda i smörpappersfodrade burkar, bestämde
sig. För. Trots finansministerns fräsande: "Så behandlar man inte en
man som har varit en lojal stöttepelare i åratal! Det kommer att visa
sig mycket, mycket oklokt!"

I efterhand måste hon ju erkänna att Elizabeth Meyer hade ringt till
henne dagen innan från Genève, men det var i och för sig ingenting
märkvärdigt med det. Det gjorde hon av och till när hon behövde "läg-
ga örat mot asfalten" och lufta ett politiskt problem eller en "tendens"
med någon som hon hade förtroende för inom nätverket. Att Charlotte
i allt högre grad åtnjöt detta förtroende var bara känt av några få, för
en av de kvaliteter som Elizabeth Meyer såg i denna begåvade, lyhörda
och kompetenta unga människa var just hennes diskretion. Charlotte
Damgaard hade visserligen respekt för Meyer. Men hon var inte un-
derdånig, ingen snobb och definitivt inte lagd för namedropping.
Dessutom var hon inte helt säker på att hon intog någon särställning,
även om deras bekantskap med tiden hade blivit mer förtrolig och
numera omfattade även privatlivet. Meyer kände Thomas, hade hälsat
på henne på sjukhuset när de fick tvillingarna och höll sig på det hela
taget förvånansvärt engagerat à jour med hennes familjeliv. Men på
det planet var förbindelsen ensidig – det var bara ytterst sällan som
Meyer berörde sin egen privata sfär. Charlotte visste inte mycket mer
om den delen av Meyers liv än alla andra, trots att hon vid några en-
staka tillfällen hade träffat hennes weekendman, en gladlynt norsk
kustredare från Bergen. Ett omaka men till synes lyckligt par.

Samtalet från Genève hade visserligen skilt sig från de flesta andra
genom att nästan uteslutande handla om Charlotte själv – i motsats
till resten av världen kunde Meyer inte förlika sig med att Charlotte
hade valt att lämna sitt jobb för att följa med Thomas i två år till Afri-
ka som "medföljande hustru". Nu var det hans tur. Det var en över-
enskommelse som inte bara var rättvis, den var också okränkbar.

"Charlotte", hade Meyer sagt i den övertalande ton hon använde
när hon fortfarande trodde att hon kunde få sin vilja igenom. "Tro
mig, det livet är ingenting för dig! Vad du än inbillar dig kommer du
bara att bli ett påhäng!"

Charlotte hade skrattande viftat bort hennes ord. Hon hade varken tänkt dränka sig i vodka eller börja spela bridge. Thomas och hon var överens om att hon givetvis också måste hitta något förnuftigt att syssla med. Hon hade varit med Thomas på fältarbete förr. I månader, faktiskt. Hon var väl förtrogen med den diplomatiska utlandsmiljön där medföljande äkta makar – hustrur – reducerades till hjärndöda bihang. Visst skulle hon få huvudansvaret för barnen, men för övrigt tänkte hon arbeta, som hon alltid hade gjort.

"Med vad då?" hade Meyer frågat med ett stänk av den spydighet som avslöjade att hon höll på att tappa tålamodet. Charlotte hade rabblat upp alternativen – WWF, Världsnaturfonden, hade visat intresse för hennes förslag att företa en lokal undersökning om biologisk mångfald, Danida hade ett flertal miljöbiståndsprojekt hon kunde engagera sig i, och annars kunde man alltid arbeta som frivillig på den lokala läkarmottagningen eller i skolan …

"Välgörenhetsdam, alltså!" Meyer hade suckat djupt och sedan tigit. Det var så hon brukade göra – plötsligt släppa sin motståndare, som försattes i en stämning av övergivenhet och därmed plötsligt var öppen för förhandling.

Charlotte kände till tricket och genomskådade det även den här gången. Ändå kunde hon själv höra hur tam hennes bekräftelse lät när Meyer avslutade samtalet med att konstatera: "Så du reser den 5 januari. Vad som än händer."

Hennes "jaa …" var så dröjande att hon skyndade sig att tillägga ett rationellt: "Jag har ju inte något jobb längre. De har anställt en ny." Det fick Meyer att skratta till, ett kort, muntert skratt, och om det var något som skorrade i öronen på Charlotte och kanske borde ha varnat henne var det det där skrattet. Plus det faktum att Meyer varken önskade henne god jul eller lycklig resa. Det var inte likt Elizabeth Meyer.

Men när hon senare diskuterade förloppet med Thomas ansåg hon det fortfarande inte rimligt att kräva att hon skulle ha uppfattat bristande omtänksamhet som ett jobberbjudande. *"En ministerpost, Thomas! Ärligt talat! Det var ju inte klokt! Hur skulle jag över huvud taget ha kunnat tänka i de banorna? Jag var på väg till Afrika! Vi hade flyttlårar över hela lägenheten! Och så var det jul!"*

Hur osannolikt det än verkade var det alltså på det sättet. Att ingenting, absolut ingenting, hade förberett henne på att hennes liv den kvällen hon nattade barnen efter julkalendern på TV 2, försökte få Jens att dricka kamomillte med honung mot hostan och väntade på att Thomas skulle komma hem från jullunchen på Mellemfolkeligt Samvirke om mindre än två timmar skulle vändas upp och ner. Hon hade inget sjätte sinne eller några klärvoajanta aningar som sa henne att en hel stab redan var i färd med att granska hennes meritförteckning, lära sig stava hennes efternamn med två a:n och föra upp henne på körlistan för nästa dag. Hon satt inte och vaktade vid telefonen och kände inte heller samma oro som exempelvis den man som snart skulle vara hennes företrädare och som, medan hon fyllde en maskin i den gemensamma tvättstugan i källaren, stod intill sitt skrivbord på tjänsterummet och blickade ut över Højbro Plads med en svag, *mycket, mycket svag*, whiskygrogg i handen och med en hastig köldrysning snuddade vid tanken på att det kanske var sista gången han stod här och blickade ut över julgransförsäljaren, positivhalaren och det så kallade verkliga livet, som han i stigande grad hade kommit att frukta.

Det var inte heller med någon särskild förväntan som hon satte på de sena TV-nyheterna och lät dem stå på medan hon planlöst fortsatte arbetet med att fylla de lårar som skulle magasineras. Hon konstaterade att det inte var något nytt om regeringsombildningen men fångades av ett inslag om sambandet mellan översvämningen i England och den globala uppvärmningen. Det fick henne att uppgivet sjunka ner på soffans trådslitna armstöd medan hon lät de följande inslagen glida förbi utan att fastna. Hon kände sig plötsligt matt, överväldigad av den modlöshet som hon förmodligen hade känt hela tiden men inte kunnat kosta på sig att släppa fram. Två år. Bara två år. Sedan skulle de flytta hem igen. Till samma lägenhet. Hon kunde fortsätta där hon hade slutat. Kanske till och med söka sitt eget jobb igen. Eller hitta något nytt. Hon var fortfarande ung. Trettiofem. Och även om Thomas fantiserade om det skulle de inte ha fler barn i Afrika.

Eller, jo … Kanske ett. Som kunde få hänga som en känguruunge på hennes mage i en brokig *kangas*. Tvillingarna hade hon tvingats lämna ifrån sig tidigt, för tidigt. Till Thomas, som gladeligen tog de sista nio veckorna av barnledigheten, så att hon kunde tillträda befattningen i Naturens vänner. Teoretiskt verkade det som en alltigenom modern och förnuftig lösning, men i praktiken hade hon plågats fruktansvärt av saknaden. Efter att känna dem mot sin hud, att andas in

26

deras skarpa babydoft; till och med att byta på dem var något hon kom att längta intensivt efter – de knubbiga fötterna, de valkiga låren, den tillfredsställande känslan av att utöva omsorg. Amningen hade ebbat ut redan efter tremånadersåldern. Då var hon urmjölkad i alla bemärkelser. Avtärd och spontant lättad över att kunna bryta symbiosen. De hade skrämt henne i all sin makt och styrka. Moderskänslorna med näbbar och klor och en kropp som bara var till för att hålla liv i de båda små krakarna som aningen underviktiga hade tillbringat de första två dygnen under kuvösens värmelampa. Hennes åkallan av gudarna, hennes böner och beredvillighet att offra allt för att få behålla dem. Och hennes enorma vrede, som tagit sig uttryck i obehärskad gråt och senare kondenserats till anfall av orubblig oförsonlighet när modern kom och kompetent och sakligt konstaterade att båda två var livsdugliga och att det inte fanns någon anledning att bli "hysterisk". Stortjutande hade hon rusat ut från avdelningen medan Thomas göt olja på vågorna, satte blommor i vatten och lät mormodern sitta med först den ena och sedan den andra tvillingen. Hon borde ha tagit konfrontationen den gången, men hon var för trött, för hudlös, för förvirrad. Fadern fanns där ju; han hade plötsligt uppenbarat sig som en saktmodig vålnad, full av den förståelse som modern saknade. Han förstod, skulle ha förstått, hennes sårbarhet. Förstod, skulle ha förstått, bindningen till de pyttesmå nyfödda, skära som små griskultingar. Han begrep sig på den ordlösa kommunikation hon redan från födelseögonblicket hade känt så starkt, som om de hade talat till henne. Precis som hon mindes den nära förbindelse de själva hade haft när hon satt mellan hans lår på traktorn eller tog hans hand och kände den skarpa lukten av svinstall sticka i näsan när hon hämtade in honom. Även han skulle ha offrat sig för sina barn. Och det var kanske just vad han hade gjort på grund av ett tragiskt missförstånd som hon utan vidare hade förlåtit honom. Det var modern hon var arg på. Därför att det var hon som satt där och med en min av äganderätt höll Tvilling 1, sitt förstfödda barnbarn, och inte han, fadern.

Men efter de första uppslitande och samtidigt så harmoniska veckorna fick hon ändå uppleva moderskapets kluvenhet. Hon avskydde att erkänna det, men korta stunder kände också hon hur navelsträngen snodde sig om hennes hals, stramade till och var nära att kväva henne. Ett visst mått av osentimentalt självförsvar var nödvändigt, om man själv skulle överleva. Det kanske var det, självförsvaret, som modern hade praktiserat. Vilket var en bra förklaring, men ingen ursäkt. Inte heller för henne själv, det var hon smärtsamt medveten om när hon tackade ja till jobbet och lämnade sin avkomma bakom sig. Även hon bortrationaliserade de känslorna när först Johanne och senare Jens slutgiltigt vände sig bort från henne och inte ens ville ammas god natt utan hellre få pappas flaska, som de begärligt sörplade i sig. Hon *hade* ju inte mer mjölk! Och även om hennes kropp kved och jämrade sig över den abrupta skilsmässan och hon de första månaderna på jobbet ofta i smyg förde upp handen under blusen för att känna efter om mjölken hade börjat rinna till igen, insåg hennes förnuft att det var bäst som det var. Hennes uppfostran satt kvar i henne som en implanterad linjal: Man kunde inte både äta kakan och ha den kvar. Man skärpte sig. Utan att gnälla.

Så hon gnällde inte. Det fanns inte heller något att gnälla över. Barnen "frodades", som sköterskan vid barnavårdscentralen berömmande tillkännagav. Och Thomas var en fantastisk pappa med utpräglat sinne för föräldraskap. Han hade det lugn och den brist på rastlöshet som behövdes för att uthärda en tillvaro med så små tvillingar i en fyrarums andelslägenhet i utkanten av Østerbro. I motsats till när hon var ensam med dem kom de ut. Gick långa promenader i Fælledparken. Följde med på café, till snabbköpet, på babysim med mödragruppen.

Det var hans idé att han skulle förlänga föräldraledigheten, och när han återgick till sitt arbete på MS var arbetsfördelningen redan etablerad. Hon slet som ett djur i anfallslinjen, och han spelade försvar.

Enligt hennes uppfattning levde de ett harmoniskt liv, deras tillvaro *fungerade*, och det faktum att de antagligen hade ställt de traditionella könsrollsmönstren på ända ägnade hon inte mer än en flyktig tanke. Möjligen var det något som omgivningen, däribland svärföräldrarna, fäste vikt vid, men vad andra ansåg om dem intresserade henne knappast. Hon utgick automatiskt från att inte heller Thomas brydde sig om det, och det var antagligen fel av henne att ha tagit hans gillande av hennes arbetsliv för givet på det sätt hon hade gjort. Det hade i varje fall kommit som en fullständig överraskning för henne när han plötsligt för ett halvår sedan gav uttryck för en frustration vars omfattning hon över huvud taget inte hade anat.

"När blir det min tur?" hade han lakoniskt frågat utan förvarning en morgon när hon var på väg till ett sammanträde i Bryssel. Han höll på att klä på barnen medan hon koncentrerade sig på att samla ihop papper och hinna med sitt plan.

"Vad menar du?" hade hon frågat i flygande fläng.

"Du inser förstås inte vad jag talar om?"

Det måste hon erkänna att hon inte gjorde, och det hade hon sedan haft tid att grubbla över under de två dagarna i Bryssel när hon inte satt i lobbysammanträde och funderade ut strategier för att få bilindustrin att minska koldioxidutsläppen eller var på briefing hos den danske EU-kommissionären i miljöfrågor. Hon älskade Thomas, det gjorde hon verkligen, hade aldrig älskat någon annan och kände sig normalt i fullkomlig harmoni med honom. Hon respekterade honom, satte honom högre än någon annan människa hon hade träffat, och just därför var hon så chockad över att hon hade varit så blind. Hon hade ingen önskan att köra med honom, skulle aldrig drömma om att hävda sig på hans bekostnad, än mindre riskera deras parförhållande. Så hon kom hem med årgångsvin, ett urval vakuumförpackade ostar och en ask belgisk choklad från Zaventeemflygplatsens butiker. Först blev han ursur därför att han tyckte det var för lättvindigt. Men när hon korkade upp vinet och serverade honom osten och chokladen i skenet av levande ljus veknade han i alla fall. Efter det första glaset kom det sedan forsande, som jord och lera efter ett bergskred. Han kände sig förbisedd, åsidosatt, vad som helst, vilket fick henne att sitta och stirra av förvåning.

"Jamen, jag trodde", kraxade hon men blev omedelbart sopad av banan medan han fyllde på mer vin.

"Ja, vad trodde du egentligen? Att jag skulle vara husmor med rynkat förkläde *forever*? Vara barnens kärleksfulla mamma och pappa i en och samma person? Den nye mannen? Ärligt talat, Lotte, tänder du på honom?"

"Jag tänder på dig! Och du har ju ett toppenjobb, vad är det du pratar om? Har du drabbats av trettioårskris, eller?"

"Jag är trettiotre!"

"Visst, du har alltid varit litet långsam av dig!"

"Och du har alltid varit så förbannat snabb! Ordförande! Vad ska det bli härnäst? Statsminister? Du är för fan så jävla ambitiös!"

"Var inte en sådan idiot, Thomas!"

Thomas hade ursinnigt fyllt på sitt glas igen.

"Älskling, det *är* du! Du kan inte ens spela badminton i trädgården utan att vara tvungen att vinna! Minns du den där gången du spelade vidare med en stukad fot bara för att du ville slå mig?"

"Jag är bara engagerad!" hade hon flinat, lättad över att han över huvud taget ville kännas vid deras historia.

"Ja, du vill rädda världen, inte sant? Valarna och klockgrodorna och haven och våra efterkommande …"

"Och du vill rädda hela den afrikanska kontinenten! What's the fucking difference?"

I stället för att passa bollen tillbaka hade han tyst snurrat vinglaset på foten och försjunkit i ett tillstånd av tankfullhet som gav henne hjärtklappning. Här handlade det om något mycket konkret. Något eller någon höll på att dra hennes Thomas bort från henne. Kunde det osannolika ha hänt? Att han hade träffat en annan?

"Vad är det, Thomas?" hade hon frågat, torr i munnen. Sedan hade han strukit med handen över sin kortsnaggade hjässa på ett sätt som fick henne att sakna lockarna och de människor de en gång hade varit.

"Jag har varit på utvecklingssamtal. De vill göra mig till projektledare. Jag ska överta Lauges andelsprojekt i Apac …"

"Andelsprojektet? Det i Uganda? Det var det värsta!" hade hon lättad utbrustit, medan han hade blängt mörkt på henne.

"Jag trodde att de ville ha en sociolog?" hade hon sedan sagt.

"De anser att jag har kvalifikationerna. De tycker jag är kanon."

"*Okej!* Gratulerar!"

Sedan hade han tittat på henne med huvudet på sned och lätt kisande blick. "Hörde du inte vad jag sa? Två år på landsbygden i Uganda!"

Hennes hjärta hade återigen börjat bulta, men hon hade behållit en neutral min. "Har du sagt ja?"

"Mycket lustigt!"

"Du har väl inte sagt nej?"

"Jag tackade för förtroendet och sa att jag skulle diskutera saken med min fru. Men ta det lugnt, jag har förberett dem på ett nej."

"Varför det?"

"Fan, Lotte! Det förstår du väl! Skulle jag släpa med dig på två år till Afrika söder om Sahara? Ut i bushen?"

Här hade hon sedan begått det misstag som kanske fick henne att ögonblicket efter bjuda över sig själv. "Du skulle kunna resa ensam."

Med en saxliknande rörelse hade han vecklat ut sin långa kropp, rest sig och gått fram till vardagsrummets bortersta fönster. Hon hade följt efter. Han hade ställt sig med ryggen mot henne. Det var svar nog. Ljudlöst hade hon dragit in luft innan hon gjorde det hon måste göra. Som stämningen mellan dem var just nu, som hans ansikte hade förändrats den senaste timmen, som hennes mage snörde ihop sig, fanns det ingenting annat att välja på.

"Förlåt", hade hon sagt samtidigt som hon ställde sig bakom honom och lade armarna om hans midja. "Vi åker tillsammans. Självklart."

"Det menar du inte", hade han mumlat. Utan att knuffa undan henne. Och hon hade envisats. Hade argumenterat för det självklara i att han skulle tacka ja till det där jobbet. Precis som hon tidigare hade tackat ja till sitt. Kanske var det under alla omständigheter dags att hon gick vidare. Ingen skulle kunna säga att hon hoppade av i förtid, att hon hade misslyckats med sin målsättning, eftersom hon kunde överlämna en vältrimmad organisation som både fick komma till tals och blev lyssnad till. I och för sig var alltsammans enkelt. Hennes kontrakt skulle ändå omförhandlas i dagarna, och hon kunde bara säga upp det. Ingen dramatik. Bara en kvinna som följer med sin man, som står på tur att inta scenen.

"Det har ju också varit meningen hela tiden – att vi skulle ut, eller hur? Innan vi växte fast."

Han hade vänt sig om och sett på henne med alltför tindrande ögon, tagit hennes hand och frågat om det var så enkelt att hon bara följde med.

"Varför skulle det inte vara det? Uganda är ett vackert land, ungarna är robusta nog, e-posten är uppfunnen. Jag ser redan fram mot det!" Käckt hade hon sedan klirrat med sitt glas mot hans, och han hade varit så glad och uppspelt att hon blev tvungen att spela med efter bästa förmåga.

Vilket hade gått ofattbart lätt, bland annat därför att hon inte mötte något motstånd. Till hennes stora besvikelse reagerade alla enormt positivt, från pressen till vänkretsen. Ingen försökte hejda henne, ingen varnade henne, ingen antydde att hon var oundgänglig och borde bli kvar på sin post. Gillandet var så markant att hon nästan blev misstänksam. Var det i själv verket en komplott? Ville de bli av med henne, eller handlade det bara om att hon gjorde det enda rätta genom att välja "det goda livet" och låta sin man komma till fatet?

Hennes svärföräldrar, restaurangpamparna från Ålborg, var för första gången under de tio år hon hade känt Thomas antydningsvis belåtna med henne. Därför att hon äntligen inordnade sig. Lät deras son ta ett arbete *i ledande ställning*, som de kallade det i sina försök att få det att låta som om han skulle skickas ut för A.P. Møllers räkning.

De hade aldrig försökt dölja att de ansåg henne vara en olycka för sonen, som de annars hade väntat sig så mycket av. Enligt deras sätt att se var det odiskutabelt hennes fel att det inte hade blivit något av Thomas. Det vill säga något som gav tillträde till Rotary. Affärer eller åtminstone juridik. Att han hade valt etnografin innan han träffade henne hade de förträngt. Och att han hade stått i opposition till det provinsiella borgerskapet ända sedan han som blid men envis pojke kastat sina Lacostekläder i Röda korsets återvinningscontainrar och hellre tillbringat sin tid med att ströva runt i Vendsyssels plogfåror på jakt efter flintayxor än att inspektera Storgatans restauranger tillsammans med sin far hade de också utplånat ur familjekrönikan. Thomas hade alltid hävdat att han var fullkomligt likgiltig för sina föräldrars åsikter. Men han var på ett rörande sätt fortfarande otroligt lojal med dem, inte bara därför att han var deras enda barn och kände vissa sonliga förpliktelser utan också därför att han helt enkelt höll av, ja, till och med älskade dem. Så även om relationen mellan Charlotte och hans föräldrar var spänd tog han aldrig parti. Thomas var inte för krig och konflikter; med sitt utpräglade sinne för rättvisa var han född till fredsmäklare. Just därför kunde han aldrig ha blivit något inom det näringsliv som var faderns arena. Han saknade killerinstinkt. Helt enkelt.

För Charlotte hade Thomas aldrig varit någon gåta. Han var lika okomplicerad som vatten och bröd, och det hade ända från början varit en otrolig lättnad. Att inte behöva gissa sig fram, inte treva sig fram i blindo. Som han själv hade uttryckt det när de första gången låg under samma täcke den tidiga, pastellfärgade morgonen efter sitt nattliga bad: "Du får vad du ser."

Så hans reaktion när hon tog ett steg tillbaka och lät honom överta ledartröjan gjorde henne så förvirrad att hon flera gånger de senaste månaderna hade ertappat sig med att sitta och iaktta honom, som om han just hade trätt in i hennes liv. Hans glädje hade överrumplat henne. Och hans stolthet. Inte minst den. När han ringde upp till Ålborg och först talade med modern och sedan med fadern var han så stolt över att berätta om sin befordran att hans röst var nära att spricka. Han lät sig överösas med gratulationer och höll nästan på att krypa in i luren av lycka över deras entusiasm.

"Fan, vad de var till sig!" flinade han rodnande av upphetsning när han hade lagt på luren och för första gången vände sig mot henne. Förläget, som om han var medveten om att han på något sätt hade förrått henne genom att aldrig erkänna det. Hur mycket det ändå betydde att kunna leva upp till deras förväntningar.

"Det var minsann du också", hade hon bitit av. Och därmed stängt sig själv ute från den triangel som uppenbarligen var helt intakt.

Han hade alltså visat nya sidor av sig själv de senaste månaderna. Medan hon avvecklade och kände hur luften gick ur henne dag för dag fylldes han av företagsamhet och blev mer och mer dynamiskt och kraftfullt engagerad i det som väntade. Han arbetade över, tog papper med hem eller satt hela kvällar vid datorn och skrev och mejlade över halva jordklotet. Omvänt kände hon sig mer och mer trött och utbränd allteftersom hennes sista dag på jobbet närmade sig och efterträdaren stod beredd i kulisserna. Medan hon knappt orkade ta ställning till flytten och deras nya tillvaro kastade han sig över också den delen. Hon såg passivt på medan han full av verksamhetslust skrev långa listor och organiserade och förhandlade. Han ordnade med försäkring och tull och tog också hand om vaccinationer och malariaprofylax. Det enda han bad henne om var att se till att säga upp barnens dagisplatser och tala med banken om kassakredit och banköverföringar. Hon sköt upp bådadera i veckor, och det var när han för femte gången påminde henne om det och förgäves försökte få henne att ta ställning till flyttlasset som han med en häftig rörelse kastade ifrån sig kulspetspennan och deklarerade:

"Det här går ju inte. Du tänker bestämt inte följa med? Du bara låtsas! Jag märkte det tydligt på förberedelsekursen också. Du var emot!"

"Nej", hade hon förnekat. Kanske litet skrämd. "Det är ju ingen picknick … Och ungarna …"

"Älskling, gör mig den tjänsten att säga ifrån nu! Om det är det …"

"Jag vet inte vad det är. Jag är bara så fruktansvärt trött", hade hon slingrat sig. Och sedan hade han lyst upp i ett litet osäkert leende. "Är du med barn?"

"Med spiral?"

Han ryckte på axlarna. Lutade sig sedan fram över bordet. "Borde du inte få den uttagen? Innan vi reser?"

"Tycker du inte att vi har nog med barn just nu?"

"Det är häftigast att få barn när man är ute. Och vi ska ju ha fyra, eller hur?"

"Fyra! Aldrig i livet!"

"Minst tre!"

"Varför vill du ha så många barn?" hade hon frågat och lutat sig tillbaka på stolen.

"Därför att jag älskar dig! Jag älskar att ha barn med dig! Jag älskar att göra dem med dig, jag älskar att vara gravid med dig, jag älskar att föda tillsammans med dig!"

"Ta det lugnt nu!" hade hon lett.

"Barn är väl meningen med livet, inte sant?"

"Njo", hade hon mumlat och på nytt lutat sig fram på stolen. "Vad var det nu vi talade om? Banken och dagisplatserna …"

"Så du tänker följa med? Vi ska åka tillsammans? Det är inte bara något jag drömmer?"

"Var inte dum nu", hade hon avfärdat honom när han på nytt fattade kulspetspennan.

Sedan hade hon lydigt gjort det hon skulle. Till och med försvarat projektet inför de båda enda som gav uttryck för skepsis. Elizabeth Meyer, och, lustigt nog, hennes mor. Vad modern egentligen hade emot det var inte omedelbart tydligt. Bortsett från att hon var ledsen över att de tog hennes barnbarn ifrån henne. Dessutom var hon orolig för riskerna. Aids, tropiska sjukdomar, trafikolyckor, kriminalitet. Och så var hon principiellt emot att hennes dotter gjorde sig beroende av en man.

"Det är inte 'en man'. Det är Thomas. Och jag kommer att få massor att göra."

34

"Men du kommer väl inte att ha egen lön?"

"Allt kan inte räknas i pengar."

Modern hade spetsat läpparna kring munstycket på de tullfria Marlboro Light hon hade tagit för vana att röka de senaste åren, sedan hon börjat resa runt i världen för att "bli klokare och skämma bort mig själv litet grand". När hon blev änka hade hon mödosamt och flitig som en myra kämpat för att ta en sjuksköterskeexamen. Hon hade försörjt sina tre barn med de pengar hon fick genom att sälja gården och genom att städa på morgnarna på ett sjukhem i Brønderslev, dit de hade flyttat några månader efter att "det hände". Först hade de bott i en lägenhet i ett kommunalt bostadshus, och senare hade modern köpt det lilla enfamiljshus i utkanten av samhället där hon fortfarande bodde kvar. Materiellt hade hon fått det ganska bra som välavlönad operationsöversköterska på ortens sjukhus.

"Nej. Men man kan inte leva av *kallet*. Om man inte har en man som försörjer en. Och vem vet hur länge det varar."

"Thomas är inte sådan", hade hon haft lust att svara. "Han sviker inte." Men de talade fortfarande inte om det. Aldrig någonsin.

"När jag kommer tillbaka blir det ju min tur igen …"

"Ja, ja, det säger ni alltid", hade modern sagt. "Men det där måste ni ju ordna upp själva."

Och det måste de ju, och inte minst måste hon se till att förlika sig med att hon om några veckor skulle sitta i ett plan på väg till en annan tillvaro, som hon var piskad att fylla med något meningsfullt. Hon var också tvungen att släppa det som var hennes. Inse fördelarna med att inte längre behöva bry sig om Vattenmiljöplanen eller hetsa upp sig över besprutningsmaffians fräcka metoder. Och hon kunde lika gärna vänja sig av med att resonera taktiskt – vilkas sällskap hon borde odla, var hon borde skriva en lördagskrönika, vilka argument som skulle göra intryck på vilka ledare inom miljörörelsen. Hon behövde nästan inte ens se till att läsa på läxan längre, för risken att en journalist skulle ringa upp henne var, med Andreas Kjølbye som enda undantag, obefintlig. Hon hade hållit den officiella avskedsmottagningen i förra veckan och blivit överväldigad av hur många som hade mött upp. Till och med Søren Schouw hade tittat förbi med en blomsterkvast. Han var inbjuden, men ingen hade räknat med att ministern skulle dyka upp eftersom Charlotte aldrig hade varit särskilt vänlig mot honom.

Tvärtom hade hon i både tal och skrift uttryckt skarp kritik av hans ytterst moderata och i flera avseenden något vingliga kurs. Men han hade säkert räknat med att det skulle ge god press att låta sig fotograferas med armen om den unga kvinnliga miljöaposteln. Han hade till och med hållit ett tal till henne där han tackade för kampen, kallade henne för en "eldsjäl" och önskade henne "fortsatt medvind"!

Charlotte hade varit nära att svimma av en blandning av förvåning och förlägenhet. Det var just denna opportunistiska falskhet hon inte kunde tåla hos politiker. Hans uppvisning stärkte henne alltså bara i hennes uppfattning att politik inte var något för henne. Följaktligen var det utan vemod som hon hade meddelat det lokala partikontoret att de inte skulle få se henne på en tid och gärna fick ändra hennes status till "passiv medlem". Egentligen hade hon varit nära att begära utträde men ville inte komma att ingå i Partiets sorgliga statistik. Den glädjen skulle de inte få, de borgerliga.

Efter väderrapporten, som förutspådde kyla och chans till en vit jul, som de dels skulle tillbringa hos svärföräldrarna i Hasseris, Ålborgs svar på Hellerup, dels hos hennes mor, stängde hon av TV:n, satte på Madonna på cd-spelaren, hällde upp ett glas rödvin åt sig, unnade sig en jag-har-egentligen-slutat-röka-cigarrett och samlade sig inför att packa vidare. Detta gjorde hon sakta och metodiskt i en timmes tid, samtidigt som hon lyssnade efter Thomas fotsteg i trappuppgången medan hennes irritation växte över att han inte kom hem från den där förbannade jullunchen. Inte för att hon inte unnade honom att roa sig. Men därför att hon hade på känn att det var så det skulle bli. Att hon skulle få vänta på honom. De närmaste två åren.

Strax före klockan elva hade hon bestämt sig för att ringa till hans mobil om han inte kom inom de närmaste två minuterna. Teoretiskt *kunde* det ju ha hänt något. Men just som hon var på väg att sträcka sig efter luren ringde telefonen.

"Hej, älskling!" sa hon. "Var sjutton håller du hus?"

En tvekande paus, och sedan en främmande kvinnoröst.

"Är det Charlotte Damgaard jag talar med?"

"Ja?" svarade Charlotte osäkert med en lätt oro för att något kunde ha hänt honom.

"Det här är Tove Munch, jag är statsministerns sekreterare. Han vill gärna tala med dig."

Charlotte rynkade ögonbrynen, men hon hade börjat svettas i handflatorna. På en och samma gång uppfattade hon situationen knivskarpt och inte alls. Men att det varken handlade om ett skämt eller ett missförstånd insåg hon omedelbart.

"Ursäkta, vad rör det sig om?" lyckades hon stamma fram.

"Det är nog bäst att statsministern själv berättar för dig. Jag kopplar in dig med detsamma." Sedan följde ett par tre snabba sekunder då golvet började gunga under henne eftersom hon med ens visste vad han ville.

"God kväll, det är Per Vittrup. Din statsminister ... Vi känner ju varandra sedan gammalt, inte sant? För övrigt var det ett väldigt bra inlägg du kom med på Kongressen."

"Tack", svarade hon hest medan en svettdroppe lösgjorde sig under behån.

"Charlotte, sitter du ner?"

"Nu gör jag det", sa Charlotte och sjönk ner på en TripTrap-stol i det nedslitna standardköket. Hennes blick var fixerad på kylskåpet, där meddelanden från dagis, lappar med tandläkartider, recept, teckningar och julkort var uppsatta med olikfärgade magneter.

"Bra. Du vet kanske att jag håller på att genomföra en regeringsombildning?"

Charlotte nickade stumt.

"Ja, för att gå rakt på sak: Skulle du kunna övertalas att bli min nya miljö- och energiminister?"

"Miljöminister?" upprepade hon medan ett jättelikt orangefärgat JA fyllde hela köket som en spärrballong. "Søren Schouw, då?"

"Honom tar jag hand om", svarade statsministern fortfarande vänligt men med en underton som sa att det inte angick henne.

"Får jag betänketid?" frågade hon och fuktade läpparna.

"Naturligtvis. En halvtimme. Vi har litet bråttom. Ska vi säga att du blir uppringd igen om en halvtimme från nu?"

Senare, när journalisterna uppmanade henne att beskriva "vad du kände när statsministern ringde" försökte hon rekonstruera ögonblicket. Trots ihärdiga ansträngningar blev hon tvungen att göra dem besvikna med att hon "ingenting" hade känt. Ingenting annat än tomhet, overklighet, chock. Inte olikt den förlamning hon hade känt på sin barndoms "svarta söndag". Men det avslöjade hon inte. Hon sa bara att hon varken hade haft tid att tänka eller känna. Vilket inte var helt osant. De första tio minuterna ägnade hon åt att sitta kvar på stolen och stirra ut i luften. Hon visste mycket väl vad hon skulle ha svarat om hon hade kunnat. Men det var omöjligt. Hon skulle bli tvungen att säga nej. Just som hon hade kommit till den slutsatsen ringde Elizabeth Meyer. För att, som hon utan omsvep deklarerade, försäkra sig om att Charlotte tackade ja.

"Du kan inte tillåta dig att säga nej", konstaterade hon innan Charlotte hade hunnit ge luft åt sina invändningar.

"Varför inte det?"

"Därför att du är rätt person vid rätt tillfälle. Annars skulle du inte ha blivit tillfrågad."

Efteråt ringde hon till Thomas mobil. Både hennes händer och röst darrade när hon korthugget bad honom komma hem. NU.

"Vad har hänt?" frågade han, förskräckt över hennes tonfall som antydde att en större katastrof måste ha inträffat. "Har det hänt något?"

"Ja. Men ingenting sådant."

"Är det något med ungarna?"

"Nej, nej! Kom bara hem!"

Han satt redan i en taxi och var hemma på mindre än tio minuter. Rusade uppför trapporna, låste upp dörren och fann henne sittande förstenad och likblek i köket med en cigarrett och en konjak upphälld i ett vattenglas.

"Vad har hänt?" frågade han andfått.

"Du tror inte att det här är sant", började hon och sprack plötsligt upp i ett jätteflin från öra till öra.

"Vilket då?" sa han och slängde oroligt ifrån sig handskarna på köksbordet.

"Statsministern har ringt. Per Vittrup. Han vill utnämna mig till miljöminister."

Ingen som är oförberedd kan förväntas ta till sig ett sådant yttrande. Inte ens när det upprepas. Om och om igen.

"Du driver med mig!"

Först när hon för femte gången försäkrade att det var sant gick det in. Han sjönk ner på den andra TripTrap-stolen. Mellan gråt och skratt, lättad över att det inte var värre och samtidigt fullkomligt lamslagen. En fullträff hade krossat hans dröm, pulvriserat hans luftslott. Hur skulle han kunna mäta sig med en sådan övermakt? Statministern, för helvete!

Hon sträckte sig efter hans handled. "Du ska inte vara rädd. Jag tänker säga nej. Jag fick en halvtimmes betänketid. De ringer igen om några minuter."

Thomas ruskade på huvudet. Han var redan litet lummig och kände sig nu alldeles snurrig. Men innan han hann bli klar i huvudet skar sig telefonsignalen in mellan dem.

De ryckte till likt rådvilla barn som sökte hjälp i varandras blick.

"Säg ja", sa Thomas sedan.

"Menar du det?"

Han nickade.

"Men Afrika då?"

"Afrika ligger ju kvar. Vi löser det. Gör det senare."

Telefonen ringde igen. Charlotte sträckte sig efter luren men hejdade sig mitt i rörelsen.

"Är du säker?"

"Ja! Lyft luren nu och säg ja! Jag älskar dig!"

"Menar du det?"

"Ja!"

"Varför?"

"Det är din plikt. Du kan inte tillåta dig att säga nej."

Charlotte nickade utan att behöva ytterligare förklaringar. Så enkelt var det ju. Hon var tvungen.

"Okej!" Charlotte harklade sig, tog luren och talade på nytt med sekreteraren, som än en gång kopplade vidare.

"Men jag vill inte bli någon gisslan", mumlade hon över kanten på luren medan hon väntade, längre än senast. Under tiden satt Thomas och lät sig sjunka in i hennes grönbruna ögon tills de blev till en flod som han flöt med i. Det var inte därför att han hade fått i sig fem snapsar för mycket, det var hans sätt att förnimma henne på. För honom var hon alla kontinenter tillsammans, hon var både nord och syd, kall och varm, torka och regn. Ända från början, från den första dagen, den första sommaren, hade han älskat hennes klyftor och skrevor, dalar och bergspass, ogenomträngliga skogar och blomstrande ängar. Hade det hängt på honom skulle han omedelbart ha dragit

henne raka vägen i säng i stället för att ägna veckor åt försiktig fram-
ryckning. När hon den tidiga morgonen äntligen hade givit sig åt ho-
nom, berusad och fnissig, var det precis som han hade drömt om. En
hemlighet som vecklade ut sig, blad för blad. Sedan hade det inte
funnits några andra kvinnor i världen. Att han också var den ende
mannen i hennes liv hade han inte heller tvivlat på. Det var inte det
han var rädd för. Han var rädd för att förlora henne, på samma sätt
som man plötsligt kan förlora fotfästet. Och kanske var det den allra
mest påträngande känslan i det ögonblicket, innan statsministern
kom till telefonen. Känslan av fara. Och då hon vände sig till hälften
bort när statsministern uppenbarligen gav sig till känna visste han
det. Att han redan hade förlorat henne litet grand.

Charlotte ansträngde sig för att låta lugn och sansad när statsmi-
nistern frågade om hon hade kommit över den första chocken.

"Ja", svarade hon.

"Har ni hållit familjeråd?"

"Ja, det har vi."

Nu lät hon så nykter och fattad att Per Vittrup var nära att bli orolig
för att hon tänkte säga nej. Vilket Meyer hade betraktat som en risk.
Men det var säkert mest en del av spelet inför Gert, som fortfarande
var sur som ättika. För att få honom att tro att den här Charlotte
Damgaard minsann inte var vem som helst som dreglande lydde or-
der.

"Nå, vad säger du?" frågade han lugnt med ett leende i tonfallet.

"Jag säger ja tack …"

"Det gläder mig att höra!"

"… på villkor att jag inte blir regeringens gisslan."

"Gisslan? Skulle du kunna utveckla det närmare?"

"Att jag inte tvingas ändra mina åsikter, att jag tillåts fatta de beslut
jag anser riktiga och att jag får ett visst svängrum i förhållande till
regeringens politik. Jag är ju mer radikal än Søren Schouw, och det
tänker jag fortsätta vara."

"Å, politik är ju det möjligas konst … Några kameler måste man ju
svälja."

"Det är klart", sa Charlotte. "Jag känner ju till regeringsprogram-
met på miljöområdet. Men om det ska vara någon poäng med att sät-
ta en person som mig på den posten måste jag kunna bibehålla min

integritet. Annars är det meningslöst för mig själv och saknar trovärdighet för de människor som redan tidigare känner mig och det jag står för."

"Det är klart", sa statsministern och skrev ner stickord på blocket framför sig. "Villkor", "ej gisslan", och "svälja kameler" stod där redan. Nu skrev han till "integritet" och "trovärdighet" med tre utropstecken efter.

Han var så överväldigad av dessa nyckelord, som var allt det som han önskade att hon skulle säga, att han försummade att vara konkret. Det var ett misstag. Men det var först betydligt senare som han upptäckte hur allvarligt det misstaget var.

"Så med de villkoren uppfyllda är vi alltså överens?" frågade han upprymt och kunde nästan höra hur Charlotte Damgaard drog ett djupt andetag, som en tvivlande brud framför altaret, innan hon svarade.

"Ja. Då är vi överens."

"Jaha, välkommen i teamet. Jag hoppas att du har en fin klänning att ha på dig hos drottningen. Nu ska jag överlåta dig till staben. Det blir en del logistik att ta hand om. De ringer upp dig igen om en stund. Vi ses i morgon."

När hon hade lagt på luren på väggtelefonen vände hon sig mot Thomas och blev hans igen. Storögd och sårbar, sådan som bara han kände henne.

"Är du säker på att jag klarar det?"

"Naturligtvis gör du det! Annars skulle de inte ha frågat!"

Sedan reste han sig, gick fram till henne och slog armarna om henne, drog henne tätt intill sig.

"Gratulerar, älskling!"

"Du står väl bakom mig?" frågade hon och lade sin kind mot hans axel.

"Naturligtvis. Jag täcker ryggen. Alltid."

Han kysste henne, djupt och begärligt, och noterade samtidigt en begynnande erektion när han kom i lätt kontakt med hennes breda höfter och hon spontant drog sig tillbaka. Och när telefonen ringde igen visste han att hon redan hade börjat glida ifrån honom.

"Så nu går tåget", mumlade han grötigt med näsan i hennes vinterblonda, löst uppsatta hår. Som alltid luktade hon gott av hö och havre. Men när han släppte henne kände han en ny, skarp doft av rovdjur i fara.

"Du ska inte vara rädd", viskade han.

"Det är jag inte heller", log hon, tog luren och sa sitt namn med en pondus som skulle kunna lura vem som helst. Och som gjorde det.

Det var det här ögonblicket som han senare ideligen vände tillbaka till. Exakt där borde han ha följt sin instinkt, tagit hennes hand, slitit barnen ur deras sängar och fört sin familj i säkerhet. Någonstans där inget *offer you can't refuse* kunde nå dem. Men han gjorde ingenting. Han bara stod och stirrade på henne med armarna slappt hängande utmed sidorna tills han tog hennes glas och drack ur resten av konjaken i ett enda drag. Sedan lämnade han köket och överlät henne åt vem det nu var. Ministerns sekreterare, antagligen. Jens hostade; Thomas gav honom vatten. Bredde täcket över Johanne. Smekte henne över det höga kindben hon hade gemensamt med sin mor.

"Jaha", suckade han sedan för sig själv och satte sig på golvet med ryggen mot den turkosblå väggen mellan de båda sängarna. Tog upp ett tygdjur från golvet. Kramade det frånvarande i händerna. Afrika fick vänta. Så mycket var klart. Resten hade han ingen aning om.

★

Cat gjorde tecken åt de andra, som tyst lydde order och drog ner luvorna över huvudet. De var svartklädda alla fem, och när de fick på sig rånarluvorna så att bara ögonen var fria blev de så uppslukade av mörkret att de knappt kunde se varandra. Var och en var utrustad med en liten ficklampa och en tång att öppna burarna med, allihop bar kraftiga handskar och grova stövlar för att inte bli bitna, och de hade var sitt baseballträ att slå efter hundarna med. Dessutom hade de synkroniserade klockor och saknade personliga papper som kunde röja deras identitet. Aktionen beräknades pågå högst fem minuter, promenaden fram och tillbaka till bilen inräknad. Cat fäste blicken på displayen på sin billiga digitalklocka. Hon både svettades och frös i sin åtsittande syntetiska dräkt; adrenalinet pumpade genom hennes späda kropp och fick henne att skälva när hon med högerhanden i luften räcknade *tre, två, ett* och avslutade med ett rungande *go!* Hon log ett av sina sällsynta leenden innanför luvan när formationen ryck-

42

te fram i ett V med henne själv i spetsen. Det var härligt. Kicken hon levde för. Att ha kommandot. Att känna makten, när de andra lydde, när hon kände deras plötsliga osäkerhet inför henne. De naturromantiska barnrumporna visste inte ens varför hon skrämde dem. Men det gjorde hon själv. De var rädda för henne därför att hon var redo att dö. Att stupa i strid. Inte för hundra eller tusen minkars skull, naturligtvis. För hennes del kunde de ruttna i sina förbannade burar. Hon avskydde minkar. Stanken som vinden förde med sig bortifrån burarna, som de snabbt och ljudlöst närmade sig, gjorde henne illamående. Hon tyckte att minkar var fula, ondskefulla och dekadenta som de framavlade varelser de var. Hon hatade dem på samma sätt som hon hatade de överklasskärringar som gick omkring i pälsarna. Och det var det saken gällde för henne. Hatet och hämnden. För den saken var hon inte bara beredd att dö. För den var hon också beredd att mörda. Det här med minkarna var bara en början. En övning. Ett pilotprojekt. Militär träning. De andra trodde att det var ett skämt, ett slags autonom ironi, när hon döpte gruppen till *Grön gerilla*. "Ska vi kidnappa miljöministern, eller vad har du tänkt dig?" hade Teis frågat på sitt litet för hånfulla sätt. "Kanske det", hade hon svarat buttert. "Du vet ju inte ens vad miljöministern heter!" hade han sagt med ett överlägset flin. Förbannade akademikervalp. "So what?" hade hon fräst. Sedan hade hon tagit reda på det. Søren Schouw. Ett jävla rövhål. Det var de allihop. Från höger till vänster. Korrupta pampar hela bunten.

De var framme. De kunde höra minkarna krafsa innanför ståltrådsnäten. Cat stannade. Lyssnade. Ingen hund. Än så länge. Hon var rädd för hundar. De enda djur hon egentligen tyckte om var kor. Hon älskade kor. Älskade deras bruna, troskyldiga ögon. Deras ändlösa tuggande. Deras stora, tunga kroppar. Som barn brukade hon efter skolan cykla ut till några gärden utanför samhället där en stor flock svart- och vitbrokiga kor gick på bete. Hon ropade på dem, gav dem namn och valde ut särskilda favoriter, som hon kliade mellan öronen och anförtrodde sig åt. De lyssnade på henne, slickade hennes hand med sina skära tungor, förstod hennes ensamhet. Hennes föräldrar var oroliga för henne. Sa de. De trodde att hon drev omkring inne i samhället. Hade hamnat i dåligt sällskap. Men så var det fräknarna och hennes röda kinder efter den långa cykelturen, som hon inte berättade om. De hade sitt liv på sjukhuset, hon hade sitt. Okej? Okej, log de osäkert inför sin egensinniga dotter, som plötsligt fick den fixa idén att hon inte ville äta kött. Hon vägrade "äta sina vänner". Sedan slängde hon bort allt hon ägde som var framställt eller tillverkat av "döda djur". Skor, väskor, ytterkläder, hårborstar. Då hade hon varit elva år. Hennes föräldrar skrattade fortfarande. Överseende, som de hade gjort åt allt hon hade företagit sig sedan hon kom till världen som levandefödd tvilling, syster till en dödfödd pojke. De var så lyckliga över att åtminstone ha fått behålla en att de knappt lade märke till det oformliga födelsemärke som täckte större delen av hennes högra ansiktshalva. Dessutom var de anställda inom sjukvårdssystemet, fadern som överläkare på Brønderslevs sjukhus, modern som läkarsekreterare, och de litade fullt och fast på att plastikkirurgi skulle kunna råda bot på skadan när den tiden blev mogen. Men när de började tala om transplantation var hon tolv, och då var det för sent. Då insåg hon nämligen med sorg och förskräckelse att hennes föräldrar var mördare och kannibalistiska monster som inte bara hade mördat hennes bror utan som nu förödmjukade henne genom att sätta tänderna i det enda hon hade kärt, korna. När hon var tretton förklarade hon krig mot dem. Sedan hon var fjorton hade hon betraktat dem som fiender. Sedan hon var arton hade hon vägrat att träffa dem. Nu var hon tjugoett. Och hennes föräldrar hade sedan länge slutat skratta.

"Teis!" sa hon i låg, befallande ton, varpå Teis tog fram sin stora bultsax och snabbt klippte hål i grinden till den betongmursomgärdade farmen. Den var en av de mindre – varken eltråd eller fotocellsstyrda strålkastare. Inte ens en lösgående schäfer. Det var nästan för lätt.

"Action!" beordrade hon sedan, och ögonblicket efter hördes rasslandet när femtonhundra små minkhonor kom kilande tätt över marken.

Då var klockan 03.08, och inne i Köpenhamn var den förutvarande, nu patetiskt whiskystinne miljöministern fortfarande paralyserad av sitt avsked, brutalt avlämnat i form av ett kortfattat telefonmeddelande, medan den nyutnämnda euforiskt gav upp försöken att somna och resolut steg upp ur sängen för att skriva sitt installationstal.

Enligt Cathrine Rørbechs sätt att se skulle det inte göra den ringaste skillnad.

"Hon var den största nyheten, absolut. Näst efter det faktum att Søren Schouw hade blivit sparkad, givetvis. Att den mannen inte hade gått frivilligt, 'på egen begäran', som det hette, behövde man inte vara någon specialist på undersökande journalistik för att räkna ut. Att Frau Meyer hade haft ett finger med i spelet var också uppenbart. Så när vi hade köat färdigt hos den nya miljöministern fanns där material till en bra historia. För övrigt tog hon sig bländande ut den där förmiddagen på slottsgården. Hon frös i sin korta kjol, alltför kort för att vara etikettsmässig, men hon hade snygga, långa ben, och dessutom har hon ju det där lantliga sötmjölksleendet som träffar i varje fall min ömma punkt. Den sista jag har kvar, haha. Så jag tyckte egentligen bra om henne, det har jag alltid gjort. Önskade i och för sig det bästa för hennes del. Men mina personliga sym- och antipatier är ju ovidkommande. Naturligtvis borde hon få en chans. Det fick hon ju också. Men, som sagt, det handlar ju också om att sälja tidningar. Så okej, när du frågar – det *var* jag som hittade på det där med 'julprydnaden'. Vilket var kärleksfullt menat, även om hon blev skitsur när hon såg det på förstasidan nästa dag. Hon ringde till och med upp. Personligen. Men hon kunde ju låta bli att infinna sig i en så kort kjol och sedan stå och le på det där sättet."

~

Leendet stramar i kinderna. Hon känner själv att det är litet för brett, men hon är på vippen att brista ut i hysteriskt skratt. Det är för surrealistiskt, för otroligt, att hon just har varit på audiens hos drottningen, som är en smula förkyld men som med förvånansvärd närvaro tacka-

45

de henne för att hon hade iklätt sig ämbetet – "Jag vet att det är extra
ansträngande för en ung mor" – och att hon nu står som nummer
fyra från höger i första raden av denna traditionella uppställning med
de nyutnämnda ministrarna. De hade knappt hunnit ut genom grin-
den förrän oväsendet bröt ut från den mur av pressfolk med och utan
kameror som stod uppställda på tre sidor om dem.

"Grupporträtt med tre damer", vitsar statsministern när han har
lyckats placera ut dem så att de nya, oprövade namnen hamnat i förs-
ta raden och veteranerna, som bara har bytt ministerium, står i bak-
grunden. Med det artiga undantaget att Elizabeth Meyer, nyut-
nämnd utrikesminister, har hamnat bredvid Charlotte. Statsministern
själv står i mitten, flankerad av Charlotte och Christina Maribo, en
socialdemokratisk arbetshäst som redan på förhand spåtts en plats i
den nya regeringen och därför inte är någon större sensation som bo-
stadsminister.

"Det gläder mig att kunna presentera mitt nya team", säger Per
Vittrup och försöker överrösta den grupp hantverkare som med bul-
ler och bång är i färd med att demontera en byggnadsställning kring
kolonnaden över Amaliegade. Damm och puts sänker sig i ett fint
moln över de blå kostymerna, förebrående blickar kastas i riktning
mot hantverkarna, men dessa arbetar oberört vidare. Det är ju för fan
sista dagen före julledigheten!

Statsministern tar ett långt steg åt sidan och slår presenterande ut
med armen.

"Som ni ser representerar de nya ministrarna både ungdom och
visdom", inleder han jovialiskt, "så på denna årets kortaste dag kan
jag lugnt säga att vi nu går mot ljusare tider."

Han intar på nytt sin plats i centrum, fotografer på höga stegar by-
ter objektiv, kameramän ändrar vinkel, nyfikna trängs för att se.
Charlotte känner hans hand som ett lätt grepp om axeln, och det är
den beröringen som kittlar så intensivt att hon knappt kan hålla sig
för skratt.

"Charlotte!" ropar en fotograf. "Titta hitåt!" Hon lyder direkt,
vänder huvudet i riktning mot ropet även om hon inte ser något an-
sikte, bara kameralinsen. Anspänningen och den isande kylan som
driver runt slottsplatsen får henne att hacka tänder, men sedan är
Meyer där och säger lågt: "Slappna av. Så fryser du inte."

Hon sänker axlarna och drar ett djupt andetag, som hon lärde sig under förlossningsförberedelserna. Det hjälper; hysterin släpper, och hon finner sig så småningom till rätta i situationen. Leendet blir mindre ansträngt, hon känner hur dimman lättar och slottsplatsen träder fram ur diset. Palatsen, ryttarstatyn, de mönjeröda vaktkurerna, poliserna som håller folkmassan på avstånd och den japanska turistgruppen som oväntat får bevittna något mycket danskt. Hon fokuserar blicken, koncentrerar sig på pressuppbådet, och rakt framför näsan på deras objektiv som ser allt och ändå inget sker hudömsningen. Hon kastar av sig osäkerheten, motståndet, reservationen och ikläder sig rollen. Hon är inte längre Charlotte. Hon är minister. Och som sådan sträcker hon på sig, stridsberedd. Känner igen ett par av journalisterna, ler mot Andreas från TV-nyheterna och får även syn på några kolleger från kontoret som leende viftar med flaggor och blommor. Det måste vara Thomas som har skvallrat. Hon vinkar diskret och tänker redan på vilka budskap hon måste få fram till medierna när de kastar sig över henne. *Soundbites* åt de elektroniska medierna, några pregnanta huvudsatser till morgontidningarna, något långt och perspektivrikt till Information och P1:s magasinsprogram, några rappa sentenser till kvällstidningarna.

"Vill ni ha våra fingeravtryck också?" ropar den nyutnämnde justitieministern, en av de käcka gossar som med jämna mellanrum utropas till socialdemokratins kronprins.

"Ja, det ÄR ju en samling förbrytare", replikerar en bukstinn man i skinnjacka; Charlotte känner med visst obehag igen honom som reporter från Ekstra Bladet. *Siggi* kallar han sig, och han är lika slug som inställsam. Ändå skrattar hon med. Champagnen, spänningen, nervositeten får dem allihop att bubbla över en smula i den ferieskolaktiga feststämning som hon minns från andra regeringspresentationer. Det är inte vidare klädsamt, vare sig på TV-skärmen eller i tidningen nästa dag, minns hon också. Men what the fuck, man måste väl ändå få vara *litet* glad. Det är faktiskt inget brott att vara minister!

En plötslig vindil rufsar om hennes hår, och när hon lyfter handen för att föra det ur ansiktet får hon syn på en gestalt som kommer gående från Frederiksgade och traskar tvärs över slottsplatsen med en gul Nettopåse i handen. En kutryggig man i en urblekt grön parkas som bara kastar en flyktig blick i rikning mot det väldiga uppbådet

47

innan han sjavar vidare i sin jakt på tomflaskor. Hon undslipper sig en förskräckt flämtning, som både är en reaktion på igenkännandet och förfäran över att hon fortfarande kan tro det. Att han finns. Att han dyker upp som en förklädd vålnad eller som sig själv i sin stickade tröja när hon har något särskilt att visa honom. Något han kan vara stolt över. Som till hennes konfirmation. Som till skolavslutningen, då hon hade studentmössan på bara därför att det skulle ha gjort honom glad. Stolt och glad på samma strålande sätt som den där gången, våren innan, då hon och Lisbeth fick pris för sin pumpa på 4H-tävlingen.

Visst, modern hade minsann också blivit glad när hennes dotter ringde och berättade nyheten strax efter sju. Så glad, faktiskt, att hon var "nära att gråta". Nära. Men okej, hon kom direkt från ett jobbigt nattpass, så vad kunde man begära? Charlotte hade bett henne meddela Lisbeth och Erik, systern och svågern, grisbaronen, som troligtvis inte skulle brista ut i jubel över hennes nya jobb. De var, för att uttrycka det milt, ytterst oeniga i analysen av lantbrukets ansvar för miljön. Lars, hennes rare lillebror, hade hon själv ringt till – länge leve mobiltelefonen. Han satt och drack kaffe i lastbilen på en rastplats i Österrike, på väg till Kosovo med nödhjälp. Han blev alldeles till sig, *För helvete, bra jobbat!,* och måste senare ringa tillbaka till henne för att försäkra sig om att det inte var något han hade drömt eller inbillat sig i sin morgonförvirring. Svärföräldrarna hade Thomas tagit sig an, och deras reaktion var som man hade kunnat vänta. En viss snopenhet inför titeln kombinerad med förtrytelse över att deras son än en gång blev dragen vid näsan. Dessutom gillade de varken statsministern, regeringen eller socialdemokratin.

"Nå, Charlotte", säger Per Vittrup till henne och ger på nytt hennes axel en lätt tryckning. "Du har inte ångrat dig?"

"Nej", säger hon och huttrar till i en plötslig köldrysning.

Per Vittrup släpper henne.

"Då kan ni sluta fotografera", tillkännager han. "Flickorna fryser. Vi ses på presskonferensen i Spejlsalen!"

Som på ett givet tecken ljuder plötsligt ett tvåstämmigt MAMMA! över Amalienborg Slotsplads, och sedan kan hon inte hålla tillbaka skrattet längre – Thomas kommer spurtande med Jens och Johanne sittande som två kulörta astronauter i cykelkärran och stannar först när han har kommit i jämnhöjd med muren av pressfolk, som höll på att upplösas men som med ens samlas igen med kamerorna riktade mot miljöministerns tvillingar, som släpps ur selen och omedelbart tumlar fram mot sin mamma. Hennes ministerkolleger, som är på väg att skingras, skrattar när hon sätter sig på huk och kramar om barnen, som över huvud taget inte märker att de utsätts för kraftig mediaeld.

"Har du träffat kungen?" frågar Johanne.

"Drottningen", rättar Charlotte och försöker rädda strumporna undan stövelavtryck.

"Är du stats-minister nu?" frågar Jens.

"Inte än!" påpekar Per Vittrup och klappar dem på huvudet. Journalisterna har anteckningsblocken framme, äntligen händer något.

"Det är han som är statsminister", ler Charlotte och ger dem ännu en kram innan hon signalerar till Thomas, som överrumplad av pressens glupskhet måste slita sig loss från journalisternas skur av frågor. Vad heter barnen? Är de tvillingar? Hur gamla är de? Går de på dagis? Vad heter du? Vad gör du? Är ni gifta?

"Förlåt, det var kanske en dum idé", säger han när han kommer fram till henne, kysser henne hastigt på kinden och får tag i ungarna. "Jag tyckte bara att de borde få uppleva det …"

"Det är okej", säger hon och nickar till livgardisten som ska se till att hon hinner in genom grinden med sina kolleger innan den slår igen. Armadan av nypolerade ministerbilar väntar inne på gården; de ska köra ut i tur och ordning. Hon själv som en av de sista.

"Jag måste kila nu", säger hon, kysser barnen och avleder deras uppmärksamhet genom att peka på livgardisterna bakom sig – "Titta på deras mössor! De är gjorda av björnskinn!" – innan hon reser sig upp. "Vi ses senare!"

"Hoppas det", säger Thomas. "Du är jättesnygg."

Hon ler "kärleksfullt" mot honom, noteras det entusiastiskt, innan hon slinker in genom grinden till gården, där hon hittar den enorma silvergrå BMW som i fortsättningen ska transportera henne på ett ståndsmässigt sätt. Hennes chaufför, som hon hann hälsa på under hitresan, öppnar belevat den högra bakdörren åt henne med ett artigt: "Gratulerar!"

"Tack", säger hon, drar ett djupt andetag och kryper in i det blanka, krämfärgade sätet.

"Herrejisses, vilken kärra!" utbrister hon när chauffören har satt sig bakom ratten och mjukt sätter dem i rörelse.

"En BMW 735i, om din man skulle fråga."

"Min man?" skrattar hon högt. "Han begriper sig inte ett skvatt på bilar! Han kör cykelkärra. Är det en TV det där?" frågar hon och pekar på monitorn som är inbyggd i framsätets ryggstöd.

Det är det. Och där finns också telefon och ett litet kylskåp.

"Det är inte klokt", fnissar hon med en huvudskakning och lutar sig tillbaka i sätet, men hon ser till att räta dekorativt på sig när det är deras tur att rulla ut genom grinden, som näst sista bil i ministerkortegen.

"Så där! Nu får du äntligen njuta", hörs det från förarsätet. "Det är två turer som alla ministrar alltid kommer ihåg. Den första och den sista …"

"Och den sista brukar inte vara någon njutning?" frågar hon torrt och vinkar till några av de ståndaktiga nyfikna som fortfarande står kvar på slottsplatsen. Thomas och ungarna syns inte längre till.

"Nej, det är just det", säger han och möter hennes blick i backspegeln. "Nu har du fem minuter på dig att slappna av."

Hon ler för sig själv och nyper sig i smyg i armen. Freddy heter han, chauffören. Dessutom är han från Århus. Det känns på något sätt betryggande.

*

Hela blomsterbutiken är uppochnedvänd när Ingrid Damgaard kommer och beställer en bukett till sin dotter via Interflora. Det är trots allt inte var dag en sådan nordjylländsk landsortsstad blir satt på Danmarkskartan.

"Gratulerar! Jag hörde det just på radion", utbrister den pratsamma, rundlagda blomsterhandlerskan när Ingrid stiger in. "De har redan ringt uppifrån rådhuset, borgmästaren skickar en bukett, fattas bara! Du måste vara stolt, Ingrid!"

"Visst är jag det", ler hon ansträngt mot både ägarinnan, hennes magre man och de båda kunder som också tar del i uppståndelsen. Inte för att hon inte är stolt, hon är fullkomligt till sig, har lust att skicka en hel vagnslast blommor till Köpenhamn, men på något sätt är det nästan för överväldigande. För mycket att bära själv. Och har hon över huvud taget någon rätt att vara stolt?

"Vad ska det stå på kortet?" frågar blomsterdamen, redo att anteckna.

"Å, 'Gratulerar till utnämningen, kära hälsningar, Mamma', prövar hon men märker att hon gör de intresserade åhörarna besvikna. "Nej", rättar hon sig själv. "'Gratulerar till utnämningen. Vi är så stolta över dig. Kära hälsningar, Mamma'."

Först efteråt när hon sitter i Skodan på väg till Løkkens kyrkogård med en krans till den grav hon aldrig besöker inser hon vad pluralformen stod för. Mamma & Pappa.

Hon sätter på vindrutetorkarna. Tror att det har börjat regna.

*

I särskilt pressade situationer lider Charlotte av en svag tendens till klaustrofobi. En gång var hon nära att drabbas av panik på ett fullpackat tåg i Kenya, stormarknader vid jultid framkallar samma form av akut kvävningskänsla, och just när de stiger in i Spejlsalen, där ytterligare ett pressuppbåd väntar som ett mäktigt, månghövdat odjur på språng, blir hon tvungen att kippa efter andan och undertrycka en omedelbar impuls att fly. Svetten tränger fram medan hon koncentrerar sig på att hitta sin plats, mellan den nye justitieministern och Elizabeth Meyer, två stolar bort från statsministern, sätta sig ner och utan att darra på handen sträcka sig efter Ramlösaflaskan och hälla upp i sitt glas. Det hjälper till att dämpa paniken. Meyer småler; på sitt eget omärkliga sätt håller hon ett öga på henne, redo att gripa in. De talade länge i telefon sent i går kväll, och det var hennes *Reims*, levererat via ministerchaufför, som hon och Thomas skålade i vid midnatt. Men det har hon inte tänkt avslöja, om någon skulle komma på idén att fråga. De bemödar sig medvetet om att inte visa upp ett väninneaktigt beteende; ingen har kunnat ertappa dem med att samtala förtroligt eller ha någon särskild kontakt. Men givetvis har Elizabeth briefat sin protegé, förberett henne på hela den här cirkusen och påmint henne om vad och vilka hon särskilt ska akta sig för.

Charlotte är inte naiv, hon är van vid att arbeta med pressen och är helt överens med Meyers analys att det är henne de kommer att kasta sig över. Hon är, bortsett från den radikale kyrkoministern, en högskolerektor från västra Sjælland, den enda verkliga nyheten. Och han är inte någon ung kvinna med ett förflutet inom miljörörelsen.

Statsministern knackar muntert i sitt glas för att påbjuda tystnad, vilket bara lyckas delvis, men trots ringande mobiltelefoner sätter han ändå i gång.

"Det är årets kortaste dag. Men som ni ser går vi mot ljusare tider", säger han igen och belönas med spridda skratt. Sedan presenterar han sina ministrar med början i ena änden, fäller någon spirituell kommentar om var och en medan det nickas, les och rodnas laget runt.

"Och här har vi den nya utrikesministern", säger han och lägger handen på Elizabeth Meyers axel. "Jag måste erkänna att jag i och med den utnämningen räknar med att snart kunna inkassera en betydande rationaliseringsvinst."

Konstpaus, medan Elizabeth Meyer ser upp på honom med ironiskt frågande blick.

"Jag tror nämligen att när folk världen runt väl lär känna dig, 'regeringens verklige kraftkarl', så kommer vi att kunna lägga ner både armén och Försvarsministeriet!"

Skrattsalvorna stiger som en flodvåg men hinner knappt lägga sig igen förrän Meyers replik framkallar ytterligare en: "Å, du menar på grund av mina talanger som fredsmäklare?"

"Okej", ler Vittrup och kastar huvudet bakåt. "Point taken!"

Charlotte stirrar fascinerat på honom, zoomar in på munnen med den karakteristiska guldframtanden. Han älskar det. Han älskar det verkligen. Att stå i centrum. När han har skrattat färdigt och släppt Elizabeth Meyer vänder han sig mot Charlotte, som ler tillmötesgående mot honom. Hennes puls slår kraftigt under blusen. Den svarta, quiltade nylonkjolen stramar i midjan. Hon har lagt ut litet grand sedan hon började trappa ner på arbetet.

"Ja, henne hade jag nog inte räknat med att se här i dag: Charlotte Damgaard, ny miljö- och energiminister, till helt nyligen ordförande i föreningen Naturens vänner. Charlotte har inte bara djupa fackkunskaper inom hela miljöområdet, vi känner henne också i partiet som en ung, engagerad och visionärt tänkande människa, som trots sin akademiska och specialiserade bakgrund är kapabel att höra gräset

52

växa. Kanske innan vi andra gör det. Jag är mycket glad för att Charlotte har sagt ja till att åta sig uppgiften."

"Varför har jag det?" skriver hon i anteckningsblocket framför sig medan statsministern avslutar presentationen och hon inväntar det första höftskottet.

Men det är inte henne de skjuter på först. Det är naturligtvis statsministern själv som måste försvara regeringsombildningen som sådan. Tror han verkligen att den kan vända de dåliga opinionssiffrorna? Vari ligger den egentliga förnyelsen? Har han funderat på att följa Børsens uppmaning och själv avgå? Och varför måste de sparkade ministrarna sparkas?

Statsministern parerar, talar om "en viss metallisk utmattning här och där", om behovet av "rotation på arbetsmarknaden" och om sitt eget ansvar som "kapten på skutan".

"Jag har inte för avsikt att hoppa från bryggan", säger han, "i synnerhet inte nu när vi navigerar i farvatten fulla av grynnor, för att inte tala om hajar."

"Därför att jag …" står det nu på Charlottes block, följt av en rad sjuuddiga stjärnor och kulspetsornament. *"Måste, bör, ska???"* skriver hon när Siggi, vargen från Ekstra Bladet, som länge har suttit och lett knipslugt mot henne, slår till på sin släpiga östjylländska dialekt.

"Varför skulle exempelvis den utmärkte miljöministern Søren Schouw väck? Hade han också drabbats av metallisk utmattning? Eller var han bara inte lika vacker, ung och kvinnlig som sin efterträdare?"

Statsministern pressar ihop läpparna, som han statsmannamässigt har för vana. Charlotte lyfter hakan en aning och ser direkt på figuren i skinnjackan. Han ska inte tro att hon låter sig skrämmas. Han ler vällustigt mot henne. Hon ler tillbaka. Lika vällustigt. Idiot.

"Søren Schouw är en av regeringens veteraner. Han har i många år gjort ett fantastiskt arbete, även de senaste åren på miljöministerposten. Det är bland annat hans förtjänst att vi har lyckats driva igenom Vattenmiljöplanen, elreformen och …"

"… Megacentret i Örestad!" säger någon i mängden.

"… så vidare. Jag har förståelse för att Søren Schouw har behov av att spela en mer tillbakadragen roll, och det är det han ska göra nu i en viktig funktion i gruppen inför det kommande valet. Som, kan jag lika gärna säga, inte ska äga rum än på ett tag."

Det grävs vidare en stund i ämnet Søren Schouw, Charlotte lyssnar uppmärksamt, vet att de börjar vrida siktet mot henne. Kameraassistenter kryper omkring på golvet, en är nära att snubbla över en sladd när han ska rätta till mikrofonen framför henne.

Det blir TV 2 som hinner först med frågan som alla förmodligen har på läpparna: "Charlotte Damgaard, du har ett förflutet inte bara som ordförande i föreningen Naturens vänner utan också som kampanjledare i Greenpeace, och du har i otaliga sammanhang stått upp som en tämligen uttalad kritiker av regeringens miljöpolitik. Har du gått över till fienden nu?"

Charlotte fuktar läpparna, lutar sig lätt fram över bordet och spärrar upp ögonen en aning samtidigt som hon vänder sig mot reportern och ler avväpnande.

"Det är nog snarare fienden som har gått över till mig!" Hon lämnar plats för det uppskattande skrattet innan hon skyndar sig att fortsätta genom att ta orden ur munnen på honom.

"Men om du undrar varför jag med mitt gräsrotsförflutna över huvud taget gör det här så är det enkla svaret att jag tror mig kunna göra en insats. Med det tillägget att jag i min tidigare position ju har tvingats erkänna att man visserligen kan uträtta mycket med utomparlamentariska metoder men att det är på Christiansborg och i Bryssel som lagarna stiftas. Man kan alltså säga att jag kanske har uppnått den mognad som krävs för att ta ett verkligt parlamentariskt ansvar."

"*Bravo*", har Meyer skrivit i sitt block, som hon i smyg skjuter en millimeter mot Charlotte. "Säg så litet konkret som möjligt, men ljug inte!" hade hon rått henne i går kväll.

"Du har ju tidigare uppmanat till bland annat totalförbud mot bekämpningsmedel, däribland Roundup. Du är också motståndare till odling av genmodifierade grödor till och med på experimentell basis, och du har även varit tämligen kritisk till om Danmark kan eller kommer att uppfylla sina mål i fråga om att minska koldioxidutsläppen? Och du har ju inte heller sparat på kritiken av övergödningen från jordbruket? Är du fortfarande lika kritisk, eller ska du nu vara regeringens gröna gisslan?" frågar dagstidningen Informations kvinnliga miljöreporter, en kompetent fundamentalist som i princip alltid har

54

varit en av vännerna men som hon på det personliga planet aldrig har kunnat tåla.

Statsministern öppnar munnen, som om han var beredd att undsätta henne. Det är trots allt första skoldagen. Inga fel, tack. Men Charlotte har kontroll. Journalisten begick misstaget att ställa flera frågor samtidigt, vilket ger henne en valmöjlighet.

"Nej, jag är inte regeringens gröna gisslan. Med hänsyn till koldioxidutsläppen satsar regeringen ju starkt på att uppfylla sina förpliktelser med hänsyn till både Riokonferensen och Kyotoavtalet. Så jag vågar gott lova att vi ska lyckas minska våra koldioxidutsläpp med 21% före 2005. För övrigt vill jag gärna säga att jag i grund och botten anser detsamma som jag hela tiden har gjort. Jag tänker fortsätta kämpa för att även mina barnbarn ska kunna dricka rent vatten från kranen, att klockgrodan också om hundra år kommer att kväka om sommarnätterna i Danmark, att lycka ännu om tre generationer är att bo på ett jordklot där det finns regnskog, där citronfjärilar fladdrar mellan tvättlinorna, där öknen inte har brett ut sig i söder och det inte alltid regnar i norr. Men", säger hon och gör den lilla paus som fäller hela avgörandet, "jag respekterar att jag har ett annat mandat med ett annat rådrum, som jag givetvis har för avsikt att utnyttja till fullo. Annars skulle det ju vara meningslöst."

Statsministern nickar belåtet. Med all respekt hade han ingen aning om att hon kunde tala. Retoriskt. Men han kan inte låta bli att bidra själv.

"Jag kan försäkra att utnämningen av Charlotte Damgaard inte var förenad med munkorg. Och från och med nu måste jag be att ytterligare frågor till Charlotte Damgaard sparas till de intervjuer som hon med all säkerhet kommer att ställa upp på efteråt."

En hand far spontant upp.

"Ja, Thor?"

"Hur ställer sig den nya miljöministern till elreformen? Det har ju rått visst missnöje …"

"… inte minst bland Jyllands-Postens ledarskribenter", säger hon med ett leende som omgående får frågeställarens att slockna. "Som utgångspunkt anser jag att det är fullkomligt rimligt att energisektorn betalar för de miljöomkostnader som är förknippade med att producera el och värme, även när det handlar om vindkraftverk. Men jag har förstått att det finns vissa partier i Folketinget som inte delar den uppfattningen utan snarare visar förståelse för hållningen inom Danske Energiselskabers Forening. När detta är sagt vill jag gärna tillägga att jag inte är så politiskt korrekt att det stör …"

Statsministern drar efter andan, är redan på väg att skynda vidare till nästa frågeställare, när Thor Thorsen avbryter.

"Bara en sista fråga angående miljöministern: Är statsministern inte själv det ringaste nervös över att ha släppt in en sådan trojansk häst i Borgen?"

Statsministern ler faderligt mot den unge, slipsklädde hetsporren.

"Jag är rörd över Jyllands-Postens omtanke om regeringen. Det är vi inte bortskämda med! Men ärligt talat, det är jag inte. Vi kan minsann må bra av litet gnäggande och några välriktade sparkar mot vårt vanetänkande. Det är just den utmaning vi behöver. Och dessutom …" börjar han men hinner hejda sig. Det ska han inte säga. Absolut inte. *Argbiggor kan tuktas* skulle vara ett mycket olämpligt yttrande. Det måste han spara för internt bruk. "… och dessutom är Charlotte Damgaard ju – *trots allt* – inte direkt extremist. Som hon sa är regeringen ytterst ambitiös på miljöområdet. Jaha, mina damer och herrar!"

Innan statsministern hinner bryta lyckas Andreas Kjølbye från TV-nyheterna klämma sig in. Hon ler tillmötesgående mot honom medan han ställer frågan. Äntligen en vit man bland hottentotterna. De har både gjort skoltidning och dansat tryckare för länge sedan på Brønderslevs gymnasium.

"Hur länge sitter du kvar?" frågar han, också han med ett leende i ögonvrån. Hon vet mycket väl vad han syftar på. Var hon drar gränsen. Hur mycket hon kan gå med på. Det måste de diskutera någon dag över en öl, off the record. Så hon slingrar sig, ler det speciella sneda leende som han i största hemlighet alltid har varit svag för och som hon förmodligen inte ens är medveten om: "Så länge det varar!"

Elizabeth Meyer brister ut i spontant skratt, statsministern stämmer trots lätt rynkade ögonbryn in, Andreas Kjølbye nickar förstående, och medan kollegerna skrattar gillande antecknar Siggi från Ekstra Bladet att "Charlotte D. tog pressen med storm. Ny kronprinsessa?"

Ministermötet, en kortfattad, ömsesidig presentation "innan vi drar på oss arbetskläderna", är en civiliserad ö i dagens upprörda hav. Där finns ett underförstått medlidande med de nya namnen, som plötsligt har hamnat mitt i detta inferno, ett himmel-och-helvete av hysteri och drama som alla förväntas kunna hantera utan minsta osäkerhet. Charlotte önskar att hon fick stanna upp ett ögonblick. Konferera litet grand med några av de gamla, pusta ut i en djup fåtölj och ett kort ögonblick hinna ifatt de händelser som tycks accelerera för varje timme. Men knappt har de hunnit dricka ur ännu ett glas champagne förrän de nya ministrarna föses vidare till de överlåtelseförrättningar som ursprungligen var avsedda som något internt men där pressen på senare år har trängt sig in så att varje tår och ansiktsryckning kan kastas åt TV-tittarna som *reality-TV live*. Charlotte har alltså onda aningar innan hon ska vidare till sin seans. Meyer har antytt att Søren Schouw "har tagit det mycket hårt", och den unga ministersekreteraren Louise Kramer har utan omsvep himlat med ögonen och sagt att "Søren Schouw flippade ut totalt".

Och när hon efter den korta bilturen från Christansborg till Miljöministeriet på Højbro Plads, där hon ofta har deltagit i både formella och informella möten, åtföljd av de båda hektiska ministersekreterarna – den överordnade Jakob Krogh och den underordnade Louise – som båda två är upptagna av att i blixtrande tempo briefa henne eller besvara oupphörliga mobilsamtal, anländer till den täckta atriumgården där anställda och press redan står tätt packade inser hon tydligt att hon nu tar steget in i politikens emotionella epicentrum. Departementschefen, Finn Wedel, en distingerad, vithårig herre, tar emot henne och presenterar henne för sekretariatschefen, Henrik Sand Jensen, varefter hon leds förbi dukade bord med vin och snacks fram till det lilla podiet, där Søren Schouw får syn på henne och genast öppnar sin famn och tar ett långt steg i rikning mot henne. Hon stelnar till, möts av starka spritångor på flera meters håll men fortsätter mekaniskt fram mot den man som under de senaste tolv timmarna har förlorat allt, endast nödtorftigt förmår hålla ihop resterna av sig själv och trots sin öppna famn och sitt farbroderliga leende inte kan dölja sitt hat. Mot henne. Som han ger skulden för alltihop. Han drar henne intill sig, och i denna omfamning, som hon är tvungen att återgälda, ligger ett knivblad gömt, hon vet det, ser redan sig själv sjunka ihop med en kniv i ryggen, i en blodpöl på de spräckliga granitstenarna.

"Charlotte!" utbrister han samtidigt som han släpper henne, "det hade jag då inte trott. Det var Meyer, inte sant?" frågar han, så högt att det inte bara kan höras i den inre cirkeln utan sprider sig som ekande ringar ut över folkhavet på gården. *Meyer, Meyer, Meyer.*

"Här, ta ett glas och låt oss få det överstökat", säger han, sticker ett glas vitt vin i handen på henne och klirrar med sitt eget mot hennes samtidigt som departementschefen stiger upp på podiet med en bunt manuskort i handen.

Under talet, ett diplomatiskt konststycke i sin artistiska balansakt mellan att ta ett respektfullt och personligt farväl av den avgående ministern och hälsa den tillträdande lika fullödigt välkommen utan att röja så mycket som en antydan till partiskhet, kopplar hon sitt lyssnande, välvilliga leende i stand by-läge och rekapitulerar. En strategi hon har lärt sig i liknande starkt spända situationer då det har varit av avgörande betydelse att hon gick segrande ur en konfrontation. Som när det på senaste årsmötet i Naturens vänner plötsligt trädde fram en flygel av äldre förstockade motståndare som i skydd av hennes oerfarenhet hade lyckats organisera sig så väl att de var nära att uppnå majoritet för att få henne avsatt. Officiellt på grund av oklarheter i bokföringen, som hon inte hade något med att göra, inofficiellt därför att de ansåg att hon gick "för långt" i sin modernisering av den gamla föreningen, som hade sina rötter i naturskyddsrörelsen. I själva verket var det alltså motsättningarna mellan "landsbygd" och "stad" som plötsligt hade kommit till uttryck. I sista ögonblicket vädrade hon fara, hann organisera en motoffensiv och avvärja kuppen. Sedan dess har hon lärt sig att operera med begreppet "politiska fiender", även om det fortfarande förefaller henne personligt ovidkommande och komiskt med den paranoia som är utbredd inte minst på Christiansborg, där hon en gång i tiden fick lära sig att *aldrig* säga någonting av betydelse i telefon. Och absolut inte där.

Men här kan man inte bortse från den politiska fienden, vilket på sätt och vis gör situationen, hotbilden, enkel. Søren Schouw, som svajar oroväckande och nu viftar med en cigarrett i ena handen, kommer sannolikt från och med nu att göra allt för att genera henne. Vid första anblicken ser han ut som någon som är till störst fara för sig själv med sitt pinsamt självdestruktiva beteende, som pressen kommer att få fullt upp med att beskriva, men man kan aldrig veta vilken plattform han opererar från. Har han bara sitt eget hämndbegär att stå på, eller kommer han att crowdsurfa på en skog av uppsträckta händer som älskar honom och därför eller av helt andra skäl vill hjälpa till att hämnas hans nederlag?

Charlotte granskar ansiktena framför sig. De flesta ler älskvärt mot henne medan departementschefen hälsar henne välkommen till "världens största miljöministerium, som du ju redan känner mycket väl från andra sidan bordet. Som en av de vakthundar som med jämna mellanrum har nafsat oss i byxbenen, men också som en kunnig expert som vi ofta har haft utbyte av att konsultera". Departementschefen stiger ner, man applåderar, skålar, och sedan kommer det ögonblick som alla uppenbart både bävar för och ser fram emot och som får kamerafolk och journalister att tränga sig närmare podiet: Søren Schouws tal, som traditionsenligt ska avslutas med överlämnandet av en gåva till efterträdaren.

Han har knappt hunnit börja, stammande, osammanhängande och med askan rasande från cigarretten, förrän folk börjar bita sig i läppen och titta ner på sina skor. Hans tal är en katastrof, ett sammelsurium av hätska utfall mot statsministerns "brutala exekution" och sentimentalt dravel om "mina framstående medarbetare" plus en sliskig lovsång till "min bedårande efterträdare som utan tvivel är både vackrare och yngre och har mer inflytelserika väninnor än jag". I sig skandalöst och tillräckligt för att få departementschef, sekretariatschef och ministersekreterare att utbyta bestörta "gör något!"-blickar, men otillständigheten blir bara värre när han sträcker sig efter Charlottes hand och håller kvar den, fastän hon kräkfärdig försöker dra den till sig, tills han kommer till höjdpunkten – överlämnandet av gåvan. Vilket om möjligt gör situationen ännu värre, detta till den grad att en kvinna som Charlotte senare ska få veta har varit hans sekreterare och trogna älskarinna plötsligt brister i gråt och tränger sig därifrån, och Charlottes känslor av vrede och obehag ersätts av medlidande. Herregud! Ur en plastpåse tar han fram en oinslagen uppstoppad fågel på en gren.

"En duvhök", förklarar han och försöker fixera blicken på Charlotte, som till och med utan att rådbråka sitt minne är säker på att detta måste vara hennes livs mest pinsamma ögonblick. "Och varför har jag valt att ge dig en duvhök?" frågar han retoriskt. "Jo, det är dels därför att en rovfågel som den här representerar den hotade naturen, som både du och jag älskar mer än något annat. Och därför att du nu har hamnat bland rovdjur och på den post som du nu ska bekläda sällan kommer att få se naturen, bortsett från duvorna på Højbro Plads. Och så därför att du – även om du låtsas vara så jävla grön och god och hållbar – men Charlotte, jag har genomskådat dig, du är lika mycket hök som du är duva! Så i det avseendet är du inte ett dugg bättre än vi andra! Amen!"

Charlotte hinner se det, steget han tar mot henne med fågeln rakt ut i ena handen och halva skosulan ut över kanten på podiet, varpå han snubblar och rasar ner i famnen på sekretariatschefen och henne själv. Han är tung, de är båda nära att dras med i fallet men hålls uppe av dem som står närmast, varefter andra tar över och hjälper honom ner på en stol.

"Han behöver luft, vi måste få ut honom!" beordrar Sand Jensen bryskt. Plötsligt dyker vaktkonstaplar upp, ordet "ambulans" hörs också i det upphetsade sorlet, men Søren Schouw slår avvärjande ut med händerna och tillkännager att han bara ska sitta ner en stund. Han får vatten, sitter med huvudet mellan knäna, när Charlotte på en nick från departementschefen stiger upp på podiet. I ett par sekunder blickar hon ut över den skakade församlingen, vecklar upp sitt tal, tvekar och viker ihop det igen. Inser att hon inte kan stå här och briljera på ett så billigt sätt. Hon måste improvisera. *This is an emergency situation.*

"Kära allihop", börjar hon i den förtätade tystnad som breder ut sig likt en baldakin mellan de gulkalkade väggarna. Hennes röst darrar en aning, hon hör det själv. Harklar sig, smuttar på sitt glas och hittar sedan en vilopunkt i mängden framför sig, ett anonymt ansikte hon kan tala till, få kontakt med.

"Shakespeare har visat oss att politik är ett blodigt hantverk. Kanske är det skälet till att vi, som har befunnit oss utanför arenan men fascinerat stått vid sidan av och tittat på, har undvikit att träda in i den värld där vänner blir till fiender, där ogärningar belönas och rättvisan inte alltid segrar. I varje fall inte på kort sikt. Utifrån sett förefaller den helt enkelt för rå. För ful. Moderna tiders Forum Romanum.

Men om det bara var så skulle ingen av oss stå här i dag. För politik är ju också att kämpa för det vackra, för frihet, jämlikhet, rättvisa. Och här, inom detta ministerium, som jag kanske innerst inne alltid har drömt om att en gång få leda, är och ska det vara vårt privilegium att kämpa för något så meningsfullt som den miljö och den natur som vi trots allt måste lägga under oss om vi över huvud taget ska överleva som art."

Flera personer har börjat nicka gillande, noterar hon. Fast det finns också vissa som lyssnar till henne med korslagda armar och en min av tydligt avvisande. Men vem har sagt att det ska vara lätt? Hon väljer ut ett par av de mest reserverade och fäster blicken på dem under sin avslutning.

"Jag har inga illusioner om att ensam kunna hindra ozonlagrets nedbrytning eller föroreningen av grundvattnet. Men jag lovar er att ödmjukt göra allt som står i min makt för att vi här på Miljö- och energiministeriet ska kunna fortsätta det goda arbete ni av tradition utför …"

Hon märker att de märker att hon börjar trampa vatten. Det är det förbaskade överlämnandet av gåvan som fördärvar rytmen. Men hon måste göra det. Ta tjuren vid hornen och få det överstökat. Även om hennes val av gåva knappast kunde ha varit mer olämpligt, i betraktande av situationen. Hon sneglar på Søren Schouw, som fortfarande sitter framåtböjd. Men när hon tilltalar honom direkt far hans huvud upp med ett ryck. Hans stridsberedskap verkar på samma gång komisk och skrämmande i det tillstånd av total upplösning som han befinner sig i. Om han hade en hagelbössa skulle han vara beredd att skjuta henne. Charlotte flyttar tyngden till andra foten men håller sig för övrigt lugn. Bibehåller sitt leende. Insisterar på ögonkontakt.

"Vid min avskedsmottagning nyligen höll du ett fint tal till mig. Och jag skulle väldigt gärna återgälda det om jag kände att jag hade något vettigt att säga till dig. Men Søren, du är ju själv en vän av 'direkt kommunikation', som du brukar kalla det. Så tillåt mig att överge det ministeriella språkbruket eller, som du kanske skulle ha sagt, *let's cut the bullshit* och kalla saker och ting vid deras rätta namn. Från din synpunkt är detta ingen festdag, du skulle gärna ha fortsatt och det väntade du dig väl också att få göra. Så vad kan jag säga som inte bara är att strö salt i såren? Inte mycket annat än att uttrycka en önskan om att du ska ta emot min aktning för den stora insats du under årens lopp har gjort för 'saken'. Du har alltid lyssnat till oss gräsrötter, vi har alltid blivit inbjudna, och ibland, när vi inte blev för 'galna' har du också tagit till dig en del av det vi har sagt. Jag vet inte om jag sårar dig när jag säger att jag kanske har varit litet orolig för dig på senare tid. Tänkt att du såg ut som någon som behövde litet frisk luft och en jordplätt att gå omkring och påta i. Någon som höll på att bli dödstrött på papper och cirkulär och redovisningar. Så om jag hade kunnat skulle jag ha givit dig en kolonistuga i dag. Men sådana är det ju, som du vet, ont om. I stället har jag tagit med mig en liten bit vendsysselsk natur till dig – du har ju ofta talat om hur förtjust du är i den höga himlen och det vidsträckta perspektivet där uppe – svarta kråkbär, plockade av min mor en sensommardag på Skagens Odde och lagda i Jubilæums Akvavit. Sedan har de fått dra i ett års tid – och här har du en äkta snaps som säkert river men framför allt stärker en kall vinterdag som denna ..."

Med hjälp av vakten, som inte släpper sitt tag om honom, har Søren Schouw tagit sig på fötter. Han tänker röra sig, gå fram mot henne för att ta emot flaskan som hon har tagit upp ur väskan, men hon förekommer honom, stiger ner från podiet och går bort till honom. Återigen väntar en omfamning, som inte ter sig mindre riskfylld än förut. Men han är slakare nu, märker hon, även om han lyckas hålla henne kvar länge nog för att spotta ett "Bitch!" i hennes vänstra öra.

Varefter de båda två vänder sig om och ler mot fotograferna. Dessa knäpper pliktskyldigast ytterligare en rulle film, trots att de redan har samlat på sig bättre bilder under föreställningen.

"Den karln är banne mig ett kräk! *En uppstoppad fågel!*"

Sekretariatschefen Henrik Sand Jensen ställde med en smäll ifrån sig duvhöken på skrivbordet när den inre kretsen hade visat henne in i det rymliga hörnrum som till för ett halvt dygn sedan hade varit hennes företrädares. Hon hade sluppit igenom reportrarnas skärseld, de hade fått sina solocitat, och sedan hade hon gått runt och hälsat på det yttre kontoret, blivit presenterad för den rödögda sekreteraren och de båda andra kontorsassistenter som inte verkade lika tagna av dagens drama. Louise Kramer stängde dörren efter dem, departementschefen ryckte beklagande på axlarna, Jakob Krogh avslutade ett telefonsamtal.

"Sannerligen en bisarr sorti", medgav departementschefen och nickade uppmuntrande mot skrivbordet och den ergonomiska stolen.

"Var så god och sitt!" sa han och slog inbjudande ut med händerna i riktning mot Charlotte, som häpen hade blivit stående några steg innanför dörren.

"Stolen är antagligen fortfarande varm", påpekade hon och lät blicken glida över de tjogtals blombuketter som stod överallt och paradoxalt nog bidrog till att förstärka begravningsstämningen.

"Men lådorna är faktiskt tömda!" replikerade Henrik Sand, vilket fick Charlotte att brista ut i ett befriat, respektlöst skratt. Departementschefen drog också på munnen.

"Ja, vi är ju härdade. Men jag inser att en sådan här överlämning gott kan verka en smula barbarisk."

"Jag känner mig som ett mellanting mellan en likskändare och en gravplundrare", nickade hon, vilket fick Sand att flina och Louise Kramer att fnissa hejdlöst medan Jakob Krogh tydligen hade svårt att dela deras munterhet. Charlotte beslöt sig för att betrakta hans reservation som ett fint drag hos mannen, som hon sedan tidigare kände som en ytterst korrekt, ambitiös och duktig ung förmåga. Det måste väl vara tillåtet också för en väluppfostrad ämbetsman att sörja en plötslig bortgång. Så länge det inte gick ut över lojaliteten med efterträdaren. Hon log deltagande mot honom. Han slog ner blicken.

"Men om det inte hade varit jag skulle det väl ha varit någon annan", mumlade hon och gick bort och satte sig prövande i stolen.

"Okej", sa hon och nickade. "Den känns okej!"

"Om du inte gillar möblerna kan du få dem utbytta. Du kan också få andra tavlor på väggarna. Vi lånar av Statens Kunstfond och museerna", sa Henrik Sand Jensen.

"Schouw hade ju ganska konventionell smak", tillade departementschefen med en blick på det höga skrivbordet.

"Vem säger att inte jag har det?" svarade hon retsamt. "Men någon kanske har lust att hjälpa mig att ställa in den här stolen? Och kan man få sig en kopp kaffe?"

Hon fick både kaffe och fem överdådiga minuter i lugn och ro innan hon på nytt skulle träffa Henrik Sand, så att de fick dra i gång "snabbkursen", som han uttryckte det. Egentligen var det tydligen inte hans uppgift, förstod hon på departementschefen, som hade lyckats dra in henne i sitt tjänsterum för en snabb briefing mellan fyra ögon. Där talade han om för henne att han tyvärr led av "en sjukdom" och skulle bli tvungen att genomgå en rad undersökningar och behandlingar den närmaste tiden, vilket de i all diskretion hade löst genom att han hade överlåtit en del av ministerutbildningen på Sand Jensen. "Han kommer att bli en ypperlig vapendragare", hade han nickande försäkrat.

Så snart hon blev ensam reste hon sig och vandrade runt i rummet. På läpparna hade hon det breda leende som hon hade tvingats undertrycka hela dagen. Hon beundrade blommorna, läste på måfå några av korten. Sedan ställde hon sig i fönsternischen och tittade ut över Højbro Plads, som trots att klockan bara var strax efter två vilade i skymning. Julgransförsäljaren hade tänt sin ljusgirland under markisen, Köpenhamnsborna skyndade fram borta på Strøget, en positivhalare stod och spelade julsånger under den gula McDonald's-logon i hörnet av Købmagergade och dörren till Café Norden slog oupphörligt upp och igen. Sedan fiskade hon upp sin mobiltelefon ur väskan, satte på den, fick genast ett pipmeddelande om att hon hade missade samtal – 18 stycken! – och skyndade sig att ringa till Thomas på hans mobil.

"Hej, älskling!" svarade han med detsamma, uppenbart glad över att höra av henne.

"Thomas", sa hon. "Det här är inte klokt. Vet du var jag står?"

"I fönstret i ditt nya rum! Med utsikt över Højbro Plads."

"Hur vet du det?" frågade hon förvånat.

"Därför att jag står nere vid storkfontänen och tittar upp på dig!"

"Det gör du inte!"

"Jo. Det klär dig!" sa han, och nu fick hon syn på honom. Lång, gänglig, barhuvad. Han tog ett par steg ut på det öppna torget och vinkade upp till henne.

"Men varför kommer du inte upp då?" skrattade hon och vinkade tillbaka.

"Jag har varit där. Under överlämnandet. Jag gömde mig bara litet i mängden."

"Det var som fan! Då såg du det alltså? Var det inte fa-sans-fullt!"

"Patetiskt. Men du klarade det jäkligt bra!"

64

Han hade kommit närmare, gick över körbanan till julgransförsäljaren.

"Gjorde jag? Var jag inte pinsam?"

"Det var pinsamt. Han var pinsam. Du var suverän."

"Varför kom du inte upp till mig efteråt? Jag behövde dig!"

"Du måste lära dig att stå på egna ben! Dessutom har jag redan lärt känna pressen. De lockar mig bara i fällan."

"Vad du är klok!"

"Någon ska ju vara det! Jag ska för resten hälsa till dig från Lauge och de andra MS-medarbetarna."

"Gud, ja! Vad sa de?"

"Vill du verkligen höra det?"

"Ja!"

"Att du är en svikare och en kärringjävel och så vidare, att det blir ett helvetes besvär men att vi nog ska reda ut det."

"Var de inte arga?"

"Jo. Skitarga. Men de har lovat att jag ska komma ut när det här är över. Det kommer väl inte att bli så långvarigt, med de opinionssiffrorna …"

"Nej, det får vi hoppas", log hon och nöp av ett par vissna blad från den institutionella murgröna som stod i fönsterkarmen. "Kommer du upp nu?"

"Du har väl inte tid?"

"Nä … Ungarna då? Och kvällsmat. Skit också, det är i dag det är julfest på dagis! Jag bakade pepparkakor i går. Du kan ta med en burk."

"Det tar jag hand om. Alltihop. Mamma har frågat om hon skulle komma över. Jag sa att vi klarade det. Ska jag köpa en liten gran? Även om vi inte är hemma på julafton?"

Han höll upp en liten bordsgran för att visa den för henne. Den verkade förkrympt och dvärgartad i förhållande till hans längd. Hon skakade på huvudet. Han tog en annan och höll upp den också. Hon log, överväldigades av ömhet gentemot honom. Han frös, såg hon. Axlarna var nästan uppdragna till öronen. Han måste ha på sig mössa om han skulle behålla den där frisyren. Nu kunde hon ge honom en i julklapp. Det hade verkat så dumt i går, när de var på väg till sommar året om.

"Nej, de vill ha en riktig. Ska vi inte köpa en tillsammans i morgon? Eller på lördag?"

Det knackade på dörren.

"Jag måste kila", sa hon och kastade en slängkyss. "Jag ringer litet senare. Annars kan du själv ringa. Hälsa ungarna, det blir antagligen sent …"

Thomas ställde ifrån sig granen. Julgransförsäljaren rätade vresigt upp den.

"Det blir det nog. Lova mig bara två saker", sa han sedan samtidigt som Henrik Sand steg in med ett antal mappar under armen.

"Vad då?" frågade hon och vände sig älskvärt mot sin närmaste medarbetare. Vapendragaren.

"Att äta regelbundet och att ha roligt."

"Det lovar jag!" sa hon. "I fortsättningen."

★

Henrik Sand Jensen var en man på 49 år. En detalj som hans nya minister kanske inte noterade, men i gengäld något som var av extrem betydelse för honom själv. Av det skälet att varje dag innebar att han kom en dag närmare femtio. Vilket i hans familj var detsamma som deadline. Bokstavligt talat. Båda hans föräldrar hade dött med några få månaders mellanrum, kort efter 50-årsdagen. Fadern hade ännu inte fyllt 51, modern blev bara 52, och så var det genomgående. Sin äldre bror hade han fått lägga i graven i fjol, då han var 53, hans kusiner hade inte heller blivit långlivade, och sina farföräldrar hade han knappt hunnit lära känna. Därför var han också mer skakad av Søren Schouws offentliga sammanbrott än han gav uttryck för. Och därför hade han länge, så länge som upplösningen hade varit synlig, stått i opposition mot sin före detta chef. Han blev helt enkelt provocerad av att se en man fördärva sig själv på det sättet. Han stod inte ut med det, vare sig supandet, bedrägeriet eller klagovisorna som följde när han gav efter för självmedlidandet, självförebråelserna och allt det andra med förledet *själv-*. För egen del tillät han sig bara att utöva självdisciplin i ett försök att uppskjuta eller avvärja det öde som han ända sedan han var pojke hade förutsett. Att även han var predestinerad att dö ung. Vilket under några vilda år också hade fått honom att

66

leva hårt i ett fatalistiskt trots mot övermakten – om han ändå var utsedd att orimligt tidigt trilla av pinn kunde han lika gärna leka med döden och låta motorcykeln kyssa asfalten i spanska bergskurvor, skitig och utlevad ragla från haschrus till haschrus i Marocko, knulla billiga hamnluder i Marseille och vakna sönderslagen i en rännsten i Hamburg.

Det dog han inte heller av, och sedan tröttnade han på att förspilla sin ungdom på dödens skepp och sökte lugnt och stilla till universitetet, gifte sig, fick familj och radhus i Virum och en vettig karriär som långtifrån hade kulminerat. Han visste att han hade det i sig – både begåvningen, kapaciteten och instinkten att komma vidare, placera sig på rätt plats vid rätt tillfälle, så att andra upptäckte att han inte kunde kringgås. Trots sin skarpa tunga och en viss egensinnig arrogans, som emellanåt kunde förväxlas med känslokyla. Men Henrik Sand var inte känslokall. Likt den som lever i en omfamning med döden var han lättrörd, men just därför hade han anlagt ett krasst västjylländskt sätt som skrämde ömtåliga själar. Som han för övrigt inte hade något större tålamod med. Han tålde inte sentimentalitet och romantisering, vilket somliga feltolkade som att han inte tyckte om kvinnor. Han älskade kvinnor, var starkt beroende av sin hustru, en begåvad keramiker, och avgudade sina båda unga döttrar, men han avskydde *femininitet*, särskilt hos män. Vilket absolut inte var liktydigt med att han förhärligade *machismo*. Uppblåsta män som överskattade sig själva och till varje pris måste spela med musklerna var antagligen det mest skrattretande Sand kunde föreställa sig. Sådana typer stack han med största nöje hål på, gärna offentligt.

På det hela taget skulle det vara en överdrift att påstå att Henrik Sand var direkt älskad inom ministeriet. Men sedan han tillträdde hade det ändå blivit en viss omsättning, så att de som inte stod ut med hans krävande sätt hade sökt sig bort. Och de som hade stannat kvar måste erkänna att det antagligen var Sands förtjänst att den "knäppa och långhåriga" framtoning som vilat över ministeriet och inte minst dess personal, som tidigare sällan hade tagits på allvar, nu var borttrollad och ersatt av skarpskurna kanter och en "modern profil". Miljöministeriets anställda var respekterade, som människor som kunde sina saker ända ner till de mest tekniska och spetsfundiga detaljer och ofta var på hugget, och det hade inte heller skadat att man i ett antal år hade haft en "stark minister", som tack vare sina goda relationer till i synnerhet finansministern hade lyckats göra ministeriet så utgiftstungt att det hade klättrat flera pinnhål upp i hierarkin. Att Sand och Schouw hade varit ett effektivt arbetsteam var allom bekant. Att det de senaste par åren kanske hade gått allt mer grus i maskineriet var möjligen mindre känt men ändå ett ofta återkommande tema i de kollegiala samtalen över fredagens glas rödvin. Om Sand var på väg bort. Om han tänkte söka sig över till budgetnissarna och satsa på en karriär på Finansministeriet, där många ansåg att han rätteligen hörde hemma.

Och under de två timmar Henrik Sand satt ensam tillsammans med den nya ministern och gav henne den första grundläggande orienteringen om situationen tidigare, nu och i framtiden, spekulerades det vilt om vad som nu skulle komma att hända. Skulle han bli kvar eller skulle han snarast möjligt söka sig härifrån? Eller rättare sagt, *hur* snabbt skulle det gå? De flesta var nämligen eniga om att den nya ministern från början var "svag", även om hennes sätt att hantera den pinsamma överlämningen hade varit förhållandevis imponerande. Men alla visste att ministrar utifrån alltid fick det svårt. Och en ung, oprövad kvinna med två småbarn och en bakgrund som NGO-are hade inte bara oddsen emot sig. Det var rena kamikazen. Så trots att man visserligen kunde känna viss personlig sympati för Charlotte Damgaard rådde även oro i leden. Ingen ville vara ombord på ett dödsdömt skepp. Och i den mån man över huvud taget kunde påstå sig känna arbetsnarkomanen, maratonlöparen och tävlingsmänniskan Henrik Sand ansåg man absolut inte att det var där han ville "förspilla resterna av sin sköna ungdom", som han brukade uttrycka det. Därtill kom att personkemin dem emellan förväntades vara så dålig att den i sig uteslöt konstruktivt samarbete. En romantisk idealist kontra en gammal cyniker. Det skulle gå åt skogen. Eller, rättare sagt, inte gå alls. Sand skulle lämna dem och låta sina medarbetare sitta där med Svarte Petter, och dagarna som ett av Europas, ja, världens mest välrenommerade miljöministerier skulle vara räknade.

En analys som blev mer och mer enhällig och som spreds via telefoner och e-post från departementet till styrelser och ända ut till de mest avlägsna kronoskogar denna sjudande eftermiddag. Men det visade bara hur illa man egentligen kände sekretariatschefen. För Henrik Sand var för det första inte på långa vägar lika fördomsfull som sina medarbetare. För det andra uppfattade han inte alls Charlotte Damgaard som ung, oprövad och romantisk. Han upplevde henne tvärtom som en påfallande klipsk elev, kvick i huvudet, snabb på avtryckaren och rolig att umgås med. Ministeriets uppbyggnad och organisation var hon redan tidigare bekant med, fackkunskaperna behärskade hon i stora drag, och de stötestenar som var en del av arvegodset hade hon via sitt tidigare arbete också viss kännedom om. Till och med EU, som från ämbetsmannasynpunkt var ett byråkratiskt helvete, var hon förvånansvärt väl insatt i.

"Har du suttit i skuggkabinettet, eller vad?" blev han tvungen att fråga när hon än en gång hade nickat och avslutat den mening han hade påbörjat.

"Det måste man göra om man ska bli en bra lobbyist! Och vi har ju inte någon gigantisk förvaltning som kan mata oss!"

"Hade", blev han tvungen att rätta henne. "Du *hade* inte någon gigantisk förvaltning. Det har du nu. Och jag kan lika väl råda dig med detsamma att använda den. Som minister ska du inte sätta dig in i alla detaljer."

"Det har jag folk till?"

"Precis. Det är ett typiskt nybörjarfel att tro att man måste kunna allt."

"Ministern ska ägna sig åt politik!" hade hon flinat och frågat om hon fick bomma en cigarrett.

"Jag röker inte. Det finns rökvaror här", hade han sagt och skjutit tobaksskrinet mot henne.

"Det gör egentligen inte jag heller", hade hon svarat och lovat att detta skulle bli den första och sista.

"Du ska inte lova för mycket! Det är en annan viktig regel inom politiken! Kanske den viktigaste."

"Okej, då nöjer jag mig med att lova att det blir den första och sista på statens bekostnad!"

"Du fattar visst långsamt!" hade han sagt och med en huvudskakning givit henne eld.

"Är det något mer jag bör veta?" hade hon sagt och klappat på de båda höga papperstravar, "julläxan", som hon skulle ta med hem.

"Att du har fått ett 24-timmarsjobb men att min telefon i gengäld är öppen dygnet runt. Även på julafton."

"Något mer?"

"'Trust nobody.' Kanske den näst viktigaste regeln."

"Inom politiken?"

"Över huvud taget. En yrkesskada. Förlåt."

Hon hade lagt huvudet på sned, viftat bort röken och strukit sitt långa hår bakåt utan att på minsta vis dölja att hon iakttog honom.

"Och dig då? Kan jag lita på dig?" hade hon frågat.

"Jag är västjyllänning. Från Harboøre för att inte fara med osanning."

"Så det kan jag inte?"

"Så det kan du! Du kan lita på mig", hade han nickat, och sedan hade hon knipit ihop sina grönbruna ögon över de höga kindbenen och kammat hem sticket.

"Men det bör jag inte göra. Jag bör inte lita på dig heller."

"Du får en liten stjärna i betygsboken", hade han uppskattande sagt. Därmed var den första lektionen över, ministern skulle på gruppmöte på Borgen och därefter runt till diverse TV-stationer.

Sedan hon hämtats från kontoret hade han suttit kvar en stund. Släckt hennes fimp som låg och rykte i askkoppen. Kastat en blick på blomsterprakten och förnummit hennes närvaro som en svag doft av kvinna. Ett kort ögonblick var han orolig för om han kanske huvudstupa hade gått och förälskat sig i henne. Sådant kunde hända, till och med en lyckligt gift man som honom. Och hon var ju om inte vacker så ändå, ja, anmärkningsvärd med det halvlånga, mörkblonda håret, de stora ögonen, det aningen breda ansiktet och så leendet, som oväntat fick henne att lysa upp på ett så flickaktigt sätt. Annars var hon för storväxt för att vara hans typ – lång, breda höfter, breda axlar och förhållandevis stor barm, föreföll det. Snygga, långa ben, en aning kobent. Allt detta hade han registrerat, som man brukar göra. Men det var inte det som lockade honom. Det var den vitalitet hon utstrålade som redan fungerade som en livgivande blodtransfusion. Han var ännu 49, det smärtade honom fortfarande av bara helvete att han snart skulle fylla 50 och trots sina låga kolesterolvärden, sitt fina blodtryck och sin utmärkta kondition sannolikt föra familjetraditionen vidare och plötsligt dö. Men de senaste två timmarna hade han haft roligare än under de senaste två åren. Han hade inte tänkt på sin dödlighet, inte varit medveten om nedräkningen sekund för sekund, denna irritation över att öda sin utmätta tid på idioter. Henrik Sand hade högst oväntat fått framtidshoppet tillbaka.

Så när han på lätta fötter steg ut från kontoret med ett leende i blicken och deras använda kaffekoppar i handen behövde de inte fråga. Men någon gjorde det ändå.

"Hurdan var hon."

"Bra. Jäkligt bra. Vi kommer att få stiga upp tidigt, mina damer och herrar."

Innan Charlotte Damgaard hunnit tillbaka till ministeriet hade ryktet börjat gå. Att Henrik Sand, den hårdhudade, hade blivit förförd. Men han var ju i panikåldern.

*

Søren Schouw hade körts hem, i ministerbil för sista gången, men han var ändå närvarande som en ond ande under det gruppmöte där statsministern skulle presentera regeringsombildningen och sina nya ministrar. Ingen vågade opponera sig direkt mot Per Vittrups åtgärder, det gjorde man bara inte, men gallan hängde som ett gulaktigt svavelmoln över grupprum S-090. Det var inte bara Schouws allierade som var ursinniga, ett par andra detroniserade ministrar satt också sammanbitna och spred sitt gift i lokalen, och de fyra fem i gruppen som kände sig förbigångna underlät inte heller att sända ut förolämpade vibrationer. Vad gällde Gert Jacobsen verkade han sur på sitt särskilt demonstrativa sätt, så ingen kunde tvivla på att rockaden hade skett över hans huvud. Att valet av Charlotte Damgaard, som de sedan tidigare kände som en litet för klipsk praktikant som i rang befann sig under de ärade medlemmarna, var särskilt impopulärt sas givetvis inte rent ut, men Charlotte kände tydligt en nästan fysisk mur av ovilja ägnad att stänga henne ute. I synnerhet Susanne Branner, folkskollärare från Fyn och ordförande i miljöutskottet, kunde inte dölja sitt förakt. Och det var också hon som yttrade sig först när ordet blev fritt.

"I miljöutskottet måste vi erkänna att vi står en smula oförstående inför den signal som utbytet av Søren Schouw ger. Vi har i gruppen haft ett *föredömligt* samarbete med ministern, och vi oroar oss en aning för om det nära samarbetet kan fortsätta under en ny minister som så att säga först ska läras upp, och vi står ju inför en rad ..."

"Är det en kommentar eller en fråga?" bet Elizabeth Meyer plötsligt av och kringgick därvid både gruppordföranden och talordningen. Hennes tonfall var behärskat men så kyligt att ingen vågade protestera. När hon lät på det viset var hon arg, det visste alla. Mycket arg. Vilket bara bekräftade misstanken om att Charlotte Damgaard var Meyers verk.

"F-får jag svara?" avbröt Charlotte, till sin egen förargelse lätt stammande, men hon fick ordning på rösten när hon på en nick från Per Vittrup fortsatte:

"Jag kan mycket väl förstå att det är frustrerande att behöva börja om från början. Att behöva vänja sig vid en nybörjare. Men för det första känner ni mig ju, och jag känner er. För det andra har jag för avsikt att använda julen åt att läsa in mig på ämnet, så att vi kan ta vid någorlunda där ni slutade. Så när det gäller om det goda samarbetet kan fortsätta måste jag svara med en motfråga: Varför skulle det inte kunna göra det, Susanne? Vi har ju tidigare kommit bra överens, eller hur?"

Charlottes leende var kattmjukt, liksom det hon fick tillbaka från utskottsordföranden, men ingen i lokalen tvivlade det ringaste på att den nya miljöministern hade lyckats pinka in sitt revir och för stunden vunnit första ronden i ett icke förklarat krig.

Per Vittrup, som en dag som denna med flit lät bli att låtsas om alla över- och undertoner, anade också den hotande krisen. Av sådana fanns det så många att de flesta var onödiga att ödsla tid på, men den här var han tvungen att avvärja. Återigen kringgicks gruppordföranden, som under hela episoden satt och öppnade och stängde munnen likt en fisk på land. Han kände sig lika tafatt som han såg ut, och det gillade han avgjort inte.

"Samarbetet mellan miljöutskottet och miljöministern inte bara *kan* utan *ska* fortsätta på *'föredömligt'* sätt", konstaterade Per Vittrup. "Och låt mig sedan för ordningens skull påminna om att detta inte är Det Konservative Folkeparti!"

Det var avsett som en skarp lustighet, men ingen skrattade.

Henrik Sand stod otåligt och väntade på henne i skocken utanför grupprummet när mötet var avslutat. Hon var nära att kasta sig i famnen på honom av pur lättnad över att återse någon som hon under omständigheterna betraktade som en gammal vän.

"Herrejävlar!" hann hon utbrista innan han nickade bakåt och gjorde henne uppmärksam på en rörlig kamera.

"TV 2", upplyste han lågt. "De gör ett miniporträtt på dig till Nyheterna i kväll. De behöver litet reportagebilder, och jag har givit dem OK och räknar med att få ditt godkännande i efterskott."

Journalisten uppenbarade sig leende bakom kameramannen, gratulerade och presenterade sig medan Charlotte frågande fångade Meyers blick när denna banade sig fram genom trängseln framför dörren. Meyer svarade med att himla med ögonen innan hon fortfarande kokande av vrede marscherade bort genom korridoren. Hon hade knappt hunnit runt hörnet förrän Sands mobil ringde.

"Till dig", sa han bara och räckte telefonen till Charlotte, som blev tvungen att kväva ett utrop när hon hörde Meyer i luren.

"Jag har bestämt sagt det förut, men jag påminner om det igen: Framför dig har du dina motståndare, bakom dig dina fiender. Vad den där Susanne Branner beträffar är vi helt överens om att hon inte har något gott i sinnet. Men med litet tur målar hon in sig själv i ett hörn, och till dess gäller det att bevaka ryggen. Du klarade det fint."

"Tack", insköt Charlotte medan magen vände sig ännu ett varv och hon satte sig i rörelse och följde efter Henrik, som med en blick på klockan hade börjat dra sig därifrån. Kameran följde dem hela vägen; fotografen hade skyndat bort till andra änden av korridoren så att han kunde "ta dig framifrån", som han sa.

Meyer skrattade, en smula andfått, och hennes klackar klapprade mot stengolvet.

"Jag håller med om att det är lika bra att säga ifrån tydligt med detsamma. Vissa av dem kommer att hata dig i alla fall, och andra kommer att respektera dig för det. Vi ska nog lyckas mobilisera de rätta. Lycka till med TV3, men henne ska du inte vara rädd för, hon är bara praktikant. Men var snäll ändå, hon kan ju bli till nytta förr eller senare. För övrigt var du bra i dagsnyheterna på radio. Jag ringer dig i kväll! Hej!"

Charlotte stängde av, lade anletsdragen till rätta och räckte telefonen till Henrik när de passerade en toalett.

"Jag ska bara in här", meddelade hon och stannade till. Detsamma gjorde såväl fotograf som journalist, varpå båda två styrde stegen mot henne.

"Jag ska kissa. Vill ni filma det också? Eller faller det under privatlivets helgd?"

Praktikanten fnissade fånigt, och fotografen, en ung valp med asiatiska drag, ställde ifrån sig kameran med ett fräckt flin. "Något intressantare finns inte!"

Henrik ryckte på axlarna. "Nej, inte för politiker i varje fall."

"Det glömde du bestämt under din briefing", sa Charlotte torrt och tryckte ner handtaget.

"Det trodde jag du visste. Du får två minuter, inklusive handtvätt."

"Är det inte där det brukar vara trängsel på Christiansborg? Där man tvättar händerna?" frågade hon med höjda ögonbryn och sköt upp dörren.

Praktikanten klottrade pliktskyldigt i sitt block, men även om både Henrik Sand och fotografen flabbade högt fattade hon inte poängen. Fast för den skulle kunde man ju gott skratta med.

Hon stal sig till fyra minuter extra på toaletten. Magen hade hon tömt under natten och de tidiga morgontimmarna, så när hon hade kissat skvalande som en elefant satt hon bara kvar på toalettstolen och blundade. Fnissade för sig själv som hon mindes sig ha gjort när hon ung och lätt lummig på fredagskvällen hade suttit och svajat på någon kafétoalett med vulgärt tjejklotter på dörren framför sig. Av någon anledning hade hon alltid kommit ihåg de mest intetsägande orden – "Jag älskar Lasse P." – som fortfarande gjorde henne full i skratt. "Vem *är* Lasse P.?" hade också blivit till ett av de interna skämt de hade tillsammans, hon och Thomas. En liten del av deras gemensamma tokerier, som var omöjliga att översätta eller dela med andra.

Precis som då kände hon sig även nu en aning berusad, en smula utanför sig själv på ett kittlande, exalterat sätt.

Hon reste sig, drog upp trosorna och spolade. Thomas hade rätt. Hon måste se till att få i sig litet mat. Annars skulle hon ha slut på blodsocker innan hon hann fram till TV-staden respektive TV-Lorrys studio, där hon hade lovat att ställa upp på direktsända intervjuer i både 19-nyheterna, de sena kvällsnyheterna och Deadline strax efter elva.

"Miljöminister!" grimaserade hon åt sin spegelbild ovanför handfatet när hon hade fräschat upp sig med kallt vatten i nacken, dragit en borste genom håret och svurit över att hon inte hade tagit med sig någon deodorant i väskan. Hon skulle bli tvungen att byta kläder innan hon träffade de prydliga programvärdarna. Hon luktade helt enkelt för starkt av Zoologisk Have för att göra ett trovärdigt intryck på någon. Inklusive sig själv.

"Miljöminister", mumlade hon igen. "Vem fan tror du att du kan inbilla det?"

Sedan blinkade hon åt sin spegelbild och gick ut, där hennes följe, sedan nyss utökat med Louise Kramer, ministersekreteraren, otåligt väntade på henne.

"Vamos?" frågade hon energiskt och kastade med huvudet i riktning mot kameran, som genast sattes på.

"Vamos a la playa", hörde Henrik Sand sig själv svara, som refrängen i en sång från den tiden då han var ung.

Tillbaka på kontoret hann hon äta det mesta av två bitar pizza, beställda från ett kurdiskt hak i närheten och nedsvalda under Henrik Sands genomgång av det strategiska utkast som hade ställts samman i avsikt att stå emot de värsta påhoppen under kvällens TV-grillning.

"Q's & A's", nickade hon och gapade över pizzabiten, som mycket oitalienskt var täckt med kebab, isbergssallad och creme fraiche-dressing. Synnerligen banalt, men hennes älsklingsvariant. "Mixed." Det var lika bra att de lärde sig det med detsamma.

"Q's & A's?" upprepade Henrik frågande.

"Questions and Answers. Tittar du inte på CNN?"

Han svarade med att höja på ögonbrynen.

"Problemet med *questions and answers* är att de trots allt aldrig är helt förutsägbara", sa hon sedan och sträckte sig efter den Coca-Cola som hon också hade beställt. "Så man ska akta sig för att vara för låst. Då får man nämligen problem med att improvisera."

Hon log fogligt när han drog ihop ögonbrynen. Om det var ogillande eller fundersamt kunde hon inte utläsa. Och hon hade ingen avsikt att förolämpa honom.

"Men just därför kan det givetvis vara utmärkt att vara förberedd. Så låt oss nu gå igenom det här. Vad säger miljöministern exempelvis om Vattenmiljöplanen? Med sin bakgrund i en gräsrotsrörelse? Och ta en bit pizza, vet jag, du har ju inte heller fått någon mat!" uppmanade hon och sköt kartongen mot honom.

"Tack, men nej tack", sa han med en längtansfull blick på creme fraichen. "Jag har en ekologisk linssallad ute i kylskåpet."

Charlotte flinade.

"Coca-Cola då? Om du inte skvallrar gör inte jag det heller!"

"Skit samma!" sa han, lät Søbogaardflaskan med den ekologiska svartvinbärsjuicen stå och hällde upp Coca-Cola i ett glas. "Om Vattenmiljöplanen säger miljöministern att det går i rätt riktning, att jordbruket ska ha en eloge för sin villighet att uppfylla sin del av avtalet, men …"

"… att det fortfarande återstår mycket att göra och att vi noga måste utvärdera resultaten i samband med den uppföljande evalueringen av Vattenmiljöplan II. I det arbete som redan är påbörjat är det naturligtvis min avsikt att utnyttja min kännedom om de organisationer, föreningar och gräsrotsrörelser som noga bevakar det här området. Och det ska inte vara någon hemlighet att inte bara kväveläckaget utan också fosforutsläppen från de stora svinfarmerna ser ut att ha en oroväckande negativ effekt på vattenmiljön …"

"Det räcker!" avbröt henne Sand. "Akta dig så att du inte förirrar dig för långt ut i skogen!"

"För där väntar Stora stygga vargen?"

"Yes. Håll dig till vaga avsiktsförklaringar. Åtminstone nu i början."

"Så jag bör helst inte säga någonting?"

"Ingenting som kan användas emot dig."

"Och om jag ändå gör det?"

"Så får du ett helvetes sjå."

"Är det något jag dör av?"

Henrik ställde ifrån sig glaset, undertryckte en kolsyrerap. Knep ihop de ljusblå ögonen bakom glasögonlinserna.

"Det är åtminstone en yrkesrisk. I ditt yrke. Att du kan dö en politisk död genom att …"

"Gör inte alla det, förr eller senare?"

"Tja, för all del … så kan det se ut."

"Så valet för en politiker står mellan en långsam död i stillhet och en som är plötslig och våldsam?"

Charlotte sköt ifrån sig tallriken. Kunde plötsligt inte få ner en tugga till. Även om båda två log och utåt sett roade sig med ett tankeexperiment visste hon ju mycket väl att det någonstans var blodigt allvar. Kunde bli det.

Än en gång såg han forskande på henne, som om han omsorgsfullt valde sina ord för att inte vålla ytterligare skada.

"Charlotte, jag tycker det är en relevant men samtidigt tämligen morbid diskussion att föra under din första dag som minister."

Hon nickade rakt ut i luften. Lekte med sitt örhänge. Kände hur hon sjönk ihop en aning i fåtöljen. Adrenalinet, som hade hållit henne i gång sedan klockan sex i morse, var på upphällningen. I stället infann sig tröttheten, nu när peristaltiken tog fart. Hon orkade nästan inte tränga djupare in i problematiken. Å andra sidan visste hon redan att Henrik Sand Jensen skulle bli hennes närmaste förtrogne. Utan honom skulle hon inte kunna manövrera. Därför måste hon satsa nu och dra upp klara linjer. Så att han blev på det klara med hennes villkor.

Hon suckade lätt. Öppnade knappen i kjollinningen. Freddy, chauffören, hade skickats hem efter rena och bekvämare kläder åt henne. Plus necessären, så att hon kunde hinna med en snabbtvätt i det badrum som hörde till kontoret. Hon hade hoppats att hon själv skulle hinna hem och ge ungarna en kram i all hast, men Thomas hade undanbett sig besöket i telefon. Inte purket eller så, bara med ett realistiskt konstaterande av att det skulle göra mer skada än nytta. "De blir bara förvirrade om du kommer och sedan går igen. De kan titta på dig på TV i stället!"

Hon lutade sig framåt i stolen.

"När Per Vittrup ringde i går kväll tackade jag ja till det här jobbet på ett villkor: att jag inte skulle bli gisslan."

"Och vad sa statsministern om det?"

"Det accepterade han."

Henrik Sand skrattade torrt och lutade sig tillbaka med armarna uppsträckta över ryggstödet.

"Fick du skriftligt på det?" Henrik Sand skrattade igen, så att

Charlotte för första gången den dagen kände sig vägd och befunnen för lätt i hans sällskap.

"Du menar att jag är naiv?"

"Det är du inte! Det är därför det är så dumt! Att en så kompetent person som du, som är förtrogen med systemet både inifrån och utifrån och därför har en jättechans att göra ett helvetes bra jobb, häver ur dig sådan smörja!"

Henrik Sand reste sig ilsket och gick runt i rummet. "Ja, förlåt", sa han. "Jag inser att det inte är reglementsenligt att tala så till en minister ..."

Charlotte viftade bort hans ursäkt.

"... men det är man tamigfan tvungen att göra när man får ett sådant tillfälle!"

"Vad då för tillfälle?" frågade Charlotte lågt medan hennes egen vrede började hamra som regn på ett soptunnslock. "Det handlar om integritet, Henrik Sand Jensen. Om jag över huvud taget ska sitta i den där stolen", sa hon och pekade mot skrivbordsstolen, "måste jag kunna se mig själv i ögonen varenda dag!"

"Än sen då?"

"Och då kan jag inte tycka ingenting, säga ingenting, göra ingenting! Då måste jag för helvete säga till och ifrån! Annars är det ju ingen mening med det! Då kunde Søren Schouw eller vem som helst lika gärna sitta där!"

"Det är ju inte det vi talar om!"

"Vad talar vi om, då?" frågade Charlotte hetsigt. Så här brukade hon inte gräla ens med Thomas.

"Vi talar om att man som politiker ska öva upp en förmåga att få igenom så mycket som möjligt av sin politik. Att en god politiker är medveten om sitt rådrum. Att en god politiker till och med kan utvidga det genom att få med andra. Och det får man inte genom att gapa om sin integritet och vara rädd för att smutsa ner händerna. Det trodde jag att du med dina insikter visste", sa han och lutade sig fram över skrivbordet.

"'Politik är det möjligas konst', 'Man måste lära sig att räkna till 90' ... Jag är väl förtrogen med alla de där floskerna", sa hon och makade sig mot fönsternischen. De behövde vädra. Här stank av pizza, blommor, svett. "Går det där fönstret att öppna?"

"Ja", sa han bara och lät henne flytta murgrönan och öppna hasparna på dubbelfönstret. Hon stack ut huvudet och insöp begärligt den kyliga kvällsluften. Smålog vid minnet av Thomas, tillät sig att titta efter honom fastän hon visste att han var hemma. Julgransförsäljaren var kvar. Det kändes som om det var hundra år sedan hon senast hade stått här.

"Vad jag menar", sa Henrik försonligt bakom henne, "är att du måste skilja på viktigt och oviktigt och bestämma dig för att gå helhjärtat in för det här. För om du inte gör det kommer du ständigt att bromsas av dina egna tvivel. Du kommer att få svälja tjogtals kameler. Men det finns det också andra som gör. Och om du är riktigt duktig kommer de att svälja fler än du."

"Därför att de sväljer mina?" sa hon och vände sig om.

"Japp."

Hon suckade. Båda två blev stående tysta, försjunkna i egna tankar. Vreden var redan borta, upplöst som ett moln i solen.

"Fattar du inte ett dyft av vad jag säger?" frågade hon lågt och i en ton så förtrolig att det kunde ha varit den avgörande frågan mellan två älskande.

Henrik Sand drog handen genom håret, tunt uppe på hjässan, grått vid tinningarna.

"Vartenda ord. Jag har faktiskt också varit idealist en gång. Men jag måste också vara en lojal ämbetsman och såvitt möjligt göra ministerns ord till lag. Personligen är jag inte rädd för mediastorm och politiskt oväder. Det får bara inte vara huvudlöst."

"Så du är mitt huvud?"

"I den mån du tappar det, ja."

Hon skrattade till. "Så då har vi en överenskommelse?"

"Om vad då?"

"Om att du ska vara min bundsförvant. Att du ser till att jag inte får Huset emot mig. I gengäld erkänner jag din expertis och undviker i möjligaste mån att bete mig som en huvudlös halmdocka."

Han drog på munnen. Halmdocka.

"Har vi det?" envisades hon. "En överenskommelse?"

"Ja, för fan, visst har vi en överenskommelse!"

"Och vi talar klarspråk med varandra!" tillade hon och gick mot honom med lyftad hand. Han uppfattade signalen och lyfte sin med,

så att de kunde klatscha handflatorna mot varandra likt två tonårspoj-
kar som har lyckats göra mål.

"Då går vi vidare", sa hon och satte sig vid sammanträdesbordet
igen.

"Med Q's & A's?"

Han gjorde en grimas. Hon nickade.

Det var det. De var vänner igen. Han hade aldrig upplevt något
liknande under sina nio år på Miljöministeriet. Och det var just där-
för han redan var så rädd för att det skulle ta slut.

*

Kanhända är det den dagen det går upp för Lisbeth hur illa hon tyck-
er om sin man. Dagen då hennes lillasyster blir utnämnd till miljömi-
nister och hon till sin stora lättnad känner hur hon fylls av en pirrande
glädje utan att kunna urskilja den ringaste dissonans av skärande
missunnsamhet. Hon *unnar* henne det verkligen, hon är *stolt* över
Charlotte som i extrasändningen klockan tolv står och ler generat
bredvid statsministern och i kvällens nyhetssändningar blir tvungen
att ge svar på tal när journalisterna ansätter henne. Vem är hon, vad
kan hon, vad vill hon?

"*Visst är hon bra? Hon klarar sig riktigt fint!*" är hon flera gånger på
vippen att utbrista när hela familjen är samlad framför TV-apparaten,
men hon vet att det kommer att fungera som en enorm provokation
gentemot Erik, som sitter och muttrar i skinnfåtöljen, stönar och
suckar och skakar på huvudet var gång Charlotte öppnar munnen.

"Herregud, hon är så korkad att man inte kan lyssna på henne!"
utbrister han när ministern blir ombedd att kommentera "en tidigare
hjärtefråga – jordbrukets kväveutsläpp". Anser hon fortfarande att
det är ett problem? Det gör hon. Nämner till och med Mors, deras ö,
som ett exempel på hur galet det kan gå när svinfarmerna får breda ut
sig obehindrat.

"Hon begriper fanemig inte ett smack av vad hon talar om!" säger
han och daskar sin stora hand i armstödet. "Jävla kossa!"

Pojkarna, de stora grabbarna som inte kan låta bli att bli litet impo-
nerade över att se sin moster på TV-nyheterna, sneglar osäkert på sin
mamma, som ställer ifrån sig kaffekoppen och utan att höja rösten

eller vända blicken mot sin man säger: "Det är min syster du talar om."

"Det är banne mig inget att skryta med!" svarar han hårt.

Mer blir inte sagt den kvällen. Inte ens "God natt" när Lisbeth en kort stund efter att ha satt in kopparna i diskmaskinen går tidigt till sängs.

"Hon gjorde sig bra i TV. Inget tvivel om den saken. Det lyste om henne redan första gången vi hade henne med. Om hon var osäker visade hon det inte. Hon hade en, vad ska man säga, naturlig auktoritet, som föreföll enormt trovärdig och även avväpnande på oss programledare. Det var inte bara det att hon behärskade sitt ämne. Hon kunde också formulera sig på ett sätt som tittarna omedelbart förstod. Du vet, fru Jensen i Valby, vanliga människor, vad vi nu ska kalla dem. Och så talade hon jylländska, men inte så jylländskt att det gjorde något. Ja, ursäkta, men till och med jyllänningar uppfattar ju jylländska som en smula bondskt. Men det var hon inte. Inte alls. Hon var helt klart den urbana typen med en modern utstrålning. Hon var inte som de andra, det kände man med en gång, och det var uppfriskande. Givetvis hade hon en hel säck full med politiskt korrekta åsikter, men för det första lät det som om hon trodde på det hon själv sa. För det andra kom hon ju ideligen med något helt nytt och oväntat. Som till exempel när hon tillträdde och lyckades säga allt det som vi hade väntat om Vattenmiljöplanen och övergödning och så vidare – men så plötsligt sitter hon där och säger att vi för hennes del gärna kan upphäva burkförbudet! För när man räknade in danskarnas bilresor till och från gränsen efter öl i den stora miljöbokföringen lönade det sig inte ändå. Och varför spela helgon bara för ideologin skull? Så vi hade henne ofta med. Ja, jag måste också erkänna att jag personligen var svag för henne. Hon var sexig på ett raffinerat sätt. Kanhända visste hon om det, kanhända utnyttjade hon det till och med. Litet förförd blev man nog. Man är ju inte mer än man. Och till och med kameran älskade henne."

~

Som tur var satt Thomas uppe och väntade på henne med tänd adventsljusstake när hon kom hem strax efter halv tolv.

"Hej, älskling!" sa hon och gick fram och kysste honom med ytterkläderna på. "Jag var rädd för att du skulle ha gått och lagt dig!"

"Klart att jag inte har!" sa han och strök håret ur ansiktet på henne. "Du måste vara alldeles slut."

"Fullkomligt, men också uppskruvad", sa hon, rätade på ryggen och tittade ut över vardagsrummet. Även där stod blommor överallt.

"Vilka är de från?" frågade hon överväldigad.

"Alla möjliga. Din mamma, mina föräldrar, din syster och svåger, dina väninnor, gamla pojkvänner, grannen under, grannen ovanpå, bostadsrättsföreningen, indierna på hörnet, barnens dagis ... Jag har lånat en massa vaser."

"Gud, vad rörande!" utbrast hon och sjönk ner i andra änden av soffan.

"Tänker du gå igen?" frågade han med en nick mot kappan.

Hon log, struntade i stänket av ironi och tog hans hand. Den var torr och varm.

"Inte förrän om sex och en halv timme", sa hon och tittade på sin klocka. "Freddy hämtar mig 6.40."

"Freddy?"

"Det är min *chaufför*." Hon gjorde en grimas. "Jag ska vara med i morgon-TV. Hur gick det?" frågade hon sedan med en nick mot TV:n.

"Fint! Du var kanonbra. Vill du se det? Jag har spelat in alltihop", sa han och sträckte sig efter fjärrkontrollen.

"Nej, tack!" Hon himlade med ögonen. "Jag vill helst bara sitta här och vara tyst tillsammans med dig."

Hon krängde av sig kappan. Lade sig med huvudet i hans knä. Slöt ögonen. Lyssnade till hans mage som kurrade och porlade innanför skjortan.

Han böjde sig ner och kysste henne. Beröringen av hennes läppar räckte för att väcka det begär som hade legat och pyrt det senaste dygnet, ända sedan han intet ont anande och lätt berusad hade kommit hem från den jullunch under vilken han hade tillönskats lycklig stationering, varnats för lömska frestelser och den hiv-fara som lurade även på den mest ståndaktige frivilligarbetare i u-länderna. Han hade flinat åt alltihop, känt sig stå på så säker grund att såväl dystra spådomar som välmenande råd hade studsat av honom. Men så var det. Det hade han minsann lärt sig under de 33 år han hade vandrat på jorden. Att livet hade en benägenhet att komma och hoppa på en bakifrån när man var som allra minst förberedd. Vilket han för övrigt brukade uppfatta som en del av charmen med projektet Liv. Att man kunde bli överraskad. Men det var ju lätt för honom att säga, för hittills *hade* det ju bara varit lycka i säcken. Mötet med Charlotte, tvillingarna, jobbet på MS. Bara två gånger hade han varit riktigt rädd – när Charlotte fick blindtarmsinflammation i Zambia och de befann sig sju timmars bussresa från Lusaka och ett efter omständigheterna ordentligt sjukhus, och när tvillingarna plötsligt måste förlösas med akut kejsarsnitt eftersom hjärtljuden blev svagare och blodet närmast hade börjat forsa ut ur Charlottes underliv. Men båda episoderna hade slutat väl – de hann fram i sjukhuset i tid, om än i sista ögonblicket, och både mor och barn överlevde förlossningen. Att han själv en gång som liten hade haft hjärnhinneinflammation och svävat mellan liv och död, som hans mor brukade säga, mindes han knappt, och i alla händelser var det ingenting som hade rubbat hans grundläggande känsla av osårbarhet. Han kände sig på ett gammaldags sätt som om ödet log mot honom – och därför hade han haft lätt att le tillbaka mot det. Det senaste dygnets osäkerhet var med andra ord ny för honom. Kanhända berodde det på att händelseförloppet låg helt utanför hans räckvidd. Han *hade* reducerats till att stå som åskådare vid sidan av, och det gjorde honom orolig. Att inte ha något inflytande, att inte kunna göra något. Ingenting annat än att göra det han gjorde nu. Söka bekräftelse hos henne. Bekräftelse på att de var desamma. Att det inte hade förändrats. Att han var samme man som han hela tiden hade varit. Att hon var hans. Och nog insåg han att han var tillbaka bland primaterna när han började dra upp hennes blus under kavajen och famla efter de bröst som fortfarande kunde få honom att dregla av åtrå under viktiga sammanträden, mitt i trafiken, framför kyldisken i snabbköpet. Han var extremt beroende av hennes närvaro, så hade det alltid varit, och därför var tanken på att resa i väg ensam också utesluten. Det skulle han aldrig ha kunnat göra.

Hon protesterade lätt. "Jag är så trött …"

"Du behöver inte göra någonting", viskade han. "Bara låta mig känna dig."

Hon stelnade till när han stack in handen under kjolen och började dra ner strumpbyxorna. "Inte nu! Jag har en del saker att läsa …"

"Älskling, jag saknar dig så!" mumlade han och lyckades få av henne strumporna.

"Thomas", bad hon och öppnade ögonen. Mötte hans blick, så full av begär men också av en osäkerhet och en skam som hon inte hade sett där tidigare.

"Jag har aldrig gjort det med en minister förr", sa han med ett litet skevt leende och lade sig ovanpå henne, så att hon kände hans lem skava mot sitt blygdben.

Hon suckade. Lät sig bli kysst igen. Orkade egentligen inte. Men vad gjorde man inte för fäderneslandet …

"Okej då", mumlade hon och lyfte på baken så att han lättare kunde lirka av trosorna.

Han tog hennes kappa och drog den över dem.

"Nu ligger vi i ett tält någonstans. I Norditalien, kanske. Och du tänker inte på någonting", viskade han och öppnade gylfen i skinnbyxorna. "Kan du höra vinden i bergen? Cikadorna? Och Eros Ramazotti uppifrån baren?" viskade han och slöt läpparna om hennes vänstra bröstvårta.

Hon log. Det kittlade. Härligt. Men ändå. Hennes huvud hade flugit i väg till Højbro Plads, och det var Henrik Sand, de höga papperstravarna med gröna pärmar, kameralinserna, statsministerns guldtand och drottningens lätt skelande blick hon såg framför sig när han trängde in i henne.

"Är du med?" frågade han.

"Ja, ja", försäkrade hon i mörkret under kappan. Radionyheternas signaturmelodi nådde henne från grannlägenheten. Klockan hade alltså just passerat midnatt. Dag ett var till ända.

*

Det är nyårsafton. Raketer exploderar i gnistrande kaskader över storstadens natthimmel. Sällskapet hurrar och skriker varje gång ytterligare en raket fyras av med ett *svisch*, barnen spanar jublande uppåt innanför sina skyddsglasögon, kvinnorna applåderar och huttrar i tunna klänningar under öppna kappor, männen följer fyrverkeripjäsernas bana med uppskattande blick och sätter sig självbelåtna på huk för att tända nästa lunta.

Sedd på håll skiljer sig denna nyårsfest, som hålls på en sidogata i Valby, inte påfallande från alla andra nyårsfester i segmentet urbana, 30–35-åriga, välutbildade danska män och kvinnor med bra, engagerande arbeten, framtiden för sig och ett myller av barn. Graden av berusning är inte anmärkningsvärd, fördelningen av lycka och olycka är tämligen genomsnittlig, en ensam kvinna sitter och gråter i ett låst badrum inne i villan, en annan verkar en smula gäll i sin upprymdhet, en av de unga männen har en benägenhet att vara för frikostig med sina nyårskyssar och en annan har svårt att behärska sin svartsjuka, även om alltihop ju sker vänner emellan. Gamla vänner till och med – skol- och konfirmationskamrater och de respektive som tagits upp i gänget. Flera av paren har träffats under studierna, andra har kommit till utifrån och känner sig kanske mer främmande än de vill erkänna. Tio är de allt som allt, nej, nio, en har blivit lämnad, flera gånger sedan senast, så att det nu är en flicka – hon i badrummet – för mycket. Så betraktar de fortfarande sig själva. Som flickor och pojkar, fastän de är både mammor och pappor och med tiden har hamnat på ganska ansvarsfulla poster och är i full gång med att utveckla sin potential på karriärens område. Eftersom de är vänner är de inte konkurrenter. De stöttar, backar upp, ger goda råd och uppträder solidariskt gentemot varandra. De kommer ihåg varandras födelsedagar, passar varandras barn, ger sig ut på picknick, äter söndagsbrunch och firar nyår tillsammans. Men i hemlighet konkurrerar de ändå. På gängse områden – skönhet, barn, pengar, framgång – sådant som efter vad de påstår saknar betydelse. För dem. De är nämligen allihop, om de får säga det själva, unga människor med hög moral och hjärtat på rätta stället. Det är deras uttalade ambition att rädda världen. Att kämpa för en mer rättvis fördelning av tillgångar och resurser. Så de skäms över det, talar inte om det, men så är det: De bedömer varandra, mäter sig mot varandra, bevakar varandra.

Hittills har de varit förskonade från dramer och brytningar eftersom de har följts så pass någorlunda åt. Gruppen har så att säga varit samlad.

Så är det inte längre. En av dem har brutit sig ut och i ett enda överraskande ryck lagt kilometer mellan sig själv och de andra. Hon är så långt före att de knappt skymtar ryggen av den gula ledartröjan. Det skapar oro i klungan. Frustration. Man känner sig avhängd. Passerad på insidan. Har hon legat på rulle och lurpassat? Utnyttjat de andra som draghjälp för att själv kunna bli stjärna? Har hon verkligen förmågan? Eller har hon blivit hjälpt fram? Uppträder hon osportsligt, eller utnyttjar hon bara den chans som vem som helst skulle ha tagit? Och hur säkert är det att hon kommer att hålla hela vägen hem? Kommer hon att hamna överst på pallen, eller står hon på öronen innan hon når Champs-Elysées? Och viktigast, hur bör man förhålla sig till henne? Försöka haka på, ta rygg i skydd för vinden, eller bör man kanske hellre hålla distans?

Ännu har ingenting formulerats. Varken i smyg eller öppet. Ingen kritik, ingen skepsis, ingen oro i leden. Hon är fortfarande en av dem – lagom hyllad, klappad på axeln för sin bedrift. Fortfarande är de idel leenden, stora öron och välvillig nyfikenhet. Men hur ogärna de än vill erkänna sin kluvenhet, hur envist de än hävdar att ingenting har förändrats, kan det anas ändå. Som en ansträngd ton i samvaron, en feljusterad växel som gör det tyngre än vanligt att trampa. Och hon, Charlotte, märker det, märkte det redan när de festklädda anlände med fatet med limemarinerad lax, deras bidrag till buffén, och flickorna kvittrade omkring henne med sitt uppsatta hår och sin parfym bakom öronen medan pojkarna trängde sig på och försökte vara lustiga på det grovkorniga sätt som alltid hade varit gruppens signum men som i kväll hade gränsat till det pubertala. Eller är förändringen bara något hon inbillar sig, precis som hon inbillar sig att inte bara hennes svärföräldrar utan också hennes egen mor, syster och svåger har uppträtt kyligt mot henne? Som om det vilade en hinna av reservation över den samvaro som åtminstone brukar vara otvungen och hemtrevlig.

”Varför undviker de mig? Jag har för sjutton inte ebola! Jag smittar inte, jag har bara blivit minister!” beklagade hon sig inför Thomas efter en tämligen kylslagen julafton under moderns tak. ”De är helt enkelt nordjyllänningar”, konstaterade Thomas avfärdande. ”Så jag ska inte tro att jag är något?” ”Nej, och det ska inte de heller. Därför kan de ju inte tillåta sig att vara så stolta över dig som de är. De kan åtminstone inte tillåta sig att *visa* det. De måste hålla dig nere för att inte själva bli för malliga.” En plausibel antropologisk förklaring som hon hade köpt för julfridens skull. Även om den dementerades av Lars, hennes okomplicerade lillebror, som var lika mycket nordjyllänning som de andra men inte desto mindre generöst överöste henne med gratulationer när han så småningom kom hem från Balkan på annandagen.

Och här på villagatan är de inte nordjyllänningar. Här är de mediavana och moderna – flera har figurerat i tidningsspalterna, andra har skrivit krönikor, några har till och med varit med i TV-inslag och debattprogram. I detta sällskap är det ingen skam att *synas*, tvärtom. Men även om de tillhör den generation som skamlöst ägnar sig åt mediamasturbation framför öppen skärm bör exponeringen ändå ransoneras. Överexponering straffas nu som förr med avvisning, motstånd, mytbildning och uteslutning ur flocken. Givetvis förutsatt att den exponerade inte accepteras och koras till ledare. I så fall är exponeringen både önskvärd och nödvändig för att bevara föreställningen om ikonen.

Denna småfrysande unga kvinna, som symboliskt och helt omedvetet befinner sig i utkanten av kretsen runt de vitala artilleristerna med cigarrer i munnen, är inte korad till ledare. Hon är ännu ingen ikon som de andra har böjt sig för. Visst har de lyssnat till henne mer respektfullt än annars, låtit henne utveckla sina analyser av dansk politik i allmänhet och miljöpolitik i synnerhet över det festligt dukade långbordet med serpentiner och kulörta girlander hängande i långa banor från den mexikanska takkronan, men de har inte givit upp försöken att utmana henne. De flesta av flickorna har kanske gjort det, de som trots lovande examina redan har sackat efter med sina stora magar och småbarn hängande på höften och ett moderskap som är både ett hinder för att komma tillbaka ut på plan och en ursäkt för att slippa.

Men pojkarna, de flesta av dem, anser var och en att det lika gärna kunde ha varit de. Vilket de i sitt stilla sinne har bestämt sig för att bevisa. Som exempelvis Mikkel Bøgh, prästsonen från Himmerland, som med en flaska rysk champagne i ena handen och en vältuggad havannacigarr i den andra har noterat att Charlotte står så pass avsides att han kan gå fram till henne och äntligen ta en närmare titt på den blanka klänningen i lila satäng som inte bara avslöjar en liten kulmage, ett par breda höfter och en barm som alltid har gjort inte bara honom utan också de andra pojkspolingarna småtokiga och som också i kväll, i takt med att den söta *champanskojen* runnit ner, har tilldragit sig mer och mer förströdd uppmärksamhet.

Charlotte ser Mikkel närma sig, ler mot honom, mer osäkert än vanligt. Inte därför att hon känner sig otrygg inför den beslöjade sängkammarblicken utan därför att hon känner sig otrygg av att pojkarna inte har betett sig som de brukar under festens mer lössläppta fas. De *ser* på henne, men de *säger* ingenting, *gör* ingenting. De kysser henne inte på halsen, lägger inte armen om henne och viskar att hon har jävligt snygga bröst. De kör inte heller armbågen i sidan på Thomas och påminner honom om att hans fru är en pangbrud, en riktig snygging och all den där smörjan som hon brukar le överseende åt. Och Mikkel har inte kommit vinglande och frågat om han får röra samtidigt som han redan med saligt himlande blick lagt handflatorna på "rattarna". Han gör det inte nu heller, kanske därför att han redan har händerna fulla, tänker hon. Men det är inte därför. Mikkel tar henne inte på brösten därför att han har sett henne på TV, läst kommentarerna och porträtten i tidningarna. Han har till och med utnyttjats som anonym källa och blivit ombedd att säga "något personligt" om den nya miljöministern. Och vad hade Mikkel, den prydlige gossen, nyligen anställd på Finansministeriet, som prompt skulle slänga av sig kläderna, streaka på gågatan i Århus, moona på trottoarserveringar och kasta sig naken i Nyhavn så snart han hade tänt på och druckit ett flak pilsner, sagt? Mikkel sa att Charlotte Damgaard var en klok och mycket begåvad flicka, ambitiös, rolig, en duktig backgammonspelare med utpräglat tävlingssinne. Han sa också att hon var "one of the boys" och rolig att leka med. Att hon kanske kunde verka en smula kylig och arrogant om man inte kände henne. Han sa inte att hon hade snygga pattar, inte heller att hon i åratal hade varit en av hans sexuella fantasier, även sedan han gift sig med den älskliga Maria, som givetvis också gör honom tänd, i synnerhet när hon har på sig sin sjuksköterskeuniform. Maria, som också kom till telefonen när journalisten ringde, sa att Charlotte var en rar och omtänksam väninna som även om hon hade mycket att göra alltid prioriterade familjen. Någon hönsmamma var hon inte, med det behövde hon ju inte heller vara, för det var Thomas, hennes man, *haha*. I stället var hon riktigt bra på att sjunga jazz. Kanske var det Mikkel, kanske var det någon annan som hade kommit på att kalla henne "flickan från åkern", som inte bara blev en rubrik i Berlingske Tidende utan också vad somliga, däribland Mikkel själv, redan har börjat kalla henne. Inte nedsättande för hans del. Nej, nej. Bara i all vänskaplighet.

"Nå, Charlotte", säger han och går fram till henne med cigarren i handen. "Hur är det?"

"Åjovars", svarar hon rituellt på Århusmaner.

"Var hälsat, herrens år", säger han och vinglar lätt mot henne. "Eller bör man säga kvinnans. Det ser det väl ut att bli? Jag älskar dig fortfarande, det vill jag bara du ska veta. Du kan alltid räkna med mig", snörvlar han och lägger armen om henne.

"Det gläder mig, Mikkel", säger hon och drar den syrenfärgade pashminasjalen, julklappen från Thomas, hårdare om sig.

"Jag menar det!"

"Tack", säger hon och försöker fånga Thomas blick. Han ser henne inte, är upptagen av att hjälpa Johanne placera en raket i en flaska medan Jens ängsligt håller sig på avstånd. Hon ropar på pojken, men han dröjer sig stoiskt kvar med armarna stelt ut från kroppen, trots att hon ser på honom att han helst vill söka sig i säkerhet. Lågt upprepar hon sitt rop, vill att han ska ge efter och komma bort till henne så att hon kan känna sig skyddad och inte stå så ensam och utsatt. Även om det bara är Mikkel, gamle hygglige Mikkel, som underligt nog finner det nödvändigt att understryka den lojalitet som hon har tagit för given. Jens rör sig inte. Står som förstenad i den drivande krutröken och stålsätter sig för att vara nästan lika tuff som sin syster, som får sätta cigarrglöden till snöret.

"För det blir väl inte lätt?"

"Vad är det som inte blir lätt?" frågar hon med ett vaksamt leende. Mikkel ger hennes axel en tryckning.

"De flinar ju redan. Räknenissarna. De är ena cyniska svin där borta. De ser fram mot att få mosa sönder dig, som en pissmyra mellan naglarna."

"Gör de?" säger hon och lyfter roat på ögonbrynen.

Mikkel nickar dystert. "De är så perversa. Men du kan lita på mig. Jag är din vän", nickar han och hinner precis låta sin högerhand snudda vid hennes bröst utanpå sjalen innan Maria, hans svartlockiga fru, med imponerande timing smyger sig in på hans vänstra sida.

"Vad står ni och pratar om?" frågar hon. "Inte politik, väl?"

"Vi talar om dig, älskling! Har du litet mer champagne åt pappa?"

"Om du lovar att inte bli odräglig! Har han varit det?" frågar hon Charlotte.

"Nej, nej", försäkrar Charlotte och återgäldar Marias älskvärda värdinneleende. "Han har varit *så* rar."

"Duktig pojke", nickar Maria och drar honom med i riktning mot stenhuset som de nyligen har köpt för 2,3 miljoner kronor. "Kom! Vi ska in och dansa! Och du ska sjunga, Charlotte!"

"Char-lotte!" skrålar Mikkel och vill släpa med henne. Hon avböjer, skrattande som Maria. Går bort till Jens, sätter sig på huk bredvid honom och håller om hans darrande fyraåriga kropp.

"Thomas", säger hon sedan och reser sig. "Vi måste hem."

"Klockan är ju bara halv ett!" Han vänder sig mot henne och skjuter upp skyddsglasögonen i pannan.

"Jens är alldeles slut."

"Vi har täcken med. Han kan lägga sig någonstans."

"Vi vill inte åka hem!" ropar Johanne. "Vi ska dansa!"

Charlotte suckar. Går ända fram till Thomas och fattar vädjande om hans handled. "*Jag* vill gärna hem i alla fall. Ni kan ju stanna kvar."

Thomas betraktar henne ett ögonblick, lägger huvudet på sned, kisar med ögonen. Han är hennes beskyddare. Thomas läser också tidningar, Thomas ser också på TV. Thomas är utrustad med mer känsliga sociala sensorer än många andra. Så Thomas har också lagt märke till förändringen. Att ingen, inte ens familjen, längre reagerar naturligt inför henne. Hon är inte paranoid, även om han försöker få henne att tro det. Och även han ser det som hon knappt själv har insett. Att den uppgående solen också är en uppgående måltavla. Hans roll är att skärma av henne. Att punktera hennes oro. Till och med när hon inte vet om det måste han vara hennes uppmärksamma livvakt. Och nu ser han på blekheten under makeupen och på skuggorna under hennes stora ögon att man inte längre kan veta vem som är vän och vem som är fiende. Hon har rätt. De måste hem, i säkerhet. Dit där de bara är Thomas och Charlotte och barnen, som de alltid har varit.

"Vi åker hem tillsammans", säger han och kysser henne mjukt på pannan. "Självklart."

Som alla andra nyårsaftnar får de vänta länge på taxin. Chauffören, en irakisk invandrad ingenjör, lägger inte märke till något ovanligt med denna danska firarfamilj som ska köras in till Drejøgade på Østerbro. Sällskapet som vinkar adjö och skrattar i dörren beter sig ungefär lika löjligt som alla danska nyårsfirare. "Hälsa Elsa!" envisas en med att ropa. Men ingen är hotfull eller rasistisk, och såvitt han kan bedöma är paret med de båda barnen, däribland en sovande pojke, rätt nyktra. Det är han glad för. I synnerhet avskyr han berusade kvinnor. Den här kvinnan lägger sitt huvud på mannens axel och ler blekt mot chauffören i backspegeln. Och möjligen är det något särskilt med det där leendet. Som om det var bekant på något sätt.

*

"Hon kom alltså inte", säger Bodil Rørbech och vänder nacken mot sin man så att han kan hjälpa henne av med pärlhalsbandet.

"Nej, hon kom inte. Inte i år heller", säger han stillsamt och kysser sin hustrus nacke när han har öppnat låset. Tre år har gått sedan hon lämnade dem på sin artonårsdag. Frågan är om deras dotter kommer hem till nästa år. Eller någonsin.

"Tror du att hon tänker på oss?" frågar hon med pärlhalsbandet i handen och vänder ansiktet mot honom.

"Naturligtvis gör hon det", nickar han och upprepar det för sig själv när han sätter sig ner på sängkanten och tar av sina svarta gåbortsskor. Dem som de förr i tiden kallade för hans "dansskor".

"Precis som vi tänker på henne."

*

Den 1 januari strax efter nio är Charlotte ute och joggar sin sedvanliga runda i Fælledparken. Hon älskar nyårsmorgnar, och hon älskar att springa. Hon älskar vintern för dess dämpade vissenhet, för vätan som samlas som droppar i det nakna grenverket, för de förtorkade nyponen som frostbitna lyser som röda accenter i det silverbleka ljuset. Hon älskar lukten av jord och förmultning. Och hon älskar att springa så fort och så länge att hon går över i en annan dimension och försvinner in i vinterbilden och lika väl skulle kunna vara den fågel som plötsligt flaxar upp ur en snöbärsbuske, skrämd av hennes fötters trummande mot den hårda marken.

Men det står inte i tidningarna. Där står inte heller någonting om såret som öppnar sig, om mardrömmen som än en gång väckte henne tidigt i morse och skickade ut henne på den här springturen. Enligt tidningarna dog hennes far bara, helt enkelt, när hon var liten. Ingenting har stått om självbindarsnöret och takbjälken. Ingenting om Kesse, som kom ut ur ladan. Ingenting om strumpfötterna, som dinglade mot de urblekta arbetsbyxorna. Och varför skulle de skriva om det? Även om de hade vetat det?

*

Henrik Sand Jensen var inte ute och sprang den 1 januari. Kopparslagarna förhindrade det. I stället bestämde han sig för att sona sin orgie genom att cykla in till mötet med ministern. En sträcka på arton kilometer, som det tog honom knappa femtio minuter att tillryggalägga inklusive ett stopp då han tvingades offra magsäckens innehåll av ostron, torsk, senapssill, rödbetor och hackat ägg. Plus ett par skopor potatis, hans egen hemgjorda gräddglass, mandelkrokan och så allt det flytande: vitt vin, portvin, kaffe, konjak, champagne och ett par tre öl. Till vardags var Henrik Sand Jensen återhållsam på gränsen till asketisk, men när han tillät sig att festa festade han ordentligt. Så varje nyår slutade med att hans fru fick baxa honom i säng när han hade blivit full och galen som en västjylländsk fiskare, och varje nyårsmorgon vaknade han med en dånande huvudvärk, sandpapperstunga och ett oemotståndligt behov av att kasta upp. Spyan i rabatten var den tredje under förmiddagen, och därmed visste han av erfarenhet att det nog skulle vara över. Han behövde bara två stekta varmkorvar med rostad lök, nedsköljda med chokladmjölk, när han väl kom in till stan så skulle han tvärt emot sin frus prognoser vara i form igen. Hon ansåg för övrigt att det var fullkomligt oacceptabelt att han skulle behöva infinna sig på sin arbetsplats den 1 januari. En synpunkt som han i princip delade, men i det här fallet var det nödvändigt. Hans nya minister skulle igenom dels en nyårsuppvaktning hos drottningen, dels en middag med dans på Marienborg och sedan ett informellt rådsmöte i Bryssel två dagar senare. Han var tvungen att ställa upp för henne. Vilket han inte hade så mycket emot som hans fru trodde.

Han såg faktiskt fram mot att komma i gång med arbetet. Såg fram mot att coacha Charlotte Damgaard igenom hinderbanan och göra henne till en riktigt bra miljöminister. Hon hade förutsättningarna, det visste han. Bra benstomme, som han brukade säga. De hade redan hunnit träffas en gång mellan jul och nyår, då hon var inne och ställde i ordning sitt kontor, sorterade sina papper och satte upp barnteckningar på väggarna. Han var inte bra på att avgöra sådana saker, det vill säga exakt vad det var, men atmosfären hade blivit både mer feminin och mer personlig, även om hon inte hade bytt ut möblemanget. Nu fanns där mer etniska prylar och en del andra böcker i hyllan. Dessutom några färgglada kuddar i soffan. Och flera ramar med familjefoton av mannen och barnen, som hade varit med sin mamma på arbetet. Ministerns kontor var nu också utrustat med en trave Disneyvideor, ritblock och filtpennor. Snälla och söta barn, visst var de, men om han skulle vara bekymrad över något var det just det. Att hans minister hade så små barn. Även om mannen uppenbarligen var modern och inställd på att ta på sig de husliga plikterna var det ändå det de stupade på, kvinnorna. I varje fall somliga av dem. Hon behövde förstås inte vara en av dem och i synnerhet inte om de hjälpte henne att bereda plats åt familjen. Däribland mannen, Thomas, som vid en första anblick verkade hygglig och lätt att komma överens med och dessutom stark nog att kunna stå i skuggan. Det hade man ju också exempel på. Att män knäcktes av att förvisas till den anonyma supportfunktionen. Knäcktes totalt.

Hon var redan där när han kom fram, svettig och andfådd. Den sista biten efter korvvagnen hade han tillryggalagt i cykelbudstempo för att inte komma för sent. Fem minuter i tolv var han där, men hon satt redan vid datorn med glasögon på näsan och skrev när han stack in huvudet.

"Gott nytt år", sa hon och log brett när hon fick syn på hans Tour de France-mundering. "Är det ett nyårslöfte?"

"Nä, det är ett patetiskt försök att bli av med mina kopparslagare. För resten gör jag det ofta."

"Super dig full?"

"Cyklar till jobbet. Jag ska bara ta en dusch. Hur kan du se så pigg ut?"

"Bara vatten och tidigt i säng. Fördelen med att ha småbarn. Jag har bryggt kaffe också."

Han lämnade rummet med ett litet flin. Hade det någonsin hänt att Søren Schouw själv bryggt kaffe?

Cykelturen och duschen hade en avgjort positiv effekt på kopparslagarna, men han kände sig ändå seg och hade svårt att följa med i hennes tempo när de hade satt sig vid sammanträdesbordet. Hon hade också tänt stearinljus och fyllt en liten lackskål med blandade småkakor.

"Min systers", påpekade hon och sköt först skålen och sedan en utskrift över bordet. "Det är veckans 'Med mina ögon'-kommentar som du talade om. Den till hemsidan", förklarade hon medan han lät en Treo brusande sjunka ner i ett glas vatten.

"Du hade inte behövt skriva den själv", insköt han. "Sådant har vi personal till!"

"Jag ska väl förstå det själv?" sa hon och fortsatte: "Jag har skrivit om genmodifierade organismer och klargjort Danmarks position i förhållande till EU."

"Ja?"

"Jag skriver att vi stödjer det nya direktivet vad gäller den utvidgade tillämpningen av försiktighetsprincipen och av övervakning, men att vi fortfarande står fast vid vår uppfattning att tillstånd till odling och marknadsföring inte ska ges förrän man har fått fram tillfredsställande regler för märkning och ursprung. Det är, såvitt jag vet, vår hittillsvarande inställning, och jag utgår från att det är den jag ska hålla mig till under mötet i Bryssel?"

Han nickade överväldigad.

"Den är redan avhandlad med de fyra andra miljöministrar vi står i förbund med i den här frågan, inte sant? Jag har funderat på om jag skulle slå en signal till min svenska kollega, eller räcker det att jag ser till att få en pratstund med henne i Bryssel?"

"Søren har nyligen talat med henne, men du kan gott ringa upp henne", mumlade han medan han läste hennes text. Ingenting som helst att anmärka på. Varken tekniskt, politiskt eller presentationsmässigt.

"Nu?" frågade hon med en blick på telefonen.

"Hm, borde du inte vänta?" sa han. "Jag tror inte att Madeleine arbetar på nyårsdagen!"

"Har vi hennes privatnummer?"

"Det har vi nog", sa han undvikande och gnuggade sig i ögonen innanför glasögonen. Hon hade tagit av sina. "Men låt henne vara i fred nu, tycker jag. Det borde inte finnas några hårstrån i soppan."

"Okej", gav hon med sig. "Jaha, jag har ägnat julhelgen åt att läsa igenom allt det här. Jag tror att jag har någorlunda koll på 'större väsentliga frågor' över hela linjen. Det är ju välkända saker det mesta", sa hon nästan ursäktande. "Det visar, som man kunde vänta, att ministern är i förväg uppbunden i de flesta frågor och i princip får nöja sig med att driva butiken vidare och underteckna lagar och kungörelser och hålla sig väl med sina förhandlingspartner och uppdaterad om vad som för övrigt är på gång. Man kan fråga sig om det över huvudet taget finns någonting kvar för mig att göra politik av. Hur prioriterar vi i det här, och hur undgår vi ... hårstrån i soppan?"

Frågan var retorisk, men han nickade ändå. Hade förstått vart hon ville komma. Svepte en hel kopp kaffe i ett enda drag, kände koffeinkicken sprida sig. Fan, nu måste han skärpa sig, annars skulle hon springa ifrån honom.

"Jag känner mig litet grand som en sådan där teaterchef som har tagit över en teater där de spelar företrädarens repertoar de första två säsongerna. Förstår du? Det känns *litet* trist."

"Så kommer det inte att fortsätta", anförtrodde han henne och hällde upp ytterligare en kopp, även åt henne. "Du ska nog få spela komedi om det är det du vill."

Hon log. "Det tror jag på."

"Men det är ju det långa, envisa slitet som ger resultat inom politiken. En enstaka brasa eldar upp tidningssidor, men den bränner inte ner skogen."

"Så poetiskt!" skrattade hon.

Han ryckte på axlarna. "Det kom bara för mig."

"Bortsett från att bränna ner skogar är just vad vi inte ska göra", sa hon sedan. "Vi ska snarare plantera dem. Vi måste göra oss mer synliga."

"Du menar *programpunkter*", sa han och sträckte sig efter en vaniljkrans för att dämpa den starka smaken av rostad lök.

Hon nickade. Håret hängde fritt på ett litet rufsigt sätt, som om hon inte hade orkat föna det. Ingen makeup. På det hela taget var hon så ledigt klädd, i vinröd polotröja och jeans, att det nästan blev för intimt. Så brukade hon se ut hemma, det var han säker på. Så såg hon ut när hon var sig själv. I motsats till sin företrädare, som aldrig, inte ens när han infann sig på helgerna utan slips, lade av sin ministerattityd. Han hade blivit ett med rollen, och det hade blivit hans fall. Hans svaghet för maktens sötma, hans bristande förmåga att skilja stort från smått. Kanske var denna risk för att förtäras inifrån av en liten elak, fåfäng mask mest överhängande för män. Vilket inte betydde att inte också kvinnor kunde börja åbäka sig och få storhetsvansinne. Han hade sett exempel som inte stod männen efter. Men ändå var det som om kvinnorna var mer immuna mot frestelsen att smälta ihop med rollfiguren. I varje fall blev de inte så *imponerade*, och det tyckte han var befriande. Även om han naturligtvis väl insåg faran med att alltför mycket vara sig själv. Attityden innebar ju också ett skydd, en maktens brynja.

"Hur kunde du räkna ut det?" frågade hon och bet i kanten av en bondkaka.

"Det vill ni allihop ha. Naturligt nog", tillade han snabbt när han såg att hon ruskade på huvudet i protest.

"*Jag* behöver inte programpunkter. *Vi* behöver programpunkter."

"Då skulle jag kunna erbjuda dig äran att ro energireformen i hamn …"

"Räcker inte."

"Uppföljningen av Kyotoavtalet, då, det är ju både viktigt och aktuellt, Bonn har bara hunnit ett halvår framåt …"

"Ja, ja", viftade hon av honom. "Naturligtvis, men det går ju sin gilla gång med koldioxidkvoter och så vidare. Det har väl Huset koll på."

Henrik Sand nickade. Det hade Huset koll på. Byråkratin fungerade oklanderligt, så mycket kunde han säga.

"Det mest intressanta för mig i den frågan blir ju USA:s avhopp. Om den nye presidenten står fast vid sin allians med oljeindustrin och sin negativa hållning till miljön är det klart att vi måste reagera. Men det är ju inte heller så *folkligt*? Precis som det väl inte är särskilt smart att gå ut med en massiv, ensidig 'låt-bilen-stå-sänk-koldioxidutsläp-pen'-kampanj?"

"Nä, alla vill ha fler motorvägar. De vill inte avstå från att bada heller. Det där har vi också prövat." Henrik Sand kände hur det jäste i magen. Han borde sluta med kaffet och hålla sig till Søbogaard-saften. Han öppnade en flaska. "Före min tid", tillade han.

"Det gläder mig att höra", log hon. "Ska jag öppna ett fönster? Du ser blek ut."

Han höll avvärjande upp händerna och rätade på sig på stolen. No more booze. Vad var det för demoner han hade försökt driva ut? Kanske var det just det. Den oklanderlige ämbetsmannen. Så konformt. Så förutsägbart. Och ändå ett adelsmärke. Han borde vara sådan. Driftsäker. I såväl storm som stiltje. Han harklade sig.

"Vad har du tänkt dig då? Bortsett från att häva burkförbudet", sa han med en anspelning på hennes första TV-framträdande, där hon hade släppt den bomben. Trots deras tragglande med Q's & A's. För övrigt var det så taktiskt ursmart att man kunde tro att de hade plane-rat det i förväg. Redan nu hade hon förvirrat fienden genom att inte visa sig vara någon halmdocka.

"Nu ska du få höra", sa hon med en liten flickaktig tvekan som fick honom att titta upp från det gula linjerade block där han hade börjat rita det vindpinade träd som var hans standardklotter. Hon var inte ämbetsman. Därmed kunde hon inte heller vara oantastlig. Förhopp-ningsvis insåg hon själv att det var så det förhöll sig. Han log älskvärt.

"Ja?"

Hon rätade på sig på stolen. Strök håret bakåt.

"Vad har du för inställning till jord?" frågade hon sedan.

"Till *jord?* Vad menar du?" frågade han med rynkade ögonbryn.

"Vad tänker du på när jag säger *jord?*"

Han lutade sig tillbaka och sneglade på henne. "På Habitatförord-ningen, på sanering av jordföroreningar, på zonindelning av åker-marken, på småbiotoper och spridningskorridorer, men det är väl inte det du är ute efter?"

Hon skakade knappt märkbart på huvudet och höll blicken inten-sivt fixerad på honom, tills han med en ohörbar suck gav efter.

"Jag har en liten köksträdgård", började han. "Bara några rader med jordgubbar, litet potatis och sallad. Och så några ringblommor i

ytterkanten. De är jättegoda i sallad, visste du det? Jag älskar gräv-
arbetet, att vända en spade full med jord, *klatsch!* Jag älskar doften där
tidigt på våren, det är som om näsan luktade för första gången, som
om den sträckte sig efter den här doften av … av urgamla organiska
processer som ständigt pågår vad vi än säger och beslutar."

Han sneglade på henne. Hon lyssnade med huvudet på sned och
en liten krusning kring läpparna som fick honom att fortsätta. "Och
så älskar jag att rensa, att ligga där och dra upp ogräs, att få den klad-
diga jorden under naglarna. Jag älskar att gödsla, jag älskar att vattna,
jag älskar att skörda. Nej, det är kanske det minst viktiga. Allra mest
älskar jag att se det växa! Allt det gröna. Jag kan aldrig komma över
vilket mirakel det är att man kan så och sätta och plantera ut, och till
sommaren har man sedan stora, livskraftiga växter som står där."

"Henrik Trädgårdsmästare", skrattade hon.

"Kanhända blir jag särskilt förvånad eftersom vi hade så usel jord
hemma. Min mor försökte envist få det att växa, men allting blev ynk-
ligt och förkrympt i den ofruktbara sanden. Hon skulle ha varit stolt
över min, om hon hade hunnit se den. Det skulle hon ha förstått bätt-
re än pappersvändandet!"

Han log och tystnade. Hade han någonsin talat om sin trädgård
förr? I varje fall inte här. På ministerns kontor. Visserligen brukade
han ta med några lådor äpplen på hösten, men såvitt han mindes
hade han aldrig berättat om sitt odlingsintresse. På sätt och vis skäm-
des han över det eftersom det var så småborgerligt. Precis som We-
bergrillen de hade köpt förra sommaren. Och inte var det så mycket
av Easy Rider över det.

"Och du då? Vad tänker du på?" frågade han sedan.

"Jag tänker på våra åkrar där hemma. Det var också dålig jord, san-
dig, precis som hos er på Västjylland. Grå, torr och dammig när man
gick och hackade betor. Särskilt om det inte hade regnat på länge.
Men det visste vi inte, vi trodde att det var så jord skulle vara. Och de
kom ju upp, grödorna. Vi hade både råg, korn och havre. Vår pappa
brukade skicka ut oss på åkrarna innan de körde med tröskan för att
skrämma bort harar och fasaner. Det var hemskt när de hamnade i
skäraggregatet. Och så tänker jag på …"

Hennes blick var hela tiden fixerad på ljuslågan; pupillen utvidgade
sig och blev till en ö i en vattenfylld tjärn.

"… ja, så tänker jag på *graven*. På hålet i marken, på jordhögen, på de feta maskar som krälar runt, på nyanserna, från det gråvita till det senapsgula till det bruna och nästan svarta."

"Vilken grav?" undslapp han sig.

Hon flyttade blicken, mötte hans.

"Ingen särskild. Min egen kanske. 'Av jord är du kommen, jord skall du åter varda.' Jag kan inte bestämma mig för om det är betryggande eller djupt skrämmande att det är så det hänger ihop. Så enkelt. *Mother Earth*, som indianerna säger. *Make love to Mother Earth*.

"Säger de det också?" frågade han skeptiskt.

"Det vet jag inte. Det kom bara för mig." Hon log och tog en kaka till innan hon sköt skålen utom räckhåll för sig med ett "jag blir för tjock!" Det hann han inte kommentera, borde inte göra det heller, men om det inte hade varit att passera den privata sfärens demarkationslinje skulle han ha sagt att hon inte borde tackla av. Han gillade den lätta tendensen till fyllighet som kunde anas som mjukt hull runt höfterna.

"Jaha!" Hon borstade smulor från fingertopparna och ändrade ställning igen. "Vart ville jag komma med det här?"

"Att vi alla har jord i huvudet?" sa han och gjorde sedan en ursäktande grimas.

Hon flinade. "Men det är inte helt fel att vi alla har jord i huvudet. I den bemärkelsen att vi alla har ett sinnligt förhållande till jord. Jord betyder något för oss, till och med inbitna stadsbor talar om längtan efter att stoppa fingrarna i jorden och gräva upp sin egen potatis och allt det där. Min poäng är att det är något som vi håller på att glömma bort i miljöpolitiken, eftersom vi med tiden har snärjt in oss i facktermer och deklarationer till den grad att vi har fjärmat oss från jorden. Förstår du vad jag menar?"

"Hellre jord i huvudet än jord på hjärnan?"

"Yes! Exakt!" log hon och riktade ett utmanande pekfinger mot honom. "Men allvarligt talat har jag tänkt mig att göra miljöpolitiken mer närvarande. Vardaglig. Få den i ögonhöjd med vanliga människor." Hon makade sig ivrigt framåt på stolen.

"Ja, men", avbröt han, men hon fortsatte snabbt.

"Varför ska Leksaksförordningen bara gälla för 0–3-åringar, varför ska vi inte gå in och förbjuda ftalater i leksaker för alla barn? Nog är det väl oacceptabelt att min fyraåriga dotter ska riskera nedsatt fertili-

100

tet därför att hon leker med dockor? Varför ska vi över huvud taget acceptera att EU tar hundra år och en sommar på sig för att få fram den där kemikalievitboken när vi redan nu vet att syntetiska östrogener förstör arvsmassan och gör unga män sterila?"

"Därför att den kemiska industrin är EU:s sextonde medlem, och därför att vi är uppbundna av en helvetes massa konventioner och traktater och avtal som vi inte bara kan slingra oss ur!" sa han när han äntligen fick en syl i vädret.

"Ja, det vet jag mycket väl, och jag förstår det till och med, men det gör inte danskarna", sa hon igen med pekfingret riktat mot honom.

"Du får oss inte ur EU före semestrarna", påpekade han och såg hennes ögonbryn fara upp.

"Vi ska visa att vi förstår folket, och därför måste vi sända ut vissa signaler …" fortsatte hon.

"*Signaler!*" Nu var det hans ögonbryn som for i vädret. Han avskydde floskler.

"… som ger uttryck för ett reellt innehåll", bet hon av.

"Och därför?"

"… har jag för avsikt att leverera synlighet."

Hon såg utmanande på honom med lätt lyftad haka.

"Hur då?"

"Genom att för det första säga som det är och sedan handla i enlighet därmed genom att ta vissa mycket konkreta initiativ som folk kan ta och känna på."

"Har du lust att vara mer konkret?" Han gned sina tinningar. Huvudet värkte fortfarande, svagt men ihållande.

"Faktum är, Henrik Sand Jensen, att det i stort sett går åt fel håll på alla viktiga områden."

Han började protestera men blev åter avbruten.

"Problemet är att vi mycket väl kan gå in och reglera miljön och reparera skadorna, men problemen skapas i alla de andra sektorerna. Vad hjälper det egentligen att vi satsar miljarder på vattenmiljön, så länge jordbruket inte i grunden ändrar praxis? Och vad tjänar det till att vi anlägger cykelbanor så länge vi har en transportsektor som går i bilindustrins ledband? Vi är en av de nationer i världen som har de högsta koldioxidutsläppen per invånare, bland annat därför att vi åker mer och mer bil!"

Han nickade sakta. Det där visste han allt om. Av samma skäl tog han sällan bilen in.

"Jo", sa han tvekande, återigen smärtsamt medveten om att han var starkt nedsatt och därför inte tänkte vare sig tillräckligt snabbt eller klart. "Det har du rätt i, men det är ju ingenting nytt. Jag anser faktiskt att vi jobbar av bara den med problemet! Vi gör faktiskt ingenting annat. Till och med i stora, stygga Bryssel sitter flera hundra ytterst kompetenta människor och gör något åt det!"

Han lät mer irriterad än han hade avsett, och kanske var det därför hon nöjde sig med att ge honom en avmätt blick, varefter hon utan vidare reste sig och gick bort och öppnade fönstret.

Sedan satte hon sig igen mittemot honom och drog fram en mapp ur högen framför sig. "Jag har tittat på regeringens förslag till hållbar utveckling."

"Det är fortfarande bara ett utkast som ska upp till diskussion i berörda ministerier. Du hinner säkert få ett ord med i laget", insköt han och vände sig en aning mot fönstret för att låta den kyliga brisen svalka hans panna.

Hon nickade. "Det har jag räknat med. Jag har tänkt mig att lägga mig i en hel del."

"Jaha?" Han sträckte sig efter termoskannan igen och fyllde på sin kopp.

"Jag tycker vi ska ta den här chansen att förändra miljöpolitiken radikalt."

"Hur då?" sa han.

En liten tvekande ansats, och sedan satte hon i gång.

"Genom att göra Danmark ekologiskt! Regeringen ska helt enkelt lansera en plan för hur man kan göra en ekologisk omställning av hela det danska samhället. Och första punkten i den planen är givetvis att staten går i täten. Det vill säga att varje enskilt ministerium utarbetar en plan för hur den omställningen kan och ska genomföras i 'det egna huset'. Därmed visar regeringen vägen till hållbarhet, från statsministerkontoret till Antvorskov Kaserne."

Han ställde ifrån sig termoskannan med en smäll. "Du menar att statsministern ska dricka Max Havelaar-kaffe, och soldaterna ska äta ekologisk medisterkorv på markan? Nedsköljd med ekologiskt burköl?"

Charlotte log och lutade sig tillbaka. "Just precis! Och äldre medarbetare ska återanvändas, så det finns något i det för dig också!" flinade hon.

"Intressant idé", nickade han och bet i kulspetspennan. "Menar du allvar, eller överdriver du bara? Vi andra arbetshästar har ju slitit med den här hållbarhetsstrategin i ganska många år och fått en viss känsla för realiteter ..."

"Jag menar det! Allvarligt! Givetvis i en mer genomtänkt, kalkylerad och raffinerad form. Vi bör i synnerhet noga överväga hur vi ska sälja idén till först statsministern och sedan de andra ministerierna, så att de ser att det finns vinster att kamma hem senare. Det är viktigt med *ära*, inte sant?"

"Ska de alltså ha solfångare på Christiansborg? Och ministerbilarna ska köras på rapsolja?"

"Varför inte?" Hon ryckte lätt på axlarna. "Henrik, inte för att förolämpa dig, men miljöpolitiken i Danmark är otroligt gammalmodig. Man är van vid att tänka på vad som först och främst gagnar ministern och inte på vad som gagnar miljön. Men de där sektortankegångarna måste vi överge om det ska hända något. Vi målar ju bara in oss i ett hörn med våra vindkraftverk!"

"Din företrädare kunde bara inte få nog av vindkraftverk! Rest in peace ..."

"Visst är det bra med vindkraftverk. Men nu *har* vi vindkraftverk så det räcker. I varje fall på land. Och de havsbaserade kommer ju också snart i gång."

"Så du är inte emot vindkraftverk, precis som du är för burköl?" sa han retsamt.

"Nej, Henrik Sand, jag går in för förnyelsebar energi", väste hon. "Och åt helvete med vindkraftverken! Vad jag vill säga är att vi skulle kunna vara mycket mer analytiska i vårt tillvägagångssätt. Och du är ju, när allt kommer omkring, en intellektuell glasögonorm, inte sant?"

"Skulle det vara en komplimang?" fnös han.

"Bara om du vill stå för det och använda det till någonting. Varför är det till exempel inte vi som drar i gång den stora debatten om tillväxt eller icke-tillväxt? Varför tar vi ställning till varje enskilt köpcentrum i stället för att driva en överordnad strategi, som handlar om att stödja de små samhällen som finns kvar? Hur ställer vi oss till globaliseringen? Varför ska det finnas en McDonald's i Brønderslev?"

"Gör det det?"

"Ja! Ungarna fick Happy Meal dagen före julafton!"

"Och vad fick du?"

"Big Mac, men det hör inte hit!" Hon log brett och viftade med kulspetspennan. "Och tro för all del inte att jag är så dum att jag går ut med ett budskap om att vi vill tvinga McDonald's att slå igen."

"Vad vill du gå ut med då?"

"'Gör Danmark grönt'! Rent konkret anser jag att regeringen ska tillsätta ett nationellt hållbarhetsråd, som kan fungera som startmotor, observatör och pådrivare och garantera att alla guldkantade löften faktiskt blir omsatta i praktiken."

Henrik Sand Jensen kisade innanför glasögonen. Det kliade över näsroten, som alltid när någonting gjorde honom upphetsad, på gott eller på ont.

"Ekologisk omställning ..." sa han rakt ut i luften. Skakade på huvudet. Stödde hakan i handen innan han såg på henne igen. "Det här är ingenting du blir populär på."

"Varför inte det?"

"Därför att ... Det är en sak att ha en glättad *strategi* för en hållbar utveckling. En sådan kan man ju leva med. Det är en annan att gå ut med en verklig, förpliktigande *handlingsplan*. Det kostar ju en del. Finansministern är inte mycket för nolltillväxt och mulltoaletter, och din ärade kollega livsmedelsministern anser i princip att ekologi är rent trams. Jordbruksrådets ordförande kommer att bli galen och omedelbart skicka de liberala gorillorna efter dig."

"Det låter ju spännande", sa hon och spanade efter tobaksskrinet. "Nu *måste* jag bara röka!"

Hon hade inte ens hunnit blåsa ut röken förrän hon ivrigt fortsatte. "Henrik, jag vet mycket väl att jag inte är någon politiker i gängse mening, men jag inbillar mig att jag har en viss känsla för vad som händer i världen just nu. Och jag känner på mig att en ändring behövs i politikernas sätt att uppträda. Fyra dagar på Nordjylland är nog för att få bekräftelse på att vanligt folk upplever en enorm vanmakt inför Christiansborg."

"Apropå EMU-omröstningen", sa han, återigen en smula undervisande.

"Ja. Och vad kan vi lära oss av den?" kontrade hon. "Att det finns massor av frustration och upprörda känslor hos det danska folket som vi är piskade att tolka på rätt sätt om inte demokratin ska bryta ihop eller bara krackelera bit för bit."

Han stack in ett finger innanför glasögonen och gned sig på nytt i ögonen. Det var då själva fan vad hon var på hugget. "Ja?"

"Därför är det viktigt att vi ser till att råda bot på den där känslan av vanmakt, och det gör man bäst om folk får ha kvar en känsla av självbestämmande. På miljöområdet betyder det att de måste få möjlighet att göra en konkret insats och att de ser att den betyder något. Om folk har en känsla av att det är fullkomligt likgiltigt i det stora hela om de sopsorterar eller låter bilen stå struntar de i det. I så fall blir det ju meningslöst."

"Ursäkta mig, men låter det inte en smula gammalmodigt i vår individualistiska tid, att staten ska försöka driva igenom en förmyndaraktig plan? Det påminner ju om den gamla goda Sovjettiden med dess höstkampanjer och traktorbrigader och centralistiska slagord."

Hon nickade. "Jo, och just därför är det så viktigt att betona autonomin, eller hur? Men jag kan inte inse varför inte regeringen ska kunna stå som förebild. Vi saknar ikoner, i synnerhet politiska ikoner. Det finns väl inga? Jag menar, vilka ska de unga spegla sig i? De tror ju att vi är likadana allihop. Att alla västpolitiker ingår i en jättelik global sammansvärjning som bara har som mål att göra de rika rikare och de fattiga fattigare. Vilket man kanske inte kan klandra dem för ..."

"Men du måste väl ändå medge att de där kringresande toppmötesdemonstranterna inte verkar vara några större tänkare? De går ju bara in för att slåss mot polisen!"

"Ja", medgav hon eftertänksamt. "Men just därför måste man ta dem på allvar. *Varför* vill de slåss?"

"Därför att de har skittråkigt", sa han och makade sig framåt på stolen. "Jag har två unga döttrar, och jag kan intyga att det mest spännande som sker i deras liv händer hos Ricki Lake eller på Big Brother! De möter ju inget motstånd i sina liv, och därför måste de uppfinna ett sådant!"

"Det var inte som med oss, som bodde åtta barn i en tvårummare och skickades ut att fiska som sjuåringar och levde på stekt sill och istersmörgåsar?" retades hon. "Henrik, du har väl för helvete också varit arg ung man en gång?"

Han suckade. Hon visste ingenting om hans uppror, och det här var inte rätt tillfälle att berätta om det. Det fick räcka med *jord*.

"Jo, visst har jag det. Men jag kan tala om för dig att det projektet var så personligt att det inte skulle ha hjälpt med ekologiska morötter!"

"Okej, då håller vi oss till det politiska. Och jag anser alltså att en nationell ekologisk omställning och ett hållbart Danmark både skulle vara ett utmärkt politiskt projekt och samtidigt bra för miljön. *Jorden*, you know …"

Han sköt fram underläppen och nickade ut i luften. "All right. Om jag lovar att mycket allvarligt överväga ditt förslag, vill du då också lova mig en sak?"

Hon nickade ivrigt och spärrade upp ögonen en aning.

"Att du inte har så mycket jord i huvudet eller för den delen på hjärnan att du underhåller gästerna med din vision i kväll på Marienborg!"

"Jag hade förstås tänkt mig att den skulle med i statsministerns nyårstal", sa hon, lade huvudet bakåt och skrattade med cigarretten i munnen så att halsen blottades, vit och finhudad ovanför polokragen.

★

Thomas tömmer de lårar som hon fyllde. Då medan de ännu packade inför äventyret. Föremål för föremål placeras sådant som skulle ha skickats till magasinering in i lägenhetens lådor, skåp och hyllor. Böcker, barnkläder, rullskridskor, frityrpannor, ytterkrukor, fotoalbum och gamla brev, från henne till honom, från honom till henne.

Han sätter sig på golvet, kan inte motstå frestelsen att dra upp ark ur kuvert med poststämplar från Afrika, Indien, Asien, USA, Europa. De *har* varit ifrån varandra förr, men det är snart så länge sedan att han nästan har glömt bort det. Förträngt hur fasansfull skilsmässan har varit. Hans brev till henne dokumenterar det – var han än befinner sig på jordklotet handlar de inte om annat än om hur mycket han saknar henne, medan hennes till honom ofta är reportageaktiga resebrev fulla av dofter, färger, mat och musik. Hon berättar om de män-

106

niskor hon har mött, om samtal hon har fört, om projekt och problemställningar hon är engagerad i. Inte så att hennes brev är opersonliga, inte alls. Hon skriver till *honom*, talar med honom, frågar efter hans åsikt, uttrycker sin längtan och sin glädje över att han finns till. Att det är honom hon ska hem till. Men nu när han läser om hennes brev sida för sida med hennes kantiga, upprättstående stil, minns han det lilla styng han alltid kände när han hade slitit upp kuvertet och snabbt ögnat igenom raderna i sitt ivriga sökande efter kärleksbevis och visserligen fann dem men samtidigt tvingades inse att hon mycket väl skulle kunna existera utan honom. Hon kunde så att säga relatera till hela världen, medan han bara kunde relatera till henne. Och vad betyder det?

"Hallå där, vad sysslar du med?" frågar hon och avbryter hans tankegångar när hon iförd kimono kommer intassande i vardagsrummet barfota med en handduk om huvudet och hårtorken i handen.

"Frossar i nostalgi", säger han och trycker en teatralisk kyss på ett kuvert. "Älskar du mig fortfarande?"

"Har jag inte sagt det en gång i dag?"

"Nej!"

"Jo! Jag sa det i morse."

"Säg det igen då!"

"Jag älskar dig!" skrattar hon och kysser honom på nästippen.

"Måste jag följa med?" frågar han sedan.

"Ja! Och du kan inte komma till Marienborg i dina skinnbyxor!" konstaterar hon bestämt och sätter i stickkontakten.

"Vilken jävla borgare du är!" grimaserar han och reser sig från golvet.

Hon skrattar och böjer sig fram så att håret hänger ner och kimonon öppnar sig i en springa framtill.

"Hinner vi inte …?"

"Nej!" utbrister hon och slår honom på fingrarna. "Nina kommer med klänningen när som helst!"

Han smackar med tungan och går ut i badrummet.

"Det är väl knappast den här sortens journalistik som leder till Cavlingpriset. Vi betraktas ju närmast som ett slags asgamar eller flugor kring gödselstacken. Ändå blir vi ju lästa, och om jag får säga det själv är vi inte på långa vägar lika skenheliga som den så kallade seriösa pressen. Det är inte vi som först höjer folk till skyarna för att sedan slå ner dem i skorna igen. Okej, om vi skriver om bröllopet skriver vi också om skilsmässan, mer är det inte. Folk köper ju inte våra tidningar för att se offentliga avrättningar i färg. De vill gärna ha glamour och romantik. Vackra, kända människor som kan få dem att dagdrömma i sina lägenheter i Brøndby Strand, inte sant? Och hon var sannerligen vacker på nyårsdagen när hon i sällskap med Elizabeth Meyer anlände till nyårsuppvaktningen hos drottningen. Hon skred själv närmast majestätiskt uppför trappan till Christian VII:s Palæ, lång och smärt i en åtsittande, jadegrön råsidenklänning med slitsar och en bröstbukett fastsatt på klänningslivet. Hon har ju byst för en sådan urringning. Hennes hår var uppsatt och prytt med bergkristaller, och hennes makeup fick henne att se ut som en Hollywoodstjärna. Ja, hon påminde faktiskt litet grand om Julia Roberts, som också är den långa typen. Det var rent häpnadsväckande, och vi kastade oss givetvis allihop över henne. Hon log och småpratade avspänt med oss ett par minuter, svarade älskvärt på våra frågor om klänningen, som såvitt jag minns var sydd av hennes väninna, och nyårslöften och sådana saker som man kan komma på att fråga om i all hast. Hon hade samma naturlighet som prinsessan Alexandra, och dessutom var hon osedvanligt fotogenisk. Och det är den vi lever på, illusionen om de vackra människorna. Jag minns att jag inte kunde slita blicken från miljöministern, så jag hade antagligen redan bestämt mig för att hon skulle bli 'veckans kvinna', även om jag inte ens hade hunnit se de andra än. Lustigt nog var det likadant över hela linjen; Charlotte Damgaard fick förstasidan och de största bilderna. Det visar bara att vi är professionella. Vi kan se en stjärna när en sådan äntligen dyker upp."

~

"Det är synd att min mamma inte får vara med om det här!" mumlade Christina Maribo, den nyutnämnda bostadsministern, när de stod i kö för att hälsa på kungafamiljen. "Hon är frisör i Svendborg och vet allt om dem allihop."

"Min är republikan", påpekade Sofie Malling, utvecklingsminister, som med sitt ljusa hår och fina älvansikte såg ut som sjutton och ett halvt. Trots sitt eteriska yttre hade hon visat sig vara en av de radikala ministrar som hade störst beständighet och hade till allas förvåning överlevt regeringsombildningen. "Men jag misstänker henne för att vara rojalist i smyg", log hon och lade handen, som var iskall, på Charlottes arm. "Vem för anteckningar?"

"Ja, glöm inte det!" hördes det bakom dem. Det var jordbruks- och livsmedelsministern Hans-Christian Stenum, "HC", som blandade sig i samtalet. De vände sig halvvägs om, även om de alla tre bara av att höra den omisskännliga sydjylländska dialekten kunde mana fram hans utseende, en lång man med skalligt ägghuvud och enorma, rödsprängda påsar under ögonen, resultatet av två decennier på Christiansborg. "För om ni inte skriver ner allting kommer ni att tro att det är lögn. Efteråt."

De båda andra skrattade och vände sig på nytt tillbaka mot kungligheterna, som de nu närmade sig.

Charlotte släppte honom inte med blicken. "Det där menar du inte?"

"Jo!" sa han och blundade med ena ögat. "Dagbok varje dag. Här!" sa han och halade upp en reservoarpenna ur frackens innerficka. "Och det är den enda present du ska räkna med att få av mig!"

Charlotte tvekade men tog sedan emot den. "Och vad blir jag skyldig?"

"Ingenting." Han blinkade igen och gav henne en liten puff. "Fortsätt!"

Charlotte hann precis klämma ner pennan i den lilla aftonväskan innan det blev hennes tur att kallas fram och niga för den danska kungafamiljen.

"Gott nytt år, Ers majestät", fick hon fram.

"Detsamma", log monarken, uppenbart igenkännande.

⋆

"Nog är det märkligt att man kan sitta på nyårsuppvaktning i Riddar-salen, placerad mellan rikets främsta män och (alltför få!) kvinnor, med livréklädda betjänter bakom sig och de finaste rätter serverade på guldtall-rikar, och samtidigt vara uppfylld av en nästan besviken känsla av att inte ens detta är något märkvärdigt. Att det mänskliga formatet begränsas av, ja, just av mänskligheten. Eller annorlunda uttryckt: Det är verkligt få som avviker. Det ÄR inte nödvändigtvis de klokaste eller de bästa som kommer så långt att de får dricka Rosenborgsvin (surt blask!) med drott-ningen, vare sig de är biskopar, polischefer, landshövdingar eller regerings-medlemmar. Om man ska se det hela positivt kan man kanske säga att de är de bästa bland likar. Men kanske är det mer realistiskt att säga att de är de mest äregiriga. De som verkligen vill ha makt. Av goda eller mindre goda skäl. Och jag själv? Vill jag ha makt? Har jag egentligen någonsin tagit ställning till den frågan, eller låter jag bara saker och ting hända och skyller på slumpen? Och de utanför, folket – känner de sig representerade av oss? Har de förtroende för oss? Eller är de bara likgiltiga, maktlösa? Som kronprinsen, till exempel! Det verkade som om han inte var närva-rande, som om han hellre ville ut och roa sig än slösa en kväll på oss! I motsats till sin lillebror, som sedan länge har tagit sitt ansvar. Under kaf-fet, som intogs på stående fot, talade jag med honom om driften av de stora godsen. Han var lyhörd inför hållbarhetsprincipen, och lyckligtvis lade jag band på mig tillräckligt för att inte på fläcken föreslå att han skulle med-verka i den nationella ekologiska planen. Jag har ju lovat Henrik Sand att ta det lugnt men noterar härmed att det kunde vara en fantastisk PR-grej att få Schackenborg och det unga paret med. Och varför inte också dra in Marselisborg, Fredensborg och allt vad de kungliga egendomarna nu he-ter? Världens första ekologiska monarki! Prins Charles skulle bli vansin-nigt avundsjuk.

Okej, jag skulle ljuga om jag sa att det inte är en upplevelse att gå på nyårsuppvaktning. Visst var det det, även om jag avskyr att vara fastlåst i en formell situation. Avskyr att vara fastlåst över huvud taget. Är jag då lämpad för att åta mig ledarskap? Om jag inte kan eller vill böja mig för konventionen? Inte vill böja mig över huvud taget? Är jag lik mamma när det kommer till kritan? Usch. Gud vet om hon, precis som Christina Maribos mamma, rusar ner för att köpa BilledBladet? Knappast. Men det var banne mig en tjusig klänning Nina hade sytt! Nina, min bästa väninna, och nu reser hon till Nepal med Läkare utan gränser. Varför i helvete måste vi allihop vara så förbannat präktiga! Gott nytt år i alla fall. Även till HC, som gav mig pennan jag skriver med. Annars har jag lärt mig att man aldrig ska ta emot gåvor från främmande och definitivt inte från främmande män!"

*

Thomas var egentligen socialt lagd. Han hade lätt för att tala med folk utan hänsyn till person, var du och bror med flera av stadens hemlösa och hade inte heller något emot folk i högre ställning bara de var hyggliga människor och betedde sig hyfsat. Han hade sina egna ramar, och de var tämligen vida. Så det var inte av fjäsk för underklassen som han endast motvilligt drog på sig en mörk kostym, inköpt begagnad av en vän till en god vän, och lät sig hämtas av en taxi där Elizabeth Meyers norske kustredarvän, Kjell Dahl, redan satt efter att i förväg ha bett chauffören köra till Marienborg ute på Nybrovej. Det var kutym att de äkta hälfterna åt middag medan regeringsmedlemmarna var på nyårsuppvaktning.

"Det brukar vara jättetrevligt", sa Kjell Dahl, som Thomas hade träffat tidigare och faktiskt trivdes mycket bra tillsammans med.

Thomas nickade och drog ett djupt andetag när taxin körde ut på Lyngbyvejen. Han gned sina svettiga handflator mot byxbenen och försökte koncentrera sig på Kjells otvungna konversation och lyckades också svara naturligt på frågan om vad de hade gjort under julen och så vidare. Kjell och Elizabeth hade varit "till fjälls", och åtminstone det fick honom att le – tanken på Frau Meyer på skidor. Det var det ännu ingen som hade fått bilder på.

"Man måste ju ha litet privatliv", sa Kjell Dahl, som om han hade läst hans tankar. "Annars är de ju i elden för jämnan, stackarna."

Thomas nickade. Det hade han redan förstått, även om han hade en gnagande misstanke om att de bara hade sett en antydan om vad som väntade.

"De klarar det inte om de inte har sådana som oss att stödja sig på", log Kjell Dahl och bjöd honom på en pastill. "Det är särskilt hårt att vara kvinna i det här gamet, men det vet du väl om."

Thomas nickade, fastän han inte visste om han visste det. Var det annorlunda att vara kvinna?

"Elizabeth har ju klarat det", sa han sedan.

"Ja. Hon är *tuff*, men även hon behöver få gråta ut då och då."

"Gör hon det?" slapp det ur Thomas. Att se henne gråta var ännu svårare att föreställa sig än att se henne på skidor.

"Javisst. Och då måste vi trösta, eller hur? När de behöver gråta."

"Och om det är vi som behöver gråta?" frågade Thomas och ångrade sig när han såg hur trettio års åldersskillnad öppnade sig som en avgrund i baksätet mellan dem. Kjell Dahl skrattade.

"Varför skulle vi behöva gråta? Det är ju dem det är synd om. Vill du ha en liten styrketår?" frågade Kjell Dahl och halade upp en fickplunta av silver ur rockfickan.

Han tog emot den utan ett ord. Det var konjak, som brände på ett skönt och maskulint sätt. Och det var när den brände på tungan som han insåg varför han hade så svårt för det här arrangemanget. Det berodde på att han inte visste hur man skulle vara *hustru* när man var man.

Irriterande nog var det just det tema Gitte Bæk, statsministerns fru, tog till utgångspunkt när hon höll sitt välkomsttal, som i synnerhet riktade sig till "de nya" och däribland särskilt "de nya männen". Thomas log ansträngt; han ogillade generaliseringen "män", som vissa munviga kvinnor tyckte om att använda i tid och otid, och han tyckte inte heller om när de hade roligt på bekostnad av hans kön. Det var ju den enklaste sak i världen att driva med de primitiva tölpar som ännu inte hade vant sig vid att danska kvinnor både kunde köra bil och bli ministrar. Han kunde naturligtvis bara tala för sig själv, men i all anspråkslöshet ansåg han inte att könsfrågan över huvud taget var intressant hemma hos dem. Om de hade diskussioner på det temat var det i varje fall med omvända förtecken. Det var ju Lotte som var *the boss*! Han var den som steg åt sidan, vilket det faktum att han över

112

huvud taget befann sig här mer än väl vittnade om. Annars skulle de nämligen ha befunnit sig i Apac, Uganda, bland annat för att stötta *verkligt* förtryckta kvinnor.

Så han lät tankarna vandra men vaknade till i tid för att skåla i crémant med äppellikör och kastade sig sedan ut i en något stel konversation med Lily Bach, trafikministerns fru, som var besvärande överviktig, väntade på en höftledsoperation och var upprörd över sjukvården i Viborg Amt, vilket hon hade för avsikt att diskutera med hälsoministern när de äkta hälfterna anlände från Amalienborg framemot elvatiden. Han räddades av två yngre, vackra blondiner, försvars- och justitieministrarnas fruar, som tycktes vara goda vänner och var så lika att han frågade om de var systrar. Det fick dem att fnissa och kvittra något om att det nog berodde på att de tillbringade så mycket tid tillsammans att de hade funderat på att flytta in i ett harem eftersom de ju ändå aldrig träffade sina män och så vidare och så vidare. Jo, de hade småbarn och jobb – den ena var blomsterhandlare med egen butik, den andra var förskollärare "men just nu bara hemmafru, haha. Och vad sysslar du med?"

Han kliade sig i nacken medan han övervägde om de skulle få den långa eller korta versionen men hann inte fram till något beslut förrän Gitte Bæk kom svepande och drog honom med till bords.

"Nu ska jag ta dig under mina vingars skugga", sa hon ironiskt och ledde honom ut ur salongen med de duvblå väggarna och nedför trappan till matsalen, där det var dukat på runda bord. "Du är nog den ende mannen jag inte känner alls. Är det illa?"

"Är vad illa?" frågade han, men hon bara skrattade och såg rakt på honom. Han ryckte undvikande på axlarna, kände sig som en skolpojke som blev omkramad av en något för hurtig lärarinna.

Lyckligtvis hamnade Kjell Dahl på hennes andra sida, och medan de båda såg ut att njuta av varandras sällskap kunde han sitta i lugn och ro med sin förrätt, hjortronterrin med svampcreme. Damen på hans andra sida var "fru kyrkominstern", en kultiverad fil. mag. i franska och religionshistoria som, visade det sig, hade varit ute och rest och bott "i varma länder". Det räckte under resten av förrätten, och de var faktiskt djupt inbegripna i en diskussion om kyrkans och särskilt Vatikanens negativa betydelse för den afrikanska aidsepidemins katastrofala utbredning – "deras enda råd är ju avhållsamhet,

och det håller ju inte!" – när Gitte Bæk slog till igen, just som huvud-
rätten, vildsvinsbog med glaserade rotfrukter, serverades.

"Jaha", sa hon och lyfte sitt glas med kraftig bourgogne. "Välkom-
men i klubben!"

Han nickade och skålade men råkade i sin förlägenhet ta en litet för
stor klunk så att han hostande och frustande blev tvungen att ställa
glaset ifrån sig.

Gitte Bæk dunkade honom i ryggen, och mannen mittemot, Kas-
per Maribo, gift med bostadsministern och kanslisekreterare i Oden-
se, flinade ljudligt på ett sätt som avslöjade hans sociala arv. Thomas
kunde slå vad om att han var den första studenten i familjen. För öv-
rigt hade de säkert varit varvsarbetare på Lindø i flera generationer.

"Ärligt talat föredrar jag också en pilsner", sa han och fyllde hans
glas till brädden. "Ta av slipsen, så känns det bättre! Det får vi väl
göra nu, Gitte? Eller är det för fint här?"

"Har jag slips på mig?" replikerade Gitte Bæk och vände sig på
nytt mot Thomas, medan Kasper Maribo med en lättad rörelse lossa-
de slipsen, drog av den och stoppade den i fickan med en uppford-
rande nick mot Thomas, som lydigt följde hans exempel. Och det
hjälpte. Han kunde andas friare nu. Tog sig tid att iaktta Gitte Bæk,
som han ända till skönhetsfläcken ovanför läppen var väl förtrogen
med från TV, där hon var en etablerad linslus. Hur gammal kunde
hon vara? Fyrtiotvå, fyrtiotre? Fyrtiofem? Eller hade hon kanske inte
ens fyllt fyrtio? Det var svårt att avgöra, men hon verkade äldre, mer
vuxen, än de själva. Hennes ansikte var grövre, dragen mer markera-
de än Lottes, håret askblont och kortklippt med ljusa slingor, ögonen
djupt liggande och grå, munnen en aning sned med de fylliga läppar-
na uppdragna. Huvudet var litet för stort för den tunna överkroppen,
men i gengäld var bysten för liten. För hans smak. Men han var ju
också bortskämd. Frågan, den uttalade eller outtalade som han skulle
få från grabbarna med Mikkel i spetsen, var om Per Vittrups kvinna
var sexig? Inte direkt. Hon var inte hans typ. Men han måste erkänna
att hon hade en viss effekt på honom. Han drogs till henne, reagerade
på henne på det egendomliga sättet att han rent fysiskt kände hur han
blev omväxlande kall och varm. Som om hon tände och släckte ho-
nom hela samtalet igenom. Antingen var det hans termostat som slog
till och från, eller också var det något hon själv styrde. Under alla om-

ständigheter betvivlade han inte att de som hävdade att statsministern hade sin starkaste motståndare att tackla i privatlivet hade fog för sitt påstående. Tough woman. Han ville ogärna ha henne emot sig. Därför gav han henne reservationslöst rätt i det mesta av vad hon sa. Detta trots att han inte var ett dugg enig med henne i hennes synpunkter på danska nödhjälpsorganisationers bristande professionalism på Balkan, den låga kvaliteten på u-landsprojekten och den stelbenta konservatism som präglade hela verksamheten.

"Det är kanske mer komplicerat än så", tog han ändå mod till sig att säga och sög upp sås med brödet.

Hon skrattade. "Det säger ni alltid. Ni inom godhetsindustrin. Har du sett den där filmen med Harvey Keitel och Kate Winslet, *Holy Smoke?*"

"Vi har småbarn, så vi kommer inte så ofta i väg på bio."

"Du kan låna den av mig. Jag har den på video. Jo, den handlar om en ung australisk flicka, Kate Winslet, som så gärna vill vara god och reser till Indien, där hon träffar en guru som hon bestämmer sig för att följa. Familjen lyckas locka hem henne och anlitar en amerikansk *de-briefer*, Harvey Keitel, som själv har gått igenom samma hjärntvätt. De båda, den äldre mannen och den unga flickan, ska ge sig ut till en isolerad stuga, där han ska driva ut gurun. Och hur tror du att han gör det?"

Thomas fattade vinglaset och förde det till munnen. Nej, det visste han inte.

"Han råknullar henne. Eller också knullar hon honom. Det är det raffinerade med historien, att det slutar med att flickan är överst. Hon får makten över honom. Men filmen är ju regisserad av en kvinna."

"Vad vill du säga med det?" frågade Thomas, uppfylld av den motvilja han kvällen igenom hade känt gentemot henne och hennes snabba slutsatser. "Vad har det med Mellemfolkelig Samvirke eller Folkekirkens Nødhjælp att göra?"

"Att en personlig dagordning alltid är involverad. Hur ren och god man än är handlar det någonstans alltid om en själv. Ens egna demoner."

Thomas drog med handen över hjässan och registrerade knappt att tallrikarna hade dukats av. "Och vilken är din dagordning? Vilken är din mans? Varför ska sådana som vi alltid misstänkliggöras?"

"Oj, temperament! Jag trodde att man kunde säga vad som helst till dig!" Hon lade huvudet på sned och log. Kokett, trodde han nästan. Eller patroniserande, kanske. För att inte säga *matroniserande*! Det provocerade honom ännu mer. Han tänkte skita i att hon var rikets första dam och statsministerfru och fan och hans mormor!

"Vilken *är* din dagordning?" envisades han.

"Det ska jag tala om för dig, och citera mig inte", sa hon och lutade sig förtroligt fram. Hon luktade på samma gång sött och skarpt av parfym, vin och kvinnohud. "På min dagordning står att ha ett spännande liv. Att tjäna kulor så att det räcker för att föra en angenäm tillvaro, så att jag till exempel kan resa på semester tre fyra gånger om året, ha en lägenhet i Nice och bo på dyra hotell. Att få min fåfänge-muskel masserad, att få högvis med det beröm jag inte fick nog av som barn, att tävla och vinna över mina rivaler, däribland min syster, att tillbringa så mycket tid som möjligt i sällskap med intressanta och inflytelserika människor, däribland min man och hans kolleger när de är det, intressanta menar jag, och få massor av rödvin och sex när jag har lust. Kort sagt, att designa ett liv som ter sig så meningsfullt att jag inte drabbas av existentiell kris oftare än nödvändigt. Var det svar på din fråga?"

Thomas stirrade med öppen mun. Framför honom stod nu en desserttallrik med chokladmarquise och jordgubbscoulis, läste han på det lilla kortet med den tryckta menyn. Han tog mekaniskt skeden i handen medan han stirrade på henne. Antingen var hon full eller galen. Hon spetsade läpparna men såg för övrigt på honom med uttryckslöst pokeransikte.

Sedan brast han i skratt.

"Okej! Så du är alltså inte det ringaste intresserad av att rädda världen eller av att göra något för mänskligheten eller samhället eller Partiet ..."

Hon skakade på huvudet. "Bara utåt ..."

Han tänkte fråga mer, var osäker på om hon inte skojade och drev med honom. Men då klirrade Kjell Dahl i glaset, tackade sin bordsdam och avslutade talet med att trolla fram en liten mungiga ur innerfickan, vilket redan innan han hade satt den till munnen fick sällskapet att börja applådera, så det var uppenbarligen ett stående inslag.

Därefter var etikettsreglerna som på en gemensam överenskom-

116

melse bortblåsta. Efter kaffet, som serverades i rummet intill, skulle det spelas upp till dans, och det ryktades att de första ministerbilarna var på väg från Amalienborg. Thomas tittade på klockan, redan kvart i elva.

"Nå, överlevde du?" frågade Kjell Dahl och kom cigarrökande bort till honom och räckte honom ett konjaksglas där han stod lutad mot en vägg och balanserade kaffekoppen.

"Nätt och jämnt", log han och ställde ifrån sig kaffekoppen samtidigt som Gitte Bæk passerade tätt förbi och skamlöst smekte honom över kinden.

Kjell Dahl skrattade och dunkade honom på axeln. Hur det där skulle uppfattas förstod han inte heller.

Och så hittade hon honom, Charlotte. Lutad mot en svagt pistaschgrön vägg, med ett halvtömt konjaksglas i handen och en på samma gång beklämd och berusad min som genast förvandlades till ett lättat leende när han fick syn på henne.

"Vad är det, älskling?" frågade hon i samma ton hon använde till Jens, som han i detta ögonblick var slående lik.

"Jag har bara saknat dig så", sa han och drog henne hårt intill sig.

*

I princip var det aldrig någon som skvallrade om festerna på Marienborg. Det var en fristad där man kunde få göra bort sig, även om man var minister eller till och med statsminister, i trygg förvissning om att det stannade inom Familjen. Men det finns ju alltid vissa som anser sig tillhöra familjen mer än andra. Vissa som tycker att de har mer eller mindre att tacka för. Vissa som känner sig överflödiga. Vissa som har för gott om tid att bevaka de andra. Vissa som exempelvis väntar på en höftledsoperation och därför inte kan dansa, inte ens om den äkta mannen pliktskyldigast bjuder upp, åtminstone en gång. Vissa som sjuder av missunnsamhet och är nära att kvävas av sin egen galla över att andra uppenbarligen ska ha det så lätt medan man själv sitter fast i sitt helvete av smärta, sitt beroende av den status som mannen, som är otrogen, ger i utbyte mot de lögner som han med tiden endast högst nödtorftigt ids dölja. Om det är kvinnor, horor, småpojkar eller vad vet hon snart inte längre. Det gör henne också detsamma. Vad som gör henne mycket mer upprörd är att hon inte kan undgå att se att försvarsministern och justitieministerns fru vid halvettiden försvinner ut på handikapptoaletten tillsammans. Hon är klok nog att inte avslöja vad hon vet, det kan komma till nytta senare. Men hon noterar att de inte återvänder till festen, var för sig, förrän statsministern och den där nya miljöministern med den sympatiske unge mannen är färdiga med sitt duettpotpourri på klassiska evergreens, avslutat med det gamla Nat King Cole-numret *Unforgettable*, som för ett ögonblick nästan får henne att föras bort av en sedan länge uttorkad flod av månsken och ljuv romantik. Till dess att hon åter kan höra sig själv indignerat fnysa åt att de bara kan med att stå och åbäka sig så där. Och hon är säkert inte ensam om att tycka att det är för mycket av det goda, att Charlotte Damgaard ska göra sig till på det där viset. Även om hon sjunger bra och avvärjande skakade på huvudet när Meyer uppmanade henne att gå fram till mikrofonen. Det märks tydligt att folk tycker det är pinsamt. Men Vittrup är fullkomligt betagen av henne och tillåter sig till på köpet att ge henne en kyss på kinden när de till sist har sjungit färdigt. Efteråt dansar de. Länge. Alltför länge, skulle hon tycka om hon var Gitte Bæk. Men Gitte Bæk har ju å andra sidan egna intressen att bevaka. Praktiskt nog är det miljöministerns unge man hon är ute efter den här gången. Även om han inte precis verkar uppskatta det. Eller också ser han bara sådan ut när han är berusad. Som om han var på vippen att kräkas.

"Du sjunger ju fantastiskt", säger statsministern när de dansar ut på golvet. "Varför har du inte satsat på det?"

"Detsamma skulle jag kunna fråga dig", svarar hon och låter sig föras.

Han skrattar. Han svettas i fracken, hon känner hans kroppsvärme genom det tjocka tyget.

"Då får väl svaret gälla för oss bägge två, att även om vi sjunger bra finns det ändå något vi är bättre på. Som vi *brinner* mer för", säger han och håller henne ifrån sig så att han kan se henne när han talar till henne.

Hon nickar. "En rimligt exakt analys."

De dansar vidare under tystnad, men bara några varv, och sedan är han där igen. Den mannen förspiller aldrig någon tid, tänker hon och blinkar till Thomas, som valsar runt med Gitte Bæk. Han är tämligen berusad, ser hon.

"Jag hoppas du håller på att hitta fotfästet", säger han. "Det är ju något av en centrifug att kastas ner i."

Hon ler, överväger situationen och bestämmer sig. Som Nina, kära Nina, har lärt henne: Varför alltid äta runt syltklicken i stället för att nappa åt sig den med detsamma?

"Jag tycker att jag har skaffat mig ett mycket bra grepp. Jag var ju bekant med området sedan tidigare."

Han nickar, snurrar henne runt. "Onekligen en fördel", ler han så att framtandens guld blänker.

"Och därför har jag redan en plan."

Han tittar bort, får ögonkontakt med den förbidansande Meyer och hennes kustredarman.

"Ett vackert par", säger han högt efter dem. "Har det tagits danslektioner?"

Kjell Dahl skrattar, Meyer nöjer sig med att höja på ögonbrynen.

"Eller en plan är kanske för mycket sagt. En idé", framhärdar hon.

Han nickar en smula frånvarande. Hon lutar sig närmare honom för att få hans uppmärksamhet.

"Ja?" säger han och kan inte låta bli att kika ner i hennes urringning.

"Jag har funderat på att föreslå att vi ska göra hela Danmark ekologiskt. Stat, amt, kommuner och kungahus. Att vi ska genomföra en så att säga hållbar statshushållning, från jord till bord ..."

Hans ögon söker sig bort. Det där orkar han inte med, inte nu, ser hon.

Så hon skyndar sig att fortsätta. Tänker medan hon talar och låter svadan rinna under de närmaste tre fyra danserna. Utvecklar idén, fogar bisatser, adjektiv och adverb till den språkliga konstruktion som än så länge är det enda som bär visionen. Ett magert skelett, det vet hon, men han är hövlig nog att inte blåsa hela luftslottet tvärs över Bagsværd Sø på andra sidan vägen. Han lyssnar, brummar, ler, rynkar pannan och undviker på det hela taget att göra några som helst uttalanden av förpliktigande karaktär. Först när orkestern ropar ut kvällens sista dans och han börjar se sig om efter sin fru, som fortfarande dansar med Thomas, yttrar han sig.

"Det låter kolossalt radikalt", säger han till sist. "Är vänsterflygeln inte inne på samma sak?"

"Just precis!" säger hon ivrigt och slår till honom lätt på överarmen. "Varför ska vi än en gång bli passerade på insidan? Vi kan ju få den att ställa sig bakom!"

"Jordbruket då? Ordföranden tycker redan att vi går för långt."

"Åt helvete med jordbruket!" säger hon ivrigt och rättar till ett hårspänne.

Han skrattar till. "Jag trodde att du var bonddotter! Har jag inte hört något om att din far var lantbrukare?"

"Jo, men inte på det sättet!"

"Okej", nickar han och kisar lätt. "Ska vi komma överens om att du ägnar litet tid åt att utveckla din idé, göra den hållbar, höhö, innan du kommer tillbaka med den? Jag har själv haft vissa funderingar i samma riktning, så vi skulle kanske kunna slå oss ihop. Tillsätta en arbetsgrupp eller något. Ta det lugnt nu", säger han lågt och fattar om handleden på Gitte när hon virvlar förbi. "Det är mycket möjligt att du behärskar ditt område. Men på Christiansborg krävs erfarenhet. Och du bör *åtminstone* se till att få både livsmedelsministern och finansministern med dig. Av många skäl! Tack för dansen", säger han sedan, kysser henne på handen och bugar galant samtidigt som han vänder sig om mot Gitte och Thomas.

"Ska vi byta? Jag vill gärna dansa sista dansen med min fru."

"Jag vill också gärna dansa sista dansen med min", säger Thomas och släpper Gitte Bæk med en min av total befrielse.

Charlotte fnissar. "Slukar hon dig?"

"Det är möjligt."

"Tänder du på henne?"

"Inte alls! Och statsmedistern, lägger han an på dig?"

"Nej!" skrattar hon.

"Vad pratade ni om då?"

"Politik!"

"Vad då politik?"

"Du är full!"

"Gör det något? Berätta nu!"

"I morgon!"

"Glöm inte bort det!"

"Nej, nej", säger hon och lägger sin kind mot hans axel. Blundar och faller in i rytmen. Deras gemensamma.

*

"Cat, för helvete!" försökte Teis och hoppade ner ur fönstersmygen. Men inte ens den rörelsen kunde bryta det totala stillestånd som rummet hade fastnat i. Därför att hon ville det. Därför att hennes outtalade kommando fick var och en att hålla sig lugn, med lätt böjt huvud och blicken såvitt möjligt sänkt, av rädsla för att bli utpekad och därefter likviderad utan vidare rättegång.

"Det är bara en jävla *cola*!"

Hennes blick träffade honom som en laserstråle och hejdade hans framfart så att han blev stående egendomligt malplacerad mitt på golvet.

"Om du inte har förstått att en Coca-Cola inte bara är en Coca-Cola kan du lika gärna sticka härifrån på direkten."

"Okej, okej!" Han lyfte händerna med handflatorna mot henne i en kapitulerande gest hämtad från de amerikanska actionfilmer som hans generations medvetande var genomsyrat av, vare sig de ville det eller ej. "En Coca-Cola är en senkapitalistisk, multinationell maktsymbol för den amerikanska värdeimperialism som vi inom Grön gerilla bekämpar", rabblade han. "Av samma anledning går vi inte på McDonald's, Burger King, Pizza Hut och allt vad de annars kallar sig."

Hon nickade svagt bifall. Uppmuntrad tänkte han fortsätta men blev avbruten av en av de nya, en flicka från Bornholm som han för ett par dagar sedan personligen hade hittat på gatan som en medtagen kattunge. Eftersom hon inte ville uppge sitt namn – "Jag vet inte vem jag är, hur kan jag då veta vad jag heter" – hade han kallat henne Rosa, efter Rosa Luxemburg, sin hemliga hjältinna, mördad och död som martyr under spartakistupproret 1919. I motsats till Cat var Teis teoretikern som älskade att plöja igenom alla de heliga skrifter – Marx, Engels, Lenin, Luxemburg, till och med Mao – som hans far hade stående i bokstavsordning i källaren under villan i Hellerup. Teis hade knyckt böckerna och tagit dem med till kollektivet utan att fråga och lagt dem i travar på golvet bredvid madrassen, väl medveten om att fadern inte ens skulle upptäcka det.

121

"Och Netto då?" undslapp sig Rosa. "Går vi inte på Netto heller?"

"Bara för att snatta!" flinade Teis och dröjde någon sekund för länge med blicken vid den lilla knubbiga flickan som var piercad överallt, så att Cat på nytt snörpte på munnen.

"Vems är colan då?" fräste hon.

"Förlåt, jag visste inte ..." sa Rosa och brast i gråt, medan de andra i kollektivet lättat rörde på sig och åter vågade lyfta blicken.

"Hon kommer inte att göra om det, eller hur, Rosa, nevermore?" avbröt han beskyddande. Det borde han inte ha gjort, insåg han; förr eller senare skulle det komma att gå ut över henne, men det var för sent att ta tillbaka ömheten. Och det faktum att Cat till synes lät saken passera och nådigt accepterade ursäkten gjorde det bara värre. Så väl kände han henne trots allt.

Cat bet förstulet på en redan nedbiten nagel innan hon på nytt samlade sig till en pelare av kall eld. "Tiden är inne att trappa upp", inledde hon. "Våra aktioner har varit för spridda, det har inte varit tillräcklig täckning i media. Att släppa ut minkar håller inte längre. Så nu har vi kommit till fas två i gruppens historia. Det är ingenting jag har talat med dig om, Teis, du var ju hemma över jul ..."

Till sin stora förtret hängde han skamset med huvudet, ja, det stämde, han hade syndat och varit hemma och smort kråset.

"... men jag anser att vi nu bör fokusera på två strategier: Målinriktad närvaro vid toppmöten, och offensiva fristående aktioner. Konkret innebär det att vi för det första ska träna oss i närkampsteknik och lära oss att tillverka molotovcocktails och sådant. Det kommer Columbus från Krigarna att hjälpa oss med. För det andra innebär det att vi ska välja ut vissa mål som vi sedan riktar aktioner mot."

"Djuren då?" var det en som vågade fråga. "Är vi inte djurrättsaktivister längre?"

"Jo, jo", skyndade sig Teis att svara.

"Sa jag inte nyss att vi hade kommit till fas två?" avbröt Cat. Teis hade på nytt dragit sig tillbaka till fönstersmygen.

"Jovisst, men ..." fortsatte den som hade frågat.

"Vad Cat säger är att vi måste tänka större, eller hur, Cat? Widescreen?" sa Teis och signalerade därmed att han åter var hennes partner. "I Holland och Tyskland är det mycket mer sting i ..."

"Ja, Gorleben var häftigast", sa en. En annan talade om Seattle, en

122

tredje om Prag, och plötsligt var det full fart. Idéer till framtida aktioner yrde genom luften, telefonhot mot A.P. Møller, fysiska blockader på motorvägarna, sabotage mot pälsaffärer, fönsterkrossning på 7-Eleven. Hon lät dem hållas tills de hade hetsat upp varandra tillräckligt för att med lysande ögon och färg på de bleka kinderna vara redo att binda sig.

"Inte illa. Häftiga idéer", sa hon och belönade dem med ett av sina nådiga leenden. "Är vi alltså överens om att Grön gerilla från och med nu definierar sig som en antiglobal, antikapitalistisk, väpnad stadscell?"

"Öh, vad då?" stammade Rosa spakt. "Jag förstår ju vad vi är emot. Coca-Cola och det där. Men vad är vi *för*? Vad har vi för mål, liksom?"

Alla vände sig mot Cat, som utan att tveka svarade: "Revolution."

Rosa bet sig i läppen. Ärligt talat förstod hon inte vad det betydde. Exakt. Men hon förstod intuitivt att hon inte borde fråga mer. Om hon ville vara med. Och det ville hon. Att bli upptagen i detta autonoma köpenhamnska kollektiv var det mest spännande som hade hänt i hennes liv. Och det hade annars hänt en hel del, men ingenting sådant som man hade lust att berätta vidare för någon. Avgjort inte för honom, Teis. Den klokaste kille hon någonsin hade träffat. Rosa, hade han kallat henne. Ett jättevackert namn. Och hon var villig att göra allt för att bli sådan. Som hon. Den riktiga Rosa Luxemburg, som han hade berättat för henne om häromnatten uppe på loftet under taksparrarna, där Cat inte kunde se dem. Hon skrämde henne. Och så det där födelsemärket! Usch …

*

Januari förflöt utan anmärkningar, vilket i sig var en bedrift för en ny minister men egentligen, om hon skulle vara uppriktig, en liten besvikelse för henne själv. Att hennes kalender helt enkelt blev så fulltecknad att det praktiskt taget inte fanns *tid* till annat än att följa det "skolschema" som Henrik och ministersekretariatet gjorde upp åt henne. Och precis så kände hon sig den första tiden, som en skolflicka som använde all sin energi åt att över huvud taget finna sig till rätta och flitigt läsa på sina läxor.

Freddy hämtade henne tidigt, i regel vid sjutiden, för att skjutsa hem henne igen vid sju-åtta-nio-tio-tiden på kvällarna, om det inte var några särskilda kvällsarrangemang eller sammanträden i landsorten som gjorde att hon inte kom hem förrän efter midnatt eller till och med måste övernatta borta. Arbetsveckan var precis så groteskt lång som hon på sin tid hade kunnat se hos andra politiker när hon själv bara stod som iakttagare vid sidan av, och hon måste ju hålla med Thomas om att det omöjligt kunde vara nyttigt i längden att arbeta dubbelt så mycket som vanliga dödliga. Men vad kunde hon göra åt det när uppgifterna tornade upp sig, alla drog och slet i henne och hon dessutom måste sköta det fasta utanför ministeriet – ministermötet på tisdagar, gruppmötet tisdag, onsdag, torsdag och fredag, förutom Folketingets frågestund, behandlingen av lagförslag, rådplägningarna i miljöutskottet, statsrådet med drottningen var femte onsdag plus allt det övriga? Däribland press, tal, invigningar, mottaganden av gäster, besök i styrelser, möten med lobbyister och så vidare och så vidare.

Den första tiden var hon så slut när hon äntligen kom hem att hon knappt orkade äta den mat som Thomas antingen ställde framför henne eller hade färdigupplagd i kylskåpet så att hon bara behövde värma den i mikron om han hade gått och lagt sig. De få gånger hon var hemma tillräckligt tidigt för att hinna lägga barnen somnade hon i deras sängar så snart hon hade läst godnattsagans sista sida, ofta innan de själva hade somnat. Då slutade det med att de omsorgsfullt stoppade täcket om henne och lät henne sova, hyschade åt sin pappa när han kom in och i förebråeende ton sa att han skulle låta mamma sova, för hon var *så* trött. I regel vaknade hon kring midnatt, och om Thomas inte hade gått och lagt sig kunde de ta ett glas vin i köket och småprata tills han började gäspa eller hon hittade portföljen med "hemarbetet", de gröna mappar som Thomas hann få ett ansträngt förhållande till redan innan den första månaden var till ända. Skälet till att de tog sig någorlunda helskinnade genom denna första tid var först och främst att de inbillade varandra att det var *ett övergångsskede*.

"Så här kommer det inte att fortsätta", försäkrade hon. "Det är bara tills jag kommer in i det." Och Thomas nickade förstående eftersom han inte hade insett att det bara hade börjat. Att han måste ställa in sig på att ha en fru som arbetade 70–80 timmar i veckan med något som säkert var intressant och relevant men som hon inte orkade sätta honom in i.

"Måste du läsa allting?" frågade han en söndagskväll sedan de hade lyckats leka familj större delen av dagen med biobesök, kaffe och mjölkchoklad på Jorden Rundt och inte minst en rejäl dos morgonsex medan ungarna tittade på Snurre Sprätts söndagsklubb. Efteråt hade de flinande formulerat ett tackbrev till Bubber och gjort sig till tolk för de många småbarnsföräldrar som var honom stort tack skyldiga eftersom han hade räddat deras äktenskap "på ett könshår", som Thomas sa.

"Vad då?" sa hon frånvarande utan att lyfta blicken från papperen.

"Måste du läsa allt?" upprepade han. "Ska du inte bara skriva under? De har väl gjort en sammanfattning åt dig? Så att du inte behöver läsa igenom hela ärendet?"

Hon nickade och tog av sig glasögonen. "I princip. Jag gör det inte alltid heller. Men det är ju så förbaskat tekniskt det här området, så jag måste förstå så mycket att jag klarar av att bli grillad i miljöutskottet. Och som minimum måste jag förstå tillräckligt för att kunna hålla min förtjusande partikollega, miljöutskottets ordförande, stången. Susanne Branner är beredd att mörda mig vid första bästa tillfälle. Nu har jag sagt det, om jag hittas med en blytyngd om vristen på bottnen av Svanemøllehavnen!"

"'Bevara mig för mina vänner, mina fiender ska jag nog klara av'", anmärkte Thomas. Något av jargongen hade han snappat upp. Dessutom hade han ju själv en arbetsplats.

Charlotte gjorde en grimas, sjönk ner i soffhörnet och lade upp fötterna.

"Precis", rös hon vid minnet av de bataljer hon redan hade utkämpat. Benen hade skakat lätt under henne när hon första gången beträdde salens talarstol, landets främsta, för att ge svar på tal. Många års rutin som talare hade gjort det möjligt för henne att övervinna scenskräcken och verka oberörd. Att få kontroll över rösten. Att framstå som säker, inte minst inför hyenorna på pressläktaren, som höll henne under konstant bevakning. Redan från första dagen hade de suttit vid sitt runda bord hos Brydesen, Folketingets kafeteria, och utvärderat och röstat. Vilka skulle klara sig, vilka inte? Vem är av det rätta virket, vem bländar bara på avstånd, vem är en dagslända? Och sedan kunde de le vänligt och vara nog så insmickrande när de ville skriva porträtt till söndagstidningarna och "tränga in bakom politikern" och allt det där. Lyckligtvis hade hon nog klarat sig, i varje fall någorlunda, såvitt hon kunde tolka de rapporter hon fick. Tills vidare låg hon bra till, men det var givetvis långt kvar till det traditionella "de första hundra dagarna"-betyg som de redan satt och samlade underlag till.

Thomas satte sig i andra änden av soffan och stack in handen innanför hennes byxben.

"Så därför pluggar du nu in alla paragrafer i 'Kungörelse om ägg från vilda fåglar och registrering av äggsamlingar'?" läste Thomas högt från nästa omslag i traven. "Ligger det politisk dynamit i det där?"

"Nej, men däremot massor av poesi! Det är banne mig ren nöjesläsning", flinade hon, tog häftet ur hans hand, slog upp en sida och rabblade fågelnamn.

"*Trastsångare, ormörn, blåkråka, kornknarr, gulnäbbad hämpling, skogssnäppa, tornuggla, orre* ... Fantastisk rikedom, eller hur?"

"De är väl snart utdöda?" frågade Thomas, kysste henne på hjässan och rätade på sig. "Bekämpningsmedel är väl inte så befrämjande för äggläggningen?"

"Nej, inte precis", suckade hon.

"Ärligt talat, borde du inte snart börja med att göra den insats du alltid pratar om? Göra något slagkraftigt?" frågade han och daskade henne lätt på axeln med en rapport ur högen innan han stack den i handen på henne. "Det är därför du sitter där. Jag går ut och brer smörgåsar till i morgon."

"Det kan ju jag göra", mumlade hon och läste titeln på omslaget. "Fackrapport nr. 342, metyltertiärbutyleter (MTBE) i spillvatten – metodisk prövning." Hon lade den ifrån sig med en ännu djupare suck. Thomas hade rätt. Det måste hända något. Hon kunde inte låta sig bli levande begravd i rapporter från Danmarks Miljøundersøgelser, Energistyrelsen, Danmarks og Grønlands Geologiska Undersøgelser och alla andra som publicerade skrivelser i en strid ström. Statsministern hade också varit inne på det, på väg in till förra veckans morgonsammanträde. "Nå, händer det något?" hade han bara frågat med en konspiratorisk blick som möjligen uppfattades av HC, livsmedelsministern. Med honom var det aldrig lätt att veta. Det var inte som med trafikministern, som fick nervösa tics så snart han kände sig det minsta hotad.

"När tiden är mogen", hade hon svarat i så kryptisk ton att statsministerns konspiratoriska min bara hade blivit ännu mer uttalad. Och det uppfattade han säkert, HC.

Hon slängde rapporten ifrån sig och tog fjärrkontrollen. Zappade planlöst mellan TV-stationerna. Hoppade förbi DR2 med en känsla av att skolka när hon såg att det var Deadline och att man till på köpet hade ett par Folketingsmedlemmar med i studion. Den ena såg mer grå och nollställd ut än den andra, till och med könsskillnaden suddades ut. Det var den verkliga skräckbilden. När bara karikatyren återstod. Hur kunde man då klandra folk för att de kastade sig över burkmaten på TV3? Och struntade i folkstyre och demokrati. Hon blev tankspridd sittande framför något amerikanskt melodram där *hon* just fick klart för sig att *han* hade "met somebody". Och sedan grät de.

Hon stängde av och gick ut till Thomas, tänkte ta en kniv och hjälpa honom med smörgåsarna.

"Nej tack, jag är färdig. Men du kan gärna gå ner i källaren och hämta tvätten jag har på gång. Så ska jag hänga den."

"Okej", sa hon och smekte honom över höften när hon trängde sig förbi honom till köksingången. Innerst inne visste han nog att hon inte tyckte om att gå ner i källaren så sent. Eller också trodde han att hon hade kommit över den. Sin mörkrädsla. Mitt i allt det andra.

*

"Vintersolen hänger lågt över Østerbro, himlen skiftar i orange och lila. Jag har just varit i kiosken för att köpa cigarretter, på hemvägen blev jag hejdad av två invandrarpojkar. 'Fnask!' ropade de och trängde sig inpå mig. 'Dra åt helvete!' väste jag och gav dem fingret. Märkligt nog fungerade det, de försvann, och jag blev alldeles upprymd. För jag tror inte att de hade en aning om vem jag var! Det var inte ministern de blev skrämda av, det var av mig! Thomas är fruktansvärt upprörd, han insisterar på att jag ska få ett överfallslarm."

Någon gång i början av februari hade dammet lagt sig på Højbro Plads. Man kunde ha sina sym- och antipatier, men det verkade inte som om den nya ministern var så vild och blodig som man hade fruktat. Hon besatt betydligt mer fackkunskaper än väntat, och hon hade, som Henrik Sand hade förutspått, "bra benstomme". Hon kunde stå pall i Folketingssalen, satte inte ämbetsmännen i klistret och lyssnade till de råd och den vägledning hon fick. Att hon ibland lät hela familjen äta medhavd spaghetti med köttfärssås på sitt tjänsterum fick man finna sig i, och man såg också genom fingrarna med att ministerbilen då och då fick ta en omväg för att lämna eller hämta barnen på dagis. Ibland utan modern. Som fortfarande inte hade lyckats leva upp till det sexspaltiga fotot i Søndags-Politiken av en modern mamma med två barn i cykelkärran. Men vem hade egentligen på allvar räknat med det? Faktiskt var det så mycket som tydde på att allting mer eller mindre skulle fortsätta som *business as usual* att somliga nästan blev besvikna. Den unga ministersekreteraren, Louise Kramer, till exempel. Däremot höll den ledande ministersekreteraren, Jakob Krogh, långsamt på att slappna av allteftersom han märkte att hans ställning inte var hotad.

Louise Kramer, som på det personliga planet fortfarande var jätteglad över skiftet, inte minst därför att den nya ministern inte gick omkring och hackade på henne, försökte en gång i matsalen antyda för Henrik Sand Jensen att det var synd om förändringen bara blev kosmetisk. Yttrandet blev okommenterat hängande under det låga källartaket till spott och spe, varpå hon böjde sig över sin salladstallrik med feta och oliver och önskade att hon kunde lära sig att uppträda lika coolt som männen. De satt alltid och lurpassade med sin strategiska förmåga att bara yttra sig när de var säkra på att ha ess på hand. En konst som Henrik Sand var stormästare i. Han visade ingenting, gick bara omkring med en hemlighetsfull min som ingen riktigt kunde tyda. Även om alla försökte. Även departementschefen, som annars bara hade beröm till övers för sin nya minister och hennes intellektuella kapacitet och förmåga att ställa om från "utopi till verklighet", som han påpekade för Henrik Sand i ett förtroligt ögonblick. På väg ner i hissen, ett omtyckt ställe för diskreta samtal.

"Har hon något på gång?" frågade han nyfiket.

"Jaa", blev Henrik Sands outgrundliga svar, och om departementschefens krafter inte redan hade varit nedsatta till följd av de strålbehandlingar mot prostatacancer som han i största hemlighet genomgick efter arbetstid skulle kan kanske ha tagit tag i Sand Jensen och krävt en närmare förklaring när de kom ner till bottenplanet i stället för att bara skynda ut till den väntande bilen som skulle föra honom till Rigshospitalet.

Henrik Sand höll artigt upp dörren för sin chef, lät honom köra i väg och sneddade sedan över till blomsterståndet på Højbro Plads och köpte två buketter med vita tulpaner, en åt sin fru och en åt sig själv. Till kontoret. Han huttrade till medan han betalade och väntade på växelpengar. Visserligen hade dagarna blivit så mycket längre att det fortfarande var ljust de dagar han kunde bege sig hem vid femtiden, men vår var det inte än. Så det var inte vårhumöret som fick honom att gnola när han med blommorna i famnen gick tillbaka till Miljöministeriets entré. Nej, Henrik Sand var på strålande humör därför att han tyckte att de hade fått det nödvändiga lugnet. Och därför att han visste att utbildningstiden snart var över och att de snart skulle få inleda den stora våroffensiven. Hon började bli varm i kläderna. Satt säkert i sadeln, hade lärt känna Huset, förstod arbetsgången och verkade inte längre lika förbi av trötthet som hon hade gjort de första veckorna. Gruppen hade hon lärt sig respektera som ett månghövdat monster, och Folketinget konfronterade hon, precis som hon skulle, utan att blinka. Pressen hade henne naturligtvis konstant på kornet, men man var inte längre ute speciellt efter miljöministern, tvärtom lämnades hon uppenbart i fred, som god ton var under *blom&choklad-perioden*, en nytillträdd ministers första tid.

Däremot var de på nytt ute efter utvecklingsministern, som hade gjort en del uppseendeväckande uttalanden om de globala flyktingströmmarna som enligt hennes analys skulle komma att hota stabiliteten i världen om de fattiga inte snart fick tillträde till "De rikas klubb". Flickebarnet hade säkert rätt, men uttalandena var ytterligare ett exempel på att hon inte besatt ett uns av politiskt väderkorn. Informatörerna på Asiatisk Plads vände i varje fall ögonvitorna utåt om ämnet "Sofie Malling" kom på tal. Och det gjorde det. Precis som det talades om den "caffè latte"-klubb som De tre gracerna, utvecklingsministern, bostadsministern och miljöministern, hade bildat. Utan att rådfråga någon, vilket redan hade stött somliga, både bland minister-kolleger och i de båda Folketingsgrupperna. Inte oväntat hade några små lumpna historier läckts till pressen, och i synnerhet Jyllands-Pos-ten hade kokat soppa på "källor inom regeringen" som enligt uppgift skulle vara mycket besvikna över "fraktionsbildning i en tid då vi an-nars håller på att bli kvitt sådant". Men uppståndelsen hade snabbt lagt sig när Meyer gick ut och sa att det var härligt att de unga kvin-norna höll ihop och utnyttjade de gamla nätverksstrategierna. Dess-utom hade Christina Maribo försäkrat att "caffè latte" skulle uppfat-tas så oskyldigt som att de tre flickorna hade för avsikt att gå på café då och då och snarare diskutera tvätt än världssituationen. Det hade fått Charlotte att rynka lätt på näsan, men Sand hade försäkrat henne att det bara var bra för hennes image att våga framstå som "vanlig ung kvinna".

En busvissling följd av ett genomträngande "Sand!" fick honom att vända sig om just som han var på väg att slå in koden till det elektro-niska låset. Först kände han inte igen henne, eller var i varje fall osä-ker på om det verkligen var hans minister, men kappan var densam-ma, likaså sjaletten, stövlarna, väskan och leendet. Brett och förläget på en och samma gång medan hon vinkande kom springande från Gammel Strand.

"Du har klippt håret?" konstaterade han när hon kom fram till ho-nom.

"Ja! Och färgat det och gjort slingor och jag vet inte vad!" Hon förde handen till det korta, nu kopparröda håret. "Det tog tre timmar och kostade en förmögenhet. Vad tycker du?"

"Tja", sa han och tvingade fram ett leende. "Snyggt. Men det var snyggt förut med ... Jag gillade det långt, det var på något sätt *natur-ligt* ..."

"Halmdocka", nickade hon och slog in koden. "Det var just därför. Jag behöver en annan *image*, eller hur, Sand?" sa hon ironiskt och sköt upp dörren. "Image is everything."

"Är det något som den där Christiansborgstylisten, Mouna, har in-billat dig?"

"Litet trögtänkt är jag, men sådana saker kan jag faktiskt komma på själv. Och nu behöver vi byta stil. Är det inte dags?"

"Ett lyckat stilbyte är i alla fall alltid en fråga om *timing*", sa han och följde efter henne uppför trappan till ministerplanet. Hon nickade bakåt, fick syn på blommorna och stannade till. "Vem ska få blommor?"

"Min fru. Och min minister", sa han och räckte henne den ena buketten. "Gratulerar till frisyren!"

Hon skrattade, tog överrumplat emot buketten och stack ner näsan bland blomhuvudena. "Vita! Min älsklingsfärg! Hur visste du det?"

"Sådant *måste* jag veta."

"Raring!" skrattade hon och daskade kokett till honom med buketten. "Kommer du in till mig om tio minuter?" frågade hon sedan kelet. Bara på skoj, givetvis. Men sekreteraren, som i samma ögonblick passerade dem på väg ner efter något som kunde dämpa godissuget, hade kunnat svära på att han rodnade. Och vem kunde klandra henne för att hon drog sina slutsatser när ministern något senare skickade hem henne med ett vänligt men bestämt: "Tack för i dag, Birthe. Jag sätter själv tulpanerna i vatten."

De rykten som blev följden hade rätt så tillvida att något avgörande hände innanför den stängda dörren. Ingenting romantiskt dock, även om respektive partner antagligen skulle ha reagerat med viss svartsjuka om de hade vetat vilken förtrolig kontakt som denna kväll uppstod mellan ministern och hennes vapendragare.

"Nu är det snart examensdags", började hon och förde handen till håret, som nätt och jämnt nådde ner över örsnibben där ringarna skymtade. Hennes ansikte hade blivit mer öppet men också mer markerat, eftersom de långa hårslingorna inte längre mildrade kindbenen och hakan, som redan hade blivit mer framträdande. Hon hade gått ner i vikt, det var han säker på. Förhoppningsvis skulle det inte bli värre.

Han nickade. Höll med.

"Vi måste vidare med Den stora planen", fortsatte hon.

Han nickade igen. "Den är inte bortglömd. Jag har faktiskt arbetat med den. I största diskretion", sa han när han såg hennes frågande blick.

"Och?"

"Jag tror att det klokaste är att arbeta med två planer samtidigt – på ämbetsmannanivå och på politisk nivå."

Hon nickade instämmande. "Yes! Jag anser faktiskt att vi ska upprätta ett slags *task force* här på ministeriet, en som snabbt kan ta fram en någorlunda trovärdig råskiss som jag kan gå till statsministern med. Om han är med blir det ju mycket lättare att få igenom det hela, både i gruppen och i regeringen. Tror du inte att det skulle vara en god idé att involvera facket med detsamma, så att vi inte blir tvungna att slåss med dem efteråt?"

Sand nickade. Lysande idé. Hon sken upp.

"Sofie och Christina var för med detsamma ..."

"Du har väl inte berättat det för dem?"

"Nej, nej, inga detaljer. Bara lättat på en liten flik. Och Meyer måste jag helst också få in hit under veckoslutet, innan jag reser till Nairobi. Har du det senaste utkastet till mitt tal?"

Han nickade och sköt över det till henne. Hon läste det snabbt, flera gånger i sträck. Muttrade sedan ogillande och sköt det tillbaka till honom. "Det är inte särskilt likt mitt utkast."

"Det har varit över på Asiatisk Plads och fått en lätt putsning", sa han med en nick mot hennes frisyr. "Det är ju ett FN-sammanhang du ska tala i. Det handlar om Danmarks officiella hållning till UNEP. Inte din personliga, oförgripliga uppfattning."

"Ja, men skulle vi inte kunna skärpa tonen?"

"Man anser uppenbarligen att den är skarp nog."

"Hinner vi diskutera det ytterligare?"

Han tittade på sitt armbandsur. "Klockan är sex på fredagseftermiddagen. Du ska resa på söndag morgon."

Hon drog efter andan. "Okej. Då får jag väl improvisera."

"Helst inte", sa han.

Hon log, tog luren när telefonen ringde, kastade en blick på displayen och sa: "Hej, älskling!"

"Hur mycket arbete har vi kvar?" frågade hon sedan med handen över mikrofonen.

"Det skulle nog vara en god idé att gå igenom programmet en sista gång. Du kan naturligtvis också göra det med Jakob på planet ..."

Hon tog bort handen från mikrofonen. "Älskling, det tar nog ett par timmar till. Ät ni bara. Hälsa dina föräldrar. Och pussa ungarna från mig. Jag älskar dig också. Hej då."

Hon lade mjukt på luren och vände sig sedan mot Henrik.

"Svärföräldrarna från Aalborg har just kommit. Så jag undrar om du skulle ha något emot att vi förlade våra överläggningar till något matställe i närheten. Jag håller på att svälta ihjäl …"

"… och har kanske inte heller så fruktansvärt bråttom att komma hem?"

Hon brast i skratt. "Nej, men det har kanske du?"

"Jag ska bara slå en signal. Jag har ju lyckligtvis köpt tulpaner. Det brukar hjälpa."

Hon sneglade på vasen på skrivbordshörnet. "Om inte förr skulle Thomas nog bli sur om jag kom hem med blommor!"

"Det kan jag gott förstå", sa han och reste sig, redan i färd med att formulera en förklaring till den förmodade sena hemkomsten. Redan innan han hade uttalat den lät den som en dålig ursäkt.

★

Överraskande nog var han en duktig spelare, Jakob Kroghs nye squashpartner. Hans fasta partner hade just skickats till Europeiska centralbanken i Frankfurt och hade själv valt ut sin ersättare, Mikkel Bøgh, som var hans kusin och en lustig prick från Finansministeriet. De hälsade på varandra första gången i omklädningsrummet och satte utan vidare kallprat i gång med att värma upp den hårda gummibollen innan de inledde första set. De hade kommit överens om att spela till 21 "för att få en genomkörare", som Mikkel sa. Och det blev en hård kamp med långa, sega slagdueller som fick åskådare att samlas intill glasväggen. Jakob var så överrumplad över motståndet att han för ovanlighetens skull förlorade första set, men redan i andra, då bollen var varm, kom han igen och vann med 21-18. Tredje set vann han lika knappt, men i fjärde var den tidigare så smidige och snabbe motståndaren synbart trött, så det lyckades han vinna ganska enkelt. Då var han själv nära kollaps, genomvåt av svett och nästan oförmögen att hålla i racketen.

"Herregud!" stönade Mikkel sedan han hade förlorat matchbollen. "Tänker du ta livet av oss?"

"Jag spelar för att vinna", sa Jakob med en urskuldande axelryckning och förde vattenflaskan till munnen.

"Ja! Jag känner bara en som har samma segervilja!"

"Vem då?" frågade Jakob Krogh, redan utmanad.

"Charlotte. Din minister. Hon ger sig inte hon heller!"

Jakob sneglade på sin svettvåta motståndare. "Känner du henne?"

"Mmm", sa Mikkel och torkade ansiktet med sin svart-röd-vita AGF-handduk. "Hon är en *nära* vän."

"Okej." Jakob Krogh log. För första gången. "Har du tid att ta en öl?"

"Alltid", flinade Mikkel och följde efter sin nye vän ut i omklädningsrummet.

*

Hon trodde att hon skulle kunna smyga sig ner under täcket utan att han märkte det. 23:14 visade den digitala väckarklockan. Senast hade hon ringt vid niotiden för att säga att hon var på väg. Det hade hon varit också; hon kunde faktiskt inte förklara varför det hade tagit henne ytterligare två timmar att komma hem. De hade haft roligt, hon och Sand. Ätit en snabb fiskrätt med saffransris, diskret undanskymda på en restaurang på Kompagnistræde, gått igenom Nairobiprogrammet, Danmarks hållning och sedan pratat vidare, först om Planen och sedan om hennes nästa drag, hur hon skulle bygga upp en solid plattform. Vilket ledde fram till den stora frågan: Borde hon satsa seriöst på en politisk karriär? Det vill säga låta sig nomineras till Folketinget. Någon förfrågan hade inte kommit än, men det skulle den göra, ansåg Sand. Förr eller senare. Och den borde hon givetvis anta. Inte bara därför att "man inte kan ha en minister som inte vill låta sig väljas till Folketinget, utan därför att du har det i dig, potentialen och den politiska drivkraften", hade han sagt. Sedan hade de pladdrat på en hel massa om gud vet allt, både utanför och inom Systemet. Det hade varit roligt och spännande, och hon hade druckit en förfärlig massa vin trots att hon avvärjande hade skakat på huvudet när han beställde den andra flaskan. Däremot hade hon propsat på att betala, och det hade han låtit henne göra och kontrollerat att hon använde sitt eget och inte kontorets kreditkort. "Det är inte bara i Afrika det finns gamar och sjakaler", hade han varnat. Han hade också bett henne vara rädd om sig när hon steg in i en taxi på Højbro Plads. Freddy hade hon för länge sedan givit ledigt.

Just som hon hade dragit undan täcket grep han tag i henne, Thomas.

"Varför kommer du så sent?"

"Det blev bara sent", sa hon och kröp ner i sängen. "Förlåt."

"Du luktar krog."

"Jag har druckit rödvin. För mycket." Hon smög sig intill honom.

"Du luktar något annat också, sniffade han. "Ditt hår …?"

"Jag har varit hos frissan …"

Han tände nattlampan och satte sig tvärt upp.

"Shit!" utbrast han förskräckt när han såg henne. "Vad fan har du gjort med ditt hår?"

"Klippt det."

"Utan att fråga mig?" Han tittade klentroget på henne när även hon satte sig upp. "Du vet att jag älskar det där håret!"

"Det är för sjutton mitt hår! Det är inte du som behöver stå och tvätta och torka det vareviga morgon!"

"För helvete, Lotte", sa han bara och skakade på huvudet. Han stirrade vantroget på henne ytterligare en stund, släckte lampan och lade sig ner igen.

Hon visste att hon borde göra något. Men innan hon hann sträcka sig efter honom hade hon somnat.

★

"På planet över Nordafrika, på väg till Kenya. Solen håller på att gå ner över Sahara. Vi har flugit i timmar över denna vidsträckta öken, obönhörlig och oändlig. Nu syns horisonten som en gyllene linje, och om en liten stund sänker sig natten och vi kommer att flyga resten av vägen i mörker. Jag sitter och läser papper, rapporter och prognoser beträffande jordens tillstånd. Tämligen deprimerande läsning. Inte minst på den afrikanska kontinenten, 'en brun fläck på ett blått klot', flyttar sig framtiden hela tiden som en hägring, en ökenspegling av möjligheter som aldrig förverkligas. Pesten, hiv/aids, sprider sig som en gräsbrand på savannen och dödar de unga och starka, som borde vara Afrikas väg ut ur förnedringen. 'Vår framtid dör ifrån oss', säger de afrikanska ledarna. 'Till och med hoppet har tagits ifrån dem', sa Thomas nyligen när han hade fått besked om att ytterligare en lokal eldsjäl hade dukat under. Det är den frustratio-

nen som ofta plågar biståndsarbetarna: Var gång de har lyckats uträtta något och ett projekt har kommit i gång dör nyckelpersonerna, och sedan får de börja om från början med nästa omgång, som också visar sig vara smittad.

Thomas, min älskade ... Afrika påminner mig så starkt om honom och om våra resor tillsammans. Tyvärr var stämningen inte särskilt bra när jag åkte. Han var arg på mig för det där med håret – skrattretande – och vi fick inte tid att nå fram till varandra igen. Hans föräldrar var ju där, och då blir jag alltid litet spänd (=sur). Han brukar fungera som buffert, men den här gången tyckte jag att han valde dem framför mig. Inte för att det var någon egentlig konflikt, han hörde bara så tydligt ihop med dem. Jag hade gärna velat vara ensam på lördagskvällen, bara vi fyra. Ändå slutade det med att svärfar bjöd oss på Jensens Bøfhus, som han visst håller på att köpa in sig i. Ungarna var alldeles till sig över att få äta mjukglass efter eget behag – 'så mycket vi vill!' De var glada, inte särskild nedstämda över att jag skulle ge mig i väg. De håller redan på att vänja sig vid att Thomas är stabil och närvarande medan jag tvärtom är instabil och frånvarande. Så det var pappa som skulle följa med Jens ut på toaletten, jag fick bara göra det i nåder. Tänk att man ska komma dithän att man upplever det som ett privilegium att få torka sina barn i ändan! Knotade litet när jag kysste dem till avsked, sömndruckna, klockan fem i morse. "Så stanna hemma då!" sa Thomas hårt när jag beklagade mig. Skittaskigt, så jag var både sårad och arg när jag gick ner till bilen. Han stod inte ens i fönstret och vinkade. Fast han ringde och bad om förlåtelse under mellanlandningen i Zürich. Jag hade också blivit snäll och rar igen, så vi har i princip försonats. Ändå känner jag ett sug i mellangärdet som inte beror på luftgropar. Nej, jag måste nog försöka blunda och ta en stärkande tupplur innan jag ska ut och rädda världen. Jag ser att Jakob Krogh tittar på filmen, en Hollywoodkomedi, vad det verkar. Jag har i varje fall sett honom le, flera gånger till och med. Otroligt."

De danska medierna hade inte prioriterat UNEP-konferensen i Nairobi så högt att man var beredd att offra knappa resebudgetar på att låta utsända medarbetare bevaka den. För det första räknade man inte med att en FN-miljökonferens skulle resultera i några nyheter, för det andra skulle det alltid finnas material från nyhetsbyråerna att förlita sig på och för det tredje skulle där förstås finnas en hungrig frilan-

136

sare som säkert skulle lyckas nosa upp eventuella bra historier. I det här fallet hette han Tom Reiff och var en rastlös vagabond som hade rest runt i Östafrika de senaste åtta åren och inte kunnat bekväma sig till att vända hem igen. Ryktena i kolonin hävdade att han var hiv-smittad, far till flera mulattbarn och närmast psykopatisk i sin avtrubbade dumdristighet. Hans *projekt* var att skriva en bok om kriget i Sudan, nej, *boken* om Sudankriget, och i det syftet satte han med jämna mellanrum sitt eget – och andras – liv på spel. Det påstods att han hade varit gisslan hos rebellerna, blivit beskjuten i luften och haft malaria så många gånger att han närmade sig den kritiska gränsen. Det var något av Indiana Jones över honom, kanske till och med av Denys Finch Hatton, som de danska kvinnorna i Nairobi forfarande satt och trånade efter när de drack iste på den legendariska Mutaigaklubben. Deras män var rejäla, ansedda diplomater, Danidaarbetare, FN-anställda, affärsmän eller NGO-are som inte direkt betedde sig som äventyrslystna storviltjägare. Den tiden var förbi, på gott och ont, och därför var Tom Reiff med den guldgula hästsvansen dinglande långt ner på ryggen så tilldragande. Alla var överens om att han var en person man borde akta sig för, men alla var också överens om att han utgjorde ett så färgstarkt inslag att man alltid bjöd in honom till både det ena och det andra när han var i Nairobi.

Vilket han av en ren slump var den vecka då den danska miljöministern Charlotte Damgaard deltog i UNEP-konferensen och därför var hedersgäst vid den mottagning som ambassadören höll för henne på den stora utomhusterrassen i den parkliknande trädgården. Här blev hon presenterad för hela den danska kolonin, i vilken hon kände igen flera bekanta ansikten från den tid då hon och Thomas hade stått längst ner på ranglistan som de yngsta nödhjälparbetarna. Somliga blev uppriktigt glada över att träffa henne igen i den här ställningen, andra stirrade förvånat när eller om det gick upp för dem att det hade blivit något av henne, och oavsett reaktionen fick hon på nytt samma tyngande känsla av att stå i fokus. Av att ha allas ögon vilande på sig, antingen i smyg, när hon tog ytterligare en kanapé från fatet som bars runt av svarta tjänare i vita jacketter, eller helt öppet, när hon gick fram till mikrofonen för att hålla sitt tacktal sedan ambassadören hade hälsat henne "särskilt välkommen". Jakob Krogh hade skrivit manuskort åt henne, så att hon fick det väsentligaste sagt – berömde ambassadens arbete, lovordade Danidas projekt, lovordade frivilligarbetarnas osjälviska insatser, lovordade näringslivet för dess investeringsvilja, lovordade fruarna för att de följde med ut, lovordade gästfriheten, maten, klimatet, den blomstrande trädgården, det fantastiska paradisäppelträdet och den vackra kvällen ... När hon pliktskyldigt hade gjort allt detta fanns inte fler manuskort kvar, men då hade hon ändå inte hunnit fram till det väsentliga – varför hon egentligen befann sig i Nairobi, syftet med resan. Så hon drog ett djupt andetag, tittade bort mot Jakob, som höll sin gin och tonic i ett hårt grepp, och fortsatte sedan utanför manuskriptet. När hon hade talat i ungefär en halv minut tog Tom Reiff fram ett litet flottigt spiralblock. Långsamt och nonchalant så att ingen märkte det. Inte heller hedersgästen, som talade oavbrutet i tjugo minuter om den rika världens hyckleri, om nödvändigheten av att göra något åt orättvisorna, om förpliktelsen att dela med sig av sitt välstånd, om globaliseringens förlorare och USA:s förkastliga isolationspolitik, om världsepidemin och de hotande miljökatastroferna, om de ännu mer hotande folkvandringarna och om hur vackert Afrika tedde sig från luften.

Bifallet var kortvarigt, artigt och generat, och Charlotte behövde bara kasta en blick på Jakob Krogh för att inse att hon hade gått över gränsen. Långt över. Men det var onsdag, hon hade varit fjättrad i etikett och formalia tillsammans med 150 delegater i FN-byggnaden sedan i söndags kväll och var helt enkelt tvungen att få säga något sant. Och medan alla andra omärkligt drog sig undan från henne trängde han sig på. Eller rättare sagt, plötsligt stod där en man som såg ut som en parodi på Marlbororeklamen framför henne. Kakimunderingen var urblekt och flammig, skäggstubben dagsgammal, håret tillbakastruket och hopbundet med en gummisnodd. Ögonen var azurblå trekanter, omgivna av skarpa rynkor i ett läderbrunt ansikte. Ålder: någonstans mellan 45 och 55.

"Snygg klänning", inledde han. "Tom Reiff", tillade han sedan, just som hon var på väg att snoppa av honom. "Jag är författare."

"Hemingway?" sa hon och såg att ambassadören var på väg mot henne för att träda emellan. Men när en vilt gestikulerande kvinna i samma ögonblick slog ut med armen och därvid råkade träffa ambassadörens hand, så att han fick det mesta av ett glas sydafrikansk Stellenbosch över sitt vita skjortbröst, blev han avbruten, och när han en kvart senare kom tillbaka omklädd var ministern så djupt inbegripen i samtalet med Reiff att han avstod från att blanda sig i.

Dessutom var det flera andra gäster som lade beslag på honom, däribland handelsattachén, som samma eftermiddag hade gripits av misstankar om att en lokalanställd gjort sig skyldig till bestickning. Jakob Krogh hade också blivit distraherad; han hade stött på en gammal studiekamrat, en klipsk flicka som nu var ambassadsekreterare och just hade skickat i väg man och barn till Mombasa på badsemester. Äktenskapet knakade i fogarna, förstod han, och det gjorde faktiskt hans också; det var svårt för andra att förstå varför man blev så uppslukad av sitt arbete. Uppslukad och emellanåt också så förbannat frustrerad när ens chef inte betedde sig ändamålsenligt. "Say no more", skrattade flickan och blottade små vita tänder som han önskade att hon skulle sätta i hans axel i ett hårt bett, så att han kände att han fortfarande hade en kropp. Så när Charlotte en stund senare kom och sa att hon skulle åka tillbaka till hotellet men att han kunde stanna, för hon var i gott sällskap, slog han inte ihop klackarna som han borde och propsade på att följa henne utan ryckte på axlarna och sa okej, då ses vi tidigt i morgon bitti, samtidigt som han kunde känna lemmen röra sig inuti byxorna av tunt, svalt ylle i förväntan om vad som, å, Gud, kanske väntade honom. Medarbetaren från Utrikesministeriet såg att miljöministern försvann och även med vem, men det var inte Utrikesministeriets sak att agera överrock. Och eftersom det var omöjligt att fånga Jakob Kroghs uppmärksamhet lät han det vara.

Så kom det sig att Charlotte Damgaard steg in i en ytterst medfaren jeep och utan att någon ingrep tillbringade en hel kväll och en halv natt i sällskap med en karismatisk fantast som utgav sig för att vara författare.

"Vad skriver du om?" hade hon frågat.

"Om kriget", sa han.

"Vilket krig?"

"Det är alltid samma krig", hade han svarat.

"Det låter filosofiskt", hade hon kontrat, och den vaga reservation hon någonstans kände inför honom hade tilltagit. Men sedan hade han på ett förnuftigt och intressant sätt redogjort för kriget i Sudan, för det moras av involverade parter och ekonomiska intressen som styrde det och även hindrade det från att upphöra. Det tog lång tid, och det var efter denna utläggning som han föreslog att de skulle ge sig i väg och prata vidare över "något vilt" strax utanför stan. Han kände till den bästa restaurangen, ett på alla sätt "safe place", vilket inte var någon självklarhet i *Nairobbery*. Hon var skeptisk, men han hade rätt, stället var säkert, viltet – en blandad anrättning av krokodil, impala och buffel som skars upp vid bordet – var utsökt och hade bara en svag bismak av krypskytte, innehavaren var översvallande vänlig och själv var han en outsinlig källa till kunskap och goda historier. Dessutom måste hon erkänna att han var snygg att *se* på – oslipad, maskulin och potent, i motsats till de kultiverade drivhusplantor hon normalt umgicks med.

"Vad försörjer du dig på?" frågade hon när hon hade lagt ihop besticken. "Du kan väl inte leva på att skriva om *kriget*?"

"Jag gör research, mest för National Geographic", svarade han och beställde ytterligare en omgång Tuskeröl.

"Häftigt", sa hon uppskattande. "Och vad gör du då?"

"Seglar nedför den stora, grågröna, grumliga Limpopofloden, som är helt omgiven av feberträd", skrattade han och betalade kyparen, som kom med två öl. "Letar upp smugglare, elefantstigar, de bästa *photo-ops*. Du känner väl till Peace Park-projektet?"

Hon nickade ivrigt. "Det stora fridlysningsprojektet, sammanslagningen av nationalparker, det mest uppmuntrande som har hänt på länge! Ett fantastiskt projekt."

"Ja. Tyvärr finns det de som betraktar det som ekoimperialism. I Moçambique är de exempelvis inte så entusiastiska över att tvingas underordna sig sydafrikanerna i den här frågan, Mandela eller ej."

"Ja, men det är ju det enda riktiga! Naturen är ju gränslös, kulturer är gränslösa, det vet väl afrikanerna bättre än de flesta! De behöver fred och försoning, över hela linjen, också mellan människa och natur!"

Han skrattade, böjde sig fram och nöp henne i kinden som om hon hade varit ett barn. "Blir du alltid lika lidelsefull?" frågade han.

"Ja, det blir jag faktiskt!" Hon sträckte sig efter flaskan och satte den till munnen. Det var någonting med hans blick, ett slags listighet, som hon inte tyckte om. Eller var det hans leende? Men varje gång hon kände denna ansats till avståndstagande neutraliserades reservationerna i alla fall. Han pratade bort dem, eldade upp dem eller smälte dem, som om han själv var medveten om att han kunde väcka sådana reaktioner.

"Ursäkta om jag förolämpade dig", sa han och sänkte skamset huvudet. "Jag är bara en gammal cyniker. Har sedan länge givit upp hoppet om att danskarna ska kunna visa upp lidelse. Men berätta nu för mig varför en sådan som du har blivit *minister*? Är det, ursäkta uttrycket, inte helt jävla sjukt?"

Hon skrattade.

"Jo, när du säger det så! Ibland, i alla fall. Men jag har ju övertygelsen kvar", började hon. Han sköt stolen bakåt en aning, lade det ena benet över det andra och lyssnade medan han rökte sina cigarretter utan filter. Så hon sänkte garden och pladdrade på. "Men det stannar förstås oss emellan." Hon förirrade sig längre och längre in i förtroendena allteftersom hon fick fler öl, eldade upp sig och hela tiden lyckades hålla elden brinnande tack vare hans fokuserade närvaro. Han nickade, log och kom bara med enstaka relevanta och intelligenta inpass, som på något mirakulöst sätt gav relief åt det hon sa. Ja, precis! Så är det! Hur vet du det?

När restaurangen stängde och hon insåg att hon borde åka tillbaka till det luxuösa Northfolk Hotel, som Meyer hade utnämnt till världens bästa hotell, föreslog han att de skulle gå ut och dansa. Han kände till ett fantastiskt ställe med livemusik och Afrikas mest spännande band.

"Okej. En halvtimme."

De dansade i två timmar, som de enda vita i ett böljande, dunkande svart hav av dansande under bar himmel. Hon gav sig fullständigt hän, flöt bara med, lät congasrytmen fylla medvetandet, höfterna slappna av och huvudet tömmas. Var för första gången på sex veckor bara den Charlotte hon förut hade varit. Det var den ultimata friheten, och hon skrattade och virvlade ut och in i hans famn. Till sist blev hon kvar i den, lät sig vaggas och omslutas, andades in den starka lukten av hans svett och kände hans kind raspa mot sin. Hon blev tvungen att bestämma sig för att inte gå i säng med honom, annars skulle hon ha gjort det som det mest naturliga efterspel i världen. Vid tvåtiden slet hon sig loss och bad att bli körd till hotellet, och även om hon för en sekund fruktade, eller hoppades, att han skulle köra henne någon annanstans och släpa henne med sig i håret, lydde han belevat

141

och körde henne ända fram till lobbyns röda matta. Steg ur, kysste henne på munnen, sa att hon var en vacker kvinna och att han skulle ringa till henne så att de fick bestämma när hon kunde följa med ut till Naivashasjön. Hon torkade långsamt av kyssen med avigsidan av handen, samlade sig och gick med långa steg genom lobbyn och ut i den överdådiga trädgården. Där följde hon stigen mot sin bungalow i kolonialstil, följd av portieren, som verkade bestört över att Her Honorable Mrs. Minister kom tillbaka så sent och helt utan eskort. Och er man, madame, har ringt flera gånger.

Tom Reiff ringde däremot aldrig. Nästa dag var han helt enkelt försvunnen, som en dröm hon hade varit ensam i och inte var i stånd att återberätta. Så hon nämnde honom inte, vare sig för Jakob Krogh, som själv hade varit upptagen på annat håll, företrädesvis mellan ambassadsekreterarens tennistränade lår, eller för Thomas, som krävde långa och upprepade förklaringar till varför hon hade haft sin mobiltelefon avstängd hela kvällen. Och *natten*, vilket han underströk. Och varför hade hon inte varit på sitt rum, åtminstone efter midnatt? Hon fabricerade en plausibel men inte särskilt övertygande förklaring om slöhet i receptionen, urladdat batteri, trötthet, arbete på konferensen och så vidare. Hon, som aldrig annars ljög, klarade av någon anledning inte av att berätta om mötet med denne man, som inte hörde hemma i de vanliga kategorierna. Till sist bestämde hon sig för att lätt och behändigt rubricera honom som en "yrkesflört" och kunde därefter med viss lättnad skjuta honom ifrån sig som någon hon inte längre behövde förhålla sig till eller låta sig frestas av. Men hon spanade efter honom, både under den officiella utflykten till Naivasha, på masaimarknaden och faktiskt också under den nordiska middagen på Mutaiga. Till och med när hon skjutsades till och från konferensen i skottsäker limousine spejade hon i gatubilden efter Marlboromän med hästsvans. Hon avstod dock från att förhöra sig om honom, och hon lyckades också hålla anletsdragen tämligen neutrala när ambassadören plötsligt nämnde honom. "Du råkade väl inte i klorna på Tom Reiff?" frågade han i förbigående under en paus i förhandlingarna. Det var på konferensens näst sista dag, hon hade slitit som ett djur hela veckan för att få till åtminstone några skärpningar i den gemensamma deklarationen. Till och med Jakob var imponerad över hur hon hade lyckats hävda sig och utmärka sig så pass att ingen av de 150 delegaterna kunde sväva i tvivelsmål om vem Danmarks nya miljöminister var. Att hon sedan hade tangerat gränserna för sitt mandat flera gånger, inte minst under det suveränt hållna talet inför plenum, kunde killen från Utrikesministeriet bara surt konstatera. Via grundligt samarbete med frivilligarbetarna hade hon också på nytt lyckats öppna debatten om att skapa en nationsöverskridande miljöorganisation, hon hade skärpt diskussionen om miljö och globalisering och hon hade också propsat på att infoga miljöfrågorna i jämlikhetsproblematiken. Flera av de stora telegrambyråerna hade nämnt "the Danish minister for the environment", och därigenom hade hon också nått ut till de danska tidningarna. Bara som små tvåspaltare visserligen, men Henrik Sand hade ringt och gratulerat henne, även om han också hade påmint henne om att "ta det lugnt". För honom hade hon naturligtvis inte heller nämnt sin lilla eskapad, som allteftersom veckan gick bleknade bort och blev till en liten ljuv hemlighet. Ingen visste något, och när allt kom till kritan hade ju ingenting heller *hänt*. Hon behövde inte oroa sig, behövde inte känna en sten som skavde i skon. Men även om ambassadören släppte ämnet när hon blankt förnekade vidare kännedom om någon Tom Reiff var det ändå illavarslande. Att han över huvud taget ställde frågan. Innerst inne visste hon det ju mycket väl. Hon borde ha hållit sig borta från honom.

"Tom Reiff är en usling, inget tvivel om den saken. Så usel att det finns en medicinsk eller psykiatrisk diagnos som täcker fall som hans: psykopati. Karln är praktpsykopat, galning, lögnare, förförare, vad som helst. Han är också en gudabenådad skribent och reporter, har rört sig inom och framför allt utanför de flesta tidningshusen i Danmark, till dess att hans kredit så att säga var förbrukad. Oss emellan sagt kan jag gärna erkänna att vi på en tidning som vår då och då rör oss i utkanten av sanningen; vi är inte så kräsna vad gäller att tänja och vrida på fakta. Men inte ens hos oss är det acceptabelt att gång på gång bli ertappad med rena lögner. Det blir jävligt dyra skadestånd, dementier är också ett elände, och chefredaktörer är i yttrandefrihetens namn i allmänhet inte särskilt förtjusta i utsikten att behöva lägga locket på. Lögnare avslöjas ju alltid förr eller senare. Även om de skildrar en händelse långt ute i den afrikanska bushen är det minsann alltid någon som råkade befinna sig just där vid den aktuella tidpunkten och därför kan dementera historien. Eller kanske till och med bevisa att journalisten aldrig själv har befunnit sig där utan råkat träffa ett vittne i tredje hand på en bar i grannlandet. Och låt mig säga att även om Tom kunde skriva så att änglarna sjöng och vi kunde känna hur det var att smyga sig igenom minerat område, färdas bland diamantsmugglare eller delta i vilda orgier i presidentpalatset, så var det inte journalistik utan fiktion. Och när mannen inte ville kännas vid sina brister måste tidningen ju ta konsekvenserna och avbryta samarbetet med honom. Så vi slutade anlita honom för flera år sedan, hörde bara att det tydligen gick bra för honom och att han som alltid efterlämnade ett spår av krossade hjärtan och gravida kvinnor. De har ju alltid varit svaga för honom, kvinnorna, och jag måste undantagsvis erkänna att jag förstår dem. Han var sådan, förförisk. En man i vars sällskap man hade trevligt; han var underhållande, begåvad och vild. Den typen som kunde skära halsen av en utan att man märkte det. Så med tiden lärde man sig ju att undvika Tom Reiff om man hade livet kärt. Varför gjorde vi det då inte den här gången? Varför köpte vi historien om miljöministerns "afrikanska natt"? Visste vi inte att det sannolikt skulle vara ytterligare en av Tom Reiffs skrönor? Jo, det visste vi mycket väl. Därför kollade vi om det över huvud taget kunde stämma att karln hade träffat Charlotte Damgaard under hennes besök i Nairobi. Det bekräftade våra källor. En ansedd källa från Utrikesministeriet kunde till och med bekräfta att hon hade lämnat en mottagning hos den danske ambassadören i sällskap med honom. "Utomordentligt frivilligt", underströks det. Till slut hade någon sett henne komma hem till hotellet klockan två på natten, och vederbörande var villig att svära på att hon till på köpet lät sig kyssas god natt av en man som motsvarade Tom Reiffs signalement. Så varför skulle artikelns innehåll inte vara sant? Bara som undantaget som bekräftade Tom Reiffs rykte? Dessutom var det en fantastiskt välskriven artikel som det skulle vara synd att undanhålla våra läsare."

~

Henrik Sand stod oväntat utanför gaten och tog emot henne vid mellanlandningen i Zürich. Hennes mun öppnades till en förskräckt oval när hon fick syn på honom, men han skakade avvärjande på huvudet, ingenting med familjen. Sedan drog han henne undan från myllret, däribland Jakob Krogh, som förvirrat stirrade efter dem.

"Du är med i tidningen", sa han bara, men det räckte för att hon genast skulle förstå vad som hade hänt. Det räckte också gott och väl för att hon skulle kunna känna hans vrede, besvikelse och totala beslutsamhet. Han räckte henne Ekstra Bladet med de båda sidorna uppslagna, och även om hon hade en känsla av att golvet gungade under fötterna på henne höll hon sig upprätt genom hela läsningen, även när Jakob Krogh med sin telefon till örat plötsligt började kasta paniska blickar i hennes riktning.

"Det är naturligtvis lögn", sa hon sedan, med hettande kinder.

"Har du träffat honom? Tom Reiff?" frågade Sand och höll ministersekreteraren på avstånd med en handrörelse.

Hon nickade. Ja. Och varit ute med honom. Ja. Och ätit impala och druckit öl. Ja. Och pratat bredvid munnen. Ja. Och dansat med honom "under Afrikas stjärnhimmel". Ja. Och låtit sig kyssas av honom. Ja.

"Fan", svor Sand.

Hon protesterade. "Men jag har ju inte *sagt* allt det där! Inte på det sättet, i varje fall."

"Det låter annars som om det kunde vara du", sa han och läste högt medan han med ett finger följde texten.

"'Jag trodde att jag kunde förändra världen. Men politik är ju helt jävla sjukt, ursäkta uttrycket. Christiansborg är en lekskola, där man är mer upptagen av att kasta skit på varandra än av att förändra de fullkomligt orimliga orättvisor som gisslar vår värld. Politikerna, även mina ministerkolleger, saknar mod att säga ifrån. Varför talar de aldrig om hur det egentligen ligger till? Varför är det en amerikansk expresident som ska resa omkring och berätta för oss hur det borde ha varit? Varför slog han inte larm när han hade makten? Varför säger vi i Danmark inte sanningen om utlänningarna? Att vi är på väg in i de stora folkvandringarnas tid? Vi kan inte stänga de fattiga ute och själva leva som de vita kolonisatörerna i ett reservat av mjölk och honung. Vi måste packa ihop vår arrogans och börja bete oss mer ödmjukt. Det är dags att vi stannar upp och funderar över om det inte är nu vi ska bromsa tillväxten, minska förbrukningen och återgå till en mer anspråkslös livsstil. För min del skulle vi gärna kunna ställa ifrån oss bilen och återinföra häst och vagn. I pengar mätt är afrikanerna säkert fattiga, men när jag går omkring här i Nairobi känner jag också en bultande livsglädje som vi har förlorat. Vi har ju blivit till en skock tjänstemän i Danmark, trista bokhållare som varken förstår att dansa eller älska', säger den vackra danska miljöministern innan hon drar mig med ut på dansgolvet och ger mig det smäktande leende som lyser upp likt en dansk sommardag mitt i den afrikanska natten. Charlotte Damgaard är ingen bokhållare. Hon är en kvinna som både förstår att dansa och att älska ..."

"Stopp!" ropade hon avvärjande.

"... och på det sättet fortsätter det. Han följer dig också hem till

146

'Northfolk Hotels luxuösa bungalowsvit. Champagnen, som serveras av livréklädda boys under stjärnhimlen, där månen ligger ner, är lika pärlande som hennes flickaktiga skratt ...'"

"Det är ta mig fan lögn!" Hon slet tidningen ur handen på honom. "Han var över huvud taget inte med inne på hotellet! Jag blev avsläppt utanför lobbyn!"

"Schh", hyssjade han; folk hade börjat stirra. Tog dem för att vara mitt uppe i ett häftigt äktenskaplig gräl.

"Fan också", mumlade hon och sjönk ner på närmaste stol medan vidden av katastrofen vagt började gå upp för henne.

"Nu handlar det om *damage control.* Det är bäst att vi inviger Jakob, han brukar vara ganska bra på krishantering. Och det här kräver *an early response.*"

Hon nickade instämmande. Sedan drabbade det henne, som ett slag av en bredbladig machete. "Thomas då?"

"Jag har varnat honom. Rått honom att hålla färgen. Ett par journalister hade redan ringt i morse. Vi möter dem nog på flygplatsen. Hela horden."

"Skit också", sa hon medan hennes lemmar fylldes med bly.

*

Thomas har hört henne upprepa samma förklaring med samma formuleringar så många gånger att han kan återge den nästan ordagrant, om och om igen. "Thomas, jag har blivit lurad och bedragen av en psykopat som lockade mig rakt i fällan. Det var vansinnigt dumt, ja. Jag borde varken ha följt med honom eller ha dansat med honom, och jag borde naturligtvis inte heller ha låtit honom kyssa mig på munnen. Men när nu detta är sagt är det inte värre. *Det hände ingenting mer!*" Nej, hon hade inte legat med honom. Han hade inte varit med in på hotellet. Nej, hon träffade honom inte igen. "*Ingenting hände, Thomas. Ingenting som rör oss båda! Jag älskar dig! Varför i helvete kan vi inte sätta punkt där? Hela världen håller på att flå mig levande, kan du inte vara snäll och tro på mig? Vara min vän! Thomas, jag älskar dig!*"

Han älskar henne också. Han skulle önska att han kunde beskydda henne mot dem allihop, från glupska reportrar till politiska motståndare som allihop kastar sig över henne med rösten i falsett av upphetsning över att få leka med ett så lättfångat byte. Han hatar statsministern som inte kommer till hennes undsättning utan lämnar henne ensam på den arena de kallar Folketingssalen. Han hatar sina föräldrar för deras skadeglada gliringar. Han hatar de kolleger som viskar bakom hans rygg. Han hatar hennes mamma för att hon är på vintersemester i Phuket. Han hatar den där Tom Reiff så intensivt att han skulle kunna strypa honom. Men allra mest hatar han sig själv för att han är så uppfylld av sin egen svartsjuka att han inte kan hjälpa henne utan i stället vänder henne ryggen när hon tilltufsad kommer hem efter ännu ett direktsänt TV-inslag. Han sitter hemma och ser slag gå in, ögonbryn spräckas, läppar svullna upp. Ändå står hon pall varje gång, kämpar sig igenom alla ronderna och slutar med att vinna på poäng. Hennes styrka är respektingivande, förmågan att parera imponerande. Det är först när hon kommer hem till honom, dit där hon borde vara i säkerhet, som hon förlorar på knockout.

"Sover du?" frågar hon. Och han ljuger och svarar inte medan en vrede som han inte känner igen kokar i honom och får hans hjärta att bulta lika hårt som en legosoldats.

*

Efter tio dagar är det över. Orkanen har mojnat, molnen skingras, solen bryter åter igenom och det är dags att överblicka skadorna. Henrik Sand är tränad i sådant. Nyktert som en värderingsman bedömer han katastrofens omfattning. Egentligen är det inte så farligt som man först trodde. Visst var det väldigt dumt, visst har hon gjort en tabbe av kriminella dimensioner och lagt sig själv till rätta rakt framför oppositionens högerfot, men därefter har hon lyckats rida ut stormen, så att det nästan verkar som om hon själv har valt att surfa på de skummande vågtopparna. I varje fall ser det inte ut som om väljarna skulle straffa henne för det som har hänt. Tvärtom har läsarbreven strömmat in, det ena efter det andra, och man har kunnat läsa om hur befriande det är att äntligen möta en politiker med "hull och hår", "en kvinna i klänning", och många andra har hyllat hennes mod att visa "sensualitet och sinnlighet". Politiska kommentatorer har skrivit att hon självfallet har begått en politisk dumhet genom att tala så fritt ur hjärtat med en vilt främmande människa "av dubiös kaliber", vilket

148

säger en hel del om hennes omognad och bristande omdöme, men å andra sidan har hon ju rätt i sak – att den danska befolkningen och de danska politikerna blundar för världens reella problem och det gränsöverskridande ansvar som följer med globaliseringen. "Det måste vara den unga, idealistiska politikerns rätt och privilegium att kritisera *the establishment*, partikamrater och regeringskolleger inbegripna, annars kan man vara säker på att den nödvändiga förnyelse som det parlamentariska systemet skriker efter kommer att utebli", skrev Politikens ledarskribent. Jyllands-Posten däremot gjorde sig starkt lustig över det där med häst och vagn och manade fram ett medeltida scenario där "vadmal och välling uppenbarligen är miljöministerns vision för det tjugoförsta århundradet". Berlingske Tidende ansåg kort och gott att "Charlotte Damgaard bör ta konsekvenserna av sitt pinsamma självmål och överväga sin ställning innan hon hinner vålla större skada". Omvänt stod Information och Weekendavisen inte helt främmande för nolltillväxttanken, "som kanske bör vara den rika världens svar till den fattiga". Författare och diverse kulturpersonligheter ryckte också ut till försvar för den unga ministern, som själv bidrog genom att göra det enda rätta: erkänna att hon hade gjort bort sig "genom att låta mig utnyttjas av en charmerande charlatan, och tyvärr är det ju inte första gången i världshistoren som något sådant händer en kvinna".

Det sista var oerhört fräckt eftersom hon därmed i ett enda slag vann över alla kvinnorna på sin sida och fick oppositionens vrålapor att framstå som vad de var: stöddiga pojkspolingar som försökte åstadkomma en politisk kupp. När Henrik Sand berömde henne för den skull ryckte hon bara på axlarna och sa: "Ja, men så är det ju. Hur banalt som helst. Han gjorde mig bildligt talat med barn."

Kvällstidningarna, inte minst Ekstra Bladet, som ju själv hade utlöst lavinen, odlade ohämmat den lätt ekivoka vinklingen genom att hålla sig kvar under bältet och gräva upp mer snaskigheter om "Afrikas drottning", som "även i Nairobis sammanträdeslokaler effektivt spelade ut sitt täcka kön och sin legendariska förmåga att göra män mjuka som nougat". Ett påstående som med stor villighet bekräftades av en "hel hop män som Charlotte Damgaard har trampat ner på sin väg mot toppen, däribland hedervärda jylländska naturskyddsivrare, en lektor vid Århus Universitet, gamla studiekamrater och till och med medarbetare inom Miljöministeriet".

"Är det du?" hade hon frågat Sand när den artikeln dök upp. Nej, det var det inte. Vilket hon inte heller i sin vildaste fantasi hade trott.

"Vem är det då?"

"Ingen aning. Det är inte ens säkert att de har talat med någon. De skriver det som passar dem. Det vet du ju."

"Så de kan utan vidare skriva att jag har knullat mig upp till toppen?"

"Ja."

"Och det ska jag finna mig i?"

"Det blir du tvungen att göra. Det dummaste en politiker kan göra är att gå i svaromål."

Hennes ögon hade smalnat. "Lektorn från universitetet, det vet jag mycket väl vem det är. Han gjorde mig till praktikant när jag hade gått på universitetet i två terminer. Mycket mystiskt och mycket hedersamt tills det visade sig att han ville få omkull mig över sitt skrivbord. Jag skulle vara hans lilla *pet*. När jag vägrade började han förfölja mig. Ursinnigt och med alla medel. Då anmälde jag honom för sextrakasserier. Sedan uppenbarade sig fem andra vackra studentskor från ingenstans. Så där är förklaringen enkel. De jylländska naturskyddsivrarna var mina bittraste motståndare i föreningen, så det ligger också nära till hands. Studiekamraterna kan vara vilka som helst som har hatat mig på håll – sådana finns det säkert gott om, och jag skulle nog kunna namnge ett par stycken som gärna skulle sladdra inför skvallerpressen. Men 'medarbetare inom Miljöministeriet', varifrån har de fått dem? Varför skulle de vara fantasifoster när de andra inte är det? Vilka känner sig skrämda av mig?" frågade hon.

"Ingen. Inte såvitt jag vet."

Till synes lät hon det vara bra med det. Vilket efter omständigheterna antagligen var det klokaste. Tills vidare. För han visste att hon visste att han visste att det fanns en läcka i systemet. Någon hade varit för lösmynt. Och det var givetvis helt oacceptabelt.

Men det är absolut inte nu hon bör hålla räfst och rättarting. Hellre ligga lågt en tid. Inte minst för sin egen skull, så att hon kan repa sig igen. Inte för att hon vill erkänna att hon är skakad. No way, det får han henne aldrig att göra. Hon har också vägrat att be om ursäkt. Hon har bara velat *beklaga* att ett samtal som hon betraktade som privat, och som i övrigt är förvrängt och i stor utsträckning ett uttryck för författarens fria fantasi, har nått ut till offentligheten. Längre kom de inte heller i salen: "Står miljöministern fast vid att hon betraktar det danska Folketinget som en lekskola?" Svaret kom som ett piskrapp: "Jag vill gärna beklaga att jag har använt det uttrycket. Det är en förolämpning mot båda institutionerna." Och så vidare. På pressläktaren hade man roligt, men i salen var de *not amused*. Vilket regeringskollegerna av allt att döma inte heller var. Åtskilliga hade yttrat sig om miljöministern, men vad som noterades var att Vittrup höll sig fullkomligt tyst. Han hade ingen kommentar när han blev tillfrågad, och även om Sand hade utomordentliga kontakter på Statsministeriet var det ingen som kunde säga något substantiellt om vad statsministern egentligen ansåg om sin miljöministers göranden och låtanden. Alla var dock eniga om att hans hållning skulle komma att bli avgörande för hennes ställning framöver. Om hon inte hade statsministerns stöd skulle det vara närmast hopplöst att få igenom någonting. De andra ministrarna, kanske med undantag för Meyer och de båda nickedockorna från Caffè latte-klubben, skulle helt enkelt motarbeta henne och se till att lägga stora tuvor på hennes väg.

Sand visste precis hur det skulle komma att bli. Det hade de nämligen varit med om förr. Senast det satt en kvinna på stolen. Och det var ett trauma han hade övertagit, trots att han inte hade tillträtt förrän efteråt. Sedan hon hade avgått. Tvingats avgå.

Det har hon också frågat honom om, Charlotte. Om hon borde avgå. Naturligtvis borde hon inte det. Historien saknade ju substans.

"En storm i ett vattenglas?" hade hon sagt med ett snett leende.

"Ja. Du måste bara rida ut den. Om en månad är det någon annan som befinner sig i hetluften. Så är det. Du måste bara lära dig att tänka dig för."

"Trust nobody?"

"Som jag har lärt dig. Ja."

"Förlåt", sa hon. För första och enda gången. Det var hennes gåva till honom, och han tog emot den utan förbehåll.

Sedan dess har han varit upptagen av bokföringen. Att göra upp en balansräkning för att se hur de ska gå vidare. Hur mycket kapital de har till sitt förfogande. Internt är det en utbredd uppfattning att hon har slösat bort allt. Att ministeriet på mindre än två månader har rutschat ner till botten av hitlistan, ner bland förlorarna, där de nu kan ligga och larva sig tillsammans med Socialministeriet och Kyrkomi-nisteriet. I synnerhet Jakob Krogh ser ganska pessimistiskt på framti-den, tycker han. Hon har ju fortfarande bra benstomme. Har resurser att komma igen, om de bara har *the guts* att stötta henne. I så fall kan de faktiskt vända eländet till något positivt. Hon har i varje fall profi-lerat sig. Utmärkt sig. Genom att *ta ställning*. Fan, är det inte det all-ihop efterlyser? Från symbolanalytikerna till folket på gatan?"

Sålunda sitter Henrik Sand Jensen på sitt kontor och tänker medan han biter sönder sin kulspetspenna och för första gången följer vårso-lens flimrande spel över ringpärmarnas enfärgade ryggar i bokhyllan. När telefonen ringer och avbryter hans funderingar är det hon. Från bilen.

"Jag har blivit kallad till Statsministeriet", säger hon kort. "Kom-mer han att sparka mig?"

"Det tror jag knappast. Vad sa de?" säger Sand och spänner axlar-na så att skjortan stramar över ryggens trekant. Med tiden har han lärt sig tolka koderna.

"Att 'statsministern önskade en diskussion' ..."

"Då gäller det inte ett avskedande. Sådana diskuteras inte. Möjli-gen ett 'vänskapligt samtal'. När då?"

"Om tre minuter."

"Har du Jakob med i bilen?"

"Nej. Louise är med. Det går bra, vi klarar oss. Vi är vid Thor-valdsens Museum nu. Vad ska jag säga?"

"Så litet som möjligt, tror jag. Du ska lyssna, han ska tala."

"Uppfattat." Hon skrattar torrt. "Vi ses."

Jakob står i dörren när han lägger på.

"Hon har blivit kallad till statsministern", upplyser Sand tonlöst.

"Varför har jag inget fått veta?"

"Hon hann inte få tag i dig. Louise är med. De klarar det", säger han, samtidigt som han reser sig och rätar på ryggen. Jakob låter höra ett vresigt smackande och vänder på klacken. Demonstrativt.

Henrik Sand tar av sig glasögonen. Andas på glasen och putsar dem med en flik av skjortan. Egentligen borde det vara lätt. Men det är aldrig så enkelt att göra sig av med en arg ung man. Och definitivt inte just nu.

152

Charlotte Damgaard slår myndigt igen bildörren efter sig när ministerbilen har parkerats på Proviantgården, framför Statsministeriet. Målmedvetet går hon mot den grönmålade dörren åtföljd av Louise Kramer, som sedan länge har vant sig vid att all gång företas med språng. Dörren öppnas redan innan hon har hunnit trycka på porttelefonens knapp, och hissen står strax innanför och väntar som på beställning. De åker upp till fjärde våningen, Louise ler, nervöst noterar Charlotte, som nynnar på en strof i en aktuell poplåt, *"Love is a matter of distance"*. Dörren glider upp, och de stiger ut i glasburen varifrån vakterna innanför den skottsäkra luckan har följt dem på videoskärmarna. De nickas vänligt vidare och befinner sig sedan på "rött område" på andra sidan om det skyddande pansarglas som efter en rökbomb och en galnings intrång för några år sedan satts upp för att skydda landets statsminister. En manlig ministersekreterare kommer ut och tar emot dem, beklagar att statsministern ännu inte är riktigt klar, men det är bara att sitta ner, och önskar hon något att dricka? Vatten, tack, med citron, om det finns, säger Charlotte och sätter sig ner i Wegnersoffgruppen av rotting och karamellfärgat läder. Att den här delen av Christiansborg ursprungligen var avsedd som kungagemak kan ännu anas på den höga spegeln bakom henne, smyckad med en påmålad papegoja och en blomsterkorg. I taket hänger en kristallkrona, vid väggen står ett Bornholmsur och tickar omutligt genom timmar, dagar, år och sekler, och på golvet förstärker den beaujolaisröda mattan den kungliga atmosfären och känslan av att vänta på audiens.

Men Charlotte tänker inte låta sig skrämmas. Rak sitter hon och utstrålar en sval värdighet som får Louise Kramer att förstulet kasta beundrande blickar åt hennes håll. Charlotte märker det, ler mot henne över kanten på glaset. Vet att hon har lyckats lura såväl henne som alla andra under dessa horribla veckor. Ingen har sett det, inte ens Meyer, som både har givit handfasta råd och en konstruktiv utskällning för hennes oförsiktighet – "Det är alltid på bortaplan sådana saker händer. När man känner sig långt hemifrån, ute ur strålkastarljuset, det är där det går åt skogen" – och inte heller Henrik Sand, som annars ser mer än de flesta. Allihop tror att hon är den hon ger sig ut för att vara. Skapad i ett enda stycke massiv granit, som ett norskt fjäll, som Meyer. Ointaglig, oflyttbar, orubblig. Bara hon själv känner svagheten som får det att svida innanför ögonlocken därför att hon i grund och botten aldrig, som Meyer, är säker på att hon egentligen har ett mandat. Att hon har rätt att existera. Än mindre kalla sig minister. Är det hennes ihålighet han har genomskådat, statsministern? Är det verkligen han av alla som har sett akilleshälen, familjens förbannelse, tvivlet som har malt inom henne de senaste sömnlösa nätterna?

"Då är han klar", ropar ministersekreteraren. Charlotte reser sig, tar handväskan, ber Louise att vänta så länge och få ordning på dagsprogrammet.

I rummet utanför tittar Tove Munch upp när miljöministern med en kort nick går förbi. Målmedvetet, maskulint, med huvudet högburet som en krigare.

*

Per Vittrup går henne leende till mötes, tar översvallande hennes hand och stänger själv dörren bakom henne. Signalen är väl beräknad och lätt att avläsa, också i rummet utanför – hon kan slappna av, det väntar inte något kok stryk, han är vänligt stämd mot henne.

"Det är bestämt första gången du är här, eller hur?" inleder han och börjar genast som en artig värd utbreda sig om lokaliteterna. Först drar han henne med till det stora fönstret åt väster med utsikt över Ridebanen och stadens torn och koppartak i bakgrunden – "Titta, där är Tivolis Gyldne Tårn!" – och sedan förevisar han stolt de socialdemokratiska klenoderna, Staunings skrivpulpet och hans gamla bokskåp – "hantverkarna grät av rörelse när de renoverade det" – där Ordbog over det danske Sprog står i rader innanför blankputsat glas. Skrivbordet är också en Stauning – "tyvärr bara en kopia, men i alla fall". Soffgruppen är från den socialdemokratiske företrädarens tid och "borde kanske bytas ut" men passar å andra sidan bra till sammanträdesbordet och stolarna i teak – "också Wegner, honom är jag svag för, god, gedigen möbelkonst, inte sant?" De stora Richard Mortensen-tavlorna med de ljusblå och röda fälten har han själv låtit skaffa "för att påminna mig om nödvändigheten av stringens", och slutligen är det så den verkliga dyrgripen, tobaksskrinet, en gåva från Fidel Castro i samband med statsbesöket -75.

Fast den gången var det, naturligtvis, "fyllt med havannacigarrer".

Sedan är de inledande manövrerna avklarade; han slår ut med armen och bjuder henne att ta plats vid sammanträdesbordet, som är dukat med blåmålade kaffekoppar, vatten och chokladbitar i en liten skål. Alfikannan är så blankpolerad att hon kan spegla sig i den när han häller upp åt henne.

"Nå", säger han sedan med munnen full av choklad, ännu ett tecken på hans fredliga avsikter. Hon återgäldar hans leende, håller själv på att skala bort rött silverpapper från en bit fylld med creme.

"Ja?"

"Hur går det för dig egentligen?"

Hennes fingrar hejdar sig överrumplat mitt i sitt förehavande. Han behärskar ett leende över effekten, den är alltid densamma. Det är aldrig den fråga de väntar sig. Åtminstone inte de nya. Men i motsats till de andra tar hon så god tid på sig att svara att hennes replik får en lätt sarkastisk skruvning. "Hur jag själv tycker att det går?"

"Ha, ja, kanske det?"

Hon fortsätter pillra med papperet. Sedan sticker hon huvudet rakt in i lejonets gap, så att det är hans tur att bli överrumplad.

"Inte för att verka påflugen, men jag skulle gärna vilja höra hur *du* tycker att det går."

Han låter höra ett omedelbart skratt, som är avsett att dölja att det faktiskt är något som han omsorgsfullt har tagit ställning till. Provocerad därtill inte minst av Gert Jacobsens jubel. Föga förvånande ser de ju mycket olika på miljöministerns lämplighet att upprätthålla sitt ämbete. Per Vittrup kan mycket väl hålla med om att hon har "trampat i klaveret", vilket är irriterande men inte irreparabelt. Och absolut inte, som Gert Jacobsen påstår, ett uttryck för att hon helt saknar talang och därför är till skada för "teamet". Att Gert inte kan se fördelarna med att ha en sådan terrier bland kuperade pudlar är just en del av förklaringen till att det inte är han som är lagkapten. De mår allihop bra av att bli nafsade litet i bakhasorna, och även om man kan tycka att den unge justitieministern, en av Gerts gossar, inte har gjort några tabbar har han å andra sidan inte heller utmärkt sig som någon med självständig profil. Möjligen är Charlotte Damgaards en aning för skarpskuren, det är ju därför han har kallat hit henne så att de i all försonlighet kan komma överens om att mildra den. Bara en aning.

För det är henne han har tänkt sig i rollen som teamets joker. Därför har han för avsikt att ge henne slakare tyglar än normalt, vilket hon naturligtvis inte får upptäcka. Att det är han som håller i tyglarna. Och övervakar henne steg för steg, redo att träda in om hon skulle överskrida den osynliga gräns som han förväntar sig att även hon har känsla för.

"Ja, när du frågar så rent ut ska jag också ge ett ärligt svar. Jag tycker det går riktigt bra. Det har förekommit ett par nybörjarfel som jag utgår ifrån att du själv har dragit lärdom av."

"Trust nobody", mumlar hon.

"Precis", nickar han instämmande. "En tråkig men nödvändig lärdom. När nu detta är sagt tycker jag att du har hanterat affären effektivt i och med att du inte har försökt springa ifrån den eller skylla den på andra. Såvitt jag kan bedöma är det först och främst en osmaklig skvallerhistoria som snabbt kommer att bli glömd."

Hon gör en hastig grimas och stoppar chokladbiten i munnen.

"Men jag måste säga ett par saker som du bör lägga på minnet." Han gör en konstpaus för att låta sina ord sjunka in medan hon torkar creme ur mungiporna. "Låt för guds skull bli att försöka framstå som bättre än dina kolleger. Du har ju uppenbart antytt, och jag har inte hört dig dementera det, att dina kolleger inte visar civilkurage och inte svarar ärligt på hur saker och ting hänger ihop."

Han lyfter handen för att avvärja den protest hon är på väg att ge uttryck åt.

"Om, och jag säger *om*, de inte gör det har det sina orsaker. Att man av en eller annan anledning tvingas böja sig för kollektivet. En regering är ju ett lagarbete, alla måste ge avkall på principer i kollektivets namn, och därför väcker det stark förbittring när någon åker snålskjuts på de andras bekostnad och därmed framstår som friare och inte minst *bättre* än de andra. Förstår du vad jag menar?"

Hon nickar, sakta och insiktsfullt, noterar han. Bra.

"Ja", säger hon och slickar tankfullt av en fingertopp. "Jag måste erkänna att jag inte har tänkt på den aspekten. Att jag har kränkt mina kollegers moraliska självkänsla, menar jag", säger hon och tittar över hans axel.

Han vet vad hon ser. En flik av himlen och Thorvaldsens Museums skiffertak genom de spröjsade fönstren. Hon ser dock inte ut att lägga märke till utsikten. Snarare blickar hon inåt, ögonbrynen är rynkade, läpparna skaver tankfullt mot varandra. Gitte tycker det är *snyggt* med hennes korta, röda hår. Han tycker att hon ter sig anemiskt stadsaktig ut och har förlorat något av den robusta lantlighet som han egentligen var litet svag för. Men det är ju inte sådana som honom, utdöende socialdemokratiska dinosaurier, hon ska appellera till. De unga älskar henne, enligt opinionsmätningarna. Och det socialdemokratiska ungdomsförbundet.

Han nickar förstående, låter sig knappt störas när ministersekreteraren kommer inkilande och lägger en lapp framför honom. Departementschefen väntar. LO-chefen vill gärna bli uppringd. Och senare ska han på cocktails hos den amerikanske ambassadören. Ministersekreteraren viftas ut. Sedan lutar han sig fram över bordet.

"Charlotte, det är inte för att jag inte förstår dig. När jag var ung led jag av samma frustration. Man vill inte bara förändra världen, man vill förändra den *nu*!" Hans leende tänder ett hos henne.

"Jag minns dig mycket väl", säger hon. "Både dig och Gert och Meyer. När ni kom in … Ni var tuffa."

"Tyckte du?" frågar han, faller plötsligt ur rollen och blir en medelålders, satt man som en gång var ung och eldig. Idel lättantändlig lidelse, på alla fronter.

"Jaa", säger han med en antydan till vemod i rösten. "Vi *ville* åtminstone något, alla fyra …"

Antingen missar hon felsägningen, eller också vet hon vem han syftar på och har hyfs nog att inte vrida om kniven i såret. Eva, ja, den *fjärde*, som alltid hänger över honom som en eterisk vålnad. Hon är inte alls som hon, Charlotte, men han känner igen entusiasmen, indignationen. Skillnaden är att Charlotte har den styrka som Eva så ödesdigert saknade. Det är därför han tror på henne. Trots, eller på grund av, det lilla afrikanska felsteget. Förmågan att komma igen, att kunna resa sig efter de fulaste tacklingar och spela vidare är inte det minst viktiga hos en politisk talang. Att kunna övervinna motstånd, helt enkelt, och vända nederlag till seger.

"Jaha", avbryter han sig själv. "Vi har ju också uppnått en hel del. Det tar bara en helvetes tid. Det är lika bra att du vänjer dig vid det. Konsten är att aldrig förlora målet ur sikte även om perspektivet är långt. Och därför är det naturligtvis viktigt att någon då och då påminner en om vad meningen egentligen är. Så det är i sig utmärkt, Charlotte."

Hon höjer frågande på ögonbrynen.

"Att du provocerar oss gamla fossiler litet grand. Jag tycker att vi ska lägga den här lilla affären bakom oss och komma överens om att du undviker att stöta dig med dina kolleger i fortsättningen. Jag medger att vissa av dem kan vara en smula känsliga, till och med *för* känsliga, men det skulle väl vara bra om du fick igenom någonting? Du förstår, attityder och åsikter är egentligen inte så värst intressanta om de inte följs upp med solitt politiskt hantverk", säger han och slår illustrerande handen i teakbordet. "Det är precis som med den här Wegner; det är inte så svårt att klottra ner några vilda streck på baksidan av en servett. Det avgörande är om man också kan omsätta visionen i en funktionell möbel."

Hennes nick är nästan omärklig, hon använder hela sin koncentration åt att lyssna, även mellan raderna, har han en känsla av. Han låter henne smälta budskapet, tiger i flera sekunder innan han fortsätter. "Okej, då ser vi framåt. Jag tycker vi ska gå vidare med din Gröna Danmark-plan. Konkret föreslår jag att du lägger fram ett utkast på det kommande regeringsseminariet om fjorton dagar. Så får vi diskutera det under mer avpända former, och alla kan få säga sitt. Vad tycker du om det?"

Ministersekreteraren står i dörren igen. Denna gång utan att ge sig.

"Jättebra!" Charlotte skiner förvånad upp, stryker luggen ur pannan och lutar sig tillbaka i fåtöljen. "Jag ska på nordiskt miljöministermöte i morgon med 'Hållbarhet' på dagordningen. Hur långt får jag gå? Svenskarna har ju beslutat att tio procent av all livsmedelsproduktion ska vara ekologisk. Och de har tänkt sig att gå ännu längre … Man skulle kanske kunna skapa ett 'Grönt Norden'?"

"Räcker man dig lillfingret", ler han och skakar på huvudet. "Låt mig säga så här: Jag litar på dig! Gör vad du anser att du har utrymme för. Och bara en sak till", säger han som i förbigående. "Regeringens förslag till hållbar utveckling ska ju snart offentliggöras. Jag antar att du inte tycker att det är tillräckligt långtgående. Men kan vi inte komma överens om att du backar upp det, så att det inte blir för mycket turbulens därvidlag? Det skulle främja dina möjligheter att senare få igenom ditt eget förslag."

"Okej", säger hon efter en tankfull tvekan, som hos ett barn som tvingas svälja besvikelsen över att ha blivit fråntaget en gåva. "Det är inte mer än rätt."

Han tömmer kaffekoppen och skjuter fåtöljen bakåt. "Jag måste tyvärr kila", säger han med blicken på ministersekreteraren. "Men vi får se till att träffas snart igen. Mellan fyra ögon."

"Det får vi", säger hon och himlar ironiskt med sina samtidigt som hon reser sig och räcker honom handen. Hennes handslag är fast. Och handflatan är inte längre kall. Det ska nog bli något av henne. Med hans hjälp.

*

"Du", säger Madeleine Holmberg, hennes svenska kollega, och böjer sig fram över bordet under middagen i restaurang Le Sommeliers chambre séparée. "Jag har hört det där om Ekstra Bladet. Så hemskt!"

Charlotte rynkar på näsan. Ja, det kan man lugnt säga. Hemskt!

"Jag vill bara säga att jag har råkat ut för något liknande. Flera gånger. Det är så det är, det är inte ditt fel. Kanske var det en fälla, kanske hade de placerat den där karln där nere. Som lockbete", föreslår Madeleine muntert.

Charlotte sänker kniv och gaffel. Tror hon verkligen det?

"De kan hitta på vad som helst. Åtminstone i Sverige. Tänk bara på Mona Sahlin-affären. De belägrade hennes radhus, kastade sig över man och barn, vände både tvättkorg och sophink på ända."

Charlotte ryser. Det är skräckscenariot. Den offentliga smutskastningen av Mona Sahlin, som stegrades för en förseelse som hon senare blev frikänd från.

"Men hon reste sig igen", säger Madeleine Holmberg. "Och det ska vi också göra. Även om de hatar oss."

"Vilka hatar oss?"

"Män som är rädda för kvinnor. Kvinnor som avskyr andra kvinnor. Bitches. Politiska rivaler. Medierna. Våra bästa vänner. Det är det som är det värsta med politik", säger hon och sträcker sig efter brödkorgen. "Att man inte kan ha några vänner. I varje fall inte inom sitt eget parti."

"Varför gör vi det?" frågar Charlotte, så lågt att hon blir tvungen att upprepa frågan.

Madeleine Holmberg drar fundersamt i en ljus hårlock.

"Därför att någon måste göra det."

"Skitjobbet?"

"Just precis", nickar den svenska miljöministern medan deras korpulente finske kollega påstruken tömmer ännu ett glas. "Somebody has to do the dirty job."

Dagen därpå illustreras detta yttrande eftertryckligt. Då får Charlotte för första gången en stinkande mänsklig bajskorv med posten. Till sin hemadress.

"Var tacksam över att det inte var en bomb", säger Meyer bara när hon nämner det för henne. Det blir vad hon säger till den upprörde Thomas. Att sådant får man, i synnerhet som exponerad kvinnlig politiker, lära sig att leva med, som *another day at the office*. Som stönandena i telefonen, uppringningarna från bodegafyllona, som vill "knulla dig i röven".

"Men tänk om det hade *varit* en bomb? Eller om det blir det nästa gång?"

"Vi bor i Danmark, Thomas. Inte i Baskien. Eller i Nordirland", viftar hon bort det med. "Här är folk så likgiltiga inför politik och politiker att de inte ens ids kasta bomber efter dem!"

"Kan vi inte åtminstone skaffa hemligt telefonnummer?" frågar han.

"Thomas", skrattar hon och smeker hans kind. "Du är gräsrotsmänniska, demokrat, en förespråkare för platta strukturer! Varför ska vi plötsligt börja barrikadera oss?"

"Det är bara en känsla", säger han och rycker på axlarna. "Någonting håller på att hända med världen just nu."

"Nej", invänder hon. "Du har bara kommit närmare inpå makten. Då känner man sig mer utsatt."

"Därför att man *är* mer utsatt", säger han i en ton som inte tål motsägelser. De har inte helt och hållet kommit över Afrika. Och han *är* orolig. Så hon låter honom få sin vilja fram: "Okej, då säger vi det. Vi skaffar hemligt telefonnummer. Även om det inger en falsk trygghet. De som vill hitta en hittar en ändå."

"Även journalister?"

"I synnerhet journalister."

"Ja, då kan det göra detsamma", säger han spydigt och riktar en låtsad revolver mot telefonen. Han är dödstrött på att pressen uppenbarligen anser sig ha rätt att störa en minister "24/7", som han säger. Det vill säga dygnet runt, alla dagar i veckan.

"*Pang!*", säger han och trycker av medan hon går fram och slår armarna om honom bakifrån.

"Bortsett från det har du rätt", säger hon och lutar sig mot hans rygg. "Det är banne mig perverst att en människa med flit producerar en korv i syfte att skicka den till en minister!"

"Mmm", säger han och kysser hennes fingrar ett efter ett. Efter "Tom Reiff" är det en invit som hon är tvungen att säga ja till. Så det slutar med att de hamnar på vardagsrumsgolvet, hon överst. Att hon fejkar upptäcker han inte den här gången där han ligger saligt utsträckt med ögonen slutna i vällust. Men det är han själv som har manat fram hennes frånvaro genom att släppa in hotet i deras hem. Världen är ju på glid. Han har rätt. Någonting håller på att hända. Det var exakt det som de talade om på det nordiska miljöministermötet. Om den faktiska risken för att det kommande sommartoppmötet i Göteborg skulle sluta i våld och gatustrider. Svenskarna ansåg emellertid att de hade situationen under kontroll. Strategin skulle helt enkelt vara att oskadliggöra demonstranterna med tillmötesgående välvilja, service och snälla poliser. "Do it the Nordic way", som den svenske ämbetsmannen förklarade. På engelska, vilket senare hade fått Henrik Sand att med en hånfull fnysning konstatera att det i sig var en dementi av yrkandet på ett nordiskt brödraskap. "Som om vi skulle ha patent på fredlig konfliktlösning! Har karln aldrig sett en Bergmanfilm? Om de där fria grupperna vill slåss kommer de att slåss. Hur många dialogmöten som än har anordnats. Och vad beträffar den där överreklamerade Attacrörelsen ger jag inte ett ruttet lingon för den. Och om du vill höra min mening så håll dig undan. Låt bli att profilera dig på den fronten. Du kan kanske kamma hem en snabb vinst, men du riskerar att förr eller senare drabbas av en bumerangeffekt."

Hon frågade honom inte. I stället följde hon med Thomas till den danska Attacrörelsens invigningsmöte den sista lördagen i februari. Det var inte direkt politiskt kontroversiellt; politiska ledare från mitten och ut mot vänsterkanten stod praktiskt taget i kö för att uttala sig positivt om denna nya antiglobaliseringsrörelse som ville efterskänka u-ländernas skulder, införa Tobinskatt på valutatransaktioner och bekämpa de multinationella monopolen. Hon deltog inofficiellt, även om hon blev både igenkänd och fotograferad. Men hon avstod från att ta till orda, fastän många andra kända politiker både var där och blandade sig i debatten. Satt bara och tryckte sig tätt intill Thomas, som tog sig samman och ivrigt påhejad av henne själv kom med ett väl underbyggt inlägg som gav de kritiska rösterna svar på tal. Thomas var entusiastisk inför Attac, som han såg som det mest uppmuntrande folkliga initiativet på länge och som ett reellt alternativ till *marknaden*. Därför svalde hon sin skepsis inför det hopkok på gamla vänsteraktivister, unga upproriska idealister, professionella NGO-are och välmenande medelålders kvinnor och män som så gärna ville *göra* något. Först och främst hejda världen så att de fick stiga på. Och hon medgav villigt att den unga svenska flicka, en av grundarna av det svenska Attac, som stod för eftermiddagens mest medryckande inlägg var både "kanon" och "suverän" och avgjort hade en utstrålning som kunde omvända de ogudaktiga och få de lama att gå. "Hon påminner om dig", sa Thomas i en hänförd viskning, "som du var förr". Så det slutade trots allt med en diskussion när de efter flera timmar i salen tog avsked utanför det gymnasium där arrangemanget gick av stapeln. Thomas skulle stanna för att delta i de workshops som skulle leda till det formella bildandet av den danska rörelsen, men så långt kunde hon trots allt inte sträcka sig. Som minister och representant för det parlamentariska systemet. Dessutom måste hon vidare. Till årsfest med elverksarbetarna.

"Visst är hon bra, och visst är det häftigt med folkliga rörelser. Men vad uppnår en flicka som hon *egentligen* genom att använda sin talang åt något så diffust som en huvudlös rörelse som förr eller senare kommer att få ägna all sin energi åt att hålla olika fraktioner i schack och diskutera interna intriger?" frågade hon när de hade kommit ut.

"Lilla vän, vad uppnår du egentligen själv genom att sitta mitt i smeten? Har du inte själv sagt att Christiansborg är en lekskola?"

Hon stannade och snurrade runt så att hon hamnade öga mot öga med honom. "Thomas, vi var överens om att jag skulle göra det, eller hur? Tacka ja till att bli minister. Du uppmanade mig själv att göra det!"

Thomas suckade djupt.

"Förlåt. Jag är bara rädd för att det fräter på dig."

Det hördes ett svagt tutande från en bil. Det var Freddy, som signalerade var han stod parkerad.

"Bara en sak till", sa hon och nickade i riktning mot ett stånd där några anarkister stod och delade ut flygblad. "Jag förstår att de är *mot*. Men vad är de *för*?"

Thomas ryckte på axlarna och satte sig i rörelse. "Samma som du, antagligen. En bättre och rättvisare värld."

"Uppnår man det genom att dela ut flygblad?" sa hon och fick samtidigt ett stucket i handen, svartvitt och hemtryckt.

"Tack", sa hon i den vänliga ton hon hade övat upp för offentligt bruk.

"Tack själv", grimaserade flickan däremot så demonstrativt fientligt att Charlotte vände sig om för att titta närmare på henne. Svartklädd och piercad skilde hon sig inte från de övriga anarkisterna, men hela högra ansiktshalvan var täckt av ett skämmande födelsemärke. Ett sådant ansikte glömde man inte, inte ens fastän hon bara hade skymtat det helt kort för många år sedan. På sjukhuset därhemma. Genom modern visste hon också vem flickan var och vad hon hette. Det var Rørbechs förlupna dotter.

"Cathrine?" utbrast hon frågande. "Jag är Charlotte Damgaard, min mamma och dina föräldrar arbetar tillsammans på sjukhuset ..."

Flickan gav henne en kort, avvisande blick innan hon vände ryggen till och fortsatte dela ut flygblad.

Thomas hade gått i förväg till ministerbilen, där han stod och småpratade med Freddy, som hade stigit ur för att öppna hennes dörr.

"Vem var det?" frågade han.

"Å, bara en vilsegången själ hemifrån", svarade hon och skumläste flygbladet. "Grön gerilla kallade sig den här gruppen fanatiker uppenbarligen. Hon stoppade papperslappen i fickan, kysste Thomas på munnen och satte sig i BMW:n.

*

Den natten tillbringade Cat på kyrkogården. Efter att ha klättrat över muren drev hon planlöst omkring, fram och tillbaka på gångarna där gruset knastrade under hennes grova kängor. Sedan sträckte hon ut sig på en sten och fixerade blicken på den cirkelrunda månen tills den flöt ut framför hennes stela blick och blev diffus och dimmig. Kylan steg upp genom marken, genom graniten och genom hennes militärrock av ylle, genom hud och ben och isade hennes blod och frös ner hennes hjärta så att hon inte längre kunde känna smärtan som hade kramat det ända sedan mötet med det förflutna som hon hade ägnat de senaste tre åren åt att förneka. Igenkännandet hade kommit dundrande som en slägga genom palissader, detta att någon hade känt igen henne, kallat henne vid namn, hennes riktiga namn. Det namn som hennes föräldrar en gång hade givit henne, vid nöddopet, då hennes tvilling hade kommit dödfödd till världen och de var rädda för att förlora även henne. Hon ville inte minnas det, försökte med all kraft skjuta ifrån sig känslan men erfor den ändå så tydligt, tydligare än på många år: moderns varma händer som sträckte sig efter hennes, slöt sig om dem, tryggt och beskyddande. En gång, flera gånger, hade modern rest till Köpenhamn för att leta. En gång hade hon hittat henne, stått och bankat på dörren till kollektivet, vädjat och ropat medan Cat stod kvar innanför och betraktade den välkända gestalten, förminskad och förvrängd i titthålet. Även den gången hade hon gjort sig hård, inte givit sig till känna och bränt brevet, oläst, som hade stuckits in genom brevinkastet. De förstod det inte, skulle aldrig komma att förstå det. Att det hade skett en förväxling. Det var hon och inte han som skulle ha varit den döda tvillingen. Hon bar tecknet, hon var den utvalda.

Ett kraftigt snöfall täckte landet. Därför var vakten för ovanlighetens skull inte ute och patrullerade på natten, och det var rena turen att de fick syn på den unga, översnöade flickan, de båda polismän som hade förföljt en knivbeväpnad andra generationens invandrare på flykt genom Assistens Kirkegård. Ja, som vakthavande påpekade i Ritzaus nyhetssändning, borde flickan, som förts till Rigshospitalet med en kroppstemperatur på strax under 35 grader, vara ytterst tacksam över

164

att över huvud taget vara i livet. Om hon hade sluppit ifrån upplevelsen utan men var okänt eftersom flickan obemärkt hade lämnat sjukhuset tidigt nästa morgon, innan man hade hunnit fastställa hennes identitet. Hennes klädsel tydde på att hon hörde hemma i miljön kring Ungdomshuset på andra sidan gatan, men det var ju i och för sig inte olagligt att vara autonom. Och eftersom flickebarnet inte hade gjort något annat än att överträda polisstadgan genom att störa gravfriden hade ärendet lagts ner.

*

En minister kan inte, hur hon än försöker, vara överallt på en och samma gång. Därför var det fullkomligt orimligt att hon gjorde sig förebråelser för att inte ha befunnit sig på sitt kontor den regniga förmiddag då spirande vår hade övergått i vintergrått och hon i stället helt apropå befann sig på Christiansborg, i lokal 2-133, för att diskutera EU-kommissionens vitbok angående framtidens kemikaliepolitik. Av hennes inlägg framgick att regeringen ämnade fortsätta arbeta för att gränsvärdena skulle sänkas, att försiktighetsprincipen i högre grad måste tillämpas och att bekämpningsmedel som hotade grundvattnet naturligtvis även i fortsättningen skulle förbjudas enligt handlingsplan II för bekämpningsmedel och dioxinhanteringsplanen. Och ja, man var helt enig med vitboken om att kemikalieproducenterna måste åläggas ansvaret för att undersöka alla kemikalier innan de släpptes ut på marknaden och att bruket av bekämpningsmedel på sikt skulle avvecklas. Detta gällde givetvis också användandet av *Roundup*, som trots att det ännu inte hade påträffats i grundvattnet och konsekvent omtalades som "växtskyddsmedel" av producenten inte var tryggat i klass A. Det sista uttalandet fick oppositionen att höja rösterna och dra fram undersökningar som bevisade Roundups förträfflighet, inte minst när det gällde framtidens genmanipulerade foderbetor. "Om det *blir* framtiden", hade hon nöjt sig med att anmärka innan hon försäkrade att man från Miljöministeriets sida naturligtvis aldrig skulle företa något drastiskt utan den nödvändiga dokumentationen, inklusive den från branschen själv.

Efteråt blev hon hejdad av Socialistisk Folkepartis ordförande som utbad sig ett hastigt möte. "Om vad då?" hade hon frågat. "Om svin", blev svaret. Hennes "Vilka?" hade fått honom att flina i sitt gråsprängda folksocialistiska skägg, och sedan var det bara att bestämma ett datum. Hon tyckte inte bara bra om honom, Svend Thise, han var också hennes viktigaste bundsförvant. Efter rådplägningen skyndade hon vidare till Folketingssalen för att närvara vid den andra behandlingen av lagförslag om överflyttande av bekämpningsmedelsstatistik till Danmarks Statistik, regelförenkling på miljö- och naturområdet och kommunerna som planerande myndighet inom stadszonerna. Ingenting särskilt dramatiskt, men som vanligt infann hon sig med sina båda ministersekreterare. Louise hade varit med hela dagen, medan Jakob anslöt sig senare; han kom rusande direkt från Højbro Plads och verkade kanske en smula jäktad men inte mer än vanligt vid denna tid då hennes tvärministeriella *task force* arbetade för högtryck för att före veckoslutets regeringsseminarium få "Det gröna Danmark" att te sig som någonting säljbart. När hon senare på eftermiddagen begav sig tillbaka till kontoret hade hon fortfarande ingen aning om vad som hade hänt under hennes frånvaro. Först efter arbetsdagens slut, när rummen hade tömts och Jakob Krogh givit sig i väg för att spela squash, kom Louise in till henne med en plastpåse i den ena handen och en tom syltburk i den andra.

"Stör jag?" frågade hon försiktigt i dörren.

"Nej, nej", svarade Charlotte och tog av sig glasögonen. Egentligen ägnade hon sig åt något helt privat, nämligen att beställa kolonialvaror på Aarstiderne, det ekologiska försäljningsnät där hon spenderade hundratals kronor varje månad. Egentligen den största förändringen i deras livsstil sedan hennes lön hade fördubblats. Hon och Thomas var överens om att det varken skulle köpas villa eller bil, frossas eller bli några utsvävningar – båda två visste att en så riklig penningtillförsel förmodligen bara skulle bli en kortvarig fröjd. Till och med när hon köpte kläder, och det hade hon gjort, i större mängd än någonsin förr, var hon tvungen att påminna sig själv om att det inte var ett dugg extravagant utan snarare en del av jobbet. Image *is* everything. Vilket man fick bekräftat bland annat av att titta på en flicka som Louise Kramer, som alltid infann sig lika elegant på arbetet. Som nu, när hennes märkeskläder stod i skarp kontrast till den gula, medfarna Nettopåsen och den ofräscha, mjölkvita burken som hon ställde ifrån sig på sammanträdesbordet.

"Vad är det där?" frågade Charlotte och reste sig för att inspektera föremålen.

Louise log osäkert. Sedan suckade hon, likt någon som var på väg att bekänna en synd. "Ja, Jakob tyckte inte att du skulle få veta det", började hon, varpå hon berättade hela historien om dagens drama.

En medborgare, en äldre, ovårdad man, hade på förmiddagen hakat på en medarbetare och smitit in från gatan i vestibulen och där meddelat vakten att han ville träffa miljöministern. Här och nu. Man hade bett honom lämna lokalen, han hade insisterat, och eftersom han var tämligen storvuxen hade vakten givit upp försöken att köra ut mannen, som var helt orubblig. I stället hade man tillkallat Jakob Krogh, som kunde tala om att ministern befann sig "på annat håll" och att man skulle ringa efter polisen om mannen inte avlägsnade sig. Då hade han givit med sig, förutsatt att man till ministern överlämnade den fyllda syltburk som var ett "bevis på att Domedagen närmar sig" liksom en plastpåse med "dokument". Dessutom krävde han ett löfte om att få "svar från Charlotte personligen!" Jakob Krogh hade gått med på alla krav, tagit emot burk och påse och lyckats göra sig av med mannen. Eller rättare sagt – mannen hade gått självmant. "Men jag kommer igen!" hade han sagt i hotfull ton, underförstått om han inte fick sitt "svar".

"Den är ju tom?" sa hon och höll upp burken.

"Jakob tömde den."

"Vad fanns det i den?"

"Grodyngel, tror jag."

"Och vad finns i påsen?"

"Papper. Tättskrivna ark. Kopior av brev till miljöministern. Jakob säger att han är en av galningarna. Han har uppenbarligen bombarderat ministeriet i åratal."

"Mig också?" frågade hon förvånat.

Louise nickade skuldmedvetet.

"Vad är budskapet? Vad vill han?" frågade Charlotte och gläntade på plastpåsen.

"Fästa uppmärksamhet på att världen är i olag och Domedagen nära, att Naturen snart kommer att kräva sin rätt."

Charlotte log ett skevt leende. "Det har han ju i och för sig rätt i."

Charlotte stack försiktigt ner handen i påsen och lirkade upp ett av

167

arken, försiktigt, som om hon kunde bränna sig på dem.

"Det är visst någonting om att han håller på att bygga en Noaks ark också", log Louise, redan bättre till mods.

"Vad?" Charlotte hejdade sig mitt i rörelsen.

"Han håller på och bygger en ark, till när Syndafloden kommer", log Louise igen, osäkert den här gången. "Knäppt, eller hur?"

"Charlotte, du är god mot djur och växter. Du får följa med i min ark. Syndafloden kommer tillbaka. Utifrån havet och upp över Børglum Bakke. Gud straffar människorna för deras dårskap."

"Vad heter han?" frågade hon och visste att svaret skulle bli en bekräftelse. Det var Kesse. Utan tvivel.

★

"Ska du inte gå och lägga dig snart?" frågar Thomas och kommer tandborstande in i kalsongerna medan hon sitter i soffan och läser och läser.

"Vad då?" frågar hon frånvarande, helt uppe i Kesses domedagsvärld. Han är ordblind, stavar som en kratta, men hon både ser och hör honom alldeles tydligt genom allt svammel.

"Jag går och lägger mig", säger Thomas bara och går ut för att spotta ut tandkrämen. "God natt!"

"God natt", får hon fram och trevar efter cigarrettpaketet utan att sluta läsa.

"Du röker för mycket!" konstaterar han och lämnar vardagsrummet.

"Ja", säger hon och tänder en cigarrett. Hon har inte sett honom på nästan trettio år. Inte sedan den gången. Han bara försvann ur deras liv, precis som allt det andra. Fadern, gården, djuren. Vart Kesse hade tagit vägen talades det heller aldrig om. Det var också tabu. Trots att han hade bott på gården i åratal. Det var inte hennes fel, men hon känner ändå att hon i alla år har tagit på sig det dåliga samvetet över att ha svikit honom. De hade någonting tillsammans, hon och Kesse. Ett slags barnslig förtrolighet som ingen visste något om. Sedan glömde hon honom, glömde att han fanns någonstans och inte bara var en biblisk gestalt i hennes mardrömmar. Och nu svek hon honom igen genom att inte vara där när han kom och sökte upp henne. De förstår det inte, de i Systemet, de förstår inte vilken självöver-vinnelse, vilket enormt företag det har varit för honom att ta sig ända från Thy till Köpenhamn. Som en månfärd. Och sedan blev han bara ivägkörd. Outhärdligt. Så bör ingen medborgare behandlas.

★

Hennes vrede överrumplade dem. Ingen var förberedd, inte heller Henrik Sand, som knappt hade hunnit hälla upp kaffe förrän hon ex-ploderade, redan innan det dagliga morgonmötet hade kommit i gång.

"Tre saker", började hon kortfattat. "1. Varför ansågs det att jag skulle hållas utanför gårdagens episod nere hos vakten? 2. Varför har jag aldrig blivit underrättad om den korrespondens som har förts mellan medborgaren Kristen Kristensen och ministeriet? Och slutli-gen – varför har det inte vidtagits några som helst *åtgärder* beträffan-de de problemställningar han framför? Jakob?" röt hon så att inte bara hennes chefssekreterare utan alla närvarande ryckte till.

Sand, som under hela gårdagen hade varit borta på Cheminova, tittade förvirrat från den ena till den andra och noterade hur Jakob Krogh fick anstränga sig för att behärska sin vrede, medan Louise Kramer blev rödflammig i ansiktet och tittade ner i bordet.

"Beträffande 1: Jag ser det som min uppgift att hålla störande ele-ment borta från ministerns kontor och koncentration", började Jakob Krogh med lätt skälvande stämma. "Beträffande 2: Korrespondensen mellan medborgaren Kristen Kristensen och ministeriet har enligt min uppfattning aldrig varit relevant för ministern, vem vederböran-de än må vara, eftersom mannen är spritt språngande galen och be-satt av något slags religiöst vansinne som det skulle vara olämpligt att utsätta ministern för. Beträffande 3: Jag förstår inte riktigt vad minis-tern avser med ordet 'problemställningar', eftersom jag inte har stött på något som förtjänar den beteckningen."

"Det beror nog på att du aldrig har itts besvära dig med att ta ställ-ning till vad mannen faktiskt skriver! Jag läste hela luntan i går kväll", sa Charlotte och lade beskyddande handen på en hög trave papper som av allt att döma inte hade levt sitt liv i pärmar. "Han har i många år gjort egna empiriska mätningar av vattenkvaliteten i en damm, i

Thy. Omsorgsfullt har han räknat arter, beskrivit deras tillstånd och inte minst tillbakagång. De senaste åren anser han sig ha iakttagit något som tyder på intersexualitet, alltså tvåkönighet hos grodyngel och grodor, något vi som myndighet inte kan tillåta oss att ignorera."

"Ursäkta mig", morrade Jakob. "Menar du verkligen att en enskild medborgares slumpmässiga 'iakttagelser' bör få oss att rycka ut med blåljus och brandspruta? Hur vet du att mannen verkligen har utfört de där 'mätningarna'? Och hur kan du vara säker på att de har något som helst värde?"

"Det kan jag inte. Därför hade det ju varit bra om du inte hade spolat ner hans vattenprov med ett eller flera eventuellt tvåkönade grodyngel på toaletten. Då kunde vi ha nöjt oss med att skicka det till analys", bet hon av. "Nu blir vi tvungna att sätta amtet i arbete med detsamma. I dag. Jag har mannens adress här", sa hon vänd till en långhårig manlig handläggare.

Jakob stirrade vantroget på henne. Henrik harklade sig och försökte träda emellan.

"Charlotte, ska vi inte försöka behålla rimliga proportioner på det här?"

"Det ska vi alltid, Henrik Sand Jensen. Men tänk om det verkligen går att påvisa förekomst av glyfosat i grundvattnet på Nordjylland? Skulle vi då inte med rätta kunna bli anklagade för senfärdighet? Eller ska vi invänta ytterligare tio års dokumentation innan vi går in och förbjuder Roundup?"

Jakob Krogh kastade ilsket kulspetspennan ifrån sig.

"Vad är det här för kamikazestil? Ska vi allihop skickas i döden bara för att ministern lider av PMS?"

Louise blinkade förskräckt. Och alla de övriga insåg det också. Här hade han gått för långt. Här hade han lagt snaran om sin egen hals. Charlotte mötte Henrik Sands blick. Ja. Han förstod. Höll med. Och åtog sig att utföra den nödvändiga handlingen. Ändå fattade han fortfarande inte att det var just detta som hade fällt utslaget. Att hon var så emotionell därvidlag. För allt annat åsido hade Jakob Krogh rätt i att medborgaren Kristen Kristensen var galen. Spritt språngande galen.

*

170

Om inte Jakob Kroghs mor för länge sedan hade dekat ner sig på billigt pappvin och om inte fadern var avskriven på samma konto skulle han kanske ha ringt till sina föräldrar. Och om inte hans fru efter bara tre års äktenskap hade visat sig tråka ut honom så erbarmligt att han aldrig diskuterade någonting av betydelse med henne skulle det kanske ha varit hon som hade fått telefonsamtalet. Om han inte hade blivit mobbad i skolan, varit föremål för flickornas åtlöje och ända tills han fyllde femton varit en liten ynklig skit skulle kan kanske inte alls ha haft detta sjukliga behov av att hämnas ett nederlag. Anyway, Jakob Krogh ringde två viktiga samtal innan han tömde sitt skrivbord och lämnade sitt tjänsterum för gott. Ett till sin före detta chef och ett till sin nye squashpartner. Mer behövdes inte.

*

När hon stiger in i bilen strax före sex på fredagseftermiddagen har hon bara en önskan – att bli körd hem. Hem och äta spaghetti med köttfärssås, servera glass till Disneyprogrammet, bada ungarna, läsa långa sagor och slappna av i soffan med ett glas rödvin, lyssna på musik och prata med Thomas om vardagliga saker. Ansa krukväxterna, stryka, sätta en deg till jäsning. Gå och lägga sig tidigt och se fram mot att vakna i lugn och ro.

Hon känner sig inte alls i form att behöva kämpa sig igenom det seminarium som hon annars har sett fram emot. Tvärtom är hon trött, irriterad och ledsen – Jakobs sorti var direkt obehaglig, och att han har uttalat en förbittrad fatwa över henne tvivlar hon inte på. Och påminnelsen om Kesse räcker för att ett spänt knippe nervtrådar ska lösas upp. Det enda upplyftande har varit dagens koncentrerade samarbete med Sand och Louise och ett par andra entusiastiska medarbetare för att få hennes upplägg färdigt. Statsministeriet har varit inkopplat, departementscheferna har avstämt de båda ministeriernas hållning någorlunda, men från Statsministeriet har man varit noga med att understryka att upplägget är hennes. Om hon ska tolka det som en förtroendeförklaring eller tvärtom är hon inte riktigt säker på. Vittrup har över huvud taget inte yttrat sig, men Sand vidhåller att det är ett positivt tecken: "Han ska se om du kan leverera varan. Om det finns muskler bakom." Det var samma uttryck han använde när hon tvivlande diskuterade avskedandet med honom. Naturligtvis skulle det väcka uppseende trots att det redan i samråd med personalchefen hade utmålats som en befordran, så att Jakob Krogh officiellt hade lämnat sin post som chefssekreterare för att "tillträda en tjänst som chefskonsulent inom Miljöstyrelsen", som det hette i pressmeddelandet. Bara en symbolisk brandvägg gentemot journalisterna, som inte lät sig hejdas utan samtliga ville veta vad som låg bakom det plötsliga karriärsprånget. Ministern hade "inga kommentarer", och det hade inte Jakob Krogh heller eftersom han hade försetts med munkavle, men ingen betvivlade att man på ett eller annat sätt skulle få hans version ändå. Möjligtvis skulle de inte heller helt klara sig undan ett efterspel med fackföreningen, som mycket väl visste när en medlem blev förvisad till Sibirien, men Sand vidhöll att "en minister inte ska låta sig få på käften av Danmarks Jurist- og Økonomforbund. Det är din förbannade plikt att visa en fast hand. Och det har du gjort i dag".

Förvisso. Och detta så eftertryckligt att hon fortfarande är skakad av sin egen handlingskraft. Hon visste inte att hon kunde vara så brutal. Men innerst inne känns det rätt. Jakob Krogh var inte vänligt sinnad, det kunde hon känna. Rent fysiskt andades hon friare när han redan före lunch hade tömt sina skrivbordslådor och lämnat kontoret. För den skull kan hon ju mycket väl vara orolig för priset. Hur högt det kommer att bli.

"Jobbig dag?" frågar Freddy i backspegeln när de stannar för rött ljus på Kalvebod Brygge med kurs mot Stora Bält. Hon nickar, huttrar småfrysande, försöker ignorera de stirrande blickarna från bilisterna i filen bredvid.

"En dag med rena slavarbetet. Kan du vrida upp värmen litet?"

Han gör det utan att släppa henne med blicken i spegeln, fingrarna rör sig virtuost över instrumentpanelen. Gräver fram en chokladkaka ur handskfacket och räcker den bakåt. "Han var en skitstövel. Nu var det sagt."

Hon ler snabbt. Bryter av en bit av chokladen. Stoppar den i munnen. Ja. Då var det sagt.

När de kommer fram till bron över Stora Bält fryser hon så att hon hackar tänder. Freddy har redan varit runt till bagageutrymmet och

hämtat den filt som hon nu har dragit ända upp till näsan i sin halv-
liggande ställning.

"Du har influensa", konstaterar Freddy. "Den slår till så där, rakt
ut ur det blå."

Diagnosen är sannolikt korrekt, det inser hon. Vägrar emellertid
blankt att bli körd hem igen. Det är helt enkelt uteslutet.

Därför propsar Freddy på att hålla sig i närheten av det exklusiva
hotell vid Nyborg Strand där seminariet traditionsenligt ska hållas.
Han har goda vänner i Kerteminde. Han kan sova över där. Det väg-
rar hon också att gå med på. Han ska fortsätta till Århus och hälsa på
sin mamma, så som det hela tiden har varit planerat. Och komma och
hämta henne igen söndag middag. Han ger henne ett ogillande ögon-
kast. Försöker på nytt övertala henne och verkar till och med en smu-
la förorättad när han traskar tillbaka till bilen efter att ha satt av henne
och burit in hennes väska i vestibulen. Hon måste lova att ringa, dag
eller natt, om hon trots allt vill bli körd hem. "Jag kan vara på plats
inom en halvtimme." "Ja, ja, Freddy. Det lovar jag." Och så kör han
därifrån till sist. Till Kerteminde.

*

Hon borde ha följt Freddys råd. Hon borde ha vänt om igen. Skjutit
upp presentationen. Ha förklarat för Vittrup att hon hade 39,5 och
knappt kunde stå på benen. För redan på fredagskvällen, när hon inte
ens orkade delta i middagskonversationen och bara låtsades sjunga
med i "Jeg har set et rødt flag smælde", kände hon en smygande mot-
vilja. Alla visste att hon stod på lördagens program, men även om ing-
en nämnde hennes punkt verkade det ändå som om man hade tagit
ställning i förväg. Mot. Och på samma sätt som hon värderade dem
från sin tillbakadragna position medan statsministern, sekonderad av
inrikesministern, efter desserten gav sin "orientering om regeringens
initiativ i fråga om 'utlänningarna'" och i den "öppna debatt" som
följde till sin fasa konstaterade att det var som att bli tillbakaskickad
till en intrigsmittad skolklass där de svagaste ignorerades, kläddes av,
gjordes till åtlöje och tegs ihjäl, tog de tydligen också mått på henne.
Bedömde hennes styrka, hennes allianspartner eller brist på dito, och
eftersom deras djungelinstinkter var osedvanligt välutvecklade vädra-

173

de de snart hennes svaghet. Till och med Christina Maribo och Sofie, som visserligen oroligt frågade hur hon mådde – "Gud, vad blek du är!" – och gav henne medlidsamma blickar under ytterligare en nedsabling av socialministern, Berit Bjørk, som en gång hade tillhört den absoluta partitoppen men sedan råkat i onåd och nu upplevde hur gradbeteckningarna plockades bort en efter en, markerade distans till henne. Den enda som egentligen sa något betydelsefullt till henne på hela kvällen var Gert Jacobsen, finansministern. Och det bidrog bara till att förstärka olustkänslorna.

"Jaha", sa han i förbifarten när de hade rest sig för att dricka kaffe i gillestugan. "Var det där särskilt klokt?"

"Vad då klokt?" frågade hon och tog stöd mot en bordskant.

"Att göra sig av med chefssekreteraren. Det kan komma att stå dig dyrt. Men det är du väl medveten om", sa han och fyllde artigt hennes kopp. Hon hade hellre velat ha te men hann varken säga det eller något annat förrän han var borta igen.

Hela natten plågades hon av otäcka drömmar som allihop var glömda när hon gäspande vaknade i det luxuöst möblerade rummet och sträckte sig efter den Ramlösa hon hade tagit ur minibaren. Det var bara en som hon mindes glimtvis – hon satt hemma i köket på gården, som vuxen tillsammans med Thomas och barnen, och var på familjeträff med kafferep och hembakad vetekrans som modern hade dukat fram. Mittemot henne satt fadern, starkt åldrad i förhållande till hur gammal han hade varit när han dog, mager, fårad och med huden täckt av spräckligt, blågrönt mögel. "Hur har du det?" hade hon frågat med Jens och Johanne kravlande i knäet. "Mycket, mycket svårt", hade han svarat saktmodigt, och hon hade spontant lagt en tröstande hand på hans magra, kraftlösa arm. När hon vaknade var det med en djup känsla av sorg och medlidande och en smula förståelse för att döden kunde vara en lindring. Den enda. För en människa som led så svårt. Men varför led han? Varför orkade han inte?

Vid sjutiden steg hon upp, vacklade ut i badrummet och kröp ner i badkaret, men till och med skållhett vatten kändes kylslaget. Efteråt, när hon stod och torkade sig med tjocka vita handdukar, blev hon yr. Hon hann ta emot sig men slog ändå huvudet i WC-stolen när hon rasade omkull på mosaikgolvet. Svimningsanfallet var bara kortvarigt; hon kravlade sig upp igen och vinglade tillbaka till sängen, varifrån hon utan närmare eftertanke ringde till sin mor. Under förevändning att vilja ha ett yrkesmässigt råd om hur man tog sig på benen med influensa och närmare fyrtio graders feber. Svaret var att det var omöjligt. "Det blir minst fem dagar i horisontalläge, antingen man är kung eller kejsare." Men om hon insisterade kunde hon pröva med två Panodil tre gånger om dagen.

"Och annars?" frågade modern, morgonpigg som alltid.

"Jag drömde om pappa", slapp det ur henne.

"Det är febern", svarade hon kort. "Kom ihåg att dricka rikligt med vätska också."

*

Per Vittrup plöjde sig crawlande genom poolens klorerade blå vatten. Han var ensam i hallen, frustade högljutt som en valross var gång han stack upp näsan ovanför ytan och piskade vattnet till skum med sina muskulösa armar och skovellika händer. Fåfäng var han egentligen inte, han hade aldrig haft några illusioner om att vara en stilig man. Han lutade snarare åt det leverpastejsfärgade, danskt genomsnitt. Men han var stolt över sin styrka, konstitutionen, som om han själv fick säga det var en del av hemligheten. Att han kunde sitta och hänga i baren och dricka whisky till klockan halv tre och sedan ändå stiga upp klockan sju och genomföra sin morgonritual, först fem kilometer på löpbandet och sedan femhundra meter i bassängen, för att därefter köra igenom ett fullt dagsprogram, pigg som en nötkärna. Även där, på den fysiska fronten, slog han Gert. Den enda han kände som ägde samma råstyrka var Meyer. Precis som han var hon en överlevare. Det låg i hennes judiska gener, på samma sätt som det låg i hans proletära. Bara de starkaste hade överlevt, bara de starkaste hade klarat historiens kvalificeringslopp. Och i viss mening var det kanske det sannaste man kunde säga om politik. Att bara de starkaste skulle bli till något. Att bara de starkaste *borde* bli till något.

Gitte tyckte att det var ett inskränkt synsätt. Retade honom för hans fokusering på fysiken – "du har fullkomligt missförstått det där med *survival of the fittest*. Att vara *fit* har ingenting med *fitness* eller muskler att göra, det handlar om *anpassningsförmåga*! *To fit in*", un-

175

dervisade hon honom. För honom gick det på ett ut. Att kunna anpassa sig till en situation krävde ju både mental och fysisk styrka. Som att till exempel kunna hänga i baren, knyta de nödvändiga förbindelserna, bygga upp förtroende, pumpa sina motståndare. Få dem att dricka för mycket, säga för mycket och själv hålla sig nykter.

Tyvärr måste han säga att det bara var få kvinnor som hade genomskådat den delen av spelet. De drog sig tillbaka, måste sova, få sina sju åtta timmars sömn, ringa till mannen, kolla barnen eller vilka utmärkta förklaringar de än kom dragande med. Problemet var bara att det var när flickorna hade dragit sig tillbaka som det hände något. Efter klockan ett. Inte för att hålla dem utanför, åtminstone inte medvetet, men det bara *var* så. Å andra sidan var det sällan någon som försökte hålla dem kvar. På allvar. Fast han hade faktiskt själv försökt i går kväll. Han hade gärna velat att Charlotte Damgaard skulle stanna. Hade till och med uttryckligen uppmanat henne att göra det. Berett plats för henne vid bordet där Gert och HC redan satt. Men hon hade avböjt, ursäktat sig med att hon var förkyld och dragit sig tillbaka kort efter midnatt. Alldeles för tidigt.

Han gjorde en vändning under vattnet och fick sedan syn på Berit Bjørk, socialministern, i hotellbadrock och med en badmössa i handen.

"God morgon!" vinkade hon och krängde av sig badrocken. Han lyfte ena handen till hälsning och fortsatte simma sin längd. Ville helst slippa men kunde inte undgå anblicken av henne i baddräkt. Helvete, vad det gick utför med vissa kvinnor! Hon hade visserligen aldrig varit någon pangbrud, men det här var faktiskt avgjort oaptitligt. Han ville helst förtränga den, men plötsligt stod den klar och tydlig framför honom – bilden av hennes blottade sköte sedd ur grodperspektiv, som en mörk klyfta mellan två förberg. Jo, jo, han hade varit där, även där, för många år och ännu fler sladdriga kilon sedan. Mer än en gång, faktiskt. Efter Eva. Det hade Berit tyvärr aldrig glömt, men hennes hängivenhet hade varit nyttig. Det måste han erkänna. Och innerst inne skämdes han också över att ha fattat så stark avsmak för henne att han knappt stod ut med hennes närvaro. Det *var* för hårt, för demonstrativt, att stiga upp när hon plumsade i. Trots att han fortfarande hade tre längder kvar.

Utsikten över Stora Bält och bron, som utgjorde en skulptural linje över den glittrande vattenspegeln, var imponerande, men Charlotte, som var dagens första programpunkt, måste be om att få gardinen fördragen. Ljuset stack henne i ögonen, och huvudet dunkade som en turbin, men adrenalinet hjälpte henne att fokusera och samla den lilla gnutta energi hon över huvud taget var i stånd att mobilisera. Hur sjuk hon var hade hon inte avslöjat för någon, men redan under sin inledning märkte hon att Meyer, som först sent på gårdagskvällen hade anlänt från ett NATO-möte i Bryssel, satt med en lodrät bekymrad rynka mellan de vackert välvda ögonbrynen. Vittrup nickade uppmuntrande, Caffè latte-flickorna log också mot henne, några andra, i synnerhet bland De Radikale, hade också tagit på sig en välvillig min, medan resten antingen satt med korslagda armar och iakttog henne likt kalla ödlor eller demonstrativt viskade med grannen, läste tidningen eller gäspade.

När hon var färdig med sin Powerpointpresentation av Det gröna Danmark, som efter omständigheterna hade gått hyfsat och i varje fall innehållit de fakta och kalkyler man kunde förvänta sig av en "skiss", utbröt en veritabel kakofoni av invändingar, motargument och förtrytsamt kvirrande. Visionen saknade "verklighetsförankring", den var "orealistisk", "statligt överförmynderi", "extremt dyr", "en korsning mellan Enhedslisten och Christiania", "avgjort inte vad danskarna behövde", "ingenting att gå ut med ett valår", "rena tramset", "slöseri med tid för alla parter i en tid när vi står inför massiva problem med invandring", "gefundenes Fressen för oppositionen", "ytterligare ett krokben för jordbruket", "ekologi, ta mig i häcken!", "danskarna vill ha bättre sjukhus och vårdhem, inte luftslott" och så vidare. Efter den första salvan, primärt avlossad av trafikministern och kompani, ryckte nästa led fram. Här var argumenten så raffinerade och frågorna så specifika att det verkade som om någon i förväg hade granskat hela planen med lupp. Trots att den med flit inte hade lämnats ut. Här var det i synnerhet HC och finansministern som gick i täten: "Hur kommer det att påverka skatteunderlaget och därmed välfärdsstatens möjligheter att förbättra villkoren för de sjuka och de äldre om idén om nolltillväxt genomförs?", och "Hur många heltidsarbeten inom den offentliga sektorn kommer de ökade utgifterna för ekologisk omställning, exempelvis inom äldrevården, och så kallad hållbarhetspraxis enligt miljöministerns mening att kosta?", och "Det ser inte ut som om man hade gjort en korrekt beräkning av merkostnaden inom den offentliga sektorns energiförbrukning vid en övergång till förnyelsebar energi, däribland solceller, eftersom räntekostnaden för investeringen får antas bli betydligt högre". Och så vidare.

Hon drog efter andan för att svara, efter att först ha sökt statsministerns blick, men hans ansikte var politbyråblankt, och även om hon visste att Gert Jacobsen sköt med gummikulor som hon lätt skulle kunna avvärja bara genom att slå ut med armarna och gå offensivt fram kunde hon i sitt utmattade tillstånd inte finna de rätta orden, upprätta förbindelse med den annars så snabba hjärndatorn som satt inne med alla relevanta uppgifter.

"Öh", började hon, men sedan var det som om en slöja hade lagts över verkligeten och rummet drog ihop sig till en vitaktig kon. Hon försökte le överslätande, ville inte förödmjuka sig inför dem, uppfattade att Meyer reste sig tvärt och kunde sedan inte hålla sig upprätt längre utan vacklade till och sjönk ihop mitt framför ögonen på den stirrande församlingen, vars blodtörst därmed för stunden släcktes.

"Jag var inte bara jordbruksminister, jag var också något så sällsynt som en socialdemokratisk lantbrukare. Och vi bönder står ju mer med båda fötterna på jorden än vissa andra. Meyer, till exempel, som enligt min mening fullkomligt överreagerade den där lördagen på Nyborg Strand. Först såg hon till att både läkare och ambulans tillkallades, och fastän Charlotte hade vaknat när Falck anlände propsade Meyer på att hon skulle undersökas. Läkaren kunde omedelbart blåsa av larmet, hon hade bara influensa och hög feber, värre var det inte. Han ansåg inte att det fanns skäl att lägga in henne, och Charlotte själv, som verkade ganska illa berörd av uppståndelsen, ville bara hem. Man ringde efter hennes chaufför, som av allt att döma uppehöll sig i grannskapet, för hon kom snabbt i väg. Och knappt hade hon hunnit åka därifrån och mötet dras i gång igen förrän helvetet brakade löst över våra syndiga huvuden. Meyer var rasande, för att uttrycka det milt. I synnerhet vi gamla fick våra fiskar varma. Vi hade varit för avvisande, för ovänliga, för reaktionära, för kritiska, för sammansvetsade, kort och gott för *mycket*. Det uttrycket använde hon, minns jag. Hon har en tendens att lägga sig till med sådana där moderna storstadsuttryck, som för att göra sig yngre än hon är. Opassande, enligt min uppfattning. Hon är så begiven på det nya, Meyer. Hon talar om 'globalisering' och 'den nya ekonomin' och 'zappare' och 'surfare' som om det var Messias återkomst hon förebådade. Och så är hon besatt av 'den nödvändiga förnyelsen av Partiet' och inte minst 'generationsväxlingen', som om detta att vara ung är en kvalitet i sig. Om inte annat blev det åtminstone helt uppenbart vem Meyer stödde. Till etthundratio procent. Och ve den som satte sig på tvären. Det säger sig självt att det fungerade som ett rött skynke. Det finns ingen som gillar att få något, än mindre *någon*, nedkörd i halsen. Inte för att jag hade något särskilt emot Charlotte Damgaard. Hon var ju på många sätt en rar och trevlig flicka. Absolut. Men det hon hävde ur sig på det där mötet var då rena dyngan, för att stanna kvar i fackterminologin. Vi var tvungna att säga emot henne. Och som politiker bör man ju kunna tåla ett och annat. Det har vi andra också tvingats göra. Influensa eller ej."

~

Om småbåtsfiskaren som höll på att sätta sina nät före solnedgången över huvud taget lade märke till det promenerande paret inne på stranden nedanför hotellet tog han dem antagligen för medelålders äkta makar inbegripna i ett civiliserat men allvarligt samtal om ett konfliktfyllt problem. Deras parförhållande, kanske. Vilket i och för sig inte skulle vara alldeles fel. För trots att de inte gillade tanken utgjorde de i alla fall ett slags par, Vittrup och Meyer. Oupplösligen bundna vid varandra. I med- och motgång. Hon talade mest, som kvinnor brukar göra. Han lyssnade, sänkte hakan, nickade instämmande, skakade ett par gånger protesterande på huvudet, förde den handskklädda handen till de kalla, blåröda örsnibbarna och stannade när hon blev stående. Här höll den för övrigt så kultiverade bilden av fred och försoning på att krackelera, för nu var det tydligt att röstläget höjdes, händer gestikulerade vilt i luften, kroppsspråket blev fientligt, hakan lyft. Nu var småbåtsfiskaren inte särskilt intresserad av paret där inne, han var mer upptagen av strömförhållanden, temperaturer, väder och vind och möjligheten att få ett par flundror eller kanske en rödspätta i nätet, så han brydde sig inte så värst mycket om att han inte kunde höra ett ord av vad som sas i det meningsutbyte som mer och mer liknade ett regelrätt gräl. Men om de hade varit utrustade med mikrofoner och han hade suttit med hörlurar i stället för öronlappar hade han kunnat höra ett samtal som politiska reportrar skulle dö för att få på band. Ja, till och med *off the record.* Även om det bara hade varit brottstycken som: *"Du kastar henne bara åt lejonen på det sättet!"* och *"Du vet mycket väl att hon måste härdas! Jag skulle göra henne en björntjänst om jag gjorde jobbet åt henne!"* Vem vet, kanske *var* det en reporter som satt och småfrös en marslördag i en 12-fots Utternjolle. Eller en attentatsman. En risk som säkerhetsfolket rutinmässigt tog ställning till. Man kunde aldrig veta nuförtiden. Så de hade kikaren riktad mot fiskaren och höll sig på diskret avstånd från det prominenta paret. Redo att gripa in om en "situation" plötsligt skulle uppstå. En smula överdrivet. Men det var ju deras uppgift att vara paranoida. Därför var de inte förtjusta i alltför öppna ytor. Så de var glada när paret uppenbarligen nådde något slags samförstånd, som fick dem att nicka synkront, varpå statsministern lät höra ett skallande skratt som reaktion på något som utrikesministern hade sagt. Sedan lade han handen löst på hennes axel, så där som män brukar besegla överenskommelser med andra män, och släppte henne inte förrän de hade vänt om och var på väg tillbaka mot hotellet.

Först då tittade småbåtsfiskaren åt deras håll, fundersamt, eftersom han tyckte sig känna igen gestalten i den mörkblå rocken som landets statsminister. Per Vittrup, om vilken det hade sagts att han var orsak till att den där unga kvinnliga politikern hade hoppat från bron en gång för länge sedan. Det var hans farbror som hade hittat henne borta vid Strib, och det hade han faktiskt aldrig riktigt kommit över.

*

"Har du börjat svettas?" frågade Freddy när de var på väg in mot Köpenhamn. Hon hade halvsovit större delen av vägen, slutat försöka tänka eller ta ställning till förmiddagens händelser. Men till och med i hennes lätt skvalpande, halvsovande tillstånd stod det lysande klart att det hade gått åt helvete. Rätt och slätt, utan förskönande omskrivningar. De hade varit för jävliga, men hon borde inte ha gjort det. Hon borde inte ha utsatt sig för det. Hon borde ha följt Freddys råd och vänt om redan i går.

"Nej, jag fryser fortfarande", sa hon mellan hackande tänder.

"Då har det inte kulminerat än. Men i natt kommer du att svettas, och sedan går det åt rätt håll."

Hon rätade på sig i baksätet och log mot honom i backspegeln. "Det ser jag fram emot. Varför körde du inte till Århus?"

Han ryckte på axlarna, accelererade och lade BMW:n i ytterfilen.

"Med tiden har man ju lärt sig att vara förutseende."

"Du borde ha blivit politiker", sa hon och lutade huvudet bakåt mot nackstödet.

"Nej, tack", sa han med eftertryck. "Det är nog det sista jag skulle vilja vara. Med all respekt", tillade han.

"Det är okej", sa hon och sjönk på nytt ihop en aning. "Jag förstår *precis* vad du menar."

*

Thomas och ungarna hjälper henne uppför trappan. De pussar henne, klappar henne, tar hennes hand, bär hennes bagage. Å, mamma. Snälla mamma. Stackars mamma. Nu ska mamma i säng! Mamma har *im-flu-en-sa*", säger Johanne viktigt till Jens, som frågar om hon är sjuk på riktigt. Men hon dör väl inte? frågar Jens oroligt. Nej, nej, det är klart att hon inte dör, och Jens kommer ihåg att det bara är gamla människor som dör. Och morfar, fastän han inte var gammal. Och så ibland barn som blir överkörda, eller *drunknar*, framhåller Johanne med sin förmåga att överglänsa brodern. Sedan är de uppe på tredje våningen. Stänger dörren bakom sig. Och Charlotte tror att hon är i hamn. Slappnar av, lutar sitt huvud mot Thomas axel. Han kysser henne på pannan och tänker tala om att de har gäster, men i samma ögonblick uppfattar hon själv rösterna från vardagsrummet, vuxnas och barns om varandra.

"Å, nej", stönar hon. Mikkel och Maria och deras båda småflickor.

"De kom just. Vi hade ju bestämt att ungarna skulle få leka ihop", säger han ursäktande. "Medan du var borta."

Hon nickar förstående. Naturligtvis.

"Du kan gå raka vägen i säng", viskar han mjukt. "Jag kommer in med litet te."

Hon blundar, måste bita sig i läppen för att inte börja gråta, gnuggar sin näsa mot hans rutiga skjorta.

Han drar henne intill sig. "Var de jävliga?"

Hon nickar, önskar att hon kunde stortjuta som ett barn, men hon behärskar sig med en snyftning.

"Jag går in och säger hej", viskar hon och harklar sig så att rösten ska bära när hon stiger in i vardagsrummet.

Det står kaffe och tårta på bordet, tända stearinljus, färggranna

182

tulpaner, keramikkoppar från Vietnam. En angenäm lördag bland vänner. Gamla goda vänner. Maria, sjuksköterskan, har tagit på sig sin deltagande min – "Gud, vad du ser dålig ut!" Mikkel är högljudd och storordig som vanligt.

"Du ser fanimej ut som döden från Lübeck!" säger han och lutar sig teatraliskt bakåt med händerna lyfta till skydd framför sig. "Gav de dig på pälsen?"

"Gav mig på pälsen, vilka då?" frågar hon medan det på nytt börjar susa i öronen.

"Dina kära kolleger. De har stöpt kulor hela veckan …"

Thomas signalerar oförstående; *han* har inte sagt något.

"Varifrån har du hört det?" frågar hon och sträcker handen mot bokhyllan.

Mikkel flackar med blicken. "Ja, bland annat från Jakob …"

"Jakob Krogh?"

"Vi spelar squash tillsammans, han är en mördarmaskin", säger han och sträcker på benen medan Maria hjälper sin dotter att hälla upp saft. De andra barnen har försvunnit in i barnkammaren. "Ja, det är helt nytt. Vi har bara träffats ett par gånger. Begåvad kille. Varför gillade du inte honom?"

"Vem säger att jag inte gjorde det?" frågar hon.

"Vem tror du?" säger han retsamt. Maria makar sig ut på kanten av sitsen, beredd att gripa in.

"Mikkel, låt Charlotte gå och lägga sig nu!" säger hon.

"Ja, jag tycker också …" instämmer Thomas och ställer sig beskyddande intill henne.

"Det gör han själv", säger Charlotte konstaterande utan att släppa Mikkel med blicken och låter Thomas ta hennes hand.

"Bingo!" Mikkel skrattar. "Du har alltid varit en klipsk flicka."

"Inte tillräckligt klipsk, uppenbarligen! God natt", säger hon syrligt och låter sig ledas ut ur vardagsrummet och in i sängkammaren. Thomas har redan tagit bort överkastet och vikt täcket åt sidan.

"Trust nobody", mumlar hon när han stoppar täcket om henne.

"Trust me", säger han och kysser henne på nästippen innan han släpper ner spjäljalusin med en dov smäll och lämnar rummet.

*

Vissa pass var rena mardrömmen. Det här var ett av dem. Med tiden hade det nästan vartenda veckoslut blivit så att de fick in svårt skadade ungdomar från meningslösa trafikolyckor. Oftast vad det unga män. Bara pojkar, inte ens fyllda tjugo. Som i natt. Fyra pojkar; två var döda vid ankomsten, en klarade sig undan med hjärnskakning och bäckenbrott och den siste dog i deras händer. Arton år. Gymnasieelev. Rørbech opererade, insisterade på att fortsätta, pröva allt, göra ytterligare ett upplivningsförsök fastän alla i rummet kunde se att det var hopplöst. Det var också han som efteråt gick ut och gav föräldrarna det fruktansvärda beskedet. Han borde inte ta de där nattpassen. Han var överläkare, han behövde inte göra det. Men han insisterade, och hon visste mycket väl varför. Varje gång väntade han sig att det skulle vara hans egen dotter som kom in. Det var absurt, hon befann sig någonstans i Köpenhamn, varför skulle hon plötsligt hamna på deras sjukhus? För att hennes far skulle kunna få en chans att rädda henne? Vinna henne tillbaka? Så rättvist är inte ödet. Den stora ekvationen går sällan ut. Så mycket hade livet för länge sedan lärt Ingrid Damgaard.

Hon sjönk ner på en stol på expeditionen och sträckte sig efter senaste numret av Billed Bladet, som låg på bordet bredvid termoskannan. Skummade mest igenom det för att se om Charlotte var med. Det var hon. I en enkät om danskarnas inställning till kött efter galna ko-sjukan och utbrotten av mul- och klövsjuka. *"Vågar du fortfarande äta en röd biff?"* löd frågan. Charlotte svarade att hon faktiskt gjorde det, så länge den var ekologisk. "Jag förstår att konsumenterna har blivit osäkra. Det danska jordbruket har ju utvecklats till rena industrin, där det gäller att producera så mycket som möjligt till lägsta tänkbara pris. Det måste ju gå ut över livsmedlens säkerhet. Jag är själv uppvuxen på en gård, och i min barndom gick bonden fortfarande och kliade sin kor mellan hornen. Djuren trivdes, och det kändes på smaken!" Uttalandet, som självfallet skulle förarga Ingrids svärson, grisbaronen, var uppenbarligen hämtat från en biopremiär på en barnfilm, och fotografiet intill visade hela den unga familjen med Charlotte i centrum, Thomas med ett besvärat leende vid hennes sida, Johanne i förgrunden, brett leende med en bägare popcorn i

184

händerna, och Jens olyckligt fastklamrad vid Charlottes ben.

Ingrid log ofrivilligt. Hon såg för litet av sina barnbarn. Och sina barn. Särskilt en natt som denna kände hon saknaden. Hon hade aldrig släppt dem, även om de trodde det. I synnerhet Charlotte, det var hon väl medveten om. Charlotte var säkerligen övertygad om att hennes mor inte oroade sig för en banal influensa.

När ringklockan kallade på henne reste hon sig snabbt och lämnade kvar tidskriften uppslagen. Kollegan som härnäst utmattad sjönk ner på stolen betvivlade inte att det var Ingrid som hade suttit där senast. Hon var så jättestolt över sin dotter, även om de inte fick henne att erkänna det.

★

"Tredje dygnet med influensa, morgontemperatur 38,6. Epidemin härjar, läser jag i tidningarna, som avlämnas här hemma i stora buntar varje morgon. Henrik Sand rapporterar också att det är manfall på ministeriet, så jag behöver inte skämmas. Det gör jag faktiskt ändå, jag brukar inte bli sjuk, har ärvt min mors, järnladyns, goda hälsa. Hon har ringt TVÅ gånger för att höra hur det står till med mig. Fortsätter insistera på att jag inte får stiga upp och gå till jobbet förrän jag har varit feberfri i ett dygn. Och så har hon gudhjälpemig skickat tre liter hemkokad fläderbärssaft med bud! Något sent att visa moderlig omsorg, men jag är till salu billigt för närvarande. Thomas och ungarna går hemifrån redan vid åttatiden och kommer inte hem igen förrän framåt fem, så jag är ensam hela dagarna. Ovant och konstigt, det måste vara många, många år sedan jag prövade på det. Kanske är det väldigt nyttigt med en sådan här time-out när man är så eländig att man inte kan företa sig mycket annat än att fundera över tillvaron och andra intressanta teman. Däribland politik, närmare bestämt 'jag och politik'. Helgens lilla intermezzo har skakat om mig, det måste jag erkänna. Och Mikkels utbasunerande av Jakob Kroghs förräderi bidrog bara till att understryka att Macbeth är en ren sitcom i jämförelse med real life. Apropå Shakespeare har jag varit uppe och letat i bokhyllan efter mina gamla läroböcker från studieåren. Det kan aldrig skada att repetera grundkursen, antingen det gäller politisk teori eller nationalekonomi. Stötte på Machiavellis Fursten, *som jag vet är ett absolut måste för politikeraspiranter, men eftersom jag inte har uppfattat mig som en sådan förrän jag så att säga trädde in på scenen har jag aldrig betraktat denna*

tidiga 1500-talshandbok i konsten att uppnå och behålla politisk makt
som särskilt personligt relevant. I all sin nykterhet, som gränsar till kall
cynism, är den dock, det måste jag säga, fortfarande skrämmande aktuell
i sin analys, även för mig! Snubblade exempelvis över denna passage:

'Mellan livet, sådant det är och sådant det borde vara, är skillnaden så
stor att den som inte tänker på vad människor gör utan bara intresserar
sig för vad de borde göra snarare fördärvar än gagnar sig själv. En män-
niska som bara vill det goda måste gå under bland de många som inte är
goda. Därför måste en furste som vill bevara sin makt vara i stånd att inte
vara god och använda det goda eller icke goda allteftersom omständighe-
terna kräver ...'

Med andra ord: Ändamålet helgar medlen. Frågan är om jag vill satsa
kropp (och familj) i det spelet, eller om jag bara bör säga att det var en
intressant parentes i mitt fortfarande förhållandevis unga liv som jag i
stället har tänkt mig att använda till något annat. Egentligen är det nog
den slutsats jag för närvarande lutar åt. Om man inte vill ha en sådan
som jag, varför ska jag då insistera? Tänker också att om jag betraktar det
här jobbet som något tillfälligt kan jag bevara min osårbarhet. För då kan
jag ju, åtminstone på det personliga planet, strunta i hur länge det varar.
Har redan tagit litet skada, ertappar mig själv med att titta i tidningen
efter historier om mig själv. Kan få syn på mitt eget namn bara genom att
ögna igenom sidorna. 'Står det något om mig?' Jag har annars alltid fun-
nit det skrattretande när politiker inte har kunnat se världen för sitt eget
ego. Förstår det bättre nu, det är ren självbevarelsedrift. 'Kommer jag att
behöva slåss i dag?' Jag blir exempelvis tvungen att gå i svaromål mot den
där miljöfascisten från Århus som håller på att inbilla hela världen att
miljöproblemen är uppåt väggarna överdrivna. Sanningen är, enligt min
mest ärliga och hederliga uppfattning, att vår framtid på jorden är hotad.
Detta i en utsträckning som vi inte har fantasi att föreställa oss. Sedan
kan de ju komma med sina lugnande iskärneborrningar – det ändrar inte
det faktum att klimatförändringarna är orsakade av människan och att
förändringarna är dramatiska och oöverskådliga. Till och med Jens och
Johanne kommer att få uppleva klimatmässig instabilitet om vi inte gör
något NU. Och sedan är vi tillbaka i ruta ett – vad ska jag göra? Vad kan
jag över huvud taget göra? Gå med i Attac eller någon annan ideell sam-
manslutning. Det sista är för sent, jag är för gammal. Har för övrigt fått
en blombukett från statsministern med ett litet 'Krya på dig'-kort och inga

fler kommentarer. Meyer har ringt och försökt muntra upp mig, och Berit Bjørk har också skickat ett kort från Oslo; motivet var Edvard Munchs 'Skriet', en aning bombastiskt kanske, men tanken var vänlig. Hon hoppades att jag snart skulle 'komma igen'. Det är just det som är frågan. Hur jag ska komma igen, menar jag. Nej, nu ska jag ringa till Lisbeth, har inte pratat med henne på länge. Lars har ringt från lastbilen, han var visst någonstans i Tyskland. 'Läget?' säger han alltid. Ja, läget?"

★

Søren Schouw, före detta miljöminister, är en *loser*. Han är färdig. Och en Folketingsledamot som kan träffas hemma klockan halv fem på eftermiddagen med rödkantade ögon simmande i alkoholsjöar ska man akta sig för. Så han borde inte sitta i hans svarta skinnsoffa med handen runt ett tjockbottnat glas kvartsfyllt med 16 år gammal bärnstensfärgad Lagavulin-maltwhisky och skåla för segern. Men Jakob Krogh hyser en nästan sonlig tillgivenhet för denne plötsligt så åldrade man. Och i dag har han kommit för att få beröm. En klapp på huvudet. Förståelse. Bekräftelse på att de gör det rätta. Hon är en bitch. Har sig själv att skylla. Har rentav tiggt om det.

"Well done", nickar Søren Schouw gillande och klirrar med sitt glas mot hans. "Well done, Jakob. Hon kommer inte att bli långvarig. Men det visste vi ju."

Och Jakob Krogh nickar, och om en stund kommer de att tala om kvinnor, whiskymärken och schack, som visserligen har vissa likheter med politik men ändå är väsensskilt eftersom spelet definieras av en lagbundenhet som politiken när allt kommer omkring saknar.

Han lossar på slipsknuten, tar snart av sig både slips och kavaj, och ett eller ett par glas senare kommer hans reservation, som alltid, att ha förångats. Varför skulle han inte ha kommit?

★

En hel arbetsvecka var hon sjukskriven. Ingenting på en tidslinje men oändligt länge i ett bräckligt ministerliv som inte så få hade börjat hålla för kort. När hon dök upp igen var hon blek som en vålnad och såg snarare ut som någon man måste skicka i väg till sanatorium än som någon man kunde tilltro *den nödvändiga styrkan*. Alla visste vad som hade hänt föregående helg, och alla visste också att det skulle bli extremt svårt för deras minister att ta sig in i kampen igen efter den episoden.

"Borde du inte ha stannat kvar i sängen en dag till?" frågade Henrik Sand, som under hela perioden hade stått i daglig kontakt med henne. Hon hade fått ärenden hemskickade, hade som vanligt skrivit sina kommentarer i marginalen och var på det hela taget up to date. Hade tryckt på beträffande amtets analyser av Kristen Kristensens grundvatten, men flera av miljöteknikerna var hemma och sjuka, så man låg efter, och om hon inte propsade på särbehandling skulle ärendet halka bakåt i kön. Något som hon till Sands stora lättnad hade accepterat med ett "OK, men kom ihåg att följa upp det!"

Hon gjorde en grimas och doppade en påse grönt te i en mugg med nykokt vatten. "Snarare en dag mindre", sa hon och lade ifrån sig påsen i askkoppen. "Jag har slutat röka", påpekade hon.

"Du har väl inte *kunnat* röka!" replikerade han.

Ett snabbt leende gled över hennes ansikte och fick också hans att lysa upp.

"Nej, men jag har bestämt mig för att inte börja igen. På det hela taget har jag haft tid att tänka över saker och ting", sa hon och förde blåsande muggen till läpparna.

"Ja?"

"Jag ville inte tala med dig om det i telefon och borde kanske inte ens göra det här", sa hon och svepte med blicken över rummet tills den stannade på duvhöken, den uppstoppade fågeln. "Men jag är ganska säker på att Jakob har läckt vår plan till Finansministeriet, som sedan har låtit den gå runt. Det var därför kritiken kunde vara så exakt. De kände till detaljerna och kunde räkna på siffrorna. Och så hade de till råga på allt den turen att jag varken kunde tänka eller tala, så att jag utan vidare ansträngning kom att framstå som en lallande, ekonaiv idiot."

"Halmdocka?" log han snett.

"Ja!" Hon skrattade. "Jag vet inte varför jag möter så hårt motstånd, men jag vet att projektet är både viktigt och rätt, så jag har inte för avsikt att ge upp. Eller annorlunda uttryckt: Mamma är inte sårad, hon är arg!"

"Vilket betyder?" frågade han.

"Att vi kämpar vidare. Använder alla knep. Talar med kluvna tungor. Såväl över som under jorden. Ändamålet helgar medlen, som du vet."

"Machiavelli", sa han.

Hon nickade, rättade vanemässigt till sitt ena örhänge så att pärlemorn reflekterade ljuset.

"Jag har läst om *Fursten*", sa hon. "Det borde jag nog ha gjort tidigare."

Han betraktade henne ett ögonblick. Hon hade inte bara blivit mer genomskinlig utan också vassare. Som ett blankslipat vapen. Hon höll på att förlora rundheten. Det var han inte riktigt säker på att han tyckte om.

"Man kan också läsa den för ofta", sa han lågt.

"Man kan också vara för dum", svarade hon snabbt. "Jag har tittat på dina förslag till ny ministersekreterare. Finns det verkligen inte någon i hela systemet med annan etnisk bakgrund än dansk?"

"Vi har bestämt en svensk någonstans …"

Hon himlade med ögonen.

"Okej", stönade han. "Jag ska se om jag kan hitta en *nydansk*."

Han avstod från att fråga varför. Och hon avstod från att närmare begrunda sitt önskemål. Därmed slapp de formulera det som *en viktig signal att sända*.

I varje fall till dess att ärendet några dagar senare skulle läggas fram för departementschefen, som så småningom i sitt stilla konservativa sinne började tycka att saker och ting så att säga höll på att bli en aning trassliga. Inte bara därför att han nyligen hade varit utsatt för en engelsktalande sikhläkare med turban, "på *Rigs*hospitalet!", utan också därför att han inte alls höll med om att den lilla Louise Kramer hade den nödvändiga pondusen för att bli befordrad till chefssekreterare åt en så kontroversiell figur som Charlotte Damgaard, även om det bara skulle komma att bli för överskådlig tid. Och om man sedan samtidigt gick och utnämnde en ung och fullständigt oprövad kanslisekreterare till andreman, någon vars främsta kvalifikation var hans muslimska härkomst, så var ju allting på väg att sluta i den form av politisk korrekthet som gjorde mer skada än nytta. Antingen det gällde jämställdheten mellan kön eller etniska grupper.

Han framförde sina invändningar i ministerbilen på väg till flygplatsen, varifrån de tillsammans skulle flyga till Bryssel för att delta i ett ordinarie rådsmöte om hållbarhet, Rio +10 och klimatstrategi. Hon lyssnade, men hon lydde inte. Precis som hon inte heller, vilket han hade föreslagit, lät de stora EU-länderna ta täten i kritiken av Bushadministrationen för dess avståndstagande till Kyotoprotokollet. Tvärtom uppträdde hon med hög svansföring inför den danska pressen och betonade nödvändigheten av att EU-länderna tog de nödvändiga initiativen för att garantera att Kyotoprotokollet antogs utanför USA. Hennes uttalanden om George W. Bush – "Vi måste ta konsekvenserna av att världens mäktigaste nation har gått tillbaka till Vilda Västern och satt en hasardspelare att leka sheriff" – var inte precis diplomatiska, men hon fick sina rubriker, det erkännandet måste han ge henne. Och i övrigt tvingades han också konstatera att det var svårt att hålla en minister i ledband när man själv måste dra sig tillbaka till hotellrummet mitt under mötet, dödligt utmattad. Men hon hade ju Henrik Sand vid sin sida, vilket tycktes passa henne utmärkt. Alldeles förträffligt, till och med. Personkemin dem emellan var nästan för bra. Och om han hade varit litet mer på topp, litet mer *sig själv*, skulle han nog ha ansträngt sig mer för att slå en bräsch i den alliansen. Henrik Sand fick ju gärna överleva sin minister. Så att han kunde efterträda sin departementschef. Om några år.

*

Henrik Sand knackar henne diskret på axeln, hon vänder sig frågande om och får en lapp stucken i handen. De är mitt uppe i rådsmötet. Ministrarna sitter runt bordet med tjänstemannastaben som sufflörer alldeles bakom sig. Den grekiske ministern håller på att göra sitt inlägg. Han är sur på Makedonien, hur föga det än har med Kyoto att göra. På lappen står att hon ska ringa hem. "Urgent". Hon genomfars av en iskall rysning. Det måste vara barnen. Det har hänt någonting med något av barnen. Annars skulle han aldrig störa henne, Thomas. Hon rycker ur öronsnäckorna, reser sig och är nära att välta omkull sin grannes, Madeleines, vattenglas. Hon hinner ge henne ett ursäktande leende och skyndar sedan ut med lappen i handen och slår numret samtidigt som hon drar sig bort från eurokraterna som svärmar utanför dörrarna med dokument i händerna.

"Ja?" närmast skriker hon i luren när Thomas svarar. "Vad har hänt?"

"Jag är sjuk", tillkännager han. "Influensa, precis som du. Över 39 …"

"Ungarna då?"

"Litet snuviga, ingenting annat. De är på dagis …"

Hon drar ett djupt andetag, räknar till tio. Vet att det är just i det här läget som hon måste vara mild och god och förstående.

"Älskling", säger hon. "Vad är problemet?"

"Att jag är sjuk, för helvete!"

Än en gång räknar hon till tio. Något snabbare den här gången.

"Thomas, det är för jävligt, det är synd om dig, men vad har du tänkt dig att jag ska göra åt saken? Jag står i Bryssel!"

Hon har börjat skrika i alla fall, någon tittar åt hennes håll, och nu uppenbarar sig Sand också inifrån möteslokalen. Vinkar till henne, signalerar att det är dags för votering.

"Kan du inte komma hem?" frågar han spakt som ett barn.

"För helvete, Thomas! Jag är på *rådsmöte*! Du är väl inte döende?" Hon tecknar åt Sand att hon har förstått, rör sig i riktning mot honom och dörren. "Älskling, jag *måste* in nu. Du får lov att hitta på något själv, skaffa hjälp, ring till din mor eller Mikkels Maria, hon är ju föräldraledig. Någon!"

"Ursäkta att jag störde", säger han spydigt.

Hon skakar på huvudet, suckar djupt.

"Det finns Panodil i badrummet. Jag ringer så snart jag kan. Hej då", säger hon och trycker på avstängningsknappen. Fan också.

"Problem?" Sand öppnar dörren åt henne.

"Thomas har blivit sjuk. Influensa", viskar hon medan hon går in.

"Så han tror att han ska dö?"

Hon fnissar befriat. "Precis."

Sedan slinker hon in och sätter sig på sin plats bland de europeiska miljöministrarna.

Maria kommer som en räddande ängel. Hon hämtar Jens och Johanne på dagis, har med sina egna barn, placerar dem alla fyra framför videon inne i vardagsrummet och trollar fram en fantastisk minestrone av ingredienser hon hittar i deras med tiden lätt oorganiserade kök. Han får sin portion serverad på en sängbricka, som hon ställer på täcket efter att först ha hjälpt honom upp i sittande ställning med kuddar bakom ryggen.

"Akta dig, jag smittar!" säger han när hon är så nära att han kan känna doften av hennes blommiga parfym.

"Jag har vaccinerat mig", ler hon och sjunker ner på sängkanten. Tar hörnet av en servett och torkar av honom på hakan när han spiller av soppan.

"Oj då", ler han matt. Tar ett par skedar till innan han lägger skeden ifrån sig.

"Det smakar fantastiskt, men jag orkar faktiskt inte mer."

"En sked till", trugar hon professionellt. "Och drick litet vatten!"

Hon flyttar undan brickan, tar hans puls som dunkar under hennes pekfinger. Han sluter ögonen, känner sig på en och samma gång som en liten pojke och en ung man mitt i en förförelsedröm. Säkert därför att Mikkel en gång har berättat hur han ibland får ta henne medan hon är klädd i sin vita sjuksköterskeuniform. Den gången tyckte Thomas att det var att passera en privat anständighetsgräns som han inte ville överskrida. Därför har han omsorgsfullt utplånat bilden som stod så tydlig för honom, som en pornografisk kliché som han inte vill veta av. Om han någon gång har uppfattat Maria som sexig är det en känsla han å det kraftigaste har undertryckt och ersatt med vänsklig sympati. Maria är snäll. Söt. Varm. Mikkels fru. Slut. Han har inte tagit djupare ställning till hennes skrattgropar, hennes yppiga barm, hennes kolossala bruna dockögon som alltid är en liten smula fuktiga. Men hela hennes alltomfattande kvinnlighet överväldigar honom plötsligt nu, när han likt en törstande sörplar i sig den omsorg som han uppenbart lider sådan extrem brist på att inte ens normal blygsel hindrar honom från att ta för sig. Å, vad han njuter av att känna hennes hand på sin varma panna. Å, vad han njuter av hennes små deltagande ljud och den bruna blicken som ser på honom med en värme som gränsar till kärlek. Att hon kanske är lika försummad och i sin tur vältrar sig i hans tacksamma närvaro faller honom inte in. Tanken snuddar bara vid honom när hon försäkrar att hela arrangemanget på inget sätt är något besvär, Mikkel är på seminarium på Kolle-Kolle och kommer hur som helst inte hem förrän i morgon.

"Jag träffar honom nästan aldrig numera", ler hon snabbt. "Men det där känner du väl igen?"

Han ler snett. Ja, det gör han. Normalt skulle han i samma andetag ha försvarat det – så är det ju, det är bara en övergångsperiod, de är överens om arbetsfördelningen och allt det där. Men det orkar han inte nu, och de är gamla vänner, det finns ingen anledning att förställa sig i dag, när Charlotte inte ens har ringt tillbaka än. Från ministermötet i Bryssel.

När hon äntligen ringer är det han som är kortfattad. Han nöjer sig med att berätta att Maria har kommit, att hon har lagat mat och att hon nu håller på att lägga barnen.

"Perfekt", säger Charlotte, lättat hör han. Då slapp hon ifrån problemet. Hon pratar med barnen, berättar sedan litet om mötet, som han just nu ger blanka sjutton i, och han har inte heller någon åsikt om "Danmarks exercis" och hennes egna "bullet points", som hon kallar det.

"Jag försöker hinna med ett tidigare plan i morgon", säger hon till slut. Det behöver hon inte. Han ska nog klara sig. Hans mamma kommer i morgon. Vi hörs. Hej.

Efter samtalet sjunker han tillbaka, spänd och skälvande av frossbrytningar. Känner inte kontakten med henne som annars, förr i tiden, var obruten också över stora avstånd. Hon är avlägsen, och det gör honom arg. Så kanske är det för att han vill straffa henne som han är frikostig med den initimitet som annars är förbehållen deras gemensamma liv.

Maria, som tyst har tassat in i sängkammaren, harklar sig och tvekar innan hon kommer med sitt så trovärdiga förslag.

"Du, jag funderade på om det inte skulle vara ganska smart om vi blev kvar och sov över här i natt? Då kan jag ta hand om ungarna i morgon bitti och följa dem till dagis och alltihop?"

"Vad säger Mikkel om det?" frågar han.

"Vad skulle han säga?"

Thomas slickar sig snabbt om sina torra läppar. Struntar i det skarpa tonfallet och larmklockan som börjar ljuda.

"Ni kan sova i vardagsrummet", nickar han.

"Ja, jag sover på soffan, och ni har kanske ett par tältsängar eller något?"

Jo, det har de. Och filtar och ett extra täcke någonstans.

Maria ordnar alltihop medan han blundar med dörren på glänt och hör henne pyssla och lugnt och stilla utan att höja rösten samla ihop sina flickor, natta dem, läsa saga och sjunga godnattvisa. En trygg stämning av *hem* sprider sig i hela lägenheten, som doften av nybakt franskbröd när han som barn var och hälsade på sin mormor och låg under ett tjockt täcke och på hennes avbrutna nynnande kunde höra att hon höll på att mäta upp kvällskaffet. På den tiden hade det funnits en visselpanna också, minns han. Och ett gökur, som i allmänhet bara hann slå nio innan han somnade. Egentligen var det väl ett sådant hem han hade önskat sig. Ett gammaldags fodrat bo. Det var så han hade hoppats att det skulle bli med Charlotte. Ibland *är* det så också. Har åtminstone varit det. Tidigare. Han ändrar ställning. Lägger sig på sidan. Är kluven mellan vreden och den vanliga svidande saknaden. Hon ska vara där. Hos honom.

Det är midnatt på Drejøgade, och Thomas sover – nästan – när en naken kvinna kryper ner under hans täcke, låter sina händer glida över hans heta bröstkorg, ner till magen, runt naveln och vidare ner mot hans kön, som fortfarande ligger tveksamt hoprullat. Den ena handen sluter sig om kulorna, den andra om själva lemmen, som reagerar med att förvånat och prompt resa sig som en stav i hennes händer.

"Lotte", stönar han och sträcker sig efter hennes ansikte som vilar dolt i mörkret.

"Det är jag, Maria", flämtar den nakna kvinnan och sticker in sin varma tunga i hans halvöppna mun. Och då är det redan för sent. Dessutom tror han faktiskt på att det är en dröm. Det måste det vara. Sådana saker händer inte. Inte i verkligheten.

Hon kommer snabbt, med ett klagande skri så högt att han mitt i sin egen orgasm måste lägga handen över hennes mun.

Efteråt lägger hon sig till rätta i hans armhåla och gråter. Han tröstar henne, stumt, brinnande av feber och skam.

"Jag tror att jag älskar dig", viskar hon sedan och tänder nattlampan.

"Nej, det gör du inte", säger han resolut. "Du älskar Mikkel." Och vi gör aldrig om det här igen, vi har inte gjort det och det vi har gjort har vi glömt, har han lust att tillägga. Men det skulle vara onödigt brutalt. Och helt överflödigt. Eftersom snabb glömska ligger i bådas intresse. Så måste det vara för henne också. Så han ger hennes runda arm en tryckning och gör sig fri.

"Det är bäst att du går tillbaka till vardagsrummet."

Hon nickar. Kysser honom på kinden.

"Du rådde inte för det", ler hon sedan.

Nej, just det. Han rådde inte för det.

"Du har bytt sängkläder?" utbrister Charlotte glatt kvällen därpå när hon är hemma igen. Det brukar annars vara hennes domäner. Precis som strykningen.

"De var genomsvettiga", förklarar han sittande bortvänd på sängkanten medan hon klär av sig.

Hon kysser honom i nacken. Han kan känna hennes bröst mot sin rygg.

"Är du *mycket* sjuk?" frågar hon och slickar honom i örat.

"Ja", säger han, tar hennes hand och placerar en kyss på ovansidan. "I morgon, kanske. Förlåt."

Hon ger honom en smällkyss på halsen. Drar ut resåren i kalsongerna och tittar ner på hans slaka mask. Släpper honom sedan med ett flin. "Jag måste bestämt ringa efter ambulans!"

*

Bryssel gav henne inte bara humöret utan också geisten tillbaka. Inte bara det officiella rådsmötet gick bra; det rådde också enighet över i stort sett hela fältet om att man inte skulle låta sig kuvas av USA utan hävda ett europeiskt alternativ och en gemensam utfästelse att hålla fast vid miljön som en fråga med högsta prioritet och fortsätta arbetet fram till nästa klimatkonferens. Den lilla hårda kärnan av GMO-motståndare hade inte heller låtit sig skrämmas av miljökommissionärens hot om att Europas bioteknikindustri skulle halka efter om man inte snart gav upp sin restriktiva hållning till genmodifierade organismer. Som Charlotte själv sa på presskonferensen: "Alltihop är egentligen mycket enkelt – danska konsumenter vill inte ha genmodifierade cornflakes så länge osäkerhetsmomentet är så stort. Ingen kan bedöma de ekologiska effekterna på lång sikt. Så det man kortsiktigt vinner i form av ökad livsmedelsproduktion i tredje världen kan komma att stå oss dyrt i det långa loppet." Hon och Madeleine lyckades hålla ett privat möte på Charlottes hotellrum, där den svenska miljöministern bekräftade: 1. att den svenska regeringen medvetet förhalade stängningen av Barsebäck och 2. att hennes Det gröna Danmark-vision var både realistisk och nödvändig. Och varför inte göra den nordisk, ja, med tiden till och med europeisk? Och mycket, mycket sent efter den officiella middagen hade hon lyckats smyga sig undan och ge sig i väg till de gamla aktivistvännerna i lägenheten i Ixelles, där de hade väntat på henne med mörkt Leffeöl, livejazz och det entusiastiska, lätt långhåriga engagemang som man kunde flina åt men som när allt kom omkring var högoktanigt bränsle.

Som Claes, en flamländsk veteran, formulerade det: "Emellanåt behöver vi alla påminnas om varför vi gör det här." "Varför det?" hade hon frågat, ironiskt förstås, men han lät bli att låtsas om ironin, som utlänningar ofta gör, och svarade utan omsvep: "Därför att vi älskar livet. Som den gode Guden har givit oss." Detta svar utlöste en längre diskussion om religiositet, antingen den tog sig uttryck i andlig eller världslig övertygelse. Claes ansåg att fanatism i alla former var farlig därför att den aldrig gav utrymme för tvivel. Därför hade han ständigt varit motståndare till våldsaktioner, hur enig han än månde vara i sak. Så även om han såg mycket hoppfullt på Attac var han också orolig för att balansen skulle tippa över, så att själva konfrontationen med "makthavarna", symboliserad av den stridsmunderade polisen, skulle bli målet. Detta ledde sedan till en ny hetsig diskussion, för vilka var fakta? Att man kunde tränga igenom mediamuren med hjälp av murbräcka. "Så snart du kastar gatsten mot polisen hamnar du i TV. Och även om makthavarna försäkrar att de inte låter sig skrämmas av gatans parlament *blir* de skiträdda och ändrar *därför* sitt beteende. Det är enda sättet att få eliten att se sig själv utifrån. Med folkets ögon", hävdade en ung pojke som hon inte hade träffat tidigare. Kanhända visste han inte att hon var minister och represen-

196

terade just denna så kallade elit. Själv hade hon inte deltagit i diskussionen utan nöjt sig med att sjunga ett par nummer med trion. Inte därför att hon inte hade något att säga utan därför att hon så tydligt kände att hon stod med ett ben i vardera lägret. Hon hörde varken hemma där eller här. Det var den motsättningen hon hade svårt att överbrygga, och kanske, tänkte hon när hon satt i planet på väg hem, skulle hon förr eller senare bli tvungen att välja sida. Claes, som var så mycket av en anakronism att han stickade sina egna tröjor av växtfärgat garn och därför alltid luktade svagt av får, hade följt henne ut till taxin och givit henne en kram.

"Good to see you. Det gläder mig att du fortfarande är dig själv. Not spoilt."

"Not yet", hade hon svarat, återigen ironiskt.

"You'll never be", hade han försäkrat och öppnat bildörren. Alldeles innan hon steg in och bad att bli körd till Radisson hade hon ställt den fråga som hade malt i huvudet på henne ända sedan hon läste Machiavelli.

"Anser du inte att målet helgar medlen? Under några som helst omständigheter?"

Han hade betraktat henne allvarligt ett ögonblick och sedan brustit i skratt.

"Behöver du absolution? Kära Charlotte, gör det du finner nödvändigt, så länge du inte blir cynisk. För då är allting ändå förlorat."

Don't get cynical! hade det ekat ända sedan dess. Och svaret från andra sidan dalen hade hörts lika tydligt: *Then forget politics!*

Ett dilemma som hon gärna skulle ha dryftat med Thomas, men han hade tydligt svårt att hämta sig efter sin influensa och verkade trött och ur form och på något diffust sätt svår att få kontakt med. Hon lekte med tanken på att de skulle kunna resa på semester till någon solig plats eller bara tillbringa en helg vid havet, kanske bara de två. Men när han inte verkade särskilt entusiastisk inför idén gav hon upp den och slog sig till ro med att han nog bara var vintertrött, som han själv påstod, och koncentrerade i stället hela sin energi på arbetet. Vilket också var i hög grad nödvändigt – ärendena tornade upp sig, hennes program var tight och hårt, och hon sjösatte hela tiden nya projekt som hon lät segla vidare, förutsatt att Henrik Sand inte sänkte dem vid första presentationen. Dessutom hade hon dragit i gång en våroffensiv, som primärt handlade om att bygga allianser såväl inom som utanför regeringskollektivet. Hennes strategi vår helt enkelt att underminera fronten av motståndare genom att "ställa upp dem en och en", som hon förklarade för Sand när de under ett fotovänligt studiebesök i gummistövlar vandrade ut på en ekologiskt odlad åker i ett ekologiskt hållbart landsbygdskollektiv på Djursland.

"Hur har du tänkt bära dig åt för att *ställa upp* dem?" frågade han.

"Bjuda dem på kaffe och tårta, i överförd bemärkelse", sa hon snabbt när hon såg hans min.

"Det är det ingen på Christiansborg som går på!" protesterade han. Han förstod mycket väl närkampstaktiken men ansåg ändå att den var enormt riskabel. "Det är bättre att skicka ut mig på stan och se om jag kommer levande hem!"

"Ja, men jag har presenter också!" sa hon.

"Jaså?" sa han skeptiskt och lät gummistöveln sjunka ner i den leriga plogfåran. Han skulle arbeta i trädgården till helgen, kanske plantera ett plommonträd, om inte annat så bara för att njuta av anblicken av de ljuslila krokusarna. Vintergäcken var utblommad, men tulpanerna var å andra sidan på väg upp och reste sig som saftiga spjut. "Glaspärlor?"

"För det första är det själva projektet, som varenda minister kan få ut massor av. Grön omställning är ju någonting bra, inte sant? Och, om sanningen ska fram, något som är lämpat för att vända fokus bort från den negativa dagordningen. Hur roligt är det för en regering att alltid bli förknippad med minushistorier – väntelistor för cancerpatienter, eländig äldrevård, mul- och klövsjuka och ohanterliga Vollsmosebusar? Vi kommer att framstå som panikslagna brandsläckare som låter oss jagas runt av Dansk Folkeparti. Vad tror du de unga anser om det? Tror du att det är något som får dem att ställa upp bakom de parlamentariska institutionerna, eller tror du att de ger oss fingret och kör sitt hyperindividualistiska race eller i bästa fall går med i Attac för att väcka opinion?"

Hon stannade till vid en fårinhägnad, kliade ett får mellan öronen och log mot ekobonden och hans fru som hade lyckats sänka sin energi- och resursförbrukning genom att återgå till den gamla goda tiden och samtidigt utnyttja dynamisk högteknologi. På många sätt en modern anläggning med jättevindmölla, halmeldning, internet, hemarbete och glada barn som sprang omkring i flockar mellan höns och grisar i lösdrift. Experimentet stöddes av en av ministeriets fonder; hon kände några av personerna bakom – de var även aktiva i Jyllänningar mot överflödiga motorvägar – och även om de var oroväckande nära att gå över gränsen till det fanatiska var hon både imponerad och inspirerad. Det sa hon också i sitt lilla tacktal när de satt i det gemensamma huset, byggt av återvunnet material, och åt rågbröd bakat på egenhändigt odlad säd med ost från ett närbeläget ekologiskt mejeri och hemlagad pressylta av fårkött. Kamal, den nyligen tillträdde ministersekreteraren av pakistansk härkomst, gav hela dukningen på det skurade träbordet en skrämd blick som fick Charlotte att brista i skratt och säga att hon såg att det påminde om den mörka, oupplysta europeiska medeltiden men att han lugnt kunde hugga in.

"Det är väl inte griskött i något?" frågade hon å hans vägnar och fick en lugnande huvudskakning till svar. Nej, nej! Men av de häpna blickar som utväxlades mellan värdarna framgick ändå tydligt att dessa välmenande idealister över huvud taget inte hade kunnat tänka sig att det skulle finnas en muslim med i ministerns sällskap. Kamal tog det skenbart elegant och demonstrerade sin assimilationsvilja genom att bita av snapsen.

Elizabeth Meyer skrattade när Charlotte ett par dagar senare redogjorde för episoden över en middag hemma i Meyers nya Christianshavnslägenhet, på bekvämt gångavstånd från Utrikesministeriet. Som alltid var maten beställd utifrån – sushi den här gången. Det vita köket var nytt och så ofläckat av dagligt bruk att det var som att sitta i en demonstrationslokal med den upphängda Thomson-TV:n, liljorna i den svarta lackvasen och Maria Callas strömmande ur Bang & Olufsen-högtalarna som avgörande accenter. Meyer hanterade ekvilibristiskt ätpinnarna och doppade skickligt sin tånginlindade rulle i washabi medan hon lyssnade till Charlottes välformulerade skildring av Djurslandsbyns sätt att förverkliga en politisk vision.

"Givetvis är det lättare att vara konkret i ett så tydligt och homogent sammanhang, där alla i grund och botten är överens om den allmänna riktningen. Men Danmark är ju också ett litet land, och det *måste* vara möjligt att *göra* något som leder till resultat. Varför vill de inte vara med?"

"Dina kolleger?" frågade Meyer.

"Ja! De andra!"

Meyer sänkte ätpinnarna och lutade sig fram över bordet.

"Därför att det kommer från dig. Så enkelt är det. Alldeles bortsett från att du är kvinna har du ännu inte etablerat dig i hierarkin. Därför vill de inte släppa fram dig. Det är precis som på en arbetsplats – du kommer in som den yngsta lärlingen, och innan du har hämtat öl och sopat golv och gjort dig till tillräckligt åtlöje blir du inte befordrad. Du är inte *gesäll* än. Det är beklagligt, även jag misstog mig, jag trodde att du kunde hoppa över ett par klasser eftersom vi är i så desperat behov av någon som du. Det trodde jag att alla skulle inse."

"Men då *är* det ju rena apgrottan!" utbrast Charlotte och tappade sin inlindade tonfisk. Hon kände sig alltid mer lantlig och klumpig än annars i Meyers sällskap.

"Ja, inte för att det borde komma som någon överraskning. Så har det alltid varit, och så kommer det tydligen att förbli." Meyer tog upp pinnarna igen.

"Hur fan ska vi i så fall någonsin kunna sparka liv i politiken? Det finns ju inga unga människor med ett minimum av begåvning som har lust att ge sig in i den leken!"

"Vi har ett rekryteringsproblem, ja." Meyer nickade och åt oberört vidare. Hon hade alltid haft god aptit. "Jag håller fullkomligt med om att det är ohållbart. Inte minst när det gäller unga kvinnor."

Charlotte såg på sin mentor, väntade på att det skulle komma mer. Men det gjorde det naturligtvis inte. Nu var det hennes tur.

"Okej", sa Charlotte. "Hur blir jag *gesäll*?"

Meyer tuggade färdigt, sköljde ur munnen med den kalla kaliforniska Chardonnayn och torkade sig i mungiporna innan hon svarade. "För det första genom att visa ödmjukhet."

"Inför de gamla babianhannarna?"

"Och babianhonorna. Glöm inte bort dem", förmanade Meyer. "För det andra genom att demonstrera vilja till makt."

"Är det inte en självmotsägelse?" Charlotte sneglade ner på det gula paketet med Benson & Hedges som låg på bordet. Värdinnans.

"Jo, därför är det också en stor konst som bara är få förunnad att behärska. De gamla måste uppleva erkännande och respekt från den unga uppkomlingen, förstår du. Men å andra sidan måste de också

känna att den unga har en maktpotential i sig som kan skrämma dem
så mycket att de makar på sig. Därför att de ju allihop instinktivt vet
att de förr eller senare *måste* stiga åt sidan för nästa generation. De
kommer att bli störtade en gång. Och då är det ju bäst att ha satsat på
rätt häst, så att man inte blir straffad senare."

"Ren socialdarwinism, vi kunde lika gärna vara med i Expedition
Robinson." Charlotte kastade en blick i riktning mot TV:n. Meyer
ryckte på axlarna.

"Visst, det är ganska primitivt. Men om man är förtrogen med me-
kanismerna är det ju å andra sidan lätt att komma dit man vill. Om
man, märk väl, kan engagera sig och har förmågan att väcka entusi-
asm."

"*Politik är förförelse*", konstaterade Charlotte och vände blicken
mot taket.

Meyer nickade. "Ja, självfallet. Om man inte någonstans har både
lust och förmåga att förföra kan man glömma alltihop. Men det tyck-
er jag att du har. Du är också engagerad, entusiastisk, har utmärkta
idéer och är duktig på att tolka din tid. Ödmjukheten kan du öva upp
– som jag ser det är det bara det sista du saknar …"

"Viljan till makt?"

Meyer nickade instämmande. Charlotte rynkade eftertänksamt på
ögonbrynen.

"Men det tycker jag egentligen att jag har. I princip. Jag känner mig
inte skrämd av makten?" Tonfallet blev frågande eftersom hon var sä-
ker på att Meyer som alltid hade något i sin gräddfärgade kashmir-
ärm.

"Nej, det tror jag inte att du är. Du har inte, som många andra
kvinnor, stora problem med att utöva makt, att ta på dig ledarskap.
Åtminstone inte på kort sikt. Men du måste göra klart för dig om du
vill satsa på makt på lång sikt."

Charlotte lät höra en liten ironisk fnissning när hon förstod vad
Meyer syftade på. "Du menar att jag måste bestämma mig för om jag
vill 'satsa på politiken'?"

Meyer nickade och viftade med den högra ätpinnen för att under-
stryka sina ord. "Just precis. Ett Folketingsmandat är det enda de har
respekt för. Om de tror att du bara är på gästvisit kommer du aldrig
att få fast mark under fötterna. Men om de plötsligt inser att du har

kommit för att stanna blir du ett reellt hot som de måste ta på allvar."

"Betyder inte det att de kommer att börja bekämpa mig på allvar? Om de upplever mig som ett verkligt hot?"

"Jo. Om du går in i maktkampen är det klart att du kommer att bli tacklad, omkullslagen, utsatt för lönnmordsförsök, vad som helst. Så därför ska du *eftersträva* makten så mycket att du också vill *vinna* den. Därmed blir ditt perspektiv längre. Då handlar det inte bara om dina meriter som miljöminister. Då måste du tänka längre framåt. Har du ätit färdigt?"

Charlotte nickade. Hon hade tappat aptiten. Meyer dukade av bordet, ställde in tallrikarna i diskmaskinen, kom tillbaka med ett fruktfat och en ny flaska vitt vin som hon obesvärat öppnade. Hon satte sig, tog en av sina Benson & Hedges och sköt över paketet mot Charlotte, som inte längre kunde stå emot utan för gud vet vilken gång i ordningen bröt sitt rökstopp.

"Vad menar du med att 'tänka längre framåt'?" frågade Charlotte när hon hade dragit det första djupa blosset.

Meyer skrattade överseende och viftade undan röken. "Det vet du utmärkt väl."

"Jag ska vilja bli statsminister?"

Meyer nickade. "I princip. Det ska varje Folketingspolitiker. Om man inte har en dröm om att få sitta på tronen är man felplacerad. Men det viktigaste är att du bestämmer dig för att vilja sträva efter makten inom Partiet. Du ska sakta men säkert gå in i rollen som *kronprinsessa*."

"Kronprinsessa?" upprepade Charlotte med en liten grimas. "Är det inte en sådan där platt mediafloskel?"

"Jo. Men som så ofta står den för en politisk realitet. Vem är tronföljaren? Vittrup har högst två val kvar, och om han förlorar det kommande blir det kanske det sista."

"Du själv då?"

"För många gamla fiender, förlust vid den avgörande tidpunkten. Dessutom anser jag ju att det *måste* till ett generationsskifte om vi över huvud taget ska kunna förnya oss."

"Varför skulle jag satsa på partiledarposten?"

"Därför att du är den rätta. Eller därför att alternativen inte är det. Vilket du än föredrar."

Meyer fyllde på hennes glas. "Det är precis som med kärlek, Charlotte. Visst kan man låta ett förhållande gå på tomgång en tid, men då blir det också därefter. Förr eller senare måste man ju *förplikta* sig. Annars gror det igen och övergår i likgiltighet."

Charlotte nickade ut i tomma luften. Förde glaset till munnen. Nu kunde hon förstås komma med en skruvad returboll beträffande Elizabeth Meyers förhållande till kärleken, som i varje fall i fråga om den norske kustredaren inte vittnade om någon utpräglad förmåga eller vilja till hängivenhet. Men det var kanske poängen. Att hon med tiden hade insett sina brister och lyckats rätta till dem.

"Måste jag svara nu?"

"Inte här och nu. Men det är inte ett beslut som kan skjutas upp i det oändliga. Valet blir sannolikt redan i år och så vidare ..."

"Och så vidare?"

Meyer smackade med läpparna, som hon hade för vana när hon kastade trumfkortet på bordet. "Jag har en misstanke om att Amagerdistriktet snart blir ledigt."

Charlotte lät höra en liten flämtning. "Berit?"

Meyer nickade sakta.

"Herregud, det är ju inte klokt!" utbrast Charlotte. "Har de verkligen lyckats manövrera ut henne?"

Meyer ryckte på axlarna. "Det är inte bara därför. Hon har också vissa hälsoproblem. Och så är hon helt enkelt trött. Hon vill hellre ägna mer tid åt musiken. Hon spelar cello, som du vet. Tills vidare är det konfidentiellt och bör stanna mellan oss tre."

Charlotte suckade. "Det var tråkigt att höra."

"Känn det inte så. Berit är gladare än på länge. Hon har själv föreslagit dig", tillade Meyer, reste sig, satte på vatten och kom tillbaka med en kartong Neuhaschoklad.

"Utan att någon har vridit om armen på henne?"

Meyers leende växte till sin fulla bredd. "Helt utan att någon har vridit om armen på henne. Hon tyckte du skötte dig ganska bra i Nyborg och ..."

"... har vissa mellanhavanden att göra upp", avslutade Charlotte och fimpade cigarretten i askkoppen. Holy smoke, varför sprang hon inte bara skrikande därifrån?

"Tycker du att jag bör bli statsminister?" frågar hon Thomas när hon kommer hem. Han sitter framför datorn och håller på att besvara sin e-post.

"Det måste du själv avgöra", svarar han avvisande och trycker på "skicka" innan hon hinner läsa över axeln på honom. Maria har mejlat till honom dagligen på senaste tiden. Och ringt. De har till och med träffats en gång. På en bänk i H.C. Ørstedsparken. Hon klänger sig fast vid honom med små ömma kardborrar som han inte vet hur han ska bli kvitt. Först och främst därför att han har dåligt samvete. Han har utnyttjat henne och svikit sin älskade. Sådan *är* han inte. Det är det som är så outhärdligt. Att han faktiskt är sådan. Han kan inte heller bestämma sig för om han bör berätta det för Charlotte. Innan det blir värre. Därför berättar han ingenting alls. Säger så litet som möjligt av rädsla för att försäga sig.

"Oj då." Hon smackar irriterat med tungan och drar sig undan. "Du har blivit så konstig. Det går inte att prata med dig! Vad är du sur för?"

"Ingenting", säger han och tvingar fram ett leende. "Bli statsminister du."

"Hennes betyg efter 'de första hundra dagarna' var inte så tokigt trots allt. Inte så att hennes egna precis stod i kö för att berömma henne, inte alls. Hon hade faktiskt obestridligen gjort bort sig ett par gånger – den där Afrikaaffären med Casanovakillen var riktigt dum. Avskedandet av ministersekreteraren hade också skapat visst motstånd i det egna lägret, men det var ju en intern historia som egentligen inte angick allmänheten. Bortsett från att det bidrog till att ge henne rykte som den nya isdrottningen, och så vidare. Inte så att jag på minsta sätt är rödstrumpevänlig, inte alls, fråga bara mina exfruar, men sådana där manschauvinistiska stereotyper har jag faktiskt vuxit ifrån. Så det där gjorde jag inte så mycket väsen av. Jag nämnde det ju naturligtvis, men det var inte min vinkling av henne. Jag känner faktiskt den där Jakob Krogh, och han är ingen man bör komma för nära om man vill slippa råka illa ut. Det gick också en del rykten om ett olyckligt regeringsseminarium, där hon på något sätt skulle ha gjort en osedvanligt slät figur vid ett framträdande inför plenum. Somliga hävdade att hon var indisponerad på grund av baksmälla, men egentligen rörde det sig om en kraftig influensa, såvitt jag har kunnat verifiera. Under alla omständigheter var episoden mest användbar som ett mått på hennes styrka i regeringskollektivet. Vissa av mina kolleger gjorde ner henne fullständigt; de ansåg helt enkelt inte att hon hade den ringaste chans att bli något. 'Söt men död', var det något morbida uttryck som användes borta på Pilestræde. Men 23 år som Christiansborgreporter på Ekstra Bladet tar ut sin rätt, och jag fortsatte envist hävda att hon hade något visst som man skulle akta sig för att bortse ifrån. Kalla det karisma, kalla det utstrålning, kalla det personlighet. Man måste vara både blind och döv för att undgå att se att hon hade mer av allt det där än de flesta, till och med i osedvanlig grad. Jag brukar skryta med att jag under de första två eller högst tre månaderna, ja, ibland inom de första två sekunderna, kan avgöra om ett nytt politiskt namn har *det*, som vi sa förr i tiden. Exakt vari den politiska begåvningen består är svårt att säga med säkerhet, för det krävs givetvis många olika komponenter samlade hos en och samma person. Men en riktig politiker måste åtminstone stå pall, och det kunde man kanske ha sina tvivel om huruvida hon kunde. När motståndet kom. För det stod helt klart att om hon lyckades ta sig förbi nybörjarstadiet och etablera sig så pass att hon kunde utgöra något som helst hot skulle de komma att kasta sig över henne. Både i regeringen och i gruppen. För att kunna stå emot ett sådant angrepp måste hon skaffa sig några starka bundsförvanter utöver Elizabeth Meyer – och uppbackning från Per Vittrup skulle bli helt avgörande. Efter de hundra dagarna var den frågan fortfarande öppen. Om han tänkte backa upp henne, menar jag. Så min analys innehöll många om och men, vilket annars inte är min stil. Jag brukar vara mer rakt på sak. Men jag var fortfarande fascinerad av henne, ja jösses, så det slutade med att jag skrev något i stil med att 'Charlotte Damgaard kan fortfarande hinna visa sig som fågeln med det största vingspannet om hon tillåts breda ut sina vingar'. Ja, ja. Väldigt poetiskt. Jag blev ju också till åtlöje. Fick bjuda på folketingsöl på Brydesen, såvitt jag minns."

~

Det såg ut som en tanke men var en ren slump att Charlotte satt inne hos den iranska Christiansborgstylisten och fick färgen uppfräschad med stanniol i hela kalufsen när Per Vittrup kom injäktande och frågade om han kunde få håret putsat med detsamma. Mouna utväxlade en blick med Charlotte i spegeln.

"Ja, natu'tvis", svarade stylisten servilt tillmötesgående och bad honom slå sig ner i stolen bredvid Charlottes.

"Nej, är det du?" utbrast han leende när han kände igen henne, alldeles innan han tog av sig glasögonen, så att Mouna kunde spraya håret vått.

"Inkognito." Charlotte sjönk ner i stolen under torkhuven och höll upp en damtidning som en sköld framför sig.

"Ha! Det kan du glömma allt om. Anonymitetens välsignelse. Är allt väl? Mår du bra?"

"Fint", nickade hon.

"Och barnen?"

"En släng av ögoninflammation. Annars mår de också bra."

Gudskelov frågade han inte om maken också, för då skulle hon uppriktigt sagt inte ha vetat vad hon skulle svara. Nu funderade hon allvarligt på att skicka Thomas till doktorn. Någonting var inte som det skulle med honom.

"Härligt. Charlotte, jag hade faktiskt tänkt ringa till dig. Jag har funderat på det – i samband med vårt offentliggörande av regeringens strategi för en hållbar utveckling skulle jag inte ha något emot om du luftade några av dina goda idéer."

Mouna började klippa men hade mentalt lämnat lokalen. De kunde tala fritt. Annars skulle hon inte ha något jobb kvar.

Charlotte rynkade ögonbrynen. "Jag förstår inte riktigt. Det är väl inte jag som ska presentera den där strategin?"

"Nej, det gör jag själv, biträdd av ekonomiministern. Eller tvärtom, höhö. Just för att understryka att det är ett samlat regeringsinitiativ. Men trots den något tuffa behandling du fick utstå i Nyborg är jag övertygad om att du har hittat någonting. Vi måste gå ännu längre. Jag anser att vi har folkligt stöd för det."

"Är jag fri att säga vad jag vill?"

"Inom de gränser du själv känner till."

"Och jag blir inte anklagad efteråt för att vara illojal och så vidare?"

Han skakade på huvudet och satte på sig glasögonen igen. "Du har mitt ord."

Timern ringde, Mouna ursäktade sig inför statsministern och tittade till hennes hår.

"Tio minuter till", konstaterade hon och satte klockan. Sedan fortsatte hon med klippningen, nu på den sida som vette mot Charlotte, så att sikten mot spegeln blockerades och ögonkontakten mellan de båda kunderna bröts.

Charlotte kände på den menstruationsfinne som ömmande höll på att bildas på hakan.

Hon skulle skicka upp en provballong. Var det för att den skulle skjutas ner? Och hon själv på samma gång? Precis som på seminariet, då han inte heller precis hade trätt fram som det understödjande kavalleriet. Eller menade han väl? Skulle hon uppfatta det som en befordran? En dubbning till riddare?

"Nå?" frågade han när sikten åter blev fri.

"Intervju eller kommentar?"

"Intervju. Och gärna en stor bild. Det fungerar bäst."

"Okej. Vad sägs om Politiken?"

"Utmärkt", sa han och böjde på huvudet när Mouna maskinklippte håret i nacken.

Kanske borde han fundera på att få med henne i regeringens finansutskott. Även om det var litet väl tidigt. Men Meyer hade, än en gång, rätt. Som hon hade påpekat under deras lilla promenad på Nyborg Strand – de hade inte råd att slösa med talangerna. Frågan var naturligtvis bara om Charlotte Damgaard var den enastående talang som Meyer påstod. Det tyckte han att hon var skyldig att bevisa.

★

Hon gjorde det hon skulle. Backade snyggt och prydligt upp regeringens förslag till hållbar utveckling men såg till att sätta litet bete på kroken åt den Politikenjournalist som hon hade utsett till budbärare. Som alla journalister fiskade hon efter mer uppgifter när Charlotte som i förbifarten nämnde att "hon personligen hade mer vittgående funderingar".

"Råder det oenighet inom regeringen?" frågade journalisten hoppfullt i telefon.

"Oenighet och oenighet, det är nog en tolkningsfråga", lockade Charlotte och lovade att ge henne hela historien, med ensamrätt, om hon i gengäld fick löfte om en snygg artikel i den kommande söndagens tidning.

Journalisten, ung och nyanställd, svarade beredvilligt att hon skulle se vad hon kunde göra. Byteshandeln slutade efter ett besök på redaktionen med att Charlotte gick med på att bli flyttad till söndagsbilagan

LIV & STIL, där hon skulle vara beredd att ställa upp på stylad fotografering och "personliga frågor".

Henrik Sand avrådde på det bestämdaste från att ställa upp på "sådana där poppiga jippon". Inte därför att han underskattade värdet av att ministrar nådde en bredare publik utan därför att han inte ansåg att det var rätt tillfälle.

"Mode och miljö, det hänger inte ihop!" protesterade han.

"Henrik Sand, du håller på att bli en gammal stöt!" sa Charlotte.
"Mode och miljö hänger visst ihop. Varför det? Därför att det handlar om att uttrycka attityder och identitet."

"Ej uppfattat", mumlade han argt.

"Förstår inte ni heller?" frågade hon Louise och Kamal, som satt med runt soffbordet.

De nickade samstämmigt.

"Om hållbarhet ska göras till ett så kallat folkligt projekt måste man precis som inom modet kunna uttrycka sig individuellt i förhållande till den hållbarhetspraxis man utövar", förklarade Kamal, vilket inte verkade göra Henrik Sand särskilt mycket klokare.

"Så om ministern fotograferas på cykel i gummistövlar med en höna under armen kommer våra samlade koldioxidutsläpp att minska?"

"På sikt", log Charlotte retsamt. "Det kallas för RE-KLAM! Skapades i och med tidningarnas ökade utbredning på 1800-talet och har från att ha varit inriktat på varuförsäljning … hm …"

"… utvecklats till att också främja politiska åsikter och ideologier", fortsatte Louise Kramer. Charlotte brast i skratt, Louise skrattade med, till och med Kamal flinade ljudligt, och till slut stämde även Sand in.

"Okej, jag är en gammal stöt. Gör som ni vill."

När artikeln publicerades tvingades Henrik Sand till och med medge att hon hade haft rätt. Hon lyckades framstå som på en och samma gång vardaglig och hipp i en bildserie som visserligen var tagen i Christiania men som inte hade minsta antydan till bäst före-datum över sig. Och hon var till och med fiffig nog att utnyttja några av fristadens mest anslående scenerier för att förmedla hur hennes vision om Det gröna Danmark skulle kunna se ut, utan att skrämma livet ur de danska kälkborgare som det oavsett politisk åskådning fanns flest av. Hon talade om "Det goda livet", om äppelträd och vindmöllor, cykelutflykter och hönshållning, om ett nytänkande inom politiken "så att den kommer att handla om det som betyder något för oss. Om det som gör oss lyckliga, det som får oss att känna oss levande, antingen det gäller barnen, kärleken eller forsythiabuskarnas gula blomsterprakt". Mycket medryckande, det måste han medge. Och om läsarna tyckte som han skulle de också anse att regeringen naturligtvis borde stödja hennes plan genom att åtminstone gå i täten och visa att "hållbarhet bara är ett färglöst ord för att återerövra regnbågen". Femstjärnigt nonsens, som han svalde med viss hjärtklappning, men även det slank ner tillsammans med receptet på surdegsrågbrödet, tack vare att hon i sanningens namn också lyckades föra fram ett antal hårda, relevanta fakta. Som hon suveränt fäste uppmärksamheten på i Søndagsmagasinet, där hon samma kväll var med i ett långt inslag om "Det gröna Danmark". Visserligen hade han själv varit inne och arbetat hektiskt i den vackra aprilsolen för att tillsammans med henne gå igenom planens sakliga innehåll, så att hon inte skulle behöva uppleva ett dacapo av det med tiden legendariska Nyborg Strand-seminariet. Kamal följde med henne ut till TV-staden, så att hon fick den nödvändiga uppbackningen. Men det var hon själv som genomförde metamorfosen från att vara brödbakande ekofantast till att framstå som stringent, seriös minister med en mycket realistisk vision. Det gröna Danmark, ja, naturligtvis. En självklar idé som måste vara rena gåvan för både Danmarks Turistråd och Jordbruksrådet.

Så snart hon hade varit i rutan ringde han upp henne.

"Du var jävligt bra!"

"Tycker du?" frågade hon, så att han kunde se hennes speciella, generade leende framför sig.

"Yes. Och jag *är* en gammal stöt."

"Ja, men jag kan inte undvara dig", skrattade hon.

"Inte än", svarade han och hällde upp en liten calvados. Här skulle firas. Hans ministers första riktiga seger. Inget tvivel om den saken. Han kunde rent av höra hur de grämde sig, hennes motståndare. Ända upp till Virum kunde man höra deras tandagnisslan.

"Vad är det som är så lustigt?" frågade hans fru, som hade kommit in från keramikverkstaden och nu tog glaset ur hans hand.

"Å, det är bara de gamla stötarna", sa han och kände på nytt hur det ryckte i mungiporna. "Hur går det med glasyren?"

"Uruselt", suckade hon och tog ännu en klunk ur hans glas. "Jag kan inte få till den rätt."

"Ibland är det nyttigt med litet motstånd", sa han och lade armen om henne. "Vill du inte ha en egen?"

"Jo", sa hon och tryckte sig intill honom. Mmm. Kärlek och forsythiakvistar. Det var inte helt fel. Att det var det rätta.

*

Det är en av de bättre måndagarna. Åtminstone börjar den så. För det första ringer Vittrup himself upp på morgonen på hennes mobiltelefon när hon för en gångs skull cyklar med ungarna till dagis. Litet klumpigt blir hon tvungen att stanna vid sidan av cykelvägen, där hon riskerar såväl sitt eget som sina barns liv i strömmen av framsusande medcyklister. Några ger henne en förstående blick när de känner igen henne, andra är så inne i sitt eget tempolopp att de skulle ge henne fingret om hon så var drottning Margrethe. Lyckligtvis är hans budskap kort; han vill bara berömma henne för hennes TV-framträdande, som hon tacklade både "snyggt och kompetent". Å, tackar. På kontoret känns stämningen också vänligare än på länge. Inte så att hon har upplevt att de är uttalat emot henne, men en viss reservation har kanske bitit sig fast. Där finns också många positiva mejl, bland annat från Sofie och Christina Maribo, som båda anser att hon var "suverän!" och oberoende av varandra kräver att det snart ska bli möte i Caffè latte-klubben. De har annars inte varit särskilt ivriga att ha alltför täta förbindelser med henne på sistone. Men de har ju båda två haft händerna fulla med sitt, Sofie med sina envisa och upprepade påminnelser om att flyktingströmmarna kommer att växa vare sig vi gillar det eller ej, och Christina med sina impopulära uttalanden om att fäderna bör åläggas att ta ut en del av barnledigheten om den ska utvidgas. Det är något som kan reta gallfeber på oppositionen, eftersom det naggar på familjens okränkbara rätt att "själv bestämma".

"Lustigt nog bestämmer 'familjen' normalt att det är modern och inte fadern som ska göras till lågbetald tillfällighetsarbetare på arbetsmarknaden", replikerar hon hetsigt under en av gruppdiskussionerna, där meningarna också går isär. Charlotte har stöttat Christina, självfallet, men om hon egentligen håller med vet hon inte. Har i varje fall svårt att hetsa upp sig över jämlikhetsproblematiken, som hon egentligen uppfattar som med tiden ganska överspelad. Hon uppskattar emellertid Christinas mod att envisas och ta strid. Så okej, hon mejlar tillbaka till dem båda två att de absolut snart måste ses. Kanske i veckan? Även Lonnie, LO:s vice ordförande, har skickat ett "fanmail", som hon kallar det. "Är eld och lågor över din vision, vi kunde kanske hitta på något, slå mig en (diskret) signal så att vi ev. kan träffas över en lunch." Svend Thise, Socialistisk Folkepartis miljöordförande, mejlar inte men är också diskret. Han ringer och föreslår utan vidare att de ska träffas samma dag.

"Omöjligt", säger hon med en blick på kalendern. "Kan vi inte ta det i telefon?"

Han skrattar dämpat. "Jag ringer från en öppen linje."

Hon stönar. "Du har varit för länge på Christiansborg! Ni tror banne mig att ni spelar med i något slags politisk thriller!"

"Gör vi inte det?"

Det slutar med att hon klämmer in honom mellan sex och halv sju, då hon egentligen borde ha varit hemma och givit ungarna en kram innan hon ska tala om hållbar utveckling på Teknologirådets representantmöte.

Som alltid när hon har framträtt i TV börjar journalisterna ringa för att få sina egna vinklar. Hon tycker att det är att koka soppa på ett redan avgnagt ben, men hon ställer upp och lyckas låta lika entusiastisk när hon för femte gången måste förklara för en journalist, den här gången från JydskeVestkysten, att det är möjligt att företa en nationell omställning mot ett i princip ekologiskt och hållbart samhälle. De flesta är hövliga och lätta att göra tillfreds, men sedan får hon sin specielle vän från Jyllands-Posten, Thor Thorsen, på tråden.

"Hej, Thor", säger hon och himlar med ögonen i riktning mot Kamal och Louise, som håller sig beredda i närheten. "Så trevligt!"

Men de har inte hunnit långt in i sitt samtal förrän det inte är det ringaste trevligt längre. Thor Thorsen är inte bara kritisk på gränsen till tvärilsk. De frågor han ställer till henne är praktiskt taget identiska med dem hon blev bombarderad med under seminariet. Medan hon mimar bestörtning till sina sekundanter svarar hon lugnt och behärskat på frågorna en efter en, upprepar några av dem så att Sand, som också har blivit tillkallad, hinner klottra ner de fakta som hon själv skulle kunna vara osäker på. Thor däremot låter mer och mer förbittrad allteftersom hans lista närmar sig slutet; det är uppenbart att han inte själv är kapabel att lägga till fler frågor, vilket stärker misstanken om att han går någon annans ärenden. Men vems?

Till sist kastar han ett hemgjort trumfkort på bordet.

"Vad gör en miljöfanatiker och ekofundamentalist i ett parlamentariskt system? Hör du egentligen inte hemma ute bland extremisterna? De som vill störta demokratin?"

"Vilka tänker du på?" frågar hon, tvingar sig fortfarande att låta vänlig och tillmötesgående.

"Attac, Djurens befrielsefront, Grön gerilla eller vad de nu heter allihop?"

"Jag har aldrig hört talas om några som kallar sig Grön gerilla, och dessutom måste jag säga att jag anser din fråga inte bara oförskämd utan också absurd."

"Är det ditt svar?"

"Ja, Thor, det är mitt svar. Något annat?"

"Inte för i dag", avslutar han med ett tonfall som gör att hon nästan kan se den tillfredsställelse med vilken han stänger av sin bandspelares röda "record"-knapp.

"Ansjovispitt", utbrister hon när hon har slängt på luren. "De är ute efter något", säger hon sedan vänd till Sand.

Han nickar.

"Har du aldrig hört talas om en grupp som kallar sig Grön gerilla?" frågar han sedan.

"Nej!" protesterar hon, men sedan minns hon och sätter handen för munnen. "Jo, fan också! Jag fick ett flygblad stucket i handen för inte så länge sedan, av en ung flicka som jag känner igen hemifrån. Vart vill de komma med det?"

"Det behöver inte betyda något. Det kan vara en ren tillfällighet."

"Ska jag ringa tillbaka och säga att jag känner till dem?"

Sand skakar på huvudet. Kamal svarar: "Då verkar det som om du har haft något att dölja."

Hon kastar huvudet bakåt. "Det är så man görs till lögnare inom politiken!"

"Nej, nej", säger Louise. "Du görs 'otrovärdig'."

"Är det bättre?" frågar hon och reser sig från skrivbordsstolen, kastar en blick ut genom fönstret över Højbro Plads, som mannen med Nettopåsen just korsar. Det är inte samme, troligtvis hemlöse man hon ser varje gång. Men av någon anledning tycker hon att hon alltid får syn på en nedgången man med en gul Nettopåse när hon helst vill se något annat. Blomsterståndet, till exempel.

"Nej, det är mycket värre." Louise låter höra ett sataniskt gnäggande skratt. Charlotte smackar med tungan. Kamal har rätt, Louise har ganska sjuk humor för att vara en så söt flicka.

"Hur går det förresten med vattenproverna från Kristen Kristensen?" frågar hon och vänder sig om.

Henrik rycker på axlarna. "Jag ska kolla upp det."

"I dag?"

"I dag."

"Det har väl inte kommit fler brev?"

Louise skakar på huvudet. Kamal tittar oförstående på sin kollega.

"Kristen Kristensen?" frågar han sedan. "Jo, jo, det kom ett par brev i förra veckan. Om ni menar den där token på Nordjylland?"

Louise väntar sig ett utbrott, har redan dragit in luft för att försvara sig. Förlåt, det är ett misstag, Kamal har inte fått instruktioner.

Men Charlotte nöjer sig med att sänka rösten en oktav, så att den blir dov och uttryckslös. "Kamal, alla brev från Kristen Kristensen ska in på mitt bord. Vill du hämta dem? NU?"

Kamal fuktar sina vackra, fylliga läppar. Hans sviskonbruna, mandelformade ögon söker hjälp hos Louise, förgäves. "Jag är rädd för att de har arkiverats lodrätt."

"Har du läst dem?" frågar Charlotte, vit kring näsan.

Kamal skakar på huvudet. "Inte i deras helhet. I instruktionerna från min företrädare stod det uttryckligen att brev från en rad namngivna personer, däribland Kristen Kristensen, skulle direkt i papperskorgen ..."

Henrik Sand tuggar på kulspetspennan. "Vad menar du med 'instruktioner'?" frågar han.

"Ja, alltså, Jakob Krogh skickade mig ett mejl där han önskade mig lycka till med jobbet och drog igenom arbetsrutinerna." Kamals ögon flackar osäkert från den ena till den andra.

"Har du det där om Kristen Kristensen i skrift?" frågar Charlotte, mjukt som en panter framför ett antilopkid.

Han skakar på huvudet. Svettpärlor har brutit fram ovanför överläppen. "Nej, det var något han tillade muntligt, i telefon. När jag ringde för att tacka honom för hjälpen."

Charlotte gömmer ansiktet i händerna. Utstöter några obestämbara, halvkvävda ljud som för ett ögonblick får dem att tro att hon har brustit i gråt.

Sedan tar hon bort händerna och släpper fram ett vantroget skratt. "Han är fanimej avancerad, Jakob Krogh. Kamal", säger hon sedan och håller ett sträckt pekfinger alldeles framför näsan på honom. "Du har, för att säga det på ren danska, blivit rövknullad. Och det har jag också. Håll dig borta från honom *helt och hållet*. Och nu, mina damer och herrar, tror jag det är dags att sätta på säkerhetsbältena. Vi är på väg in i ett område med kraftig turbulens."

*

När nyheten om att en grupp miljöaktivister under namnet "Grön gerilla" har trängt in hos körsnären Birger Christensen på Strøget, där de utan att bli gripna har lyckats sprutmåla "MORD" med rödfärg på pälsar till ett värde av "ett sexsiffrigt belopp", går ut via Ritzau och når radions nyhetsredaktion är Jyllands-Postens Christiansborgsredaktion redan på hugget. Thor Thorsen har pålitliga borgerliga källor överallt. Nu saknar han bara bevis för en länk mellan extremisterna och miljöministern. Han är själv övertygad om att den finns. Och har så gott som lovat Viby historien. Om inte i dag så senare. Inte minst för att bevisa inför den unge chefredaktören med den höga etiska profilen att han inte är den korrupta usling han håller honom för. Någonstans vet Thor Thorsen naturligtvis mycket väl att en journalist i princip bör vara neutral och absolut inte får låta sig styras av sina känslor. Men han hatar den röda, stroppiga slynan av hela sitt fördärvade hjärta, och om han kan bidra till att få henne avsatt, ju förr desto bättre, ger han blanka fan i pressetik och chefredaktörens finkänslighet. Det finns faktiskt något som heter självförsvar. Det är ju också därför han är på Jyllands-Posten och inte på Politiken, i vissa islamistiska kretsar kallad *Judetidningen*.

De hinner bara vara där i tjugo minuter innan det blir outhärdligt för Cat. Hon kan inte få luft, känner ett tryck över bröstet, halsen snör ihop sig. Idén var annars okej – att våldgästa Teis fars fina Hellerup-villa, där inga snutar skulle få för sig att leta efter dem. Fadern och hans nya fru är med sin snorunge på Tobago, så de kan ha hela kåken för sig själva i minst en vecka. Grannen, som skulle komma och ge katten mat och vattna krukväxterna, har Teis lyckats göra sig av med, så kusten är klar. Teis går omkring och förevisar som om han var någon jävla fastighetsmäklare, kan inte dölja sin stolthet över sällskaps-rummen i fil, den vita flygeln, det nya köket och hela våningsplanet med sovrum och två badrum, det ena med jacuzzi. Rosa är svimfär-dig av förtjusning: "Gud, så stort det är! Det är ju som ett helt jävla slott!" tjuter hon på adrenalinkickens efterdyningar. Även de andra i gruppen, uppvuxna i splittrade kollektiv, skilsmässolägenheter och grupphusområden i landsorten, flippar ut inför överdådet av Bang & Olufsen, designmöbler, mattor, tavlor och en smak så stinkande god att hon inte har sett något liknande sedan barndomen. Men det är inte föraktet för den borgerliga medelklasslyxen som ger henne klaus-trofobi. Det är de små sakerna. De gamla tidningarna, skolschemat på kylskåpsdörren, krassen i fönsterkarmen, kattlådan, de kringsläng-da kinatofflorna i hallen, karamellburken i bokhyllan, böckerna och nothäftena, Schumann, på flygeln. Och så den där lukten som sticker i näsan och får det att svida i ögonen. Lukten av *hem*. Av familj och av pappa, mamma, barn.

"Kapitalistsvin", fnyser hon föraktfullt. "Jag drar."

"Hallå där", ropar Teis och griper tag i henne. "Vart är du på väg? Hela stan vimlar av snutjävlar!"

Hon rycker på axlarna. "Då ger jag mig i väg från stan."

"Och vi då?" frågar han.

"Stanna ni bara. Jag ringer", säger hon och ger honom ett likgiltigt ögonkast.

"Okej. Och nästa aktion?"

"Den kör vi som planerat. Vi hörs."

"Cat", säger han sedan och håller henne tillbaka. Borde tigga och be henne om att stanna kvar. Det skulle också vara klokast. Men sedan hör han Rosa skratta uppsluppet på övervåningen och ropa att hon tänker ta ett bad, och då ger han efter för sin åtrå, som han genast maskerar som förnuft. De behöver en paus, han och Cat. På något sätt går hon honom på nerverna. Av bara den. Som nu, när hon ser på honom med sin uppspärrade, nästan brinnande blick, som om hon försökte suga ur honom allt.

"Skitschysst aktion", säger han och släpper henne. "Kanon att de inte fick någon av oss."

Hon nickar. Kanon.

Han böjer sig ner och ger henne en snabb kyss på kinden, på det ställe där födelsemärket är som mest lila. Kanske inser han inte ens själv att det är för att få syndaförlåtelse. På samma sätt som han inte heller har någon aning om att hennes tårar börjar rinna när hon vänder ryggen mot honom och spatserar ut genom ytterdörren.

"Var rädd om dig", säger han efter henne.

Så snart dörren har slagit igen och han har räknat till hundra vänder han sig om och går med lätta steg genom korridoren. "Rosa", ropar han uppför trappan, "jag vill bada jag också!"

*

Strax före mötet med Svend Thise får hon svaret från Nordjyllands Amt. Överlämnat av Henrik Sand personligen, för även där har det gått grus i maskineriet.

"De blev litet sura där uppe när vi stötte på", inleder han.

"Varför det?" frågar hon och rullar bort från skrivbordet så att hon kan lägga det ena benet över det andra.

"Därför att de hade svarat för länge sedan. Så jag fick ge mig ut och leta och hittade mycket riktigt svaret hos Miljøstyrelsen."

Hon rätar på ryggen, lutar sig fram över skrivbordet, vilar armbågarna på laptoplocket och skakar på huvudet medan hon stirrar på honom. "Och varför har det inte kommit hit? Är det obstruktion eller bara rent slarv?"

"Det sistnämnda. Antar jag. Jag ska nog se till att nypa rätt personer i örat. Nåja, svaret är att provet är negativt. Man har inte kunnat påvisa glyfosat i Kristen Kristensens vattentäkt."

"Det var ju bra", säger hon och gnuggar sig i ögonen. "Och de tvekönade grodorna och missbildade grodynglen och allt det där?"

"En statistisk slump. Eller också misstar han sig. Vad vet jag, jag är inte biolog."

"Det är inte jag heller. Fast nog är det märkligt ..." säger hon rakt ut i luften.

"Vad är det som är märkligt?"

"Att jag är säker på att mannen har rätt."

"Därför att Jakob Krogh helst ska ha fel?" frågar han.

"Därför att ..." börjar hon men ändrar sig. Det finns ingen anledning att berätta för Sand om hennes mycket personliga förhållande till medborgare Kristen Kristensen. Nu när det visade sig inte vara någonting, dessutom.

"Jag skriver till honom", bestämmer hon sedan. "Han har rätt till ett anständigt bemötande", tillägger hon och täpper till munnen på Sand innan han hinner protestera.

"Och nu får jag besök av Svend Thise", säger hon i riktning mot Georg Jensen-klockan på skrivbordet. "Vad ska jag säga till honom?"

"Vad vill han?"

"Don't know. Så jag kanske helt enkelt ska låta honom ta initiativet?"

Han nickar och rör sig i riktning mot dörren. "Jag håller mig i närheten."

"Klockan är sex! Jag har koll på talet till i kväll, så gå hem med dig, vet jag!"

Henrik Sand vill inte hem. Men det vill sekreteraren gärna. Charlotte ler mot henne när hon ställer ifrån sig kaffebrickan på soffbordet. Får faktiskt också ett pliktskyldigt leende tillbaka. Vilket bara nödtorftigt skyler att förhållandet mellan dem båda är en smula ansträngt. Exempelvis skulle sekreteraren bli småsur om hon visste att det nybryggda kaffet inte skulle bli rört. För Svend Thise vill nämligen gärna ha ett glas vin.

"Vin rimmar på svin", vitsar hon när de lyfter glasen.

"Ja", säger han och visar ett par djupa smilgropar i skägget.

"Det är väl det vi ska prata om, utgår jag från. Ert förslag till svinstopp."

Han nickar. "Det är inte helt galet. Men jag tycker att vi ska tala om Det gröna Danmark också. En riktigt bra vision", säger han er-

218

kännsamt, "som vi inom Socialistisk Folkeparti gärna vill backa upp."

"Varför det?"

"För miljöns skull. Vi har ju själva i åratal arbetat hårt för en 'grön omställning', som du vet. Tyvärr ville ni ju inte vara med om att driva igenom en 'klimatfinanslag' i fjol, men det kanske kan bli i år …"

Hon rycker på axlarna. Han kan vara omständlig, Svend Thise. Så omständlig att man kan missta sig och tro att han är långsam också i alla andra avseenden.

"Så därför?"

"Vill vi gärna bidra till att det blir någonting av den vision du har gått ut med. Eller att den åtminstone diskuteras. Småfåglarna viskar ju om att du kan få svårt att hitta stöd bland era egna."

"Vad är det för småfåglar?"

Han ler kryptiskt. "Å, du vet, om man lägger örat intill vattenledningarna borta på Borgen hör man ett och annat."

"Okej. Vad hör man?"

"Att både planen och ministern bakom den helst bör dö en stilla död …"

"Söt men död." Hon gör en grimas.

"Någonting i den stilen, ja. Men sedan tänkte jag att om jag lyckas samla ihop litet folk så skulle vi ju kunna hålla diskussionen i gång så pass länge att det blir pinsamt om du faktiskt blir utmanad av dina egna. Om du förstår …"

"Jag förstår." Det rycker i hennes mungipa. "Och det är du villig att göra för min skull, helt gratis och utan baktankar?"

"Ha, ha." Han skrattar. "Ja, låt oss säga så här, att om jag borstar din rygg …"

"… så borstar jag din!"

"För den goda sakens skull", nickar han med en glimt i ögonvrån, "skulle det nog inte vara så dumt att vi båda slog våra påsar ihop."

"Det är svinstoppet vi talar om?" konstaterar hon. "Er hjärtefråga? 'Stopp för utvidgning och nyetablering av svinfarmer'?"

"'… till dess att utvärderingen av vattenmiljö II är gjord, ammoniakhandlingsplanen är godkänd och man har utarbetat och antagit en plan för biologisk mångfald.' Du kan lika gärna ta med hela klabbet, du har ju själv varit med!" flinar han med en anspelning på hennes förflutna som miljöaktivist, då hon som ordförande i Naturens vänner var självskriven medlem i Svend Thises stödgrupp.

"Personligen instämmer jag i resonemanget." Hon nickar ut i luften. "Något drastiskt måste göras, och jag *vill* också gärna göra något. Det måste bara vara det rätta, vid rätt tidpunkt."

"Och?" Han kliar sig i skägget och för glaset till munnen.

"Jag saknar ett tillfälle. En anledning att ta upp saken."

"Den kommer säkert, alldeles av sig själv. Vi är uppe i 25 miljoner slaktsvin nu, kväveutsläppen är redan alarmerande höga, och om det fortsätter på samma sätt kan vi glömma allt om levande fjordar, åar och vattendrag. Bottenfisket i Limfjorden är slut, där finns varken flundror eller rödspättor längre."

"Säg det till min svåger", säger hon och skjuter tobaksskrinet mot honom. "Han är svinbaron på Mors och anser att det bara är en av naturens nycker att fjorden flämtar efter luft."

"Mariager Fjord har ju blivit dödförklarad, och de andra fjordarna där uppe är i farozonen. Ytterligare en sommar med vindstilla och varmt väder, och sedan har du ditt tillfälle. Vi håller på att drunkna i gödsel. Det måste de väl själva kunna inse, de där svinbaronerna. Det har ingenting med lantbruk att göra. Det är rena industrin!"

Han låter höra en harmsen fnysning och lämnar tobaken orörd.

"Hur går det med ditt lilla småjordbruk?" frågar hon.

"Riktigt bra!" Han skiner upp. "God tillväxt, inga sjukdomar. Om jag inte hade mina små nassar att åka hem till skulle jag säkert bli tokig av den här cirkusen!"

En skugga glider över hans ansikte, lägger sig i fåror och rynkor och får honom att titta ner. Charlotte noterar det, smuttar tyst på vinet, känner på sig att detta inte är rätt tillfälle för något korsförhör. Men hon vet ju att Svend Thise sitter trångt till i gruppen, där fåren just nu håller på att skiljas från getterna. I den interna kamp mellan förnyare och traditionalister som har rasat på senare år har han som gruppledare försökt hålla sig utanför, utgöra den neutrala mittpunkt där de andra kan mötas. Vilket ironiskt nog har lyckats så väl att de båda flyglarna nu salomoniskt kan enas om att det är Svend Thise själv som är problemet.

"Svend", säger hon när Kamal sticker in huvudet för att signalera att hon ska göra sig redo för avfärd, "det här var väl ingen officiell politisk förhandling som du måste redovisa i gruppen?"

"Charlotte", säger han och ställer ifrån sig glaset. "Det är väl jag som är en gammal garvad Christansborgsråtta, eller hur?"

"Jovisst", skrattar hon och följer honom till dörren. "Du kommer obeväpnad?"

Han nickar. "Har vi en överenskommelse då?" säger han med handen på dörrvredet.

"Oss båda emellan?"

"Mig kan du lita på", säger han och trycker hennes hand. Ett yttrande som hon för en gångs skull tar på orden. Om man inte kan lita på Svend Thise kan man inte lita på någon.

★

Två medelålders, för att inte säga äldre män träffas på en pissoar. En frän lukt av jäst urin stiger ur rännan när de var för sig låter strålen, den ena med litet mindre tryck än den andra, skvala mot stålet.

"Jaha", säger den ene, vars buk hänger så långt ut över byxlinningen att han inte längre kan se sin lem. "Det är väldigt vad hon går på, den goda miljöministern."

"Ja, ja", säger den andre och skakar av. "Ju högre man flyger..."

Denne man är jordbruks- och livsmedelsminister. Den andre, som står och fumlar med blixlås och knapp, är trafikminister. Efter mötet på pissoaren kommer de överens om att ta en öl på flygplatskafeterian. Den ene ska till Ålborg, den andre till Karup. De hatar inte Charlotte Damgaard. Men de älskar sin tillvaro. De kan inte inse varför det ska petas på den. De kan inte heller inse vad hon ska vara bra för. Att en ny Vilstrupundersökning visar att hon har fått ett markant ökat stöd bland välutbildade kvinnor i städerna kan inte rubba deras världsbild. Det är nämligen inte sådana väljare det finns flest av. Och om danskarna var så mycket för det där ekologitramset kunde de ju köpa litet av den ekologiska mjölk som det inte finns någon avsättning för utan som i stället måste säljas som helt vanlig konventionell extraprismjölk. Och om de var så entusiastiska för kollektivtrafik kunde de ju låta bilen stå. Det kan inte tjäna något till att dra ner den heliga munkkåpan över huvudet på den danska befolkningen. Det förstod Søren Schouw. Om vilken mycket kunde sägas. Men han hade ett utmärkt förhållande till både jordbruket och motorägarorganisationen.

Till och med till Jyllands-Posten. Och det bör man inte underskatta om man har ambitionerna att vinna ett socialdemokratiskt val på Jylland. Det vet de båda allt om. Och ärligt talat oroar de sig starkt för om de ska bli omvalda. Det var på håret senast, och om Vittrup inte snart lyckas ta ett fast grepp om tyglarna är det mer än sannolikt att de båda två inom ett knappt år kan kalla sig *f.d. minister.* En sällsynt trist titel.

*

Om hon någon gång kom att skriva sina memoarer skulle denna aprilmånad antagligen komma att framstå som den mest sprudlande och löftesrika under hennes karriär som miljöminister. För det första hade hon fått genomslag i media för en idé som var så färgstark att den kunde tränga undan "Afrika". För det andra upplevde hon en överväldigande folklig respons – från alla håll och kanter kom mejl och brev från institutioner, företag och privatpersoner som ville vara med eller bjöd in henne till paneldebatter eller visionsaftnar. Danmarks Designskole drev till exempel ett ekomodeprojekt och frågade om hon ville ställa upp som mannekäng på sistaårselevernas avslutningsshow, Kooperationen ville gärna ha henne med i en brainstorming om "Det goda livet", en dokumentärfilmsregissör ville följa henne i ett halvårs tid, en skolklass på Bornholm skrev att det var bra att hon gjorde något för att "rädda jorden". Och så vidare. I partigruppen började också några sprickor av välvilja visa sig i den massiva frontmur hon tidigare hade stått inför, och även om Søren Schouw och Susanne Branner, partiets egen miljöordförande, försökte förhindra det ägnades en hel del tid åt att diskutera visionen, som inte omedelbart blev sågad. De tidigare så stridbara regeringskollegerna hade svårt att acceptera omsvängningen, men eftersom Vittrup nu tydligt sa ifrån att han ansåg att alla borde ta visionen så seriöst att de gick hem och tänkte över saken för att senare komma tillbaka med konkreta förslag, avhöll de sig från att fortsätta där de senast hade släppt henne. Med tänderna i hennes hull.

Hon tog emot flera av de fackföreningskvinnor som oberoende av varandra erbjöd ett samarbete. De erkände utan omsvep att den gammalmodiga socialdemokratiska från-vaggan-till-graven-fackföreningen snart skulle kunna beställa en "enrummare på Arbetarnas likkiste-magasin" om man inte "snabbare än en entreprenör kan skriva ut fakturor" lyckades hålla jämna steg med sina medlemmar. "Vi har ju blivit hypermobila allihop, så det måste vi vara med att erbjuda indi-viduella lösningar på gemensamma problem också. Däribland hur man får ett bra liv om man går på A-kassa och är ensamstående mamma i Esbjerg med en självaktning hög som en rödspättafilés", lät det med den robusta slagfärdighet som alltid hade varit arbetarkvin-nornas kännemärke. Deras intresse för hennes projekt var just att "skapa ett samband mellan det avlägsna och det nära, så att miljöfrå-gor också kommer att handla om vilka kemikalier våra barn stoppar i munnen, om våra medlemmar ska dö i förtid eller vara nedslitna och förbrukade när de är 42". Vidare hade de uppfattningen att man här kanske äntligen hade ett tema som kvinnorna kunde entusiasmeras att engagera sig i. Samma budskap kom från en av de kvinnliga social-demokratiska borgmästarna från västra delen av landet, som var eld och lågor för "hållbarhetstanken för vardagsbruk". Hennes kommun riskerade att slamma igen i elände, både invandrare och danskar fast-nade alltför lätt i ett utanförskap där man bara kunde spegla sig i varandras armod. "Här kan man tala om slöseri med resurser! Inte ens de unga har någon tro på framtiden längre. Och kvinnorna – de går där i gettot utan att producera ett skvatt och vet knappt var de befinner sig. Dem måste vi fånga upp, de där mödrarna, de har *så* stor potential om de bara får möjlighet att visa det!"

Charlotte var både överväldigad och reserverad inför det plötsliga intresset från "madamerna", som Sand kallade dem. Han delade hennes oro för att visionen skulle komma att göras till "en sådan där kvinnogrej". Inte därför att han hade något emot kvinnor, "men poli-tiskt har kvinnofrågor låg status, och då får du aldrig igenom någon-ting". Hon lämnade påståendet oemotsagt men drog fram det när det äntligen en fredag efter arbetstid blev möjligt att samla Caffè latte-klubben på Amokka, Østerbros, om inte stadens, trendigaste café.

Christina himlade med ögonen innan Charlotte hade talat färdigt.

"Men så *är* det ju! Hur tror ni egentligen det är att vara jämställd-hetsminister? Det är ju också en sådan där 'kvinnogrej' som ingen tar på allvar! Det är väl inte *riktig politik*?"

"Det är inte u-landsbistånd heller!" insköt Sofie. "Aidssmittade kvinnor, mödradödlighet och föräldralösa barn, *forget it*. Det är bara intressant om det handlar om infrastruktur, tryggande av danska investeringar och exportintressen. Och krig, givetvis. Sådant som att reparera brunnar i Burkina Faso, så att kvinnorna inte behöver gå så långt efter vatten, eller starta olika utbildningsprogram avsedda för flickor – det sätter ingen fart på de stora grabbarna!"

"Å, det vet jag inte", protesterade Charlotte och doppade en italiensk mandelbiscotto i kaffemjölken. "Thomas är då ganska entusiastisk för sina andelsföreningar och mikrokrediter. Han kan tala länge och lidelsefullt om *empowerment* av kvinnor i Uganda!"

Sofie skrattade. "Men så är han också något alldeles extra!"

"Ja!" Christina rätade på sig på stolen. "Kan vi inte få honom klonad? Jag vet inte hur ni har det, men jag tycker att min därhemma har börjat visa sin begränsning."

Sofie nickade ivrigt. "Du menar att ni hade kommit överens om att det här var en bra idé, men nu börjar han i alla fall beklaga sig över att du aldrig är hemma, att han är försummad på tusen och ett sätt ..."

"... att han får för litet, ja", nickade Christina över bordet. Sofie fnissade och fortsatte:

"... att han får för litet och avskyr att vara till åtlöje genom att stå i skuggan av sin fru, vilket han inte vill erkänna, och så vidare och så vidare. Är det så du menar?"

"Javisst, precis! Hur kunde du gissa det?" Christina log brett. "Tror ni att våra unga, strävsamma kolleger, försvars- och justitieministern, M & M, har det likadant? Eller tror ni att deras fruar håller på att spricka av lycka över att deras män har nått så långt och därför mer än gärna stryker deras skjortor och uppfostrar deras barn?"

Sofie gapskrattade, Charlotte log motvilligt och ville helst byta ämne och återvända till politiken. Och det berodde inte bara på att hon kände sig påpassad av de övriga cafégästerna, som höll nyfiken uppsyn över dem, utan också på att hon inte gillade att bli påmind om att även hon hade upplevt en ny och främmande känsla av distans, ja, till och med disharmoni mellan sig själv och Thomas. Det faktum att inte heller han hade varit förbehållslös i sin uppbackning av henne hade gjort henne både sårad och förvirrad, men på senaste tiden var det som om han åter hade börjat närma sig och inte längre straffade henne med ett avståndstagande som han inte ens ville stå för. Hemma hos dem var det, om sanningen skulle fram, hon som fick för litet. Rent sexuellt var det inget stort problem, hon sublimerade så rikligt i sitt arbete. Men hon hade saknat närheten och hans begär efter henne, som förr alltid hade varit intensivt och konstant. Kanske tände han av på makt, kanske fungerade mäktiga kvinnor i allmänhet averotiserande på män, om de inte hade en dold fäbless för andra män ... Den teorin hade åtminstone fått honom att utbrista i sitt öppenhjärtiga Thomas-gapskratt, och han hade faktiskt genast motbevisat den genom att råknulla henne i soffan när ungarna hade kommit i säng. Detta hade hänt för fem dagar sedan och omgående haft en så förlösande effekt på dem båda två att hon redan höll på att glömma de senaste veckornas gnissel. Och nu när han var sig själv igen fanns det inte heller någon anledning att spekulera i eller verbalisera vaga känslor och aningar. Vad det än var som hade plågat honom var det över, amen.

"Jag funderade på om vi inte borde skriva en bok", föreslog hon när Sofies skratt hade klingat av och övergått i hicka.

"En bok?" upprepade Christina frågande. "Du menar något slags kaffeklubbsmanifest?"

Charlotte nickade och sänkte både huvudet och rösten. Det gick inte att veta vem som satt och tjuvlyssnade. Även de båda andra lutade sig fram över bordet, så att de mer än någonsin tedde sig som konspiratörer.

"Jag anser att det behövs ett nytt och vitalt grepp på hur det danska samhället bör utvecklas de närmaste tio-tjugo-trettio åren. En välfärdsstatsmodell som går tvärs över partigränser och fraktioner och som därför vågar bryta med tradition och konvention ..."

"Det låter redan som en programförklaring", konstaterade Christina och visslade lågt genom glipan mellan framtänderna.

Sofie hickade. "Det låter jättespännande! Fortsätt!" uppmanade hon.

"Ja, men hittills är det inte mer än så", sa Charlotte avvärjande. "Jag tycker hela tiden att jag upplever hur de politiska partierna, i den form vi känner dem, har vissa begränsningar som gör det omöjligt att ..." Hon tvekade och sökte efter en formulering. "Ja, att ge tiden ett svar."

"'Ge tiden ett svar', där har vi titeln!" hickade Sofie entusiastiskt.

"Det stämmer nämligen att man upplever den där frustrationen av att sitta där med makten bara för att inse att man inte kan använda den till särskilt mycket. Vår radikala grupp är ju så liten att vi kan föra ganska spännande, så att säga studiecirkelartade diskussioner. Det är visserligen utmärkt, ibland både intellektuellt och stimulerande, men så snart 'de bakre leden' fattar minsta misstanke om att nytänkande förekommer blir det bråk. Då har vi talmannen i luren. Det har ni väl ingen erfarenhet av?"

"Nej, vi hinner inte ens ut till de bakre leden förrän vi blir satta på plats!" sa Christina. "Men det är ju det gruppen är till för, eller hur?"

"Att trycka ner varandra?" frågade Charlotte vasst och märkte åter hur skillnaderna dem emellan poppade upp som en skiljelinje. Trots Christinas frimodiga ton var och förblev hon den trogna partisoldaten.

"Att diskutera vad som är socialdemokratisk politik", replikerade Christina med samma antydan till vasshet.

"Betyder det att ni inte skulle kunna komma med ett självständigt debattförslag?" frågade Sophie, som nu hade slutat hicka.

Christina ryckte på axlarna. "Det beror på hur kontroversiellt det är. Och på vem man är. Charlotte sitter ju inte i Folketinget, det gör kanske skillnad."

Charlotte drog ihop ögonbrynen. "Vad menar du?"

"Ja, du har inte svurit ditt parti evig kärlek. Du är ju något slags joker som strängt taget kan skita i alltihop och göra vad du vill. Du måste ju inte bli återvald."

"Och därför?" frågade Sofie fastän svaret gav sig självt.

"Ja, därför är Charlottes situation en annan än min. Jag har sedan fjorton års ålder varit organiserad i den här verksamheten, jag älskar att vara socialdemokrat. Jag har satsat allt på att nå dit jag har nått, och det är ingen lustig eller intressant parentes för mig att vara här, som det är för er. Jag ska vidare uppåt, och jag ska först och främst hålla mig kvar. Så därför finns det vissa gränser som jag måste hålla mig innanför. Om jag inte ska framleva mitt liv som jämställdhetsminister." Christina gjorde en grimas och lät den långa skeden fiska upp smält socker från glasets tjocka botten.

"Okej!" Sofie log osäkert med blicken vandrande mellan Christina och Charlotte. "Har du en målmedveten ambition om att *löpa linan ut*?"

Christinas ansikte sprack upp i ett spetsigt leende. "Du får det att låta som om jag skulle bli *porn star*! Det ska jag inte. Jag ska bli Danmarks första kvinnliga statsminister!" deklarerade hon i en ljudlig teaterviskning som säkerligen skulle kunna uppfattas flera bord därifrån om det unga paret som satt med sammanflätade fingrar eller den mörke man som såg ut att vara fransman och som läste *Libération* hade lyssnat.

Det blir du inte, tänkte Charlotte när hon en stund senare på Sofies begäran trängde sig fram till baren för att hämta tre glas vitt vin så att de kunde skåla. Inte för Christinas kandidatur utan för det åtta veckor gamla foster som, hade Sofie avslöjat, skvalpade runt i hennes mage. Därför skulle inte hon bli statsminister. Varken på kort eller lång sikt.

De skildes åt på trottoaren i bästa sämja. Sofie var inte bara eld och lågor inför det kommande moderskapet utan också inför bokprojektet – "Vi måste ju också tänka tvärpolitiskt om vi ska kunna ge tiden ett svar, miljöpolitik och utvecklingsbistånd hänger exempelvis extremt tätt ihop!" – och Christina Maribo skulle fundera på saken. Hennes bil kom först. Sofie skulle bli hämtad av sin fästman, som hon nu hoppades gifta sig med, och Charlotte hade bestämt sig för att promenera hem. Då skulle hon kunna vara hemma klockan sju, så att ungarna kunde titta på tecknat medan hon och Thomas åt i lugn och ro. Hon hade ringt och frågat om hon skulle ta med pizza hem, men han hade redan kyckling och pommes frites i ugnen. Och hade korkat upp den flaska Bardolino som bostadsrättsföreningen hade givit henne som tack för att hon hade varit vänlig nog att tala om stadsekologi på den nyligen avhållna stämman. Han lät glad, gladare än på länge, och det fick det att rycka i henne av iver att komma i väg sedan de hade vinkat av Christina, som skulle hem till Fyn.

"Är det okej om jag kilar?" frågade hon Sofie, som ibland kunde ha den där handfallna minen som gjorde det omöjligt att lämna henne i sticket.

"Självklart!" sa hon uppmuntrande och drog ett njutningsfullt andetag. "Är det inte fantastiskt att det har blivit vår? Man har ju knappt hunnit upptäcka det! Får jag skriva om det? Sinnlighetsförlusten inom politiken?"

Charlotte skrattade och knäppte kappan. Det var ljust, klart och fortfarande kallt. "Feel free! Jag är ingen poet. Jaha, då …" Hon tog ett steg mot Sofie för att ge henne en avskedskram.

"Jag skrev faktiskt dikter en gång. Och noveller, och halvfärdiga romaner." Sofie log.

"Gjorde du?" Charlotte hejdade sig.

"Ja, jag ville bli författare. Det var min stora dröm. Det var därför jag läste litteraturhistoria. Men sedan kom min missionärsgen i vägen, och jag blev så engagerad i att förändra världen. Kanske borde jag ha läst teologi i stället och blivit präst som resten av familjen. Då hade jag åtminstone fått lov att predika. Inte ens det kan vi göra. Politik är verkligen ett märkligt levebröd!"

Charlotte slog fötterna mot varandra. Frös i sina tunna, puderfärgade stövlar. Nickade instämmande. "Vansinnigt märkligt. Drömmer du fortfarande om att bli författare?"

"Det gör jag nog, innerst inne. Jag drömmer i varje fall inte om att bli statsminister. Och absolut inte nu. Yrkespolitiker, det är rena döden. Så hellre prästfru med fyra barn. Eller högskolerektor på Vestjylland!"

Charlotte log. "Det vet jag faktiskt inte ... trots allt!"

"Nej, men kan du föreställa dig det?"

"Vad då?"

"Att *bli kvar* där! Forever! Att få ett eget distrikt och allt det där?"

"Njae", svarade Charlotte undvikande. "Nej, nu måste jag kila. Var rädd om bebisen!"

De kramades, önskade varandra trevlig helg.

Hon hade bara hunnit gå några steg på trottoaren med kurs mot Triangeln när Sofie med en vissling fick henne att stanna och vända sig om.

"Hör du", ropade hon. "Du skulle bli kanon!"

"Kanon vad då?"

"Statsminister!"

Charlotte vände ryggen åt henne, gav henne fingret bakom ryggen, hörde Sofies flickaktiga skratt eka mellan husen och kastas ut över Sortedamssøen, som låg som en blank hemlighet mitt i staden.

Helgen var så perfekt att den borde visas upp på utställning. Som bevis på att det gick att ha ett idylliskt familjeliv även om man var kvinnlig minister – veckotidningarnas älsklingstema. På lördagsmorgonen steg de upp till strålande sol och lortiga fönster, som de på gemensam överenskommelse tog sig för att putsa. Ungarna fick vara med, så att hela lägenheten snart var plaskvåt av såpvatten, men eftersom de aldrig hade bytt ut sin studentikosa inredning gjorde det ingenting. Således inspirerade av vattnet som element begav de sig på eftermiddagen in till badhuset i DGI-byen, där Charlotte använde Johanne som sköld mot nyfikna blickar i duschen. Hon drog ofrivilligt in magen; fastän hon hade gått ner i vikt hade hon kvar den kulmage som Thomas natten innan hade kramat så kärleksfullt. Hon ångrade också att hon inte hade tagit en omgång med ladyshaven innan hon visade sig naken på offentlig plats. Å andra sidan var det väl en del av den unika skandinaviska demokratin att kvinnliga ministrar kunde besöka en offentlig simhall med hår på benen. Bortsett från det var det inte många som verkade känna igen henne där hon stod i bassängen med vatten upp till låren och försökte locka Jens att lätta på greppet, släppa sin mamma och övervinna rädslan på samma sätt som Johanne, som utrustad med armdynor och korkbälte under förtjusta skrik åkte i den lilla rutschkanan och plaskande for ut i vattnet. Om och om igen medan Jens stod blå om läpparna och darrade av köld tills hon förbarmade sig över honom, tog honom med upp och virade in honom i en handduk.

"Hönsmamma!" Thomas skakade på huvudet och övertog det motstridiga barnet.

"Han är rädd!" sa hon och lade skyddande armen om honom.

"Vad vet du om rädsla?" frågade Thomas och flöt i väg med sin son. Hon reste sig, beredd att gripa in om han skulle få för sig att släppa barnet mitt ute i vattnet. Men det gjorde han naturligtvis inte, simmade bara runt med honom som en flodhäst med sin unge på ryggen. Och först när Jens blev övertygad om att fadern inte skulle svika hans tillit slappnade han av, log och lät sig till sist övertalas att glida ner i vattnet, där Thomas höll honom uppe och såg till att han inte någon gång fick huvudet under vatten. Charlotte skrattade, vinkade och klappade händerna. Flickorna hade rätt, Thomas borde klonas. Som den pappa alla barn borde ha fått. Hon själv inräknad.

Efteråt åkte de hem och drack varm choklad och spelade Svarte Petter alla fyra. På kvällen hade Thomas skaffat barnvakt, sydafrikanska Mimi, en av de MS-studenter som de brukade anlita för att städa, och sedan gick de först på Park Bio och tog därefter en öl på ett nytt café som hade levande funkmusik och ett pyttelitet dansgolv. Charlotte ville helst gömma sig och bara stå i baren och sväva bort till musiken, men efter den andra ölen tog han uppfordrande hennes hand. Lyckligtvis följde några andra deras exempel, så att de inte blev ensamma om uppmärksamheten.

Mitt under dansen, som blev till kind mot kind, kunde hon ändå inte låta bli att fråga.

"Älskar du mig i alla fall?"

"Ja! Det har jag ju gjort hela tiden!"

"Vad har det varit med dig då?"

"Ingenting. Jag behövde bara vänja mig vid det. Exponeringen, tror jag."

"Som det där med Afrika?"

"Som det där med Afrika", medgav han och kysste hennes hals.

"Du tror väl inte längre att det var någonting mellan mig och den där Tom Reiff?"

Thomas skakade på huvudet. Nej, det trodde han inte längre. Han var helt övertygad om hennes oskuld.

"Varför är du plötsligt det?"

"Jag skulle ha märkt det på dig", försa han sig, men hon uppfattade det inte eftersom hon just fick syn på en ung, svartklädd flicka som hade kommit in och nu stod orörlig och stirrade på henne. Blicken var så intensiv att Charlotte för bråkdelen av en sekund väntade sig att flickan skulle dra upp en pistol och skjuta ner henne på nära håll. Det gjorde hon inte, vände bara på klacken i sina tunga militärkängor och lämnade caféet.

"Såg du henne? Hon med födelsemärket?" frågade Charlotte med en lätt rysning.

"Vem då?" Thomas följde frågande Charlottes blick mot dörren, som öppnades på nytt. Men den här gången var det bara ett par flickor utklädda till pajaser som fnissande tumlade in.

"Vad är det med henne?"

"Det är den där Cathrine Rørbech som gav sig i väg från sitt hem i Brønderslev för att leva i kollektiv i Köpenhamn. Hon är visst med i det där Grön gerilla."

"Djurrättsaktivisterna med pälsbutikerna?"

Charlotte nickade, hade tappat lusten att dansa. Cathrine Rørbech ville henne något. Ingenting gott, fruktade hon.

Nästa morgon hade hon skakat av sig oron, kände sig inte längre hotad och föreslog att de skulle ge sig ut på cykelutflykt i det vackra vädret. Ut och titta på vattnet, med ungarna i kärran och en boll så att de kunde leka ute vid Bellevue. Efteråt skulle hon sedan vara tvungen att arbeta, "bara ett par timmar", men det kunde hon göra hemifrån. Hon var inbjuden som talare på konferensen för "Equity and Global Change" i Washington kommande vecka, då CSD, Kommissionen för hållbar utveckling, skulle hålla sin nionde session i New York. Ursprungligen var det Søren Schouw som hade fått inbjudan, men Sand hade kort tid efter hennes utnämning kontaktat konferensledningen för att bekräfta att Schouws efterträdare gärna tog över. Man hade bifallit den danska önskan, även om hon som novis knappast förtjänade en så stor ära. Därför var det av yttersta vikt att hon kom dit och höll ett tal av format, och det var det hon skulle använda några söndagstimmar åt att finslipa så att det kunde skickas till översättning.

Hon insisterade på att köra cykelkärran, hon behövde både litet motion och känslan av att ha barnen nära inpå sig. Thomas utgjorde eftertrupp, Johanne sjöng och Jens pratade om alla båtarna, segelbåtarna med de vita seglen spända, lastfartygen på väg österut med frakt, och hon själv blev som alltid upplivad nära havet, även om det inte var något riktigt övertygande hav.

"Om vi ska bli kvar här, borde vi inte ha en sådan där Strandvejsvilla med utsikt över Sundet?" ropade hon bakåt. Thomas han ifatt dem och körde upp bredvid henne.

"Då måste du nog söka dig till det privata näringslivet. Inte ens Per Vittrup skulle ha råd med en sådan."

"Nej, de gör det minsann inte för pengarnas skull!" sa hon och trampade på. De hade motvind, tårarna strömmade och snoret rann.

"Vad tycker du egentligen att vi ska göra?" frågade han och låg kvar vid sidan om henne. "När det här är över, menar jag?"

"Men då ska vi väl till Afrika?" svarade hon snörvlande.

"Javisst ja. Det hade jag alldeles glömt bort." Han gav henne en talande sidoblick, körde förbi henne och drog i väg i en demonstrativ spurt till nästa trafikljus.

"Pappa vann!" hojtade Johanne.

"Pappa vinner aldrig", sa Thomas och torkade sin dotter om näsan.

När de kom hem med konditorikakor, trötta och rödkindade, blinkade telefonsvararen och visade att det fanns två meddelanden. Det första var hennes mamma, som frågade om de skulle komma och hälsa på över påsk. Det andra var från Mikkel, som ville höra om Maria var hos dem. "Men det är hon förstås inte, eftersom ni inte är hemma. Hej."

Ett konstigt meddelande, tyckte Charlotte.

"Har de problem?" frågade hon Thomas, som höll på att hjälpa Jens av med overallen.

"Nä. Varför skulle de ha det?"

"Vilka har inte det?" sa hon med en axelryckning. "Varje parförhållande som involverar Mikkel måste med nödvändighet vara problematiskt", tillade hon sedan i lätt ton och gick ut för att sätta på kaffe. Sedan ringde hon till sin mammas telefonsvarare och berättade att hon skulle till New York på påskafton. Så tyvärr. Därefter tog hon sin kaffemugg och gick in och satte sig vid arbetsbordet i sängkammaren och filade på sitt tal medan ungarna fridsamt lekte var för sig, Jens med Lego, Johanne med Barbie. Att Thomas, som hade slängt sig i soffan med tidningarna, hade förlorat sitt goda vårhumör märkte hon inte. Inte förrän på kvällen, när han omotiverat skällde ut ungarna och fräste åt sin fru.

"Vad är det nu då?" frågade Charlotte förvånat.

"Ingenting", sa han kort. "Jag har bara litet ont i huvudet."

Charlotte bet sig i läppen. "Något fel måste det vara med dig. Har du dragit på dig någon tropisk sjukdom eller så?"

Han tvingade fram ett tunt leende och började skala potatis. Hon hittade en Treo, som hon löste upp i ett glas vatten som han pliktskyldigt drack ur medan hon började hacka lök till köttbullarna. Ont i huvudet. Det kunde vem som helst få. Hon kände faktiskt också ett lätt surrande i bakhuvudet. Sådana var söndagar. Överskuggade av måndagen, en ny dag i selen.

*

Hon står inne i köket när den nya grisbilen kommer dånande. Under natten har det regnat, vattnet står högt i grusvägens gropar, som de stora hjulen gör ännu djupare. Lisbeth tycker bra om måndagar. Eller hon är rättare sagt inte särskilt förtjust i söndagar. Var det inte Dan Turèll som en gång sa någonting om att han föredrog vardagar? Det är så hon känner det. Hon föredrar vardagar, då var och en har sitt och inte behöver låtsas som om de gärna vill vara tillsammans. Att de har något att vara tillsammans om. Lisbeth närmar sig de fyrtio. Hon brukar se sig själv som "i trettiofemårsåldern", men det är hon inte längre. Det är Charlotte som är det.

Erik korsar gårdsplanen, han kommer bortifrån smågrisstallet i sina vita gummistövlar. Hon vet inte längre hur många grisar de har. Hur många tusen. Hon vet bara att de nu ska lasta in flera hundra sjukilos exportgrisar med SPF- och MS-certifikat i grisbilen, som inte är någon bil utan en nästan tjugo meter lång långtradare i tre våningar. Den kan svänga på båda bakaxlarna och därför backa in överallt. Chauffören, som hoppar ur, kallar sig till och med *pilot*, och så är det tvärs igenom. En högteknologisk industri på en för övrigt idyllisk liten Limfjordsö som de kom till för femton år sedan och som de själva har varit med om att förvandla till ett rent gödselhelvete. Hon är inte stolt över det. Hon gillar det inte. Inte heller hon kan hänga tvätt ute eller gå ut i köksträdgården när de har varit ute och spritt. Och om hon hade småbarn skulle hon inte heller lämna dem att sova ute i denna genomträngande stank av ammoniak. Det *kan* inte vara nyttigt. Men när de beklagar sig borta på dagis, där hon har en halvtidstjänst som pedagogisk assistent, håller hon tyst. Hon säger aldrig emot sin man offentligt, talar aldrig illa om honom eller uppträder illojalt. Det har hon hemifrån. Modern kritiserade aldrig faderns göranden och låtanden, hur klandervärda de än var. Hon knep bara ihop munnen till ett streck. Så av sin mor har hon lärt sig att använda tystnaden som ett vapen. Hon har alltid varit en tystlåten flicka, helt olik Charlotte. Och Lars för den delen. Lars, som är den mest lättsamma av dem. En liten muntergök var han, på den tiden de var små. Egentligen tror hon inte att hon skulle ha stått ut med sin barndom utan honom. Han var den enda ljuspunkten, en liten sol mitt i det täta mörker som de i åratal levde i. Åtminstone hon. Hon vet inte när det gäller Charlotte. Hon var ju så handlingskraftig och utåtriktad. Social.

Skulle alltid vara med överallt. För att komma hemifrån, säkerligen. Bort från modern. De båda har aldrig förstått varandra. Eller också har de det.

Lisbeth suckar och ser sin man stå och prata med chauffören. Han är fortfarande stilig, Erik. Lång och bred med en dynamisk, nästan oförskämd utstrålning. En man som vill framåt. I många, många år har hon varit djupt förundrad över att en sådan man valde henne. Under hela bröllopet var hon tvungen att hindra sig själv från att vantroget stirra på honom, som om han skulle försvinna mitt framför ögonen på henne. För det kunde helt enkelt inte vara sant, att han hade "handplockat dig bland alla markens blommor", som han eufemistiskt sa i sitt tal till bruden. I motsats till henne, som även om hon var nästan tjugofem när de hastigt gifte sig bara hade mycket få och inte särskilt roliga romantiska erfarenheter, hade han varit vida omkring. Det gjorde han ingenting för att dölja, han var också fem år äldre, men Lisbeth var den enda han på allvar hade kunnat tänka sig att gifta sig med. För gifta sig skulle han, och det skulle vara med en bonddotter som visste vad hon gav sig in på. De träffades på hennes kusins bröllop, och ända sedan han stegade tvärs över golvet i församlingshuset och bugade för henne hade hon känt hans fasta hand om sitt liv. Med djup lättnad hade hon överlämnat sig åt honom, utan vidare betänkligheter hoppat av från seminariet och lärarutbildningens sista år, trots moderns och Charlottes protester, och flyttat med honom till hans födelseö, som han sedan dess systematiskt hade köpt upp. På den tiden svävade hon fortfarande i den villfarelsen att de skulle ha ett gammaldags "Liten gård jag bygga vill"-lantbruk, som i hennes barndom, vilket naturligtvis bara avslöjade hur naiv hon hade varit.

Så naiv var hon inte längre. Därför hade hon slutat förundra sig över vad han kunde ha sett hos henne. Det förstod hon utmärkt väl – god, pålitlig och billig arbetskraft som aldrig sa emot honom, alltid fogade sig och alltid låtsades som om hon ansåg att det pappa gör är det rätta. Samtidigt hade hon producerat ett par stora, starka gossar, som rantade i hälarna på sin far och tills vidare såg upp till honom utan gräns, och vad regelbunden erotisk tillfredsställelse beträffade fick han det också utan att hon knotade. Hans intresse för henne på det planet var emellertid på avtagande sedan de hade fått internet och

234

han ägnade nätterna åt cybersex. Det angick inte henne, lika litet som de historier han med jämna mellanrum hade med ensamma mödrar i trakten, hans specialare. De första åren hade det sårat henne så djupt att hon trodde att hon inte skulle överleva. Inte minst därför att hon via anonyma brev upptäckte att hon var praktiskt taget den enda på ön som inte visste något. Återigen hanns hon ifatt av barndomens skam över att bli förknippad med en skandal som hon själv inte hade någon skuld i. Hennes spontana ingivelse den gången var att skiljas, men hon hade just fått sitt första barn och väntade redan nummer två, så det var fullkomligt otänkbart. Dessutom hade hon ingen aning om vad hon skulle leva av, vart hon skulle ta vägen, vem hon var. Och till sist inbillade hon sig ju att hon älskade sin man. Det gjorde hon inte längre, tvärtom var det den motsatta frågan som fortsatte att mala runt i huvudet på henne: Varför i all världen hade hon gift sig med honom? En man som hon inte hade någonting gemensamt med. En man som betraktade djur som "produktionsenheter" och som fullkomligt hade förlorat kontakten med jorden. En man som betraktade grisköttsnoteringen som dagens huvudnyhet och som mer än gärna skulle packa ihop flyktingar, fikusar och ekologer på "en öde ö i Ishavet". En man som inte kunde se eller höra någonting om hennes syster utan att göra ner och håna henne. En man som var så långt från hennes far man över huvud taget kunde komma. *Han* hade nämligen varit en fin man. En riktig bonde.

Lisbeth sneglade upp på köksklockan. Hon skulle gudskelov i väg och jobba. Hon samlade ihop hela traven med biblioteksböcker och delade upp dem i två tygpåsar från Jordbrukskooperationen. Hon lånade nya varannan vecka. Böckerna var hennes halmstrå. Han visste inte om det, Erik. Var sjukligt svartsjuk på andra män men hade ingen aning om att det var med hjälp av någon av dessa böcker, denna skatt av vetande, insikt och kunskap, som hon en dag skulle lyckas smuggla in en såg så att hon kunde fila av fängelsegallret. Det anade hon själv, och därför slukade hon dem, volym efter volym.

Hon tog sin jacka i tvättstugan, kom ihåg äggkartongen till kollegan och gick ut till sin cykel. Hängde tygpåsarna över styrstången och satte handväskan i korgen med äggkartongen fastspänd i hörnet. Chauffören hälsade på henne när hon rullade förbi, men Erik vände inte så mycket som på huvudet åt hennes håll.

★

"Guud", utbrister förskolläraren muntert när hon en morgon följer med Jens och Johanne in i sällskapsrummet, som är pyntat med gula fjädrar och målade ägg. "Är det *du* som är deras mamma?"

★

Onsdagen före påsk fick Charlotte ett telefonsamtal från en miljötekniker i Viborg Amt. Han ville inte säga vad han hette, ringde bara anonymt för att berätta att de nog borde titta på det där vattenprovet från Kristen Kristensen igen.

"Varför det?" frågade hon och stängde fönstret mot trafikbullret från Højbro Plads. Hon kunde höra Sanger Søren stå och skråla "I'm sailing" alldeles om hörnet.

"Vi kan väl säga som så att ett fel har blivit begånget. Det resultat ni fick härrörde från ett annat prov."

"Och vad har hänt med det riktiga provet?"

"Det är borta. Jag har försökt leta efter det. Men jag tror att det skulle ha varit positivt."

"Därför att?" frågade Charlotte medan håren reste sig i nacken på henne.

"Därför att det är någonting som inte är som det ska i det området. Jag har själv sett de tvekönade paddorna, och om du frågar på sjukhuset har de också kunnat notera en ökad förekomst av missbildningar hos nyfödda."

"Varför är detta då inte ett officiellt samtal? Det låter som något som vi bör undersöka." Charlotte tog en penna och började klottra.

"Därför att man från Miljøstyrelsens sida har meddelat att man betraktar fallet som avslutat. Min kollega har kontaktat dem."

Hon fuktade läpparna. "Per telefon eller skriftligt?"

"Per telefon."

"Vem talade han med?"

"En Jakob Krogh. Kan det stämma?"

Hon nickade. Det kunde det. Alltför väl.

"Okej. Hör på, kan du inte ge dig ut och ta ett nytt prov? Och sedan ringa direkt till mig när resultatet är klart?"

236

Hon fick ägna nästan fem minuter åt att övertala honom. Men till slut gav han med sig och avslöjade sitt namn. Morten. Hon fick hans mobilnummer, och han fick hennes. Sedan kom de överens om att talas vid så snart hon kom hem från New York.

"Helvete också!" mumlade hon för sig själv och kallade in Henrik Sand. Han sa detsamma. Helvete också.

"Jag vet ju att det framställdes som om vi hatade varandra. Sådana är medierna. Om de kan spela ut två kvinnliga ministrar från samma parti mot varandra är det ju gefundenes Fressen. Men saken var den att jag som inrikesminister var satt att förvalta en utlänningspolitik som var på gränsen till vad vi som socialdemokrater kunde ställa oss bakom. Det hade hon rätt i. Men det kunde jag väl inte säga? Vi diskuterade det, och det ganska häftigt, redan under den påsklunch hos Elizabeth Meyer där några av oss hade samlats. Helt privat, i den mån Meyer någonsin gör något 'helt privat', om du förstår vad jag menar. Innerst inne har hon alltid ett syfte. Syftet med den lunchen var antagligen att vi skulle 'lära känna varandra bättre', som hon sa. Per och Gitte var också där, och Gert, för att vara ärlig. Utan fru, hon var 'bortrest', vilket hon har varit i snart ett års tid. Ja, Meyer hade naturligtvis också bjudit Charlotte och hennes för övrigt väldigt trevlige man, Thomas, som ju är verksam inom biståndsbranschen, som man säger. Han är visserligen den stillsamma typen, men nu hade han kanske fått en snaps för mycket, för plötsligt är det han som frågar mig hur det egentligen är att vara 'hårdingen' personifierad. Hur jag egentligen trivs med den gälla tonen i debatten, om jag verkligen menar vad jag säger och så vidare. Ett par sekunder blir det alldeles tyst, men Meyer fattar sig snabbt och gör det hela till en mer principiell diskussion, som Gitte genast kastar sig in i. Hon är dödstrött på det klungspel på mitten som hon anser utmärker dansk politik och som bidrar till att fördärva debatten och göra medierna fullständigt tomma i blicken vad Christiansborg beträffar. Per är ju fullkomligt bedårad av henne, så i stället för att säga emot henne sitter han bara och fingrar på sin servett och duckar också när hon går till direkt angrepp på honom och kallar honom för opportunistisk och inställsam och allt möjligt annat av det mindre kärleksfulla slaget. Ibland kan hon vara otillåtligt aggressiv. Charlotte lade sig faktiskt inte i, inte förrän hon blev direkt tillfrågad av Gitte om vad hon ansåg om regeringens invandrarpolitik. Jag minns att hon lade ifrån sig kniv och gaffel och funderade länge, så länge att det gjorde uttalandet värre eftersom man inte kunde ursäkta det med att det bara var en lapsus eller en groda som hade hoppat ur munnen på henne. Hon sa, med blicken riktad rakt mot mig, att hon ansåg att regeringens invandrar- och flyktingpolitik var ett symtom på den socialdemokratiska sjukdom som snart kunde visa sig bli dödlig om vi inte lyckades återskapa 'värdigheten och respekten för medmänniskan'. Hon ansåg att vi var 'konservativa systemtänkare', 'antiförnyare', 'kortsiktiga och provinsiella med en alltför snäv horisont'. Gert satt och kokade, och jag blev också själv väldigt provocerad. Det var lätt för henne att säga, protesterade jag, det var ju inte hon som satt där med Svarte Petter. Vad ville hon över huvud taget göra med de tiotusen utlänningar som kommer till landet vartenda år och som, vilket alla vet, upplevs som ett problem av den danska befolkningen? Och hur skulle hon reagera på att ha Dansk Folkeparti gläfsande i hasorna var eviga dag? 'Jag skulle i varje fall inte göra så stora ansträngningar att hitta den minsta gemensamma nämnaren som du gör.' Jag blev alldeles paff, det måste jag erkänna. Men sedan gav sig Gert in i diskussionen och kallade hennes ståndpunkt för 'ren halalhippie korsad med Jesus Christ Superstar', för om man inte kunde kalla saker och ting vid deras rätta namn var det dags att anklaga oss för beröringsångest. Och det var väl det egentliga problemet, att det hade tagit så lång tid för oss att inse att det faktiskt *fanns* problem därför att det inte har varit politiskt korrekt att säga något negativt om flyktingar/invandrare *över huvud taget*. Som finansminister måste han ju medge att de tog en stor bit av kakan, och han förstod ju om de gamla som väntade på vårdhemsplatser, eller hjärtpatienterna som väntade på bypassoperationer, hade svårt att fatta att det måste gå ut över dem. Men nu blev Meyer alldeles blek av upphetsning och påminde om att hon själv var andra generationens invandrare av tysk-rysk-judiska föräldrar, och även om det inte hade varit något oöverstigligt problem under hennes uppväxt visste hon mycket väl hur det kändes att vara 'stigmatiserad'. Det var banne mig det ord hon använde! Och sedan kastade hon sig ut i en lång, känsloladdad utläggning som stödde Charlottes åsikt och slutade med en varning à la: 'Vi kommer att få en räkning för den här politiken en dag, och den kommer att bli stor!' Jag gick hem och skrev ner det. Jo, jag var väldigt uppriven, särskilt som jag inte kände någon uppbackning från Per. Han bara satt där och lurpassade som vanligt. Dubbelspel, det är vad han ägnar sig åt. Jag gjorde ju aldrig någonting utan att ha avhandlat det med honom. Det var en överenskommelse vi hade, eftersom området var så inflammerat och valet redan mullrade vid horisonten. Därför tyckte jag nog att han borde ha slagit Charlotte på fingrarna när hon kort tid senare tog kraftigt avstånd från mitt förslag om interneringsläger för kriminella invandrarpojkar. Men det gjorde han inte. Tvärtom var det hon och inte jag som kom med i den valkampanjgrupp som redan hade varit i gång en tid. Jag säger inte att det var hennes fel. Men hon var i alla fall en bidragande orsak till att jag var rejält nere den våren. Jag blev till och med tvungen att sjukskriva mig, och det satte fart på spekulationerna. Min läkare kallade det för 'överansträngning', själv kallade jag det för 'stress', men min mamma hade nog rätt när hon helt enkelt använde ordet 'nervsammanbrott'. Nåja, jag repade mig och kom igen. För det ville jag."

~

Den här gången följer han med henne ut till flygplatsen. Hon har givit Freddy påskledigt, så de tar en taxi och sitter och håller varandra i hand i baksätet. Klockan är knappt halv sex på påskafton, folk är ute och promenerar längs Amager Strand, rastar hundar, drar barnvagnar, joggar pulsen hög. Danskarna är lediga, håller på att kasta vintern av sig, ömsa hud och ta fram sin andra sida, sommarsidan, som vänder sig mot ljuset och lyckan. Hon lutar sig mot honom, märker att hon känner likadant som han, en längtan efter den tiden då deras

240

möte låg framför dem. Han lägger armen hårt om henne för att erbjuda henne det beskydd som han inte kan ge henne så snart hon är ute ur hans famn. Han är inte svartsjuk, bara djupt bedrövad över att de måste skiljas igen. "Bara sex dagar!" upprepar hon som ett mantra; inte heller hon är förtjust i de många avskeden, blir tårögd varje gång hon måste ta farväl av ungarna. Den här gången är han stolt över henne. Tycker att han har en fantastisk kvinna. Är imponerad av hennes styrka. Att hon kan. Att hon vill. Att hon gör det. Han märker att hon är spänd inför prestationen. Att hon är fokuserad och redo att träda in i sin roll. I motsats till tidigare låter han henne göra det utan att själv streta emot. Han kapitulerar, träder frivilligt tillbaka.

Medan hon betalar taxin hämtar han en bagagevagn och lastar hennes resväskor och portföljen med den bärbara datorn på den. Följer henne bort till disken, där Henrik Sand och Kamal redan står och väntar. Ministersekreteraren tar professionellt hand om hennes incheckning, medan Henrik Sand ser till att uppträda artigt och belevat gentemot sin ministers man. Thomas ler älskvärt, berättar själv om sina planer för resten av påsken – i morgon ska han och barnen resa till Nordjylland. Henrik Sand säger att det skulle vara skönt, att få bli urblåst ett par dagar. Thomas nickar, han ser trött ut, Henrik Sand, medan Kamal är den unge, spänstige yngling som han en gång skulle ha betraktat som en potentiell rival. Men inte nu längre. För han vet att de är oupplösligt förenade de båda, han och Charlotte. Därför kan han tryggt skicka i väg henne, kyssa henne länge och djupt, säga att han älskar henne och ser fram mot att hämta henne igen. Han kan stå nedanför rulltrappan, kasta slängkyssar när hon vänder sig om en sista gång och vinkar med pass och boardingcard och känna hur hjärtat blir tungt. Och han kan lugnt invänta det telefonsamtal som kommer redan innan han har hunnit ut till en ny taxi. För även om Maria gråtande kommer att tigga och be honom om att ta emot henne, träffa henne, tala med henne nu när Charlotte har rest, kommer han att avvisa henne och göra helt klart att hon inte får dra in honom i sina äktenskapliga problem. Det är *inte* någonting mellan dem båda. Det har aldrig varit något mellan dem. Och de ska *inte* träffas igen. Därmed basta.

Tidigt på påskdagsmorgonen, just som business class-passagerarna på SK901 har fått en lätt måltid serverad före inflygningen till Newark, kastas en brandbomb in genom vardagsrumsfönstret i en villa i Charlottenlund. Villan ägs av chefen för en läkemedelsfirma som använder sig av tester utförda på försöksdjur i England. En BBC-dokumentär har nyligen avslöjat att djuren lever under usla, ja, rent av barbariska förhållanden och utsätts för extremt lidande. "Stoppa alla djurförsök!" och "Smaka på er egen medicin!" står det på de flygblad som påträffas utanför villan, som lyckligtvis står tom eftersom direktören och hans familj har rest till Mallorca på påsksemester. Stora delar av vardagsrummet blir utbrända, men brandkåren, som larmas av ett morgontidigt tidningsbud, får snabbt kontroll över elden. För övrigt finns inga vittnen eller spår av gärningsmännen, men på den ockragula muren står Grön gerilla sprutmålat med meterhöga bokstäver. Direktören, en modern ledartyp med humanistisk livssyn och hög etisk profil, vill trots den chockerande underrättelsen inte dramatisera "händelsen" och vill varken ha polisen eller pressen inblandade. Men polisen ser redan "med stort allvar" på fallet, och pressen, nåja, vittnet var ju tidningsbud. Så Cats strategi fungerar – de nya aktionsformerna ger betydligt större täckning i media än att släppa ut minkar. Jyllands-Posten placerar exempelvis historien på förstasidan. Ändå har de knappt börjat.

*

"Walk'. 'Don't walk'. Jag sitter på en servering och tittar på trafikströmmen av yellow cabs, limousiner med tonade rutor, stånkande bussar och strömmen av snabbfotade New York-bor på väg till arbetet. En ensam cykel, trampad av någon freak med hästsvans och urtvättad hawaiiskjorta, dyker också upp. Klockan är kvart över åtta, jag har just höjt mitt kolesterolvärde rejält genom att vråläta mig igenom ett berg av pancakes och korvar flytande i sirap, allt nedsköljt med apelsinjuice och svagt kaffe. Jag är tvungen att skriva för att inte sitta och stirra ohöljt på mannen innanför bardisken som är så ekvilibristisk med koppar, tallrikar, pannor och kastruller att det är som att bevittna ett shownummer. Jisses, vad det går

kvickt här, allting. För en sådan 'trädkramare' (ekofantast) som jag står New York egentligen på svarta listan, men helvete, vad man rycks med av den kolossala energi som bultar i hela staden. Jag skulle antagligen dö om jag stannade här mer än en vecka, men just nu känns det mest som att få en raket i baken – häftigt. Omkring mig sitter stamgästerna och diskuterar kvällens match mellan Mets och Yankees, min vän i baren håller på sitt lag, Mets, i vått och torrt och ska 'definitely' åka upp till Boston för att se helgens match. Det har han just berättat för en aristokratiskt stilig, vithårig äldre herre som respektfullt tilltalas som 'Judge' och som inte behöver beställa, maten kommer av sig själv. 'Thanks, Tony', säger domaren och lyckas på en och samma gång bläddra igenom New York Times och diskutera baseball med Tony. Jag väntar mig hela tiden att Ally ska dyka upp med sina stora anorektiska ögon i sin eviga, ängsliga jakt på den stora kärleken. Nu har Tony visst upptäckt att jag sitter och lyssnar. 'Where do you come from?' frågar han och gissar själv. Överraskande nog på 'Sweden or Denmark', jag är ju ingen blåögd blondin. Men det är inte mitt utseende utan min accent han känner igen mig på. Sedan blir det min tur att fråga och gissa, jag gissar på 'Italy', det är litet Robert De Niro över honom. 'No, no! Greece!' ler han och berättar att han kom till New York för 22 år sedan och aldrig skulle drömma om att lämna staden igen. 'We all love New York! It's not like a city, it's like a country!' Jag säger att jag upplever New York som en mångkulturell symbol för den banala mänskliga drömmen om att allt kommer att bli bättre. En gammalmodig dröm som bärs upp av den naiva tron på att man är sin egen lyckas smed och genom tur och hårt arbete kan bryta mönstret och förändra sin levnadsbana. Därför är New York ju inte heller någon symbol för moderniteten, vilket jag också sa under middagen hos generalkonsuln i går kväll. Den måste man söka sig till de östasiatiska storstäderna för att hitta. Till Singapore, Bangkok, Kuala Lumpur, där tillväxten är Gud, konsumtionen kung och cynismen en accepterad grundförutsättning. I det sammanhanget är kampen mot McDonald's en fullkomlig anakronism, Coca-Cola ingenting annat än en harmlös läskedryck och George W. Bush bara en komisk tecknad seriefigur, för fronten har för länge sedan antagit en mer immateriell gestalt. Så där, nu fyller Tony på min kopp! … Efter den smått pinsamma påsklunchen hos Meyer har jag tänkt mycket på nödvändigheten av att formulera den nya drömmen, det nya socialdemokratiska projekt som kan ersätta 'välfärdsstaten'. I och med att den har förverkligats kan den ju inte

243

längre fungera som regnbåge, vilket är en simpel analys som oppositionen helt har förbisett i sina strävanden att stjäla skatten. Om de lyckas lägga beslag på kistan kommer de snart att upptäcka att den är tom, och sedan blir de tvungna att hitta på något nytt. Tyvärr tror också vi att vi sitter på guldet, och så kan vi bli sittande som hundarna i Elddonet med ögon stora som tekoppar medan världen och tiden (och väljarna!) driver längre och längre bort.

'What are you doing in New York?' frågar Tony. 'Are you here for business or as a tourist?' 'Business', svarar jag, och när han sedan frågar vad jag gör säger jag att jag arbetar för 'the Danish government'. Inte helt osant, men ändå anar han ugglor i mossen och frågar om jag är 'a politician', och vad ska jag svara på det? Han fyller på min kaffekopp igen och betjänar några andra medan jag får tid att fundera över svaret. 'Sort of', svarar jag till slut. Det får honom att skratta högt. 'Sort of? Like Hillary Clinton?' 'No!' protesterar jag. Hillary Clinton, som kandiderar till senaten, är inte 'ett slags' politiker. Hon är politiker. 'Why is that?' frågar han retsamt i en ton som plötsligt får mig att inse hur det skulle vara att bli kysst av honom. 'Because she has the urge for power', säger jag och slänger fram tjugo dollar på disken. 'And you don't, huh?' ler han med de svarta ögonbrynen i vädret. Jag skriver vidare, han ignorerar sedeln och släpper mig inte med blicken. Nu måste jag se till att komma i väg innan han tror att jag har något fuffens för mig. Jag måste tillbaka till hotellet också, klockan kvart över nio blir vi hämtade, och sedan fortsätter programmet som vanligt, strikt och officiellt. I morgon ska jag hålla mitt tal i Washington, är litet nervös, mest för min engelska, med den uppenbart så tydliga skandinaviska (jylländska!) accenten. Hoppas slippa loss och kunna ta mig till Greenwich Village i kväll, kanske kan jag hitta klubben från när Thomas och jag var här senast. Saknar honom men känner mig tryggare inför att vara skild från honom än vad jag har varit tidigare. Han verkade glad och lugn när jag reste, och ungarna låter också okej i telefon. Konstigt att tänka sig att de ligger och sover nu, mina kära. Min plågoande från Jyllands-Posten, den där Thor Thorsen, ringde banne mig i går och frågade vad jag hade för kommentarer till det brandbombsattentat som hade begåtts mot chefen för ScanPharm. Ja, vad fan kunde jag tycka om det annat än att det givetvis är helt oacceptabelt med den sortens metoder, också inom miljökampen. Varför frågar han mig om det? Det oroar mig. Och även om jag står fast vid att jag inte känner till Grön gerilla, vilket

jag när allt kommer omkring inte gör, tycker jag att det är väldigt obehagligt att han uppenbarligen försöker koppla mig till dem. Nej, nu ska jag faktiskt skynda mig. Hoppas Sand mår bättre i dag, han uteblev från middagen i går kväll på grund av ryggont. Jag har erbjudit mig att komma och massera honom. Det är jag rätt bra på, och jag har min massageolja i necessären. Annars blir vi tvungna att hitta någon kinesisk medicinman i China Town. This is New York, after all! Tony har tagit pengarna. 'Keep the change!' säger jag flott, och nu frågar han om jag kommer tillbaka i morgon. 'Maybe', säger jag och spelar med. Brukar inte flörta, men i dag på morgonen är jag en europeisk singlewoman ute på rackartyg. Nu ringer min telefon, jag ser att det är Kamal. Back to work."

*

Kamal betraktade sig själv som rena sinnebilden för den integrerade andra generationens invandrare. När hans danska flickvänner ändå efter en tid påstod att det fanns mycket mer av muslimsk pakistanier i honom än han själv trodde slog han antingen bort det eller blev djupt kränkt, beroende på hur förtjust han var i flickan. Under alla omständigheter brukade han gå segrande ur diskussionen, eftersom de inte kunde sätta fingret exakt på vad det var. Var någonstans han avslöjade sig som icke infödd. Han var tolerant, han röstade på De Radikale, han hade ingenting emot flickor som solade topless på Bellevue, han kunde laga mat, han var för jämställdhet mellan män och kvinnor och hade inga som helst problem med att ha en kvinnlig chef. Hans respekt för Charlotte Damgaard var äkta och djup; han tyckte att hon var duktig, kompetent och värd att arbeta hårt för. Men han måste medge att gränsen för hans fördomsfrihet förmodligen nåddes den dag då han med egna ögon fick se sin minister ge en ledande ämbetsman massage på ett hotellrum i New York. Henrik Sand låg framstupa utsträckt på sängen, med bar överkropp, medan Charlotte Damgaard låg på knä över honom i samma säng och med glänsande fingrar klämde, knådade och tryckte till ackompanjemang av hans halvkvävda stönanden.

Trots att Kamals förnuft sa honom att det bara handlade om ett kyskt behandlare/patient-förhållande uppfattade hans djuriska instinkt situationen helt annorlunda. Och ja, om det var att vara pakistanier måste han erkänna att han var det. Utan att de hann lägga märke till honom hade han tyst dragit sig tillbaka genom dörren till det angränsande rummet, som var hans, och väntat i fem minuter innan han i stället ringde.

*

USA-resan blev en obetingad succé, så stor att Charlotte hade en känsla av att hon skulle kunna surfa hela vägen hem över Atlanten. Medan Henrik Sand helst ville ligga och skvalpa i en dvala av gintonic och starka smärstillande amerikanska knock out-tabletter som han till en summa av 230 dollar för konsultationen plus 30 dollar för medicinen hade fått utskrivna av en läkare, vilket gav en mycket konkret illustration av begreppet "välfärdsstat", gick det inte att få tyst på Charlotte. Hon var full av planer och idéer, som Kamal var tvungen att lyssna till. Men innan Henrik Sand drog sig tillbaka och lade sig att sova – de hade faktiskt tagit nattflyget – hann hon kläcka ur sig det som hon själv betraktade som ett Columbi ägg i fråga om svinstopps-problematiken. Nämligen att de i stället för att kräva ett tvärt svinstopp i stället skulle begära att amten skärpte sina gränsvärden för miljöpåverkan.

"Mmm", grymtade Sand och lade en kudde bakom sin värkande ländrygg. "Då blir de sura i Amtsrådsforeningen."

"Är det över huvud taget någon som inte blir det?" frågade hon och antecknade febrilt med penna och block, assisterad av Kamal, som bestämde sig för att överge den reserverade hållning han hade visat gentemot ministern sedan den där förmiddagen. Förnuftet hade segrat över känslan. Det var avgjort ingenting amoröst mellan ministern och sekretariatschefen. Hon *var* bara sådan. Frigjord. På ett danskt sätt som hans släktingar i Karachi inte förstod. De trodde att danska kvinnor var *horor*. Det hade de sett på TV.

"Jaha", sa hon och sparkade av sina DKNY-sneakers köpta i designnerns flaggskeppsbutik på Madison Avenue. "Vi låter meddela att amten ska göra en miljökonsekvensprövning redan vid ansökningar som berör 200 djurenheter i stället för 250. Det innebär att svinbaronerna inte längre kommer att kunna spekulera i att hålla sig precis under gränsen för att slippa prövningen och på så sätt få ja till ut-

246

byggnad. Det kommer att tvinga ner dem till under 200 enheter, och därmed kommer investeringen för utbyggnaden inte att bli tillräckligt lönsam. Den bär sig helt enkelt inte. You see?"

"Keine Hexerei, nur Behändigkeit", mumlade Sand innanför sin ögonmask.

Det uttrycket förstod Kamal inte heller. Men han uppfattade ironin.

"Det är ju ganska smart tänkt", invände han.

"I teorin, ja. Men det kommer ju att kosta amten ett krig att införa fler miljökonsekvensutredningar. Det kommer de åtminstone att hävda. Och oppositionen kommer att gapa och skrika, och innan du vet ordet av kan du inte nå en uppgörelse om någonting som helst."

"Vi försöker ändå", avgjorde hon. "Och så måste vi se till att komma vidare med det där Roundup. Jag tror att vi har hittat något uppe hos Kristen Kristensen. Jag har funderat på om vi inte borde ta en sväng dit upp. Vi måste ut i landet mycket mer. Känner du till Nordjylland, Kamal?"

Kamal log hastigt. "Visst gör jag det!"

"Tycker du inte det är vackert?"

"Jo", sa han även om han inte kunde ha någon uppfattning om en trakt han bara hade läst om. Så han skyndade sig att byta samtalsämne, till ett som han faktiskt hade tänkt över.

"Känner du den där Kristen Kristensen? Personligen, menar jag?"

"Hur så?"

"Därför att jag har läst några av hans brev, och jag tycker han verkar på något sätt *familjär*. Och så undertecknar han ju breven med *Kesse*"?

"Kesse?" upprepade hon med ett aningen för sprött tonfall, som Kamal inte uppfattade. "Det är ju en vanlig förkortning för Kristen i de trakterna", log hon avväjande, tog fram den utdelade filten ur plastförpackningen och fällde tillbaka sin stol till viloläge. "Nå, ska vi ta oss en tupplur, Kamal? Det är ju en dag i morgon också."

När hon blundade såg hon honom för sig igen, Kesse, på väg ut genom laddudörren med fadern över axeln. Hon borde berätta det för dem. Hur det hängde ihop. Skulle göra det. Snart.

★

De kom för tidigt, har fått vänta för länge i ankomsthallen. Ungarna är griniga, småbråkar och tjatar om Coca-Cola. Själv har han fjärilar i magen och står precis som de och sträcker otåligt på halsen var gång nya ankommande spottas ut ur tullslussen från bagageutlämningen.

"Mamma!" Jens skrik är skärande primalt när hon äntligen uppenbarar sig. Johanne gastar också och rusar efter sin bror som redan har hunnit kasta sig om halsen på henne. Hon har satt sig ner på huk, försöker skrattande krama båda sina barn samtidigt och därmed fördela sol och vind lika, tvillingföräldrars eviga utmaning. Kamal och Henrik Sand har stannat, stiger åt sidan för att lämna plats för de andra resande som också ska igenom välkomstceremonin. Äntligen lyfter hon sedan blicken och får ögonkontakt med Thomas, som närmar sig med hjärtklappning och bröstkorgen full av orgelbrus.

"Älskling!" utbrister hon glatt, reser sig och kysser honom på munnen. "Vad snygg du är! Vilken överraskning! Borde du inte vara på jobbet?"

"Jag 'arbetar hemma'", säger han och drar henne intill sig, släpper inte förrän han känner igen hennes kropp och kan konstatera att den är precis som vanligt. Hon luktar inte främmande, känns inte fel, har inte varit i andra händer.

"Å, vad jag har saknat dig", mumlar han i hennes öra.

"Ja", säger hon och överlåter sig åt honom, låter sig kyssas medan ungarna skuttar omkring henne och Kamal och Sand avvaktande står och trampar bredvid sina bagagevagnar. "Det har jag minsann märkt. Varför då egentligen?" viskar hon i hans öra.

Därför att, därför att, därför att … Därför att hon är hans enda effektiva skydd mot den besvärliga Maria och hennes inbillade förälskelse. Därför att hon är den enda som kan rädda honom undan frestelsen.

"Därför att", säger han. "Därför att ingenting är roligt utan dig. Ungarna har saknat dig de med." Han släpper henne och vänder sig mot Jens och Johanne, som nu slåss om platsen ovanpå bagagevagnens berg av väskor. "Visst har ni väl saknat mamma?"

248

"Ja!" hojtar Johanne och ger Jens en knuff. Men han är förberedd och parerar. "Ja, *av bara fan!*" ler han upp mot henne.

"Av bara fan!" skrattar hon och sticker ett finger i magen på honom. "Har du ingen jacka?"

"Nejjj! Det är sommar!" gastar Johanne.

"Är det inte litet tidigt att lägga av jackorna?" säger hon milt förebrående till Thomas, som själv bara iförd T-shirt rycker på axlarna.

"Det är 15 grader varmt. Vi har bara suttit i en taxi."

"Hm", fnyser hon ogillande och tittar upp när Sand långsamt närmar sig.

"Jag vill inte avbryta", börjar han ursäktande. "Men om vi ska hinna till mötet klockan tre …"

"Ja", säger hon och vinkar till Freddy, som diskret som alltid har dykt upp. "Jag kommer nu."

Det är löjligt, det inser han. Och han önskar att han kunde dölja sin besvikelse. Men han kan helt enkelt inte göra det. Inte för henne.

"Thomas!" säger hon och sänker rösten. "Jag måste helt enkelt ta en vända förbi kontoret. Det är bara några möten …"

"Visst", nickar han tappert.

Barnen har slutat slåss. Jens har blivit blank i ögonen.

"Du ska med hem!" säger han bestämt.

"Ja! Alldeles strax!"

"Dumma mamma!" säger han och dyker melodramatiskt ner på huvudet bland väskorna.

Charlotte suckar, drar med handen genom hans lockar, ett genetiskt avtryck av fadern.

"Okej", säger hon. "Hör på! Vi åker in till stan allihop med Freddy. Sedan släpper han av mig, och så får ni åka vidare alldeles själva!"

"Ja! Och leka statsminister!" Johanne hoppar entusiastiskt på stället. Jens lyfter försiktigt på huvudet, och en tår glittrar i ögonvrån.

"Vi tar en taxi!" biter Thomas av.

"Å, Thomas!" säger hon och himlar med ögonen medan Sand omärkligt avlägsnar sig med den vänstra handen mot ländryggen och den högra om mobiltelefonen. "Varför blir du sur?"

Därför att, därför att, därför att … Därför att han inte står ut med att behöva dela henne igen. Att behöva skiljas från henne igen.

"Vi *vill* åka med Freddy!" envisas Johanne högt och gällt.

Han flyttar undan hennes hand när hon klappar honom på kinden. Kärleksfullt genomskådande.

"Okej", ändrar han sig plötsligt. "Vi åker med Freddy."

★

De nya vattenproverna från Kristen Kristensens brunn visade sig vara positiva. Spår av Roundup *hade* påvisats. Visserligen i så minimala mängder, 0,1 mikrogram per liter, att varken amtet eller DMU, Danmarks Miljøundersøgelser, ansåg att det fanns anledning till oro. Man ansåg inte heller att de höga förekomsterna av missbildningar hos nyfödda i området överskred den statistiska felmarginalen, och vad tvekönade paddor beträffade kunde orsaken lika väl vara "hormonliknande ämnen i miljön".

"Det var ju betryggande att få veta!" fnös hon under de påföljande mötena, där hennes upphetsning fick Henrik Sand Jensen att klia sig på näsan och upprepade gånger uppmana sin minister att "ta det med en nypa salt", vilket bara provocerade henne ännu mer. Eftersom man nyligen hade omvärderat "världens mest harmlösa bekämpningsmedel" och förnyat godkännandet såg man inget skäl till att dra ut i ännu ett korståg mot den agrokemiska industrin med krav på totalförbud av dunderpesticiden som ingen ännu hade vågat röra vid.

"Men mer och mer tyder ju på att Roundup *har* en mutagen effekt! Det vill säga att medlet med stor sannolikhet *är* cancerframkallande! Flera forskare har påvisat kromosomskador hos råttor och lever- och njurskador på möss! Andra laboratorieförsök visar att fisk och vattenlevande djur drabbas av skador på arvsmassan. Varför satsar vi då inte målmedvetet på att förbjuda det?"

Kontorschefen från DMU gav Sand en trött blick; man hade varit igenom hela argumentationen tidigare, hade kontrollerat skeptiska forskares påståenden och avfärdat dem som grundlösa, kunde hon inte skärpa sig nu?

"Indicier räcker inte", påminde henne Sand. "Du måste ha vattentäta bevis, och några sådana föreligger helt enkelt inte. Kritiken bygger på antaganden och gissningar, och det är inte tillräckligt."

"Säg mig bara, är inte grundvalen för vår miljöpolitik ett erkännande av *försiktighetsprincipen*?" bet hon av. "Får jag exempelvis påminna herrarna om professor Grandjeans undersökning från 1998, som påvisade ett fasansfullt och mycket tydligt samband mellan bekämpningsgifter och bröstcancer?"

Den undersökningen mindes kontorschefen mycket väl.

"Jo, men de ämnen som påvisades i den undersökningen hade ju redan länge varit förbjudna. DDT och dieldrin, till exempel."

"Ja, men även dieldrin har en gång betraktats som ofarligt! Och sedan visade det sig att de kvinnor som hade mest dieldrin i blodet hade dubbelt så hög bröstcancerfrekvens som de som inte hade ämnet i sig!" Charlottes fakta skar ilsket genom luften. "Och när vi ändå är i farten är det ju inte särskilt många år sedan man hårdnackat hävdade att Roundup aldrig skulle kunna påvisas i grundvattnet. Och på hur många ställen har man hittat det nu? Har det inte varit en orubblig dansk princip att vi inte har velat acceptera pesticider i grundvattnet?" framhärdade hon.

Kontorschefen hade svårt att dölja sin trötthet.

"Jo, men mätningarna har trots allt legat så nära noll man kan komma ..."

"Är noll inte noll längre?" slog hon tillbaka. "En vetenskaplig sensation! Noll är avskaffat! Eller beror det bara på att det är bekvämt i relationerna med industrin och jordbruket och finansministeriet och vad det nu kan vara! Att devalvera noll?"

Mötesdeltagarna log avväpnande i förvissning om att deras minister, snart skulle ta sitt förnuft till fånga. Att förbjuda Roundup var en omöjlighet. Det måste, om inte andra, Henrik Sand kunna överbevisa henne om. Det gjorde han också. I viss mån.

Han gav henne för det första rätt, och därefter påpekade han att man trots allt måste vara substantiell i sin argumentation. Och politisk i sin strategi. Vilket han senare, mellan fyra ögon, förklarade för henne som att hon måste räkna sina skott i bössan. Veta vad hon använde sitt krut till. Eftersom hennes arsenal i motsats till deras inte var obegränsad.

"Den där agrokemiska industrin har både kryssningsmissiler och Stealthflygplan och pengar som gräs", sa han. "Då tjänar det ingenting till att du står där med din hötjuga och dina jylländska drängar! Du får bara alla emot dig, både inom och utanför systemet. Du bör hellre använda din energi åt att nå uppgörelser om gröna avgifter och få jordbruket att leva upp till rekommendationerna i Bichelutskottet om att minska användningen av bekämpningsmedel."

Hon skummade, besinnade sig och böjde sig. Varpå hon gjorde något annat som han inte heller tyckte var någon särskilt god idé men som han inte lyckades avstyra. Hon ringde till sin gamle vän på TV-nyheterna, Andreas Kjølbye, och inbjöd honom att följa med till Jylland på fotvandring under temat "en miljöministers dilemma".

"Finns det någon story där?" frågade han. Yes. Nytt fynd av glyfosat i ytvattnet var väl i sig en bra historia. Och bilder? Massor, försäkrade hon och frammanade de tvekönade grodynglen, de missbildade nyfödda och ett ensamt original i kamp mot systemet, till på köpet dekorativt placerade i det nordjylländska landskapet under en knallblå himmel. Och när hon till och med kunde locka med att han skulle få historien med ensamrätt var han med och fick efter visst parlamenterande ett godkännande från redaktionen. Nyhetschefen hade skarpt framhållit att den tid var förbi då politiker kunde beställa sändningstid, så man gav sig inte bara i väg med en miljöminister till Jylland om det inte fanns något att hämta. Och definitivt inte om man hade gått i skolan tillsammans och var goda vänner.

"Det var en kanonhistoria. Jag vill inte påstå att den var tillrätta-lagd, men jag måste erkänna att Charlotte och hennes medarbe-tare hade gjort ett imponerande förarbete. Hon måste ha haft hjälp av lokalbefolkningen, för de källor hon hänvisade till funge-rade optimalt. Vi gick till väga så att vi följde med henne runt till en rad människor i trakten, däribland några av de mödrar som hade fött missbildade barn inom samma period. Barnen saknade antingen händer eller fötter eller till och med könsorgan, så det var ganska mastiga saker. Mödrarna sa allihop att de inte kunde förstå att det skulle vara en statistisk slump att så många plötsligt skulle komma till världen samtidigt med så stora abnormiteter inom ett så litet område. De ansåg själva att det var 'något i mil-jön' som var orsaken. Och när man filmar ett sådant litet barn med en fingerlös klump i stället för en hand förefaller det faktiskt ganska övertygande. Hon talade ju med dem, Charlotte, och det är hon jättebra på. Så det blev en särskild närhet över de där besöken, ett slags intim väninneton som jag inte hade kunnat få fram själv.

Efteråt var vi på det lokala vattenverket, där chefen uttryckte sin oro och indignation över att man nu accepterade rester av bekämpningsmedel i ytvattnet, eftersom det förr eller senare skulle hamna i grundvattnet. 'Ingen vet vilka konsekvenser det kommer att få för våra efterkommande. Det blir ju våra egna barn och barnbarn som får betala notan!' Han bad miljöminis-tern att vidta effektiva åtgärder för att säkra dricksvattnet, även om det skulle komma att kosta. Hon svarade att det var därför hon satt där. Att dricksvatten var hennes 'hjärtebarn'.

Till slut begav vi oss till Kristen Kristensen, jokern i leken. Inte för att vara oförskämd, men beteckningen *imbecill* är nog

253

den mest träffande. En jättelik, kutryggig man i urblekta arbets-
byxor, tunnsliten, trasig stickad tröja och grå hängslen. Flottig
keps och gigantiska träskor med bakkappa. Han skelade med
ena ögat, kanske var det blint. Hans tjocka underläpp var våt
och glänsande, och hela ansiktet var översållat med vårtor och
fläckar, så han var inte direkt vacker. Samtidigt var det något på
samma gång vaksamt närvarande och autistiskt frånvarande
över hans uttryck, vilket förstärkte den obehagliga bilden. Ål-
dersmässigt befann han sig väl någonstans mellan 65 och 75.
Jag ryggade genast tillbaka för honom, också därför att det stod
en skarp stank kring hans stora kroppshydda, men han var
skräckinjagande, som en jätte eller ett troll av det elaka slaget
som äter små flickor till frukost.

Charlotte var redan där när vi kom med vår inspelningsbil,
och jag måste säga att jag var förvånad över att hon hade lyckats
få så fin kontakt med honom på så kort tid. Mig ville han abso-
lut inte se i ögonen, och när han skulle svara på mina frågor
mumlade han bara obegripligt på vendelbomål medan saliven
rann ur hans uppsvällda, blänkande käft. Det fungerade inte
alls, men det uppfattade hon med detsamma, fattade om hans
armbåge och fick honom att slappna av. Bad honom att visa oss
runt på den lilla lantgården, som hämtad ur en Søren Ryge-do-
kumentär, komplett med grönskande köksträdgård, höns och
kalkoner. Han hade också ett par får, en ko och en enda gris
som gick och bökade i jorden, så på många sätt påminde det om
min barndom, när man var hemma och hälsade på någons mor-
eller farföräldrar på deras småbruk. Jag kommer ju också där-
uppifrån, så det var inte så främmande, även om karln odisku-
tabelt var 'litet bakom', som man sa på den tiden. Charlotte fick
honom att visa vägen ner till vattenhålet, och vi följde med, ka-
meramannen och jag, och på något sätt fick hon honom att be-
rätta om vad vi såg på vägen ner. Om fåglarna som häckade i
buskagen, om hur många par det fanns nu och hur många det
hade funnits. Han berättade också om floran, om arter som ha-
de försvunnit och andra som hade brett ut sig, och vad det hade
betytt för fjärilar och bin. Det faktum att han talade om *bio-
diversitet* hade han förmodligen ingen aning om, för honom var

tillbakagången ett uttryck för 'människans dårskap' och det 'Guds straff' som vi nu fick känna av. Nere vid vattensamlingen skulle han sedan förevisa den stora höjdpunkten, nämligen de med tiden legendariska tvekönade grodynglen. Jag hade själv sett till att ta med en syltburk men lät honom fylla den själv. Och banne mig om han inte gjorde det – redan vid första försöket kunde biologen vi hade med oss konstatera att det var något som var alldeles på tok med ynglen. För det första kunde hon vid en hastig undersökning i det medhavda mikroskopet bekräfta misstanken om missbildningar, för det andra fanns där oroväckande få grodyngel och ingen fisk alls men däremot en alltför tät och kvävande växtlighet till följd av hög algförekomst. Vattenhålet var döende, precis som Kristen Kristensen hade hävdat. Biologen ansåg visserligen inte att det specifikt kunde skyllas på Roundup, snarare övergödningen från den ökande gödselspridningen på de kringliggande åkrarna. Men som hon sa hängde ju allting ihop. Den omfattande användningen av bekämpningsmedel hade dels lett till en dramatisk landskapsförändring, eftersom träd, häckar och gärdsgårdar hade tagits bort för att de stora jordbruksmaskinerna skulle kunna ta sig fram på mycket större enhetliga arealer än tidigare, vilket gick ut över mångfalden – artdiversiteten – och dels var hela den industrialiserade form av jordbruk som vi bedriver i Danmark en stor belastning för miljön. Jag försökte få Kristen Kristensen att kommentera men fick honom inte att säga något som helst begripligt. Det blev bara till en lång, osammanhängande harang på det där gamla vendelbomålet som ingen jävel söder om Ålborg kan förstå. Men sedan tog Charlotte över igen, med perfekt timing, och gjorde sitt eget tal mjukare, dock utan att slå över i dialekt, och fick honom att sätta sig ner vid strandkanten. Hur hon kunde få honom att begripa att han måste tala någotsånär riksdanska och bara föra ett vanligt samtal med henne har jag ingen aning om. Men där satt de, Skönheten och Odjuret, vid kanten av ett halvkvävt vattenhål, och talade om den tid då man hade kunnat bada i sådana småsjöar, hur kreaturen hade kunnat dricka ur dem, hur man hade kunnat följa årstidernas gång och räkna ödlor och klockgrodor och veta att de skulle finnas där

255

även nästa sommar. Det var faktiskt mycket vackert och i varje fall den mest poetiska framställning av ett danskt miljöproblem som jag någonsin har bevittnat. Därför att man kunde känna den här mannens sorg över det landskap han hade förlorat. Och sedan lyckades hon till på köpet framhäva kontrasten och föra in en skurk i bilden – för Kristen tvivlade ju inte det ringaste på vad som hade hänt och när. 'Det var när de började spruta som det gick åt skogen.' Och sedan hade det blivit 'rent tossigt'. Och nu kunde vi bara sätta oss ner och vänta på undergången och syndafloden.

Det var här han till sist vände blicken mot mig, trotsigt, med en sidoblick in i kameralinsen. Och sedan berättade han att han höll på att bygga en Noaks ark. Åt djuren, åt sig själv och – Charlotte. Hon skrattade högt och lade sin hand på hans arm, men någonstans kunde jag se att det där skrattet sårade honom. Han *menade* det. Sedan blev han påstridig och skulle prompt visa oss arken, fastän Charlotte försökte avråda honom. Men vi släpades med tillbaka till ladan, och där stod mycket riktigt en båt. Inte färdig, men man kunde i alla fall se vad det skulle bli av den. Det var närmast litet Rasmus Klump-aktigt, mycket rörande i all sin tafatthet. Kamal, Charlottes ministersekreterare, flinade, och jag var nära att flina jag med, men då fick vi *blicken* från Mutter Skrap och skärpte oss. Och naturligtvis tackade vi ja till kaffet och kringlan i boningshuset, som måste ha stått orört av kvinnohand i minst ett par tre decennier. Fan, vad där var äckligt. Charlotte hade varit förutseende nog att ta med plastmuggar till kaffet, annars hade jag aldrig fått ner en droppe. Lustigt nog smakade det utmärkt, kaffet. Hon höll ett litet tal för honom, som vi också filmade, och lovade att göra allt för att hans lilla vattenhål skulle bli levande igen.

'Lovar du det?' frågade han med sin skelande blick, och hon tog honom kring handleden och lovade det. Högtidligt. Inte ett öga var torrt. Fotografen var alldeles till sig, hela inslaget avancerade till Søndagsavisen. Vi fick åtta minuter, och det var inte en minut för mycket. Så ja, det var en kanonhistoria, den där med Kristen Kristensen och hans vattenhål. Hennes dilemma? Tja – det var ju att hon inte ens som miljöminister kunde göra allt det som hon kände var det rätta. Som hon sa: 'Jag kan till exempel inte bevisa att rester av bekämpningsmedel i grundvattnet är skadliga för hälsan. Inte ens på längre sikt. Men jag kan tro det. Och det viktiga för en politiker är väl egentligen inte att veta utan att våga tro.' Det uttalandet var i sig modigt. För att inte säga dumdristigt. Om det inte hade kommit från Charlotte. Hon visste vad hon gjorde. I regel.

Om vi har varit ihop? Ha, ha, varför frågar du om det? Okej, om du lovar att inte säga det till någon har jag gjort flera allvarliga försök att komma innanför trosorna på henne. När vi gick i gymnasiet. Jag var tokig i henne, men jag kom aldrig längre än till att kyssas litet. Tyvärr. Hon var banne mig en läckerbit. Även på den tiden. Fast de flesta pojkar var rädda för henne. Även på den tiden ..."

～

Kamal närmast flyr in i bilen när de har sagt adjö till Kesse. Charlotte blir stående, kan inte förmå sig till att ta farväl. De har inte fått någon tid för sig själva, hon har inte kunnat tala privat med honom, och han har inte vid något tillfälle själv röjt att de känner varandra. Frånsett det där med arken. Att hon skulle få följa med. Som tur var lät det så vansinnigt att ingen tog det bokstavligt. Ingen uppfattade att det var en hemlighet de hade haft ihop, alltid.

"Det var roligt att få komma och hälsa på", tar hon sig sedan samman och säger. "Du bor fint här."

Kesse nickar, skrapar stumt med den ena träskospetsen och tittar sedan upp på henne med sin skelande blick. "Du är en fin liten tös, Lotte."

"Tack", ler hon, känner rodnaden på kinderna.

"Det har du alltid varit", fortsätter han och nickar framför sig.

Hon funderar på att visa bilder på sina egna barn, på Thomas och sitt liv i Köpenhamn. Förkastar idén. Nu är hon själv barn.

"Din pappa var också fin." Han torkar näsan med baksidan av handen och nickar talande framför sig medan hon känner hur den bränner på tungan. Frågan som hon har åkt hit upp för att få svar på.

Varför gjorde han det, Kesse?

Men nu kommer fotografen tillbaka, han har varit runt med sin kamera i de pittoreska omgivningarna. Andreas ropar på henne.

"Charlotte, vi filmar dig när du säger adjö, går bort till bilen, sätter dig och kör i väg. Sedan träffas vi igen uppe vid huvudvägen. Är det okej?"

Ja, det är okej. Men nu kan hon inte ställa frågan längre. Ögonblicket är förbi.

"Adjö, Kesse", nöjer hon sig med att säga och kramar sedan om honom för första gången någonsin. Han står överrumplad med armarna villrådigt hängande utmed sidorna, hinner inte lägga dem om henne förrän hon är på väg bort till bilen och snabbt har satt sig och slagit igen dörren. Först då lyfter han handen till en slapp vinkning, som hon återgäldar medan tårarna tränger fram och BMW:n rullar över den leriga gårdsplanen.

*

Det är absurt, hon behöver inte göra det. Ändå stiger hon upp klockan halv sex för att hinna baka bullar till dagis på barnens bröddag. Ingen kommer att tacka henne för det. Men det kommer att noteras. Och det räknas i hennes egen bokföring. Precis som när hon står i kö på Fakta och försöker strunta i de stirrande blickarna och den nyfikenhet varmed hennes inköp skärskådas medan de glider fram på kassabandet: dambindor, leverpastej, yoghurt, diskmedel. Och en ensam flaska inte allför dyrt rödvin. Hon vet att det är så. Folk håller sådana som henne under noggrann uppsikt. Har hon över huvud taget någon aning om vad en liter mjölk kostar? Eller tror hon bara att hon kan gå på vattnet?

*

Första maj var klar och kall, litet för kall för den picknick i Frederiksberg Have som var Charlottes alternativ till Arbejdernes Internationale Kampdag. Men de kom ändå, i tjogtal, de unga mödrarna och fäderna med sina telningar i barnvagnar, bärselar eller terränggående babyjoggers för att höra henne tala om "Det goda livet" och bli serverade ekologisk tårta, kaffe och saft, tack vare en trendkänslig kock som såg en chans att profilera sin cateringfirma. Alla fick också var sin liten påse med ängsblommefrön och en nästan unplugged sång av en rockmama med inrökt stämma och ett bubblande engagemang. På så sätt slank det politiska – hennes tal om klimatavtalet, koldioxid-utsläppen och visionen om den gröna omställningen – obesvärat ner, som en förutsättning för den "vidunderlighet" de satt mitt uppe i, vårens akrylgröna och överdådigt vitsippsblommande klimax.

Metaforerna låg serverade som på en bricka – "politik är också att sköta om sin trädgård, att visa omtanke och omsorg om till och med den mest anspråkslösa ört så att den inte trängs undan och utplånas av kirskålens aggressiva frammarsch". Henrik Sand hade hjälpt henne med talet – "du har ju expertkunnandet!" – och även om det hade roat honom att skriva det tyckte han att han hade brett på i överkant där han satt på sin medhavda fällstol och lyssnade till sin minister. Men de åt hur handen på henne som sjöns snattrande änder och upp-fattade den ironiska knorren, så när hon kom till höjdpunkten och släppte ut tjugo citronfjärilar både jublade man och klappade i hän-derna. Och framför allt kom hon i TV. Till på köpet i sällskap med sina egna storögda barn, som fick lyfta på locket till asken med fjäri-larna. Miljöministerns picknick framhävdes som det enda av dagens arrangemang som visade på något av den förnyelse som alla de övriga saknade. Därför, sa den inkallade kommentatorn, en före detta spin doctor för Venstre, fick till och med statsministern finna sig i föröd-mjukelsen att tala för få men döva öron såväl i Fælledparken i Köpen-hamn som på Tangkrogen i Århus, där entusiasmen för kampdagen var lika slapp som fackföreningens medhavda röda fana. Folk hade visserligen ledigt, men de ville hellre åka och storhandla på Bilka än ge sig ut och demonstrera. Charlotte undvek diplomatiskt att kritisera sina kolleger och nöjde sig med att påpeka att hon ju måste göra saker och ting på sitt eget sätt. "Det skulle vara rena hyckleriet om jag stod och viftade med röda fanor och kläckte ur mig paroller från den arbe-tarrörelse som jag inte har varit någon del av. Vem skulle tro på det?" Så löd citatet, som det redovisades i TV-nyheterna. Att hon efteråt tillade att det ju inte betydde att värderingarna om frihet, jämlikhet och broderskap saknade giltighet eller att klassamhället var upplöst kom inte med. Så om man ville missförstå henne var fältet fritt. I syn-nerhet när opinionsmätningarna åter talade sitt obarmhärtiga språk och visade att partitoppens popularitet sjönk medan hennes steg.

Det var i det läget som några vänliga själar för första gången viskade i Per Vittrups öra att den där frispråkiga miljöministern tydligen var i full färd med att underminera *hans* auktoritet. För nog kunde man läsa mellan raderna i hennes uttalande att han saknade trovärdighet? Att det så att säga var det som var problemet? Per Vittrups bristande genomslagskraft? Eftersom den som var mest oförblommerad i sina påpekanden var Gert Jacobsen slog Per Vittrup bort dem. Så dum var han inte att han inte kände sina pappenheimare. Gert hade sin egen lumpna dagordning. Men när Gitte skrattande tolkade opinionsmätningarna på samma sätt, det vill säga att Charlotte var på väg upp medan han var på väg ner, blev han trots allt orolig. Försökte hon sig på en kupp mot honom? Det frågade han Gitte om, i förbifarten – *Försöker hon sig på en kupp mot mig?* – varvid Gitte gav honom en spydig blick över tidningskanten som kunde betyda allt från att han var patologiskt paranoid till att han var kriminellt naiv. Så han lät ämnet falla, men masken hade trängt sig in, och även om han kunde sin Otello och visste att man skulle akta sig för Jagofigurer i politiken lät han den leva. Han lät till och med misstänksamheten få ett så pass starkt grepp att han under förevändning att vilja diskutera ett par saker rörande pensionskassornas finansiering av bostadsbyggandet kallade till sig Christina Maribo. För att pumpa henne, rätt och slätt. Ämnet var känsligt, och han gick som katten kring het gröt innan han som ett "förresten" frågade henne hur hon egentligen uppfattade Charlotte Damgaard.

"Hm, vad menar du?" frågade hon där hon satt på just den stol där Charlotte hade suttit ett par månader tidigare. Hennes osäkerhet tvingade honom längre fram på planen, så långt fram att han efter flera stolpskott blev tvungen att fråga henne rent ut om hon tyckte att "Charlotte emellanåt ger uttryck för åsikter som på ett fundamentalt sätt avviker från regeringens?" Det fick Christina Maribo att hastigt låta tungan spela över de fylliga läpparna, för vad skulle hon svara på det? Underförstått, vilket svar ville han ha av henne? Den chef som hennes vidare avancemang i partihierarkin åtminstone än så länge var beroende av?

"Charlotte har ju sina egna åsikter", svarade hon till sist med blicken fäst på hans ansikte, så att hon snabbt kunde avläsa reaktionen och anpassa sitt tillägg därefter. "Och ibland kan de ju avvika radikalt från de vedertagna …"

Han nickade bara svagt, vilket fick henne att förstå att hon måste komma med något mer. Mer kött i soppan.

"Jag har stor respekt för henne", fortsatte hon. "Jag anser att förnyelse och debatt är viktigt, men enligt min regelbok går hänsynen till Partiet och helheten alltid före. Och det gör den nog inte för Charlotte."

Ett leende hade börjat spela i Per Vittrups mungipa, framtandens guld glimmade till. Christina Maribo hade börjat svettas. För sålunda talar en god partisoldat, och sålunda talar en dålig väninna.

"Men om du frågar mig ifall jag tycker att hon är illojal säger jag nej. Det är hon inte. Inte direkt", tillade hon i ett sista försök att göra gärningen ogjord. Vilket, insåg hon, var lika omöjligt som att ångra ett stekt ägg.

Hon hade emellertid knappt hunnit igenom glasburen på väg tillbaka till sitt ministerium förrän hon hade intalat sig att det var sådana villkoren var. Det visste de allihop, man kan inte ha vänner i politiken. Inte *riktiga* vänner, i alla fall.

Och Per Vittrup fick trots bristen på det slutgiltiga beviset bekräftelse på att han måste hålla ett öga på Charlotte Damgaard. Om hon verkligen var ute efter tronen hade han inte annat att göra än att agera machiavelliskt och göra sig av med henne. Så var det. Easy come, easy go. Fram till dess kunde hon fortfarande vara till nytta. Hon fyllde ju sin tilltänkta funktion. Som provokatör, förnyare och – syndabock. Och så länge det varade ansåg han fortfarande att hon var en stimulerande bekantskap. Betydligt mer inspirerande än Christina Maribo, inget tvivel om den saken.

★

"Varför kommer inte Christina?" frågar Sofie när de har kindpussats på Baresso, kaffebaren i hörnet mittemot Miljöministeriet.

"Hon blev kallad till möte", säger Charlotte och vänder sig mot bardisken för att beställa. "Hennes sekreterare ringde till min. Caffè latte?"

Sofie ler. "Ja, vad annars? Och en liten kaka … åt lillen."

"Blir det en pojke?" frågar Charlotte när hon har hämtat kaffet och kakan.

"Det hoppas jag. För pappans skull. Det kanske kan få honom att acceptera situationen ..."

"Gör han inte det?"

"Njaä ..." Sofie rycker på axlarna och öser socker i glaset. "Men han vill att jag ska avgå. Han tycker inte att man kan vara minister och mamma på en och samma gång. Och han har gjort klart att han inte tänker ställa upp som pappa på heltid. Han har ju fullt upp med att producera reklamfilm, så ..."

"Så vad då?" frågar Charlotte, redan indignerad.

"Så han har ju en karriär. Kanhända borde jag dra mig tillbaka med detsamma. Jag tror inte att jag orkar kämpa på mer än en front åt gången!" Sofie lägger händerna på magen, vars svällande linje börjar framträda.

"Nej!" protesterar Charlotte. "Det får du inte göra! Vi ska ju skriva böcker och allt möjligt!"

"Javisst! Jag har börjat skriva litet", säger hon och gräver i sin väska efter en italiensk anteckningsbok inbunden i handgjort, liljemönstrat papper. "På nätterna, när jag inte kan sova."

"Kan du inte sova?" frågar Charlotte och böjer sig fram.

"Nej. Kan du?" Sofies violblå ögon far yrvaket upp.

"Jag sover som en stock", svarar hon och gömmer sig bakom det tjocka kaffeglaset.

*

Charlotte lät sig inte luras av Christina Maribos undanflykter, som hon genast kopplade till den animositet hon i stigande grad hade känt från sina regeringskolleger alltsedan första maj. Men trots att det inte krävdes någon avancerad matematik för att räkna ut att det bara var Meyer och Sofie hon kunde vänta stöd av i varje slags diskussion hon mer eller mindre mot sin vilja blev indragen i, fortsatte hon oförskräckt med sin våroffensiv. Eftersom valryktena surrade allt ivrigare och Venstrelejonen hade börjat träna på att ryta insåg hon att hon om hon skulle hinna uträtta något under sin korta karriär måste knoga vidare och sätta några avtryck innan hon återigen var *out of office*.

262

Meyers sushipåstående att Berit Bjørk tänkte gå i pension verkade inte ha något fog för sig – uppenbarligen hade hon förlikat sig med att sitta kvar på nåder tills en regeringsombildning eller ett val tvingade henne att gå. Hon hade blivit mindre kverulantisk, mindre envis, höll sig numera praktiskt taget tyst, även i de debatter som på ett eller annat sätt alltid kom att dissekera Charlottes göranden och låtanden. Så idén om att Charlotte kanske skulle kandidera till Folketinget bleknade allteftersom veckorna gick och hon inte fick minsta vink om att någon ville ha henne som kandidat. Inte heller i Berits Amagerdistrikt. Utan att hon i och för sig hade tagit ställning mot stod det klart att hon inte själv tänkte tigga och be någon om att ge henne en kandidatur. Så mycket betydde det inte för henne. Absolut inte. Och ju mer hon tänkte på saken desto mer övertygad blev hon om att Meyer inte nödvändigtvis hade rätt. Låg hennes styrka inte i att hon varken behövde behaga väljarna eller statsministern? Att hon inte, som hon hade sett så många fasansfulla exempel på, skulle bryta samman om hon förlorade tillträdet till den politiska maktens korridorer, även kallade Christiansborg. Hon var, försäkrade hon inför både Sand och Thomas, inte *hooked*. Hon kunde fortfarande hur lätt som helst gå ut genom dörren och se det som en erfarenhet.

"Ha!" fnös Sand. "Det tror du."

Thomas sa ingenting.

Han hade hösnuva, björkpollenallergi, och problem på sitt arbete, där han höll på att förlora status och spännande uppgifter därför att han alltid måste gå hem tidigt och aldrig kunde resa bort. Dessutom plågades han fortfarande av Maria och hennes ideliga försök att fresta honom att ge efter, vilket han förr eller senare skulle komma att göra om han inte talade ut med Charlotte. Det kunde han bara inte, och därför hade han återigen blivit reserverad och avstått från att vara den sparringpartner som han alltid annars hade varit åt henne. Hon låtsades att hon inte märkte det eftersom hon inte orkade gå till botten med hans nya och oroande nyckfullhet, och därför svarade hon i hans ställe, det vill säga hon svarade sig själv.

"Jag är immun mot den politiska smittan. Inga virus i mitt blod", deklarerade hon frejdigt en morgon full av fågelkvitter på väg till Stockholm och skyndade sig att slå igen dörren efter sig så att hon inte hann höra smådjävlarna slå sig på knäna av skratt.

I maj hade hon nämligen nått sin fulla flyghöjd och maximala marschhastighet, och hon skulle ljuga om hon förnekade att hon fick en kick av den intensitet som är alla politikers drog. Både i Salen och under rådplägningarna var trycket hårt, men till sina motståndares stora förtret gav hon rappt svar på tal och överlevde i suverän stil interpellationsdebatten om den energipolitiska utredningen och de sedvanliga gliringarna om de gröna avgifterna, desto mer utspekulerade som Enhedslisten hade ingått en ohelig allians med de borgerliga i frågan, med den ädla motiveringen att de "utgjorde tungan på vågen". Ett argument som Venstre och Konservative sedesamt anslöt sig till, även om det för dem handlade om något helt annat – deras inbitna motvilja mot varje form av skatter, avgifter eller regleringar som på minsta sätt kunde irritera deras älskade näringsliv. I synnerhet duellerna med Venstres miljöordförande blev allt skarpare, både i Salen och i miljöutskottet, där tonen gränsade till det oförsonliga. Särskilt hennes. Svend Thise försökte lugna ner henne genom att framställa mannen som en hygglig sydjyllänning som sysslade med biodling och var snäll mot sin fru och de tre adoptivbarnen. Och visst insåg hon det förnuftiga i den del av Christiansborgs traditionella kodex som föreskrev att politisk fiendskap inte fick leda till personlig ovänskap. Ingen kunde stå ut med att år ut och år in umgås i en atmosfär av agg och groll, men på samma sätt som hon aldrig hade kunnat tända på killar som röstade till höger om mitten var det omöjligt för henne att känna mer än nödtorftig sympati för en man som ville bomba miljöpolitiken flera decennier bakåt i tiden.

"Han provocerar mig helt enkelt till vansinne!" rasade hon under en paus i en av rådplägningarna då hon och Svend Thise hade dragit sig litet avsides, officiellt för att röka, inofficiellt för att "compare notes". Det vill säga prata strategi.

"Det är ju en del av spelet", insköt Svend Thise och gav henne eld. Befriande nog utan att kommentera hennes deklarerade rökstopp.

"Spelet?" utbrast hon upprört. "Hur kan du säga något sådant, Svend! Om den där karln kommer till makten kan du glömma allt om det folkliga miljöengagemanget! Då är det slut med Den gröna fonden, naturrestaurering och stöd till vindkraftverk och koloniträdgårdar och grön omställning. Forget it! Vi får stormarknader överallt, koldioxidutsläppen stiger, och vad ditt kära svinstopp beträffar blir det rena skämtet! Internationellt kommer vi att förlora ledartröjan, och vad som är än värre är att vi inte längre kommer att ha den auktoritet som krävs för att fungera som inpiskare och föredöme. Det blir en ka-ta-strof om de vinner valet!"

"Det måste ju först utlysas", konstaterade han torrt och viftade bort röken. "Och förloras."

Hon lyfte sarkastiskt på ögonbrynen. Svend Thise läste också tidningar och opinionsmätningar, och för att uttrycka det milt hade kurvan inte vänt. Den nedåtgående.

"Ja, ja", sa hon. "Men jag känner flåset i nacken. Det krävs fullt ös om vi ska få något gjort."

"Varför röstar ni då nej till vårt förslag om svinstopp?" frågade han, den här gången med en antydan till skärpa i den retsamma tonen.

"Svend", sa hon lågt och lutade sig fram mot honom. "Du vet mycket väl att det är för vittgående för att jag ska kunna få igenom det. I nuläget, som man säger. De älskar mig ju inte lika mycket som du allihop, eller hur?"

Han lade handen på hennes axel och såg henne rakt i ögonen. "Charlotte", sa han. "Någon gång måste du berätta för mig varför du egentligen är där du är?"

"Varför jag är socialdemokrat?" frågade hon.

Han nickade. Hon drog ett djupt andetag, nickade till vakten, som var på väg att kalla in dem efter pausen.

"Okej. Det är en bra fråga. Nästan lika bra som frågan om varför du är där du är."

"Därför att jag är masochist", sa han med ett snett leende och släckte cigarretten.

★

Hon gick miste om våren, inget tvivel om den saken. Om inte Henrik Sand hade varit omtänksam nog att ställa en vas med blommande körsbärsgrenar på hennes bord och släpa henne med ner till Café Norden den dag värmen kom skulle hon knappt ha lagt märke till årstiden. Jo, hon såg ju turisterna gå ombord på Kanalrundfartens båtar nere på Gammel Strand, hon hade tagit några fantastiska joggingrundor i Fælledparkens gröna lövsal och det var ljust länge på kvällarna.

I allmänhet hade hon sitt fönster öppet på kontoret och utnyttjade ljuden från en glad och våryster stad som livfullt soundtrack när hon arbetade eller satt i sammanträde. Men i motsats till vad omgivningen antog kändes det inte som något offer eller någon försakelse att befinna sig djupt inne i koncentrationens isolerade rum. Hon satt hellre i sammanträde med Amtsrådsføreningen om svinfarmsproblematiken än gjorde cykelutflykter i Dyrehaven. Och om sanningen skulle fram ville hon på det hela taget hellre vara på arbetsplatsen än hemma, där diverse krav vällde över henne så snart hon steg innanför dörren.

Henrik Sand märkte förändringen, att de ömma telefonsamtalen till och från hemmet blev allt mer sällsynta i takt med att hon allt mer sällan berättade vad Thomas ansåg, sa eller gjorde. Hennes barn såg de inte heller så ofta till på kontoret, burken med vingummibjörnar, som han hade lovat dem att hålla fylld, stod orörd för tredje veckan i rad. Om förändringen var ett uttryck för en gemensam överenskommelse på hemmafronten och en ökad professionalisering av hennes arbetsinsats eller avspeglade en äktenskaplig fnurra på tråden gick inte att avgöra. För i motsats till de andra kvinnliga chefer han hade känt under åren talade hon mindre och mindre om sitt privatliv och verkade inte ha något behov av att anförtro sig eller avbörda sig. Hennes yrkeskoncentration var också oklanderlig; hon var definitivt inte en sådan som satt och funderade över vad hon skulle ha till middag medan hon satt i sammanträde.

Snarare verkade hon än mer närvarande och på hugget med en vässad uppmärksamhet som inte missade någonting, vare sig i stort eller i smått. Vad det senare beträffade hade hon inlett ett nitiskt korståg mot "dålig danska" och satte röda streck under stavfel och grammatiska grodor i de dokument hon fick för genomläsning och godkännande. Det var det många som blev förnärmade av, trots att resonemanget var nog så rimligt – språklig oförmåga undergrävde fackmässigheten och därmed ministeriets renommé. Ändå försökte Henrik Sand avråda henne från att driva en alltför rigorös policy; sårade medarbetare var inte alltid lojala medarbetare. Och, måste han erkänna, särskilt män gillade inte den sortens tillrättavisningar, avgjort inte när de kom från en kvinna. Se bara på Jakob Krogh.

I gengäld backade han upp henne fullt ut i hennes holmgång med amten. I synnerhet de amt som dominerades av Venstre var svåra att tackla när det gällde att få bukt med kväveutsläppen. Först försökte hon med lämpor – bjöd ordföranden i Amtsrådsføreningen på en god lunch i Nyhavn för att få honom att inse att något måste göras. Men även om han njöt av att bli kliad under hakan och i princip höll med henne om att vissa amt hade problem som de uppenbarligen inte klarade av att göra något åt, var han helt emot att de tog på sig ytterligare ansvar i den frågan. Och vad beträffade hennes förslag om att de tills vidare skulle försöka sig på en administrativ uppgörelse som gick ut på att amten sänkte gränsen för när de skulle gå in och göra en miljöprövning vid utbyggnad av svinfarmer, hennes Columbi ägg, fick det bara ordföranden att flina och nedlåtande skaka på huvudet.

"Lilla vän", tillät han sig säga i en så överlägsen ton att hon var nära att sätta kaffet i halsen. "Visst kan vi göra det. Men då måste du nog få din kollega finansministern att hosta upp några hundra miljoner först. Som kompensation för en ny merkostnad."

"Några *hundra miljoner*?" utbrast hon vantroget. "Är du inte riktigt klok! Så mycket kommer det aldrig att kosta er!"

Henrik Sand behärskade ett leende och bad om notan. Politik kunde vara synnerligen underhållande.

"Minst!" försäkrade amtsrådsordföranden och värmde sitt konjaksglas i handen. "Det innebär ju också förlust av skatteintäkter om vi ska sätta ett tak för utbyggnader. Folk lever på sina grisar ute i glesbygden. Allihop. Det kan du tala med din företrädare om. Det förstod han mycket väl."

"Søren Schouw?" frågade hon överflödigt.

"Ja. Han är realpolitiker, kära Charlotte. Det skulle du kanske kunna lära dig en del av."

Hon brast i gapskratt. Försöket att skrämmas var så grovt att hon nästan förlät honom.

"Om det inte fungerar med lämpor kommer jag att tvinga er. Förr eller senare!"

"Är det ett löfte eller ett hot?" flinade han och tömde sitt glas.

Hon har köpt med muffins hem till bededagsafton. De väntar på henne med te och stearinljus – hon har lovat att de ska vara lediga alla tre dagarna. Tillsammans. Thomas har lagt på en vit duk, Jens och Johanne har dukat. Kvällen har den speciella nordiska blå ton som plötsligt skär i hjärtat på henne. Kanske är det detta överrumplande vemod som blir den utlösande faktorn. Eller den andra världen som hon drar med sig in i deras. Maktens värld som blir till maktens språk i hennes mun när hon nätt och jämnt innanför dörren öppnar den och till sin fasa hör sig själv:

"Kunde du inte ha strukit den där duken? Kopparna ska stå till höger, tallrikarna till vänster! Teet är för svagt! De ska väl inte ha jordnötssmör på sina muffins! Håll tyst nu! Varför har de inte tvättat händerna?"

Thomas tittar på henne, och hans blick är kall som fjordvatten. "Varför går du inte härifrån igen?"

*

Det mesta av helgledigheten går åt till att säga förlåt. Förlåt för att han får stå för allt där hemma. Förlåt för att hon är så uppslukad av sitt arbete. Förlåt för att hon aldrig är hemma. Förlåt för att hon aldrig tar barnens första sjukdag. Förlåt för att de inte kan slå upp en tidning eller titta på TV utan att hon dyker upp. Förlåt för att hon klippte av sig håret. Förlåt för att han inte får nog med sex. Förlåt för att hon inte *ser* honom tillräckligt. Förlåt för att hans karriärmöjligheter är på väg att försvinna. Förlåt för att hon tjänar mer pengar än han. Förlåt för att hon har bil med chaufför. Förlåt för att hon inte har stängt av sin mobiltelefon. Förlåt för att hon talar mer med Henrik Sand än med honom. Förlåt för att hon måste se på nyheterna. Förlåt för att hon har gått ner i vikt. Förlåt för att hon inte tycker om hans föräldrar. Förlåt för att hon är en dålig mamma. Förlåt för att hon har förändrats. Förlåt för att hon kör med honom. Förlåt för att hon försätter honom i ett tillstånd av evig väntan. Förlåt för att hon sa ja till att bli minister.

"FÖRLÅT!" skriker hon till sist och slänger en kopp i köksgolvet så att skärvorna yr åt alla håll. "Nu har jag bett om förlåtelse för allt.

Finns det mer att be om förlåtelse för? Att jag över huvud taget föddes, kanske?"

"Förlåt", säger han. Och sedan börjar hon gråta.

★

Korna har släppts ut på bete. Efter flera dagars letande har Cat hittat ett gärde där de går. Dit beger hon sig varje eftermiddag. De har börjat vänja sig vid henne, låter sig klias mellan hornen, flyttar sig inte längre oroligt när hon klättrar över elstängslet och rör sig runt inne i hagen. De andra vet inte att det är korna hon är hos när de inte har demonstrationsträning med Columbus och Krigarna. De tror bara att hon trampar omkring på Teis mammas cykel. Det är Teis föräldrars sommarstuga de håller till i. Inne i stan är snutjävlarna efter dem. Hela tiden. Men de har ingenting på dem. Inte än. Cat lägger sig på mage i klövern mellan korna. Där luktar piss och färska komockor. Hon får dynga på sig när hon rullar runt. Det gör ingenting. Ingenting alls. Hon älskar koskit.

Teis knullar Rosa. De tror inte att hon vet det. De är rädda för att hon ska få veta det. Särskilt Rosa. Därför kan hon få henne att göra vad som helst.

Cat vänder sin dåliga sida upp mot solen, som gassar och får maskrosorna att slå ut i knallgult. När hon var liten smorde de alltid in henne och satte en vit keps på hennes huvud för att skydda födelsemärket mot de farliga UV-strålarna. Predikade att hon skulle undvika solen eftersom hon hörde till "högriskgruppen". Hon skiter blankt i om hon får hudcancer. Hon kommer ändå att dö innan dess.

Plötsligt känner hon en sträv, våt tunga slicka henne över kinden. Hon skrattar, vrider sig kiknande om och önskar att kon ska fortsätta. Men när den har slickat av saltet går den bara ointresserat vidare och fortsätter sökandet efter föda. Hon rullar runt igen. Borrar ner näsan i gräset, lyfter armarna och lägger händerna stadigt bakom nacken. Hon har fått gåshud och är kissnödig av bara den.

Paris är Madeleines stad. Så det är den svenska miljöministern som tar kommandot när hon och Charlotte utnyttjar en ledig lunchrast under OECD-mötets andra dag till att lyxshoppa i kvarteren runt Saint-Germain-des-Prés.

"För en kvinnlig minister i Sverige är det lika viktigt att hamna på innelistan i Elle som att få en förstasida i DN", förklarar hon medan hon assisterad av en översvallande mademoiselle med näsa för att göra affärer väljer ut sommarklänningar hos Sonia Rykiel. Madeleine har uppenbarligen franska mått, för vad hon än provar sitter det perfekt.

"Superbe!" utbrister expediten varje gång och slår ihop händerna. "Vous êtes très belle, madame!"

Och det är hon, väldigt snygg på ett coolt, svenskt sätt, som får Charlotte att känna sig stor och klumpig. Som *the kartoffelwoman*, ett begrepp hon utan framgång gör ett försök att översätta som förklaring till varför hon inte själv ska prova små chica *robes* i rosafärgat linne.

"Nej, men det är inte din stil heller. I Danmark bör väl en miljöminister helst vara litet mer *organic*?" ler Madeleine när de står vid kassan och väntar på att få varorna inslagna.

"17 500 franc", meddelar expediten med samma servila tonfall och tar leende emot det guldkreditkort som Madeleine med ett lätt frånvarande uttryck räcker henne. "Jag ångrar alltid att jag köper för litet!" säger hon sedan och vänder sig mot Charlotte, som forfarande har något av skuldsatt bondflicka kvar över sig.

"Jag har ALDRIG lagt ut så mycket pengar på mig själv!" utbrister hon.

"Jag lägger inte ut pengar på mig själv, jag lägger ut pengar på *ministern!*"

"Är inte det samma sak?" frågar Charlotte när Madeleine lyfter de stora, blanka påsarna med den eleganta påtryckta loggan och de åtföljda av expediten går mot dörren, som denna skyndar sig att öppna för dem innan hon säger adjö och önskar dem "bon après-midi".

"Inte alls!"

"Vad anser din man?" frågar Charlotte i lätt ton och känner hur det svider i bededagshelgens sår.

"Det är länge sedan jag frågade honom", svarar Madeleine undvikande med ett småleende. "Jaha, då var det din tur! Vi går bort till Kenzo på Rue des Rennes. Det är något för dig. Och annars prövar vi med Agnès B. Vi hinner precis."

Kenzobutiken är vacker som ett konstverk, Charlotte undslipper sig en förtjust suck och kan inte låta bli att glida med fingrarna över gyllene siden, brokad, fjäderlätt chiffon och pärlbroderier i en matchande symfoni av färger från de mjukaste pasteller via indokinagrönt till lavasvart. Hennes första impuls är att köpa alltihop – men sedan får hon för mycket av prêt-à-porter-butikens raffinerade snörningar och samurajknäppningar som inte precis lämpar sig för byråkratiskt arbete i den praktiskt sinnade, kalla Norden. Ändå slutar hon, kraftigt påhejad av Madeleine, med att köpa en lång, malvafärgad klänning med tillhörande sjal, perfekt till kvällens föreställning på Bastilleoperan. En ostronblå kostym med kavaj och byxor är enligt Madeleine också så *vacker* att den är ett måste, och så är det nödvändigt med T-shirts till ombyte och två par snygga skor.

"Jag skulle ju köpa barnkläder", protesterar hon lamt medan hon drömskt förlorar sig i sin egen spegelbild. Hon är fortfarande blek, men det korta håret och viktnedgången har givit hennes ansikte en androgyn karaktär som hon, om hon ska vara ärlig, är ganska fascinerad av. Hon har gått från en dansk 42:a till en fransk 38:a, "min största bedrift som minister", ler hon mot Madeleine i spegeln.

"Du får inte bli smalare!" förmanar Madeleine.

"Du är ju själv smal!"

"Ja, men det har jag alltid varit. Jag *ska* vara smal. Det ska inte du. Du kommer att se ut som en Jeanne d'Arc med ätstörningar!"

"Jeanne d'Arc?" skrattar Charlotte och tar av sig kavajen igen. "Hon var väl okej?"

"Ja, men hon blev bränd på bål!" påminner henne Madeleine. "Du tar alltihop, eller hur? Vi hinner precis få i oss en smörgås på Café Flore efteråt."

Henrik Sand ringer på mobilen just som hon ska till att betala. Hon har handlat för 10 450 franc, vilket hon skam till sägandes har räknat ut i förväg. Däremot har hon inte förutsett att hennes eget Visakort saknas i plånboken. Kvarglömt på köksbordet i Köpenhamn, där Thomas hade slängt det efter att ha använt det till att betala pizzor med i söndags kväll. Sand är i full färd med en invecklad redogörelse för förhandlingarna om försäljning av koldioxidkvoter, som hon inte vill avbryta, så hon betalar utan vidare med det Corporate Diners-kort som egentligen bara är för tjänstebruk. No big deal, för övrigt. Hon måste bara komma ihåg att betala tillbaka. Är redan skyldig några hundra dollar från New York-resan, men räkningen har inte kommit än.

"Vad håller du på med, egentligen?" frågar Sand när hon säger "Merci" och tar sina påsar, som inte är lika överväldigande som Madeleines.

"Blir förd på villovägar av den svenska miljöministern!"

"Privat eller yrkesmässigt?" frågar han torrt.

"Ja, det är frågan!" skrattar hon. "Vi ska bara ta en sväng till Café Flore innan vi ger oss tillbaka."

"Nu får du väl skärpa dig", fnyser Sand och avslutar samtalet.

"Var det din man?" frågar Madeleine nyfiket när de går ut i det glittrande solskenet.

Charlotte skrattar. "O nej! Det var min närmaste medarbetare. Henrik Sand. Du känner ju honom."

Madeleine skakar överseende på huvudet och fiskar upp sina Guccisolglasögon. Paris har redan övergått i loj sommarstämning, och kastanjernas blomning är sedan länge över.

"Man borde vara dansk! Ni tar bestämt aldrig någonting riktigt *på allvar?*"

"Jo då!" försäkrar Charlotte.

"Vad då?" frågar hon och sätter glasögonen på plats.

"Pengar!" säger hon och svänger med sina ceriseröda papperspåsar.

*

Skulle Attac delta i demonstrationen under toppmötet i Göteborg i juni, eller skulle man avstå? Riskerade man inte att få gå de anarkistiska gruppernas ärenden när alla och envar visste att de bara var ute efter att ställa till bråk och hade ägnat de långa vinterkvällarna åt att träna strategi och tillverka molotovcocktails?

"De bara längtar efter att få sätta fingret till avtryckaren! De vill

272

bara slåss mot polisen, och det kommer att drabba oss. Sedan kan vi stå där efteråt och hävda att vi minsann är fredliga pacifister som kämpar för Tobinskatt och en ny världsordning med en bred folklig förankring", argumenterade Lauge, Thomas kollega och chef, som hade blivit mer och mer skeptisk till Attac sedan vinterns stormöte. Thomas sa ingenting. Borde kanske inte ens ha infunnit sig till detta lokalkommittémöte i ett bostadskollektiv på Ryesgade. Han hade trots allt en fru som i detta nu representerade Danmark under OECD-mötet i Paris. Kunde han då sitta här och vara toppmötesdemonstrant in spe utan att fläcka sin hustrus rykte?

Hans chef var i minoritet. Alla de andra kastade sig över honom – om man inte vågade demonstrera kunde man lika gärna glömma hela idén. Dessutom kunde väl ingen bli särskilt upphetsad över om några McDonald's-fönster rök i stridens hetta. Vad hade det med våldsför-härligande att göra? De kunde ju låta bli att lägga sina hamburger-restauranger i vartenda gathörn i världen! Skitprovocerande!

"Vad anser du, Thomas?" blev han plötsligt tillfrågad, tvärt, utan tid att tänka närmare efter.

"Jag är emot våld och förstörelse i alla former. Även när det går ut över McDonald's. Men jag anser å andra sidan att det är varje med-borgares demokratiska rätt att delta i en lagligen anmäld demonstra-tion. Så … Därför tycker jag att vi ska åka till Göteborg för att föregå med gott exempel."

Hans chef iakttog honom med tydlig reservation.

"Men Thomas, tänk om vi inte får *möjlighet* att föregå med gott exempel? De är ju inte lätta att tas med, de där hardcoretyperna!"

"De är bara barn", sa Thomas och sträckte ut sina långa ben. "Ar-ga barn. Dem kan vi nog hantera."

"Och annars?"

"Får vi dra oss ur", svarade han kort och överlät resten av diskus-sionen åt de andra. Han var tvungen att åka hem. Mimi passade bar-nen, och hon skulle hem tidigt för att plugga till examen. Hon läste till veterinär. Vad man nu skulle med sådana till i Sydafrika.

"Hallå där, Thomas!" Lauge kom ut ur porten när han stod och låste upp cykeln. "Du har väl inte tänkt dig att delta i den där demon-strationen själv rent fysiskt?"

"Varför inte?"

"Men herregud! Din fru är minister! Kan du inte se tidningsrubrikerna?"

Thomas ryckte på axlarna. "Även som gift man har jag väl viss självbestämmanderätt", avgjorde han kort och svängde benet över pakethållaren. "Vi ses i morgon."

Han såg sig inte om. Men han anade hur hans chef stod och ruskade på huvudet åt honom. Fullt berättigat. Han hade gått för långt. Givetvis kunde han inte delta i en Attacdemonstration i Göteborg.

⋆

Jyllands-Postens Thor Thorsen hade begärt tillstånd att följa miljöministern under OECD-mötet i Paris. Bara i ett dygn. Han höll nämligen på att "förbereda ett födelsedagsporträtt", hans egen formulering, i anslutning till hennes förestående födelsedag den 20 maj. Eftersom hon fyllde 36, inte jämna år, luktade det onda avsikter lång väg, men Charlotte och Sand kunde ändå, efter att ha ventilerat alternativen med flera betrodda medarbetare, däribland Kamal och Louise, enas om att det antagligen var bättre att avväpna honom med välvilja än att egga honom till ytterligare kritik genom att fientligt sätta sig på tvären.

"Honom kan du säkert charma!" sa Louise tvärsäkert och skrev därmed in sig i historieböckerna som en av dem som hade visat det sämsta omdömet under den sittande miljöministerns ämbetsperiod.

"En sådan som han behöver man bara wine and dine", ansåg Kamal och intog därmed andraplatsen i felbedömning, efter Louise.

Och om det inte hade varit för Charlottes egen fullt utvecklade misstro skulle hon nästan själv ha kunnat inta en tredjeplats i vanföreställning och villfarelse. Men redan när hon i sällskap med Madeleine anlände till hotellobbyn med sina Kenzopåsar i händerna och där möttes av en nyss anländ Thor Thorsen insåg hon att han redan hade fått en godbit serverad. Den enda förmildrande omständigheten var att fotografen var på toaletten och inte hann föreviga ögonblicket då den politiskt korrekta miljöministern med sina ceriseröda påsar blev tagen på bar gärning i dekadent livsföring – att ha shoppat på arbetstid, sannolikt på skattebetalarnas bekostnad. Vad charmen beträffade gjorde hon vad hon kunde, men det gick ju inte att förneka att det var sant, det som han hade "hört", att hon i receptionen hade beklagat sig över att ha fått ett rum för icke rökare i stället för den rymliga rökarsvit som var bokad. Att hon i likhet med de övriga gästerna hade VIP-platser på operan och anlände galaklädd i limokortege kunde inte heller döljas för Jyllands-Postens utsände, som inom parentes sagt själv, på hennes begäran, hade fått en inbjudan och till och med deltog i supén efteråt utan att synas lida nämnvärt av att dricka champagne och äta ostron. Det var inte heller något fel på Thor Thorsens aptit dagen därpå, när hon bjöd honom på lunch på Café Marly på Louvrens gård, ett av stadens hippaste kaféer, enligt Madeleine. Kanske borde hon ha valt en traditionell bistro, där de kunde ha ätit en anspråkslös *steak frites*, men varför visa svaghet genom att ställa sig in? Vid en första anblick såg stället faktiskt ut att passa Thor Thorsen perfekt; både han och fotografen lät sig konstant distraheras av de långbenta toppmodeller som träffades här för att dela ett salladsblad mellan mannekängjobb och fotograferingar.

"Det här är något annat än Brydesens kafeteria, eller hur?" anmärkte Thor Thorsen med blicken fastnaglad vid en kaffebrun, juvelpiercad navel medan Charlotte och Henrik Sand utbytte blickar över sin dekorativt upplagda *chèvre chaude*. Sand var med både som förkläde och minne, om hon skulle råka ut på faktamässigt hal is. Det gjorde hon emellertid inte; Thor Thorsen var inte ute för att svärta ner hennes fackkunskaper, han var ute efter att svärta ner hennes karaktär. Hans nödtorftiga täckmantel var porträttgenren, som ju definitionsmässigt handlade om "människan bakom". De hann emellertid inte mycket längre än till de biografiska upplysningar han kunde ha hittat på Socialdemokratiska partiets hemsida förrän han kastade masken och öppet blottade sina avsikter. De första angreppen lyckades hon parera utan att släppa kniv och gaffel – jo, hon kände Elizabeth Meyer privat, en bekantskap som hon satte stort värde på men som hon på inget sätt var förpliktigad av. Jo, det stämde att hennes tidigare chefssekreterare hade sökt sig till andra utmaningar, och det kunde säkert bero på att de var "oförenliga vävnadstyper". Jo, det var möjligt att hon kunde visa tänderna inför medarbetare som inte levde upp till hennes krav, till exempel när det gällde att behärska det danska språket. Jo, det var korrekt att hon hade använt Miljöministeriets pengar till att betala för sitt första maj-arrangemang, som hon betraktade som en PR-evenemang för ministeriet i lika hög grad som det gynnade Partiet. Jo, hon ville inte förneka att hon ibland hade låtit sina barn hämtas på eller skjutsas till dagis i ministerbilen, i nödfall även när hon själv inte hade varit med. Jo, det hade också hänt att chauffören hade hämtat kläder som lämnats till tvätt. Yes, det var sant att hon en gång hade propsat på att få sin skrivare lagad en fredagskväll, trots att det kostade övertidsersättning. Om hon till och med hade hotat sekreteraren med avsked när hon vägrade att stanna kvar därför att hon redan hade ett övertidssaldo på 200 timmar kunde hon däremot inte bekräfta. Jo, visst hade hon fortfarande kontakt med sina gamla bundsförvanter i miljörörelsen – det var sant att hon ungefär en gång i månaden bjöd hem några av dem på ost och rödvin för att få rapport om vad som hände på gräsrotsnivå. Men hon favoriserade dem inte framför andra när medel skulle beviljas från Gröna fonden. Tvärtom var den helt självgående enligt armslängdsprincipen, som hon naturligtvis tillämpade enligt god förvaltningssed. Och så vidare. Det var obehagligt, hon svettades i handflatorna men klarade sig igenom och lyckades förklara sig i samtliga fall. Beställde nonchalant chokladmousse och kaffe åt dem allihop och bad att bli serverad *tout de suite*, eftersom hon och Sand måste tillbaka till *le château*, det gamla slottet ute vid La Muette där OECD höll till.

"Mmm!" utbrast hon uppskattande vid den första tuggan, förde på nytt skeden till munnen, lät den falla och sköt disciplinerat assietten ifrån sig.

"Jaha, Thor!" sa hon och sköljde ner moussen med svart espresso. Kände ett starkt sug efter att röka men ville inte bli fotograferad med en cigg i truten. "Börjar du bli klar?"

"Nästan", sa han och tände själv en Prince Light. "Bara ett par saker till: Kan du bekräfta ryktena om att du agerade i fallet med Kristen Kristensen och hans vattenhål uppe på Nordjylland uteslutande därför att du var personligen bekant med honom?"

Hennes tvekan var så lång att Henrik Sand, som egentligen hade vänt sig bort från bordet för att fånga servitörens uppmärksamhet så att de fick betala, vände sig tillbaka med ett ryck. Hans minister befann sig uppenbart och synerligen överraskande i svårigheter. Uppriktigt sagt måste han berömma henne för hennes sinnesnärvaro. Hon ljög inte. Kom inte med undanflykter.

"Inte uteslutande", svarade hon lugnt med ett finger kring örhänget.

Fotografen knäppte.

"Kan du utveckla det?" frågade Thor Thorsen med tonen hos en förhörsledare.

"Jag har känt Kristen Kristensen sedan jag var barn", svarade hon lugnt och såg honom med fast blick i ögonen. "Han var dräng på mina föräldrars gård. Jag vet vilken enastående känsla han har för naturen, och därför litar jag också på hans omdöme. Om han som medborgare upplever att någonting håller på att gå fundamentalt snett tror jag på honom."

Charlotte satte hakan i vädret, bara några millimeter men tillräckligt för att ge uttryck för den trotsiga överlägsenhet som retade gallfeber på Thor Thorsen. Arroganta slyna!

"Även om det inte finns vetenskapliga belägg för hans 'upplevelser'?"

"Men det finns det ju! Man påvisade Roundup i ytvattnet, och dessutom har biologerna senare rapporterat att både paddor och mörtar i en närbelägen bäck uppvisar tecken på intersexualitet, det vill säga dubbel könstillhörighet, och sterilitet."

"Betyder det att varje sinnesförvirrad medborgare som vänder sig till myndigheterna om ditt och datt röner samma förstklassiga behandling?"

Hon drog ett djupt andetag, bortsåg från ordet "sinnesförvirrad".

"Varje medborgare som vänder sig till mig behandlas åtminstone med respekt och tillmötesgående. Enligt min uppfattning har politiken fjärmat sig för långt från medborgarna – bland annat därför att medierna har trängt sig in mellan medborgarna och politikerna och konstant försöker blåsa upp enskilda historier, för att inte tala om er olidliga, provinsiella och djupt oansvariga fixering vid enskilda personer!"

Fotografen harklade sig nervöst, Thor Thorsen släckte sin cigarrett, och Henrik Sand gned sin nästipp. Ministern var arg. Riktigt arg. Hon hade höjt rösten, och kroppsspråket blev ryckigt och stridslystet. En storögd Barbie från grannbordet sneglade ogillande åt hennes håll.

"Vad handlar det här om, Thor Thorsen? Gillar du inte min politik, eller gillar du inte mig? Vad fan tjänar det till att fråga ut mig om huruvida min chaufför hämtar mina barn på dagis! Är det relevant? Betyder det något för min ämbetsutövning? För miljön i Danmark? Är det mindre oroande att åar och vattendrag håller på att kvävas av nitrat och fosfor och syntetiska östrogener och vad annat vi lämnar efter oss bara för att jag råkar känna en medborgare privat?"

Arg var ett för svagt ord. Ministern var ursinnig. Henrik Sand sparkade till henne under bordet. Nu måste hon ta sig i akt. Först efter den andra sparken reagerade hon, förstod plötsligt och nickade omärkligt åt honom. Reste sig sedan tvärt, tog sin handväska och tillkännagav att hon skulle gå ut och pudra näsan.

Thor Thorsen stängde av bandspelaren. Fotografen lät kameran sjunka.

"Jaha, där fick vi henne bestämt. Hon *är* ju fullkomligt hysterisk", gnäggade Thor Thorsen självbelåtet.

Om inte Henrik Sand just då hade fått ögonkontakt med servitören, som nu kom tassande åt deras håll, skulle han ha slagit den lille skiten på käften. Han kände hur det kliade i fiskarpojkens knutna näve. Den där skulle för helvete ha stryk!

*

"Varför berättade du inte om Kristen Kristensen?" frågar Henrik Sand när de sitter i bilen på väg tillbaka till mötet.

"Jag kunde inte", säger hon och tittar ut på obelisken. De sitter fast i middagstrafikens kaos på Place de la Concorde. Chauffören tutar som besatt, tar händerna från ratten och brister ut i en rituell *merde*-harang följd av ett uppgivet *Oh la la!* som reaktion på sina medtrafikanters himmelsskriande idioti.

"Det var Kesse som skar ner min pappa. När han hade hängt sig. Han kom ut ur ladan med honom över axeln." Hennes röst dör bort, och hon fortsätter att titta ut genom fönstret. Hennes hand ligger slapp på sätet. Han tar den, ger den en tryckning och släpper den.

"Den där King Kong *är* ute efter att krossa mig, eller hur?" säger hon och vänder sig mot honom. "No matter what?"

Henrik Sand nickar. "Jag ska klå upp honom!"

Hon ler ett snett leende. "Tack."

Hennes försök att låtsas sova övertygade åtminstone barnen, som stod vid fotänden av sängen och gratulerade med sång och viftade med pappersflaggor när hon teatraliskt slog upp ögonen. De skrattade förtjust åt hennes tjut: *Guuud, är det min födelsedag? Ska jag få kaffe på sängen? Och blommor och presenter? Nejjj, kom hit och få en puss. Pappa också, ja!* Och sedan pussades de och tumlade runt, och hon öppnade presenterna – ett egenhändigt tillverkat pärlarmband från Jens och en fin bilderbok från Johanne, signerad J-O-H-A-N-N-E och en discman från Thomas, "så att du kan lyssna på musik när du är ute". Sedan drack de kaffe och åt bullar och kittlade varandra under fötterna, och alltihop skulle ha varit rena idyllen om det inte hade varit för den slående avsaknaden av tidningar, som hon hade noterat med detsamma.

"Okej", sa hon när ungarna hade skickats i väg att klä sig och hon själv var på väg att stiga upp. "Ge mig Jyllands-Posten."

"Älskling, det är ju din födelsedag!" protesterade Thomas och smekte henne över kinden.

"Är det så illa?"

"Ja."

"Jag tror inte att någon kan skaka av sig ett sådant angrepp, hur orättvist och löjligt det än må vara. En tagg blir alltid sittande kvar. Till och med en så robust typ som Meyer blir påverkad, men hon reser sig ju alltid igen. Det är hennes styrka. Och ska jag tala om varifrån den kommer? Från hennes far. Det är synnerligen banalt, men inte desto mindre förhåller det sig så att de kvinnliga politiker som ända sedan de kom till världen har haft obetingad uppbackning av sin far och känt hans fasta hand som en stötta hela vägen genom barndom och ungdom är de som klarar sig bäst. För det första har deras fäder lärt dem något om hur mansvärlden fungerar, de har lärt dem att slåss, de har lärt dem att ta för sig. Och så har de givit dem en outsinlig reserv av självkänsla som de kan hämta styrka i när de har en dålig dag. Sådana kvinnor kan aldrig på allvar slås till marken, för de vet ju att de duger. Medan däremot vi andra, som själva har fått samla vårt guld, har så litet kapital att ta av att vi snabbt hamnar på minus. Vilket innebär att vi träffas otroligt hårt av kritik, även om den är orättvis, eftersom den bara bekräftar oss i vår egen grundläggande känsla av att inte vara något värda. Förstår du vad jag menar? För mitt vidkommande har det betytt att jag har använt en orimlig mängd energi åt att bygga upp mig själv när andra har slagit ner mig. Därför att jag *lät* mig slås ner. Varenda gång. Så här i efterhand kan jag fundera på varför jag egentligen blev kvar i politiken i så många år när jag egentligen inte hade psyket för det. Så tydligt saknades den mentala motståndskraften. Jag var envis, och jag hade övertygelsen. Jag ville ju gärna förändra världen. Och så drömde jag väl också alltid om att pappa till sist skulle ge "Lill-Berit" den uppskattning som han hade varit så snål med. Att han så att säga skulle *tvingas* böja sig.

Den kom aldrig, i alla fall inte förbehållslöst. Han var kritisk in i det sista, kanske därför att han så småningom blev svartsjuk, som min syster påstår. Jag vet inte, egentligen har jag inte haft så mycket tid att reflektera över det tidigare, men nu inser jag ju att det hämmade förhållandet till min far kanske har varit en starkare drivkraft än vad jag har trott. I varje fall var det som om jag tappade motivationen när han dog. Vem skulle jag då kämpa mot? I min världsbild hade pappa blivit en arketyp för *mannen*, den patriark som det var viktigt för oss att göra uppror mot. *Kvinnoupproret* var inte bara dumheter, vi Rödluvor kände oss förpliktade att gå i första ledet, att vara förebilder som sprängde ljudvallen. Även om det kostade. Ja, jag behöver väl knappast nämna Eva, den historien känner du väl till? Sent omsider har vi faktiskt vunnit, även om vi numera betraktas som gamla ragator som skymmer utsikten för de unga, vackra blommorna. Nåja, det är en annan historia, och jag har lovat mig själv att inte bli bitter. Det ironiska är naturligtvis att de vackra unga blommorna inte tror att de kommer att vissna och få samma problem som vi hade. De inbillar sig ju att de är frigjorda och jämställda och så vidare, ända tills de upptäcker att de bestämt inte är det ändå. Att kritik av politik alltsomoftast är en täckmantel för kritik av kön. Som i fallet med Jyllands-Postens ideliga utfall mot Charlotte Damgaard.

Jag hade följt henne med intresse ända sedan hon kom in i regeringen. Vi kände henne ju sedan tidigare, flera av oss, och jag var egentligen förvånad över att hon accepterade utnämningen, även om jag insåg att den bar Meyers signatur. På sätt och vis delade jag uppfattningen att Charlotte var alltför stridbar för att ingå i ett regeringskollektiv, men från att ha betraktat det som en nackdel kom jag allteftersom månaderna gick att se det som en allt större fördel att det faktiskt fanns en kvinna bland oss som inte var drogad av den konsensuskultur som vi andra under årens lopp hade intagit i alltför stora doser. För mig var hon himlasänd, en Ljusets ängel som hade det som vi allihop hade gått och längtat efter i så många år efter de interna striderna inom Partiet. Jag tror inte att hon själv var medveten om sin potential, och det var onekligen inte många som gjorde henne uppmärksam på den. Meyer, förstås, och kanske också Per, men han såg mer och mer ut att vara rädd för att ha närt en orm vid sin barm. Ytterligare ett symtom på den ledarkris han befann sig i under den vår då han redan hade börjat skuggboxas med Venstres framstormande ledare och inte kunde se skogen för alla meningsmotsättningar. Ja, det gick också ut över mig själv, det ska inte förnekas. Att jag ofrivilligt placerats på ett isflak som snarare förr än senare skulle komma att driva ut till havs stod mycket klart för mig under det regeringsseminarium som hölls i Nyborg Strand tidigt på vintern, den gången då Charlotte blev sjuk. Trots hennes eländiga tillstånd och trots det demonstrativa avståndstagande hon möttes av tyckte jag ändå att hon lyckades göra intryck på den tjurskalliga församlingen. Hon var kompetent, hon hade karisma och hon hade mod. Och så hade hon en känsla för tiden, något vi andra saknade. På det hela taget förtjänade de henne inte, och jag har minsann haft mina skrupler både före och efter – borde jag ha varnat henne och sett till att hon kom därifrån? Men någonstans är man ju fortfarande idealist, så när jag slog upp Jyllands-Posten den morgonen visste jag att det var nu jag måste slå till. Det var nu hon skulle få den gåva, det erbjudande, som förhoppningsvis kunde få henne att stanna kvar. Att hon givetvis mest hade lust att skrikande springa sin väg efter den infama omgången skändligheter kunde det ju inte råda stort tvivel om. Om hon besatt den styrka som jag själv hade saknat kunde jag inte veta. Men jag satsade. Och hon var ju Oxe! Jag var bara en liten velig Fisk. Med visst sinne för strategi dock, för jag vill inte dölja att det också beredde mig en utsökt njutning att lägga den bollen till rätta. Som en liten personlig hälsning. 'Från mig till dig.'"

Telefonsvararen är inkopplad på Thor Thorsens mobil, så Søren Schouw nöjer sig med att lämna ett meddelande. Ett långt sådant. Där han framför sina förbehållslösa gratulationer till den fina artikeln i dagens tidning. Om han kan vara till hjälp någon annan gång står han givetvis till förfogande. Efteråt ler han för sig själv, kan inte låta bli. Han vet inte om det själv, ser det inte själv, inte ens på TV. Men åren har givit honom ett asymmetriskt leende där den ena mungipan går upp och den andra ner.

*

På Højbro Plads var stämningen tryckt den dagen, småfranska och födelsedagsflaggor till trots. Endast ett fåtal *visste* vem som hade levererat ammunition till artikeln, så i princip var alla misstänkta. Somliga fruktade att de skulle bli kollektivt bestraffade som under skoltiden, till dess att någon trädde fram och bröt ihop och erkände. Andra hoppades att ministern bara skulle låtsas som ingenting för att inte göra situationen än mer pinsam. Vad gjorde hon? Hon "tog tjuren vid hornen", som medarbetarna senare rapporterade till kolleger, vänner och bekanta, däribland inte så få journalister som gärna ville höra hur hon egentligen "klarade det".

Under morgonmötet bredde hon helt enkelt ut tidningen, slog upp sidan med det famösa porträttet och gick igenom det stycke för stycke; hon hade redan i förväg gjort neongula markeringar.

"Som ni ser är alltihop antingen tendentiöst, grovt förvanskat eller ren lögn. Jag har *inte* något intimt förhållande med Henrik Sand. Jag har *inte* satt Freddy att passa mina barn. Jag har *inte* kallat min sekreterare för 'en slöfock' och tvingat henne att jobba övertid. Och så vidare", sa hon och undvek, vilket noterades, att gå in på detaljer om Kristen Kristensens vattenhål och anklagelserna för att "låta sig styras av sina känslor". Här hade hon i varje fall full kontroll över dem, hennes tonfall var visserligen skarpt men inte skarpare än när hon dissekerade Miljøstyrelsens klumpiga hantering av solkrämslarmet, som nyligen hade skrämt upp allmänheten i onödan och gjort såväl Dansk Supermarked som Kooperationen småsura över att ha gjort sig till åtlöje när de skräckslaget tömde hyllorna på solskyddsprodukter.

"Inte desto mindre måste jag ta så allvarligt på artikeln att jag inser vilket hot jag står inför. Någon är ute efter mitt politiska liv, och därför måste jag inför er, mina medarbetare, inskärpa att jag förväntar mig hundra procents lojalitet. Om det skulle vara någon som inte kan uppfylla det kravet måste jag uppmana vederbörande att ta konsekvenserna. Annars blir jag tvungen att göra det å era vägnar. Och för övrigt vill jag påminna er om att eventuella klagomål beträffande min eller andras ämbetsutövning ska riktas till mig och inte till pressen. Is that clear?"

Det var allt. Som de sköljde ner med den Chivas Regal som hon bjöd på. Kamal hade aldrig i sitt liv druckit whisky i arla morgon- stund. Men även han behövde något att stärka sig med. Han hade ju själv försagt sig inför tidningen. Det var inte med flit, inte för att det skulle missbrukas, som han hade pratat på när en praktikant, en söt, blond flicka, nyligen hejdade honom uppe på Borgen för att få litet material till ett "födelsedagsporträtt". Han hade kommit att pladdra om den där gången i New York när hon masserade Henrik Sands onda rygg. Inte för att antyda något. Det var bara för att illustrera hur annorlunda hon var. Oortodox. På ett häftigt sätt. Ett *danskt* sätt. Varför tog de sådan anstöt av det, de var ju själva danskar?

★

Det var precis den fråga som malde i huvudet på henne hela den da- gen, samtidigt som det kändes som om det låg en stor sten tvärs över bröstkorgen så att hon fick svårt att andas. *Varför tycker de inte om mig?* Till sist frågade hon Henrik Sand rent ut: "Varför tycker de inte om mig?"

"Visst gör vi det."

"Men de andra!" envisades hon.

"Därför att de är rädda. De är rädda för att du ska beskära deras snoppar!"

"Henrik!"

"Deras makt, då. Det är samma sak."

"Och kvinnorna?"

"Å, Charlotte, jag är ledsen över att behöva säga det, men även kvinnor vill helst bli styrda av män. Då känner de sig tryggast."

"Så det är ingen som gillar kvinnor med makt? Varken män eller kvinnor?"

"Nej, det är för utmanande."

"Så kvinnor kan inte bli statsministrar?"

"Jo, absolut!"

"Ja, men ...?"
"Det är bara det att de inte blir älskade."

★

Mötet med Berit Bjørk ägde rum i lätt duggregn under ett rött para-
ply på bänkarna framför pantomimteatern på Tivoli, där den lilla fa-
miljen satt och tittade på Pierrot och Colombine. Utomstående skulle
kanske uppfatta den gråsprängda, medelålders kvinnan som mormor
till de små regnklädda barnen som uppslukade levde med i föreställ-
ningen. Om man inte kände igen de båda kvinnorna som miljöminis-
tern respektive socialministern, till synes inbegripna i förtroligt sam-
tal.

Socialministern hade själv trängt sig på födelsedagsfirarna efter-
som denna tidpunkt på kvällen var den enda tänkbara i miljöminis-
terns späckade dagsprogram. Charlotte hade efter lätt tvekan gått
med på att träffas här, trots Thomas sannolika motvilja mot att än en
gång behöva ge avkall på familjelivet, men Berit Bjørk stod fast vid att
det var viktigt och lovade att fatta sig kort. Dessutom uppskattade
båda två tanken på Tivoli en kväll i maj som ramen kring ett så histo-
riskt frieri. För givetvis visste Charlotte att det var nu erbjudandet
skulle framföras. Det erbjudande som Meyer redan för länge sedan
hade nämnt för henne. Meyer, som själv hade tittat in som hastigast
på ministeriet med blommor från Bering och ett moralstärkande pep-
talk för att neutralisera Jyllands-Posten. "Ja, det är ju inte så svårt att
räkna ut varifrån det kommer. Søren Schouw lär få svårt att spela
oskyldig!" Och Berit Bjørk gick också rakt på sak – skulle Charlotte
vara intresserad av att överta hennes distrikt när hon inom kort tänkte
dra sig tillbaka?

"Skulle jag kunna få det om jag ville?" frågade hon.

"Om vi sköter våra kort väl. Ja."

"Finns det inte andra kandidater?"

"Naturligtvis. Det är det jag menar. Men jag har ett mycket gott
förhållande till distriktsstyrelsen, och de har en viss vana att sätta sig
på tvären. Man värnar om sin egenart, om du förstår."

Charlotte nickade. Hon förstod. Man ville gärna säga emot parti-
toppen.

"Så jag ska bli den kontroversiella rebellen?"

"Ja, men inte bara det, Charlotte. Enligt min mening kan du komma att spela en helt avgörande roll för Partiet i framtiden. Om du vill."

Charlotte himlade med ögonen.

"Och om jag inte vill?" frågade hon och sneglade på Thomas, som verkade som om han inte lyssnade.

"Då förstår jag dig väl. I synnerhet en dag som denna. För övrigt ska du inte bry dig om det. Det gör du förhoppningsvis inte heller."

Charlotte skakade på huvudet. "Inte mer än vad som är nyttigt."

"Bra", log Berit Bjørk. "Du har ju också en fin man. Kan vi inte säga att du pratar med honom om saken? Så talar jag i all diskretion med distriktsordföranden? Om han är intresserad och du är intresserad går vi vidare därifrån?"

"Hur lång betänketid har jag?" frågade Charlotte och försökte fälla upp Jens kapuschong. Han sköt protesterande bort hennes hand.

"Inte särskilt lång. I princip kan nyval utlysas vilken dag som helst, och du bör helst hinna förbereda dig innan dess. Meningen är ju att du ska bli vald! Så att du får ett mandat, inte sant?"

"Vad säger Vittrup?"

"Jag har inte frågat. Och det ska inte du göra heller. Nej, nu måste jag hem till min hund", slutade hon och reste sig efter att ha sträckt ut handen till Thomas, som log avmätt, och ungarna, som knappt hade hunnit lägga märke till den främmande kvinnan som ändå hade givit dem var sin ballong. Charlotte hade fått en CD – Mozarts Requiem. Med ett "Den kan bytas!" och många lyckönskningar för framtiden.

*

"Sömnlös. Klockan är strax före fem. Koltrasten har inlett sin morgonkonsert. Sitter i köket och dricker varm mjölk. Gillar det inte egentligen, men det påminner mig om barndomens färska komjölk som vi mjölkade direkt ner i en emaljerad mugg. Lisbeth ringde i går, på min födelsedag. Hann tyvärr bara tala med henne som hastigast, men det kändes ovanligt varmt och tryggt, som den här mjölken, en dag då jag kände mig pryglad och hudlös. JP gjorde ett fasansfullt 'porträtt' av mig, där jag framställdes som en obalanserad hormonbomb som inte bara är inkompetent utan ock-

så impopulär i mitt eget ministerium. Det sista tog hårt, hårdast därför att jag själv kan känna en växande reservation hos vissa medarbetare, i synnerhet om jag på något sätt har tagit en konflikt eller uttryckt kritik eller oenighet. Men det är väl för helvete meningen att jag ska kunna ta kommandot och fatta beslut! Det är ju därför jag sitter där, goddammit! Det är väl om jag inte vågade ta de nödvändiga konfrontationerna som det skulle finnas skäl att kritisera mig. Så jag borde inte ta vid mig. Men kanske har Henrik Sand rätt: Som chef måste man släppa alla föreställningar om att bli älskad av alla. I synnerhet om man är kvinna. Kanske skulle det vara lättare om man åtminstone var älskad av en. Och är jag det? Jag har aldrig betvivlat hans kärlek förr, men det är som om jag förlorade Thomas en liten smula för varje dag. Är jag för brysk? Skrämmer jag honom? Var vår grund inte lika solid som vi trodde? Är det därför det känns som om jag plötsligt har hamnat i damtidningarnas banala kvinnokonflikt mellan 'kärlek och karriär'? I så fall väljer jag (naturligtvis?) kärleken och måste avstå från den karriär som Folketingsledamot som Berit Bjørk har vinkat med framför näsan på mig i dag. Jag är inte riktigt säker på varför hon har valt ut just mig som sin efterträdare – och Partiets nya galjonsfigur. Känner mig varken kallad eller utvald. Definitivt inte efter i går. Saknar Nina, har försökt mejla till henne på hennes hotmailadress. Det måste ju finnas ett internetkafé i Katmandu om hon någonsin kommer ner från bergen. Nej, måste försöka sova. I morgon blir en jobbig dag i Salen, jag har flera frågor på gång tack vare Enhedslisten och oppositionen. Om jag har riktig otur blir jag väckt av radions nyhetsredaktion klockan sex. Annars kan jag sova till strax före sju. Som de säger i New York: Life is a bitch and then you die. Har konstigt nog inte hört något från Lars, min kära lillebror. Det är som om han hade gått upp i rök där nere på Balkan eller var han nu är. Gud vet varför han alltid är i farten? Ett slags flykt eller bara vanlig modern rastlöshet?"

*

Cat var sjuk i huvudet. Det hade Teis insett för länge sedan. Men hon var också snabb i huvudet. Minst lika snabb som han själv. Därför utgjorde de fortfarande ett suveränt samarbetspar. Det var Daniscoaktionen ett perfekt exempel på. I princip var det bäst att utföra aktioner på natten. Men inte under majs ljusa nätter då mörkret inte blev tillräckligt tätt för att man skulle kunna gömma sig i det. Och inte på en videoövervakad åker med genmanipulerade sockerbetor, som bevakades särskilt noga nattetid för att slippa undan inkräktare sådana som de. Så vad kom Cat fram till? Att de skulle göra det på dagen. På lunchrasten. Han och Rosa gick alltså förklädda till anställda in och ryckte upp så många betor de hann med på 30 minuter. Inte så värst många, men tillräckligt för att ledningen skulle gå ner i brygga, paniken breda ut sig och de själva hamna i tidningen. För i brevet de lämnade efter sig som en hälsning från Grön gerilla skrev de att de skulle hälla dioxin i köpenhamnarnas dricksvatten om inte a) försöksodlingen av genmanipulerade sockerbetor och b) användningen av djurförsök omedelbart upphörde. Jordbruks- och livsmedelsministern, som var ansvarig för de genmanipulerade betorna, deklarerade att han under inga omständigheter tänkte låta sig ledas runt i manegen av en flock missanpassade barnrumpor med ett "sjukligt behov av uppmärksamhet". Det gick Cat starkt för när, så nu hade hon börjat undersöka hur man skaffade fram dioxin. Det var att gå för långt, tyckte Teis. När Göteborg och Genua var avklarade tänkte han dra med Rosa. Till Island. Hon ville föda upp får. Och spinna ullgarn. Det var okej för hans del. Bara de kom långt bort.

*

H.C. Stenum var en sansad man. Och om han inte hade blivit nedsprutad med ketchup av en flock rullskridskoåkande ungar i rånarluvor när han en junikväll steg ur sin ministerbil för att delta i ett möte med jordbrukets högsta företrädare på Axelborg skulle han antagligen ha tagit situationen med sitt sedvanliga lugn. Men ett personligt angrepp av så förödmjukande karaktär, rent bortsett från att det gick ut över hans bästa skräddarsydda kostym, kunde han inte tolerera. Han upplevde det som ett attentat, och det väckte en hittills obekant skräck inom honom som han bara kunde ge uttryck för genom stark verbal upphetsning. Både inför pressen och under det ministermöte där han krävde att man skulle slå till hårt mot dessa "skrupelfria extremister".

Flera andra slöt upp på hans sida, inte minst sedan justitieministern i största förtrolighet kunnat upplysa om att den danska polisen hade fått en varning från svenska kolleger, som tre veckor före EU-toppmötet i Göteborg hade säker information om att det i Köpenhamn fanns en hård kärna av topptränade anarkistiska aktivister som hade för avsikt att obstruera den dialog som den svenska polisen hade inbjudit till. Den svenska polisen hade till och med begärt assistans från Köpenhamn, vad gällde både husrannsakningar och gripanden av möjliga "element". En begäran som justitieministern hade för avsikt att uppfylla.

"Uppriktigt sagt, ska vi inte låta bli att överdramatisera situationen!" utbrast Charlotte när hon fick ordet.

"*Överdramatisera?*" utbrast HC utanför talarlistan. "De tänker hälla dioxin i dricksvattnet! Vilka åtgärder har miljöministern egentligen vidtagit därvidlag?"

"HC, du har ju själv sagt att vi inte ska ge efter för deras hot! Om vi börjar darra på manschetten skrämmer vi ju bara upp folk!" protesterade hon, medan statsministern tankfullt sköt fram underläppen och inrikesministern gjorde tecken och genast fick ordet.

"Ja, men som ansvarig regering kan man ju inte bara nonchalera en sådan sak!" kacklade hon. "Man måste reagera på hotbilden! Det är olämpligt att vi ger väljarna intryck av att ta lätt på de där extremisterna och överlåter lag och ordning åt oppositionen!"

"Så därför föreslår du att vi ska bjuda över Dansk Folkeparti och gripa och internera alla suspekta unga människor som ser ut att vara anarkister tillsammans med de potentiellt kriminella asylsökarna och de tolvåriga invandrarpojkarna från Vollsmose?" bet Charlotte av och inkasserade en ogillande grymtning från Per Vittrup, som avvärjande lyfte handen från sitt block.

"Hör på här, mina damer! Vi måste gå ut med att vi naturligtvis tar varje hot mot befolkningens välfärd på djupaste allvar, vi ska be polisen att utreda saken och vidta nödvändiga åtgärder för att förhindra att danska aktivister gör sig skyldiga till våldsaktioner under toppmötet i Göteborg, och slutligen ska vi skärpa bevakningen av vattenförsörjningen i den omfattning som är möjlig."

Charlotte utgick från att Per Vittrup själv visste att det över huvud taget inte var möjligt. En skvätt i en köksvask skulle räcka för att förorena en hel storstad. I katastrofal omfattning. Tanken var så radikal att Charlotte inte i sin vildaste fantasi kunde föreställa sig att någon kunde få en sådan idé. Absolut inte Cathrine Rørbech, en skadskjuten fågelunge från Brønderslev. Så tanken på att hon kanske borde gå till polisen med sin visserligen endast rudimentära kunskap om vem som möjligen kunde ligga bakom "Grön gerilla" sköt hon snabbt ifrån sig. Om myndigheterna var så välinformerade som justitieministern lät förstå skulle de säkert hitta henne själva.

*

"Sand", säger hon ändå när de sitter och går igenom det pressmeddelande som kommer att gå ut nästa dag om "Förbud mot spridning av flytgödsel med sprutkanoner" – något som HC också högljutt har motsatt sig. Enligt hans uppfattning håller inte argumenten att både människor och djur kan smittas med sjukdomar av gödseln. "Det är rent nonsens! I så fall skulle bönder som kommer i kontakt med gödsel varenda dag ha konstant diarré!" har han invänt. Han är fortfarande arg men hyser inget personligt agg. Inte som inrikesministern, som snörper på munnen så fort de möter varandra i korridorerna.

"Mmm?" säger Sand och tar sig åt ländryggen. Han har på nytt gått för hårt åt den i trädgården. Salladen har redan börjat gro. Och jordgubbarna ser också lovande ut.

"Vilken beredskap har vi egentligen mot bioterrorism?"

"Bioterrorism? Dioxin i dricksvattnet och sådant?" säger han med ett snett leende. Han delar sin ministers skepsis inför hotets reella innehåll.

"Ja, och spridning av smittkoppor och mjältbrandssporer och alla andra hemskheter man kan tänka sig?"

Han skjuter upp glasögonen. "Vi har ingen. Såvitt jag vet."

"Hmm", säger hon och gör en krusidull med sin reservoarpenna. "Borde vi inte ha det?"

"Därför att?"

"Därför att någon har kommit på tanken. Även om de inte gör det har tanken sluppit lös."

"Non capisco?"

"Eller rättare sagt", korrigerar hon sig själv, "när någon har fått en tanke någonstans kan man vara säker på att andra får samma tanke någon annanstans. Och *de* omsätter den kanske i handling."

290

"Varför skulle någon få den tanken?" frågar han. "Vi lever trots allt i ett av världens fredligaste länder i en tid av tillväxt och välstånd? Syrenerna blommar, fatölstunnorna skummar, de fick sitt nej till EMU i fjol ... Varför skulle någon få för sig att begå något som ens påminner om terrordåd?"

Hon rycker på axlarna. "Jag vet inte om det är så. Jag säger bara att vi kanske ska vara mer vaksamma än vi har varit tidigare. Därför att det kanske finns vissa motrörelser i världen eller tiden som rör sig i extrema riktningar."

"Om det är antiglobaliseringsrörelsen du syftar på vet du vad jag har för åsikt?"

Hon ler. "'Varats olidliga lätthet'. Det kan hända att de bara har långtråkigt. Men det kan också hända att de verkligen *är* arga. Eller känner sig vanmäktiga. Vill ha något annat, något som de inte kan få av oss. Eller också uppfattar vi inte desperationen, tar den inte på tillräckligt stort allvar. Då blir det ju destruktivt. Men det vill ingen tala om. För då blir det ju svårt i Konsensusland."

"Och kanske en liten smula ansträngt, om du ursäktar mig", säger han och räddas av gonggongen när hennes barn åtföljda av en mer reserverad äkta man stormar in.

"Hej, Henrik!" utbrister flickan med fräknar på näsan, precis som sin mor, och slår armarna om honom. "Får vi en Coca-Cola?"

"Nej!" skrattar han och snurrar henne runt, medveten om att ungen förr eller senare får sin vilja fram, även här precis som modern, som säkert får sin beredskap. Mot bioterrorism. Ett mycket odanskt ord, för övrigt.

*

Jakob Krogh har en gång haft ett förhållande med en kontorselev på bokföringsavdelningen. Från hans sida handlade det bara om sex, aldrig har han fått så förstklassiga avsugningar; från hennes handlade det om en beundran för makten som hon förväxlade med förälskelse. Hon har faktiskt kvar en viss svaghet för honom, en naiv förhoppning om att de skulle kunna återuppta förbindelsen, att den kunde utvecklas till mer nu när hon har blivit assistent och han har förflyttats till Miljøstyrelsen. Hon vet att hon inte borde göra det hon gör. Men han får det att låta så harmlöst, som en hemlighet de har tillsammans. Till att börja med inser hon egentligen inte heller vad det kan göra för skada att han får kopior av ministerns kreditkortsuttag, som han ber henne undanhålla ministern till dess att han ger henne klartecken att skicka dem vidare till ministersekretariatet. Detsamma gäller specifikationen på Dinerskontot för maj, då ministern bland annat spenderade 10 450 franska franc på Kenzo i Paris.

★

På Magasins avdelning för barnskor stötte de på Maria och barnen. De var också ute för att köpa sandaler. "Nu måste det väl bli sommar ändå!" Charlotte konverserade glatt, det var så sällan hon över huvud taget träffade några av de gamla vännerna och fick pladdra på om allt och ingenting och om kollo och springmask och vad annat som brukade stå högt på en barnfamiljs agenda. Maria var känd som en sann mästare i att prata utan att säga någonting, men även om hon nu försökte sig på kallpratandets ädla konst tyckte Charlotte att hon verkade spänd och nervös.

"Hur står det till med Mikkel?" frågade Charlotte när Thomas hade dragit sig undan för att prova skor åt Johanne, som högljutt förkastade den ena modellen efter den andra.

"Jovars", sa hon med ett undvikande leende. "Det är väl bra. Han har det visst stressigt?"

"Det har de ju där borta bland räknenissarna", nickade hon instämmande och gav kanske Mikkel ett alibi för sena hemkomster och äktenskaplig försumlighet. På sätt och vis kunde det fungera som ett alibi också för henne själv. Eller åtminstone som ett försvar. De *hade* det stressigt i samhällstoppen. Kanske onödigt stressigt, det handlade mycket om attityd, men ändå. Saker och ting måste ju göras. Landet styras. Lagar stiftas. Budgetförhandlingar föras. Hon var själv kallad till möte hos Gert Jacobsen den 19 juni klockan 20.30, så hon kunde bekräfta att man arbetade *long hours* och inte nödvändigtvis låg tvärs över skrivbordet med blonderade sekreterare. Även om det i Mikkels fall naturligtvis absolut inte kunde uteslutas. På det hela taget fanns det en hel del som inte kunde uteslutas när det gällde Mikkel. Men i ett anfall av sentimental vänsällhet, som också hängde ihop med det löfte hon hade givit både Thomas och sig själv om att vara mer *mjuk*, prioritera familjen och det sociala livet högre, bjöd hon dem att fira midsommarafton i den sommarstuga de nyligen hade hyrt för ett år framåt av en av Thomas kolleger, som skickats utomlands. Själv hade hon tyckt att de borde köpa för att få någon glädje av hennes lön, men hennes intuition sa henne att det inte var rätt tillfälle att slå till. I så fall skulle Thomas helst vilja ha ett hus vid västkusten, nära sina föräldrars i Blokhus, men allra helst ville han snarare avveckla än binda sig mer än vad de redan hade gjort. Eftersom de ju skulle ut i världen. När det här var över.

"Inte ens på finansministeriet brukar de arbeta på lördagskvällar!" sa hon övertalande när Maria tvekade med en villrådig blick åt Thomas håll. "Och annars kommer du och barnen bara ensamma."

Till slut tackade Maria för inbjudan, dock utan den entusiasm som Charlotte hade förväntat sig att den skulle utlösa. Och när Thomas senare beklagade sig över att hon hade bjudit hem gäster ångrade hon redan sitt välmenta initiativ.

"Vi träffar ju aldrig någon!" sa hon. "Det klagar du själv över!"

"Jo, men ett par i *kris*", stönade han när Maria med ungarna i släptåg hade tagit rulltrappan ner.

"Kan vi själva ställa upp med eller vad då?" frågade hon syrligt och betalade sandalerna. Johanne behöll sina på. Vita remsandaler.

"Ett par sådana har jag också haft en gång", sa hon och böjde sig ner och kysste sin dotter på hjässan.

"Var det rosa hjärtan på dem också?"

"Nej, det var det förstås inte. Men annars var de likadana."

*

"Schhh!" Rosa hyssjar skrattande på Teis, lägger ett finger över hans mun så att han får bita i det i stället för att släppa fram det jubel som väller fram som ur en synthesizer.

"Det är bara för mycket!" mumlar han och låter handen glida ner under täcket, där den prövande lägger sig till rätta över magens rundning.

"Känner du det inte?" viskar hon. "Den är redan hård som en melon!"

Nja. Kanske. Kanske är hennes mage en smula hårdare under den mjuka mullighet som han älskar så högt.

"Ska du inte göra ett test eller något?" frågar han, torr i halsen.

Hon skakar på huvudet, drar ihop de leende läpparna till ett trumpet plutande som hårdnackat döljer hemligheter han inte vill veta något om.

"Det behövs inte. Inte än. Jag vet hur det ligger till. Du vill väl ha det?"

"YES!" skrattar han och kryper ner under täcket och kysser hennes navel tills hon börjar spinna. Men sedan känner han det snabba rycket i håret, som bara kan betyda en enda sak. Cat har kommit tillbaka från sin tidiga morgonpromenad. Han hinner precis få upp huvudet på kudden, sluta ögonen och låtsas sova när hon som en sergeant ryter bortifrån dörren.

"Då kan ni stiga upp! Vi ska i väg om en timme."

Rosa brukar inte må illa på morgnarna. Men plötsligt vänder det sig i magen på henne. Och Cat har knappt hunnit skrika ut sin order förrän hon far upp ur sängen och tränger sig förbi henne, ut genom den öppna dörren och vidare till! terrassen, där hon kräks så häftigt att hon är rädd för att det är själva barnet som kommer upp. Utdrivet av Cat, vars brinnande blick vilar på henne som en, ja, som en *förbannelse.*

*

Den logiska följden av att hyra sommarstuga var att köpa en bil. Resan till Sjællands Odde var helt enkelt för krånglig och tidsödande med tåg och buss, och eftersom hon var spiksäker på att inte bara Thor Thorsen utan även alla möjliga, såväl kända som okända, höll henne under ständig uppsikt vågade hon bara låta Freddy köra henne dit när det var fullt legitimt.

"Jag vill banne mig inte bli fälld på missbruk av ministerbilen!" deklarerade hon när hon försökte övertala Thomas till bilköpet.

"Nej, du vill väl över huvud taget inte bli fälld? Du vill sitta kvar! Erkänn det bara", replikerade han ilsket. Det var en torsdagskväll, hon var på väg till rådsmöte i Luxemburg men hade en överenskommelse som var så hemlig att inte ens Thomas kände till den om att träffa Amagerdistriktets ordförande i hans kolonistuga på väg hem på söndagen. Så att de tillsammans med Berit Bjørk fick tillfälle att "hälsa på varandra" och "dryfta situationen".

"Älskling", sa hon vänligt. "Vi kan ju sälja bilen igen. Men just nu ser det ut som om jag kommer att få fullt upp i sommar. Och om ni inte ska sitta här inne i stan och ruttna vore det praktiskt med en bil så att ni inte är beroende av mig. Om vi hade haft en bil kunde ni ha åkt till sommarstugan i morgon dag!"

"Det är bara att ta snabbussen till färjeläget!" muttrade han.

"Thomas, varför är du så förbannat envis hela tiden?"

"Därför att jag försöker vara rädd om oss", svarade han. "Sommarstuga och bil! Det är ju så jäkla borgerligt att man knappt står ut! Det var väl inte så vi ville ha det?"

"Varför är det värre att ha en bil och en sommarstuga här än att köra runt i jeep och hyra en hydda vid havet i Afrika?"

"Sådana är ju villkoren där!"

"Men det är de ju här också! För oss! Just nu! Försök se litet pragmatiskt på situationen, Thomas! Det brukar du vara så bra på!"

Det slutade med att han gav med sig med ett "Gör som du vill, det gör du ju ändå". Hon tog honom på orden och köpte på Henrik Sands rekommendation en begagnad Volvo herrgårdsvagn för omgående leverans. Via mobiltelefonen. Från Luxemburg.

"Du är banne mig inte riktigt klok!" flinade han i alla fall när han likaså telefonledes skickades ut till försäljaren för att hämta den på lördagsförmiddagen. "Och en *Volvo!* Ska vi ha hund också?"

"Kom ihåg att kolla att det finns barnstolar i. Dem har jag betalat för", sa hon från hotellrummet, där hon höll på att smörja in benen med Brun utan sol för att kunna ta av strumporna under kjolen. Hon hade redan träffat Madeleine, som var gyllenbrun och *underbar* och som alltid såg ut som hämtad ur en tvålannons.

"Vad har den för färg?" frågade han.

"Kungsblå. Din älsklingsfärg", sa hon inställsamt.

"Du tror att du är så smart!"

"Mmm", log hon i luren. "Åker ni till sommarstugan då?"

"Kanske", sa han i ett försök att låta svårflörtad. Men naturligtvis gjorde de det, och redan det fick henne att känna sig mindre betungad. Det var en sak att årets finaste månad för hennes vidkommande tillbringades inomhus, men hon hade svårt att finna sig i att hennes barn inte skulle få komma ut på grönbete. Som alla andra ansvarskännande människors barn. Men nu fick de åka ut "på landet", som Köpenhamnsborna sa, och kunde komma hem med solbrända kinder och havsluft i lungorna, så redan när hon satt i det hemliga mötet i koloniträdgården på Amager plågades hon mindre av dåligt samvete än vanligt en härlig söndag då hon försummade sin familj.

Distriktsordföranden, en äldre exkommunist och båtbyggare från B&W, hade uppenbarligen av Berit Bjørk, som hela tiden såg till att samtalet flöt friktionsfritt över kaffet och wienerbröden, blivit noga instruerad om att absolut inte avkräva den potentiella kandidaten alltför förpliktigande svar. I gengäld fick han visa upp sin trädgård, som var prydlig och välordnad, ett naivistiskt paradis i miniatyr. Han var, inte förvånande, entusiastisk till hennes förslag att slå vakt om de danska koloniträdgårdarna, men på det hela taget stödde han alla hennes synpunkter och förslag, även dem som inte handlade om *miljö*.

"Jag är själv en gammal man som har varit med så länge att jag blev omvänd från kommunismen av Jens Otto Krag. Men även om jag är gammal är jag varken reaktionär eller rädd för förnyelse. Vi ska akta oss så att vi inte stelnar! Så har det alltid varit här ute. Här har alltid varit högt i tak, och just därför skulle vi bli mycket, mycket glada om du ställde upp för oss! Vi behöver någon som vågar säga ifrån. Ja!" sa han och slog handflatan i bordet. "Och för att säga det rent ut gillar vi varken den högervridning eller den främlingsfientlighet vi ser numera. Också bland våra egna."

Charlotte log älskvärt över kaffekoppen. Hon var ganska säker på att distriktsordförandens "vi" stod för ett myndigt "jag". Och om hon skulle föras fram fick det inte ske genom en kupp.

Det klargjorde hon, utan omsvep. Hon måste få full uppbackning, också från den ratade kandidaten. Distriktsordföranden nickade. Berit Bjørk tände sin cigarrcigarrett.

"Så om du får det ställer du upp?" frågade han och böjde sig tung av förhoppningar fram över bordet. Om så bara för att inte göra honom besviken var hon nära att ge honom sitt löfte.

"Jag måste tala med min man om saken. Och det ska vi ägna semestern åt", svarade hon.

"Och om han utlyser nyval?" frågade Berit Bjørk och avslöjade därmed kring vem hennes tankar ständigt kretsade.

"Det gör han inte", avgjorde Charlotte utan att motivera sin förmodan. Men när man satt i kampanjgruppen hade man en bättre inblick i den utbredda förvirring eller till och med oenighet om strategi och mål som fortfarande tycktes göra statsministern så villrådig att han på intet sätt verkade våga satsa.

"Nej", fyllde Berit Bjørk beskt i. "Han ska ju tillbringa sina fyra veckor med Gitte Bæk på Rivieran, och hon är inte typen som gillar att få sin semester förstörd."

"Men *om* det skulle hända något oförutsett kommer ni att få besked. Annars får Berit ta en vända till", sa Charlotte.

"Aldrig!" deklarerade Berit och himlade med ögonen. "Nu vill jag ha mitt liv tillbaka."

★

Christina Maribo skulle önska att hon kunde undvika henne, men det finns ingen möjlighet att fly. Charlotte är på väg uppför trappan till Vandrehallen medan hon själv är på väg ner. Christina vet också att Charlotte kommer att hejda henne, för det är ju sådan hon är. Och det gör hon med ett leende så brett att det inte går att komma undan.

"Du vill visst inte ge tiden ett svar?" frågar hon.

"Vad menar du?" säger Christina undvikande, medveten om den skuldtyngda rodnad som börjar hetta i kinderna.

"Det är okej, Christina, det är bara mycket enklare för oss allihop om du säger tydligt ifrån. Du har väl dina skäl, antar jag. Men vi kan väl vara vänner för den skull?" ler hon och sätter foten på nästa trappsteg.

★

Berit Bjørks yttrande om att "få livet tillbaka" dök med jämna mellanrum upp som en hastig glimt i Charlottes bakhuvud under loppet av de veckor efter nationaldagen då Folketinget visserligen hade gått på semester men då ministerierna hade gripits av försemesterstress kombinerad med monumental sammanträdeströtthet. Ingen orkade längre, men saker och ting måste genomföras, förhandlingar slutföras och uppgörelser ros i hamn. För att hinna med sitt program ställde hon väckarklockan på kvart i sex, så att hon kunde vara på kontoret vid sjutiden och tillsammans med Sand gå igenom en del av de travar med inte-lika-brådskande ärenden som hade samlats på hög. De hade samordnat sina semestrar så att de åtminstone försökte vara lediga första halvan av juli, vilket kanske var ett hopplöst företag eftersom det stora och allt avgörande klimat-toppmötet låg i Bonn i slutet av juli. Men de försökte hinna med så mycket som möjligt före månadsskiftet, hoppades ha allt klappat och klart så att den danska delegationen med ministern i spetsen kunde nöja sig med ett par snabbgenomgångar strax före avresan. Det nära förestående och med tiden mycket omtalade EU-toppmötet i Göteborg var ministeriet inte direkt involverat i, men det var däremot Charlotte. Som privatperson, dock. För Thomas hade bestämt sig. Han tänkte åka dit. Med sina nya vänner i Attac.

Trots de uppenbara problem det kunde åsamka henne tvingade hon sig att förstå och stötta. Skulle hon inte ha gjort likadant för ett år sedan? Skulle han, bara för att han var gift med henne, berövas rätten att agera politiskt på *sitt* sätt? Skulle hon över huvud taget vilja ha en man som inte höll fast vid ett engagemang, inte hävdade *sin* integritet? Behövde hon inte mothugg? Jo, jo, men …

Hennes "men" blev inte till mer än en uppgiven suck som absorberades av Fælledparkens mäktiga trädkronor när de diskuterade "saken" på en kvällspromenad medan ungarna sprang omkring och lekte tafatt på gräsmattorna.

Hon var trött och hade huvudvärk, måste i väg igen, den här gången på en tredagars studieresa med Folketingets miljö- och planeringsutskott till Moldavien och Rumänien, där de skulle se hur det gick med det danska miljöbiståndet och ta ställning till var man skulle satsa framöver. Öst- och Centraleuropa var i princip en miljökatastrof, så det var bara en fråga om att prioritera. Hon ansåg ju att de borde lägga mest vikt vid att stärka den hållbara utvecklingen, medan östeuropéerna själva önskade så stark tillväxt som möjligt så snabbt som möjligt, kosta vad det kosta ville av föroreningar och försurning. Något som man med tanke på befolkningens eländiga levnadsvillkor naturligtvis gott kunde förstå. Å andra sidan fanns ingenting att vinna på att vara så förbaskat kortsiktig, vilket hon än en gång hade haft ett skarpt meningsutbyte med Venstres miljöordförande om. Hans lösning på allt var "teknologi" – det fanns praktiskt taget inte ett miljöproblem, nuvarande eller framtida, som inte skulle komma att lösas på teknologisk väg. Dessutom ansåg han också att synen på jordens miljöproblem var starkt överdriven och citerade oavlåtligt ur Århusstatistikerns vid det här laget internationella bestseller om "miljöns sanna tillstånd", utan vilken han uppenbarligen inte gick hemifrån. Fruktansvärt irriterande. Hon hade fortfarande svårt att hitta hans dolda charm, men den skulle kanske komma att visa sig under resan, som han givetvis också skulle med på. Lyckligtvis hade Svend Thise också anmält sig, så hon hade i alla fall en kamrat i gruppen.

"Du reser alltså till Göteborg?" konstaterade hon och rev av ett blad från en vinbärsbuske.

"Ja." Thomas nickade och förde handen över hjässan, som han samma morgon hade dragit över med skäggtrimmern så att håret åter var millimeterkort. Jens tjatade om att få samma frisyr, men där hade hon inlagt sitt veto.

"Älskling, jag fattar bara inte riktigt logiken i det här. Det där toppmötet handlar bland annat om att få George Bush att respektera Kyotoavtalet och tvinga Japan att stå fast vid sina utfästelser, för att bara nämna ett par punkter ..."

"Ja, men det är ju inte det det handlar om!"

"Är det försöket att nå en överenskommelse om att bekämpa hiv och aids i Afrika ni har något emot?" frågade hon stridslystet.

"Du vet mycket väl vad det handlar om", replikerade han. "Det är en markering av att världens tillgångar är så orimligt orättvist fördelade. En protest mot den globalisering som gör de rika rikare och de fattiga fattigare! Och så är det också en markering av att hela det där toppmötesevenemanget med höga herrar i skottsäkra limousiner sänder ut helt fel sinaler."

Arsenalen av argument låg framför henne, det var bara att ta för sig. Men hon avstod.

"Bra", sa hon och bet sig i läppen för att inte trots allt kasta några av sina projektiler efter honom. "Det måste jag ju ta hänsyn till. Säg mig bara en sak, älskling. Du gör det av politiska skäl, inte sant?"

"Vad menar du?" frågade han med en lodrät rynka mellan ögonbrynen.

"Ja, det är inte av privata skäl? Inte som en demonstration mot *mig*, väl?"

"Naturligtvis inte!" fnös han och väjde för ett tätt omslingrat kärlekspar som de just mötte på stigen.

"Okej", sa hon försonligt och tog hans hand. "Men lova mig att vara försiktig. Jag är rädd för att det kommer att gå våldsamt till."

*

De är sju stycken som har hyrt lägenheten i Göteborg. De fem från Köpenhamn, en tysk och en holländare. De arbetar metodiskt och professionellt, tillverkar cykelslangbomber, syr skumgummidräkter, studerar stadskartor och går igenom procedurerna kring användandet av mobiltelefonerna, där de har lagt in de falska namnen. De rör sig diskret när de kommer och går i lägenheten, ser till att lämna den en och en eller två och två, aldrig i samlad flock. Handlar sparsamt i snabbköp i andra stadsdelar, är noga med att inte tala med någon för att inte avslöja att de inte är svenskar. De har till och med bytt ut sina svarta kläder och går omkring i jeans och T-shirts, inköpta på H&M. Bara Cat behåller sin mundering på, hon *kan* bara klä sig i svart. Hon vill inte ha på sig skumgummidräkten heller. Den får henne att känna sig löjlig. Som ett mumintroll. Andra lägenheter har redan en vecka före toppmötet blivit avslöjade och genomsökta, men deras har gått fri. Ingen har upptäckt dem ännu. Det är fördelen med de anonyma bostadskomplexen i de socialdemokratiska förstäderna. Folk är så egoistiska och självupptagna att de inte lägger märke till grannarna. För deras vidkommande skulle man kunna ligga där och ruttna.

På fredagsmorgonen stiger de upp tidigt och tittar på nyheterna. "Nervositet i Göteborg", säger man. Men polisens talesman försäkrar att man har kontroll över situationen trots de tusentals demonstranter som redan har strömmat till staden. Många är inhysta på ett gymnasium, där myndigheterna är på plats för att upprätthålla "dialogen". Teis översätter till engelska, holländaren och tysken flinar och rullar morgonjoints. "Dialogue, my ass!" Rosa är blek, springer ideligen på toaletten. Hennes händer darrar när hon sträcker sig efter mjölken. Hon dricker enormt mycket mjölk hela tiden.

"Du kan stanna här", säger Cat. "Om du är rädd?"

Teis vänder sig från TV:n, beredd att ingripa.

"Jag är inte rädd!" säger Rosa snabbt och torkar av mjölkmustaschen med avigsidan av handen.

"Okej!" ler Cat. Mot Teis.

*

I sitt stilla sinne hade han hoppats att de skulle bli hejdade i kontrollen efter bron. Nekade inresa, så att de blev tvungna att vända om. Men den blå Volvo 740:n med fyra passagerare vinkades bara igenom medan polisen hade fullt upp med att undersöka och leta igenom en hel kortege med bussar från Jylland.

Sedan funderade han helt enkelt på att släppa av de andra vid gymnasiet och själv köra hem igen. Det gjorde han inte heller, han hittade en parkeringsplats, lyfte ut sin sovsäck och sin ryggsäck ur bagageutrymmet som de andra, som var i uppsluppen lägerskolestämning, och följde med dem bort till Hvitfeldska gymnasiet för att bli registrerad och incheckad. Här skulle han också ha kunnat stiga ur kön, men han stannade kvar samtidigt som han kände hur handlingsförlamningen grep honom och fick honom att stava sitt namn och låta sig registreras. Thomas var nu toppmötesdemonstrant i Göteborg. Ett faktum som inte kunde förnekas. Hur djupt han än skulle komma att ångra det senare.

*

Per Vittrup gillade det inte. Det gjorde han verkligen inte. Varken transporten innanför skottsäkert glas genom en avspärrad stadskärna, där det såg ut att råda militärt undantagstillstånd, eller den stridsmunderade polisen. Han gillade inte den hotfulla stämningen av förestående konfrontation. Han gillade inte att stå som symbol för en välnärd, arrogant makthavare med "folket" emot sig. Han gillade inte att vara instängd i ett tungt bevakat konferensfort. Och han gillade inte den attentatsparanoia som hade rått i Sverige ända sedan Palmemordet och som han nu själv kände som ett pirrande under huden och ett begynnande fördömande av något som ännu inte hade de skett.

Det går inte att undvika, hon är tvungen att delta i departementets sommarutflykt, som i år går till Flakfortet. Hon är också tvungen att skåla med sina medarbetare, vara på gott humör, skratta åt revyn där hon naturligtvis är det främsta offret, originellt framställd som duvhök med cigarrett i näbben och en Coca-Cola i klorna. Hon är tvungen att lyssna till överförfriskade förtroenden och vinlummiga analyser av miljöpolitiken sådan den, om medarbetaren i fråga fick bestämma, borde föras. Hon är också tvungen att dansa med de få som över huvud taget vågar bjuda upp henne och själv buga för dem som inte vågar, däribland Kamal, som nyktert och propert håller henne stelt ifrån sig så att deras kroppar inte berör varandra. Han är så generad att hon låter honom slippa efter två danser, varefter hon med lättnad valsar ut med Henrik Sand, som målmedvetet, med skjortan utanför byxorna och ett kroppsspråk som en sjövild, västjylländsk fiskare anstränger sig för att uppnå den megafylla han unnar sig två gånger om året.

"Nå, hur är det?" sluddrar han och håller henne hårt intill sig. "Har du roligt?"

"Ja, ja", försäkrar hon skrattande. "Jag är bara litet orolig för hur det går i Göteborg. Thomas är ju där uppe …"

"Ja, du har visst ingen vidare pli på honom?" flinar Sand och snurrar henne runt. "Men låt för all del killen roa sig, om det är det han behöver!"

"Hans mobil är avstängd", påpekar hon.

"Ja, det är klart! Han vill väl inte bli kollad av dig både fram och bak! *Så länge jag lever, så länge hjärtat mitt slår!*" vrålar han med för full hals och ser inte alls ut som någon som precis som hon längtar efter att båtarna ska föra dem tillbaka in till staden.

"Som frilansande pressfotograf är det klart att man är resande i konflikter. Det är ju de där kulor & krut-bilderna som ger pengar och priser. Så vi var rätt många danska fotografer i Göteborg de där junidagarna, även om vi inte hade några kontrakt på hemmaplan. Djungeltelegrafen hade ju förvarnat om att det skulle bli bråk, men jag tror faktiskt att de flesta av oss var förvånade över hur hårt det gick till där uppe. De snedtände totalt på bägge sidor, både demonstranter och polis. Polisen gillrade en fälla och lyckades först locka in flera hundra aktivister på det där gymnasiet för att sedan omringa byggnaden och stänga in dem innanför containrarna. Det blev de ursinniga över, vem fan skulle inte bli det! Efter allt prat om "dialog" och "respekt" ... Det fungerade som att kasta en tändsticka i en frityrgryta, så de som lyckades bryta igenom barrikaderna och ta sig ut, något hundratal, var helt vilda. När andra sedan strömmade till från hela staden var kriget ett faktum och den så kallade "dialogen" hade gått åt helvete. Så vi fick det stressigt, vi fotografer som antingen redan var där eller anlände mitt i stridens hetta. Både stenar och batonger flög genom luften, så det var inte lätt att säga vem som var värst. Jag var själv en hårsmån från att få några i huvudet när jag kom litet för nära ett något hårdhänt gripande av en civilperson, civil i den bemärkelsen att han inte var maskerad. Han såg faktiskt ut att på något sätt ha gått vilse i staden, det var därför jag över huvud taget fick honom i sökaren. Han stod så märkligt frånvarande, som en ö mitt i alltihop, medan slaget böljade omkring honom. Först var han placerad i utkanten, närmast som åskådare, men demonstrationer utvecklas ju så snabbt att fronten flyttar sig på bråkdelen av en sekund. Så plötsligt befann han sig mitt i smeten och träffades av ett slag från en av batongerna. Han höll upp händerna för att försvara sig, men det tolkades tydligen som ett motangrepp, för nu blev de två om honom. Han tvingades ner på knä och fick ta emot ganska mycket stryk innan han försågs med handfängsel och släpades därifrån. Jag fotograferade hela förloppet, och jag svär på att det inte var förrän jag talade med redaktionen, efter att ha mejlat dagens skörd, som jag fick klart för mig att det var miljöministerns man som var huvudmotivet. Vad fan skulle jag göra? Även om jag är fotograf är jag inte idiot, jag förstod mycket väl hur det skulle kunna missbrukas. Å andra sidan var det för sent att dra tillbaka smörjan, grisen var redan ute ur säcken, och kanske fanns där andra fotografer som hade samma bilder. Så vi ingick den kompromissen att tidningen fick använda bilderna men inte röja identiteten. Den var ju inte bekräftad, teoretiskt kunde det vara någon som liknade honom. Politiken har trots allt en viss etik. Och en helvetes oppfostrad lillasyster ..."

Cat har anfört sin enhet med kylig överblick under torsdagen. De har med flit hållit sig utanför bråket vid gymnasiet, för de är fast beslutna att fullfölja sitt syfte: att bryta barrikaden och ta sig så nära konferenscentret som möjligt. Cat föreställer sig till och med att de ska tränga ända in och kasta sina slangbomber i själva salen, där motherfuckerna sitter på sina feta arslen och härskar och söndrar. Så på fredagsförmiddagen driver hon dem framåt som en patrull på väg till brandhärden. Göteborg ser ut som en krigszon, de ståtliga avenyerna har förvandlats till rykande slagfält med krossade fönsterrutor, kullvälta polisbilar, uppgrävda gatstenar och kringslängda kafémöbler. Skrämda medborgare håller sig inomhus, flyr längs smågator ut ur staden med småbarn på armen. Cat älskar det. Har dragit ner rånarluvan över huvudet så att bara den lilla springan för ögonen är fri. Rosa har knappt fått på sig sin förrän hon måste dra av den för att kräkas. Teis stöttar hennes panna men drar henne sedan med *framåt, framåt*. Cat känner hur träningen sitter i kroppen. Hur de allihop har lärt sig att hålla ihop kedjan och skrika taktfast i kör: FUCK THE POLICE, FIGHT BUSH! FUCK THE POLICE, FIGHT BUSH!

De tvåtusen poliserna försöker pressa dem tillbaka, håller upp sköldarna, gör bruk av batongerna och kastar tårgas när de märker det enorma motståndet från flera tusen demonstranter. Cat viker inte, inte heller när hästarna och hundarna sätts in, känner adrenalinet pumpa genom kroppen, euforin som strömmar genom henne. Hon fångar Teis blick och ser glöden, ser att han delar den med henne, kicken, spänningen av att äntligen vara i strid. Rosa är likgiltig, det är de båda som är bundna vid varandra, Teis och Cat.

Sedan brister kedjan, de far bakåt med ett plötsligt ryck, några faller och hjälps snabbt upp igen, andra blir liggande, skrikande, medan stövlar trampar på dem. Och Cat snubblar och trampar snett, kan inte stödja på foten och tvingas linkande och hopvikt av smärta dra sig ur striden med en bruten vrist. Redan innan hon har hunnit kasta en enda bomb ur förrådet i den svarta ryggsäcken.

Därför är hon inte med under striderna på Vasaplatsen samma kväll. De våldsammaste gatustriderna i Sveriges historia. Så dramatiskt utvecklas de att polisen ser sig nödsakad att dra sina vapen i försöken att undsätta en hotad kollega. Tre demonstranter skottskadas, därav en allvarligt. Egentligen är många skadade och klämda, både bland polisen och bland demonstranterna, av vilka över 600 har blivit gripna. *Hur kan något sådant hända? Hur kunde det gå så långt? Här hos oss? Varför är de så arga?* frågade medier och människor varandra när dagen grydde och förlusterna skulle summeras.

En fråga som ingen kom på att ställa till Cat i stridens hetta, när hon lyftes upp ur rännstenen och slängdes in i närmaste polispiket.

"Akta min fot!" skrek hon medan den sjukvårdare som hade varit i färd med att varsamt undersöka den brutna vristen högljutt protesterade.

De båda utkommenderade poliserna sket i hennes fot. Trots att hon hade tagit av sig masken kände de igen uniformen. Hon tillhörde fienden, och fienden skulle bekämpas. Fler nyanser fanns det inte plats för i den starkt spända situation där de båda nyutexaminerade, illa förberedda poliserna med fruar och väntade barn testosteronstinkande svettades innanför hjälmarna och de tunga dräkterna. Så den ene slog henne över njurarna och den andre drog henne i håret, och var för sig såg de med sina blossande ansikten och blottade tänder inte ut som de hyggliga gossar de egentligen var. Precis på samma sätt som ingen kunde se att den omväxlande fräsande och vrålande aktivist som klöste och sparkade och bet dem i handen var en i alla bemärkelser patetisk flickunge.

Ingen annan än Thomas, som genom en av tillvarons förunderliga nycker kom att dela cell med henne senare den dagen. Han lyckades lugna henne. Han undersökte hennes fot. Han rev sin T-shirt i remsor och lade ett provisoriskt stödförband om den medan han tröstade henne på barndomens mjuka nordjylländska dialekt och fick henne att snyftande falla till ro. Han lyckades till och med övertala den överbelastade och stressade vaktpersonalen att skaffa först en smärtstillande tablett och sedan en läkare åt henne. Medan de väntade höll han om henne, lät henne sova mot sin axel och fick henne att berätta en liten smula om sig själv. Till exempel berättade hon vad hon hette. Och erkände att hon liksom han kom där uppifrån. Det kunde han ju höra. Till och med när hon sa "motherfucker".

*

Charlotte var mer upprörd än han. *Älskling, vad har de gjort med dig!* utbrast hon förskräckt när han efter att ha blivit släppt kom hem från Göteborg med pressen i släptåg, haltande som en krigsinvalid med spräckt ögonbryn, blåtiror, knäckt näsa, intryckta revben och stora blodutgjutningar över det mesta av överkroppen. Barnen brast i gråt, och hon satte chockad handen för munnen, trots att hon var förberedd efter att ha sett den bildserie som frikände honom och satte henne på de anklagades bänk. För samtidigt som den visade att han hade fallit offer för polisbrutalitet framställde den landets miljöminister som en person som var gift med en toppmötesdemonstrant. Inte särskilt smickrande, mot bakgrund av den kollektiva upprördheten. Ingen, inte ens Information, betraktade aktivisterna som hjältar. Så vad hade hon för kommentar till det? lät det från alla håll och kanter. Hennes stoiska svar var att hon inte hade några kommentarer. Vad hennes man företog sig var hans eget val, som han hade sin självständiga rätt att träffa, på samma sätt som han själv fick stå till svars för sina handlingar. Även om ledarskribenter och kommentatorer försökte sätta åt henne – *kan ministrar undandra sig ansvaret för sina äkta hälfters handlingar?* – och få Thomas att uttala sig var dock materialet för tunt och sommarlättjan för stor för att det inträffade skulle kunna göras till någon verklig skandal. Så historien dog ut innan hans sista stygn var taget. Men de visste båda två att den skulle sparas i den speciella fil, märkt med hennes namn, som när som helst skulle kunna tas fram igen.

Så Thomas kände sig skyldig. Han förtjänade fördömandet, smärtorna och det lidande som skulle bli följden. Däremot förtjänade han inte hennes ömhet, omsorg och fullkomligt orimliga solidaritet.

"Är du inte ett dugg arg på mig?" frågade han.

"Jo", sa hon och baddade hans ögon med kamomillte. "Men jag är mest orolig för dig."

"Orolig för vad då?"

"För att förlora dig", sa hon och tittade upp med ett snabbt leende.

★

Gert Jacobsen kunde inte behärska sin ilska över att någon kunde få för sig att gå så långt över gränsen.

"Det är helt enkelt för korkat att vara gift med en minister och sedan ge sig ut och kasta gatsten!"

"Såvitt jag har hört direkt från den svenska justitieministern kastade han inte gatsten", svarade Per Vittrup kyligt. "Han har faktiskt blivit utsatt för ganska hårdhänt behandling och fått ta emot en ursäkt med röd rosett. På det hela taget gick man litet för våldsamt fram, enligt mina källor …"

"Ja, ja", sa Gert Jacobsen och skakade irriterat på huvudet. "Det kan hända att mannen inte i juridisk mening har överträtt lagen, men det finns ju något som heter oskrivna lagar! När en ministers man eller för all del fru överträder dem slår det ju tillbaka mot ministern och därmed mot regeringen och i sista hand statsministern! De får faktiskt lov att anpassa sig!"

"Vi hade en ganska intressant diskussion på det temat i går kväll, Gitte och jag. Inspirerad av det här fallet."

"Jaså?" sa Gert Jacobsen med så tydligt ogillande att hans neddragna mungipor bildade ett uppochnedvänt U.

"Ja, hon sa rent ut att om hennes yttrande- och handlingsfrihet upphävdes för att hon var gift med mig skulle hon omedelbart skilja sig!"

"Ja, men Gitte skulle väl aldrig komma på idén att göra något så idiotiskt. Något som direkt skulle kunna skada dig?"

"Nej, naturligtvis inte." Per Vittrup lossade på slipsknuten och knäppte upp den översta skjortknappen. Han såg fram mot att få lämna kontoret. Komma ut till Marienborg. De hade flyttat ut för sommaren. Eller rättare sagt, *han* hade gjort det. Gitte kom bara dit ut när det passade hennes program. Som exempelvis i går kväll, då hon snabbt hade givit sig i väg igen strax efter middagen. Sanningen att säga hade diskussionen dem emellan inte varit riktigt lika fridsam, än mindre akademisk, som han framställde den. Tvärtom hade de varit nära att råka i gräl. Hon hade tagit aktivisterna i försvar, han hade häftigt givit utlopp åt sin frustration över att med egna ögon ha kunnat se "de primitiva ligister och bråkmakare som med dödsförakt är redo att hota demokratin". Därefter följde ett par slagserier om skillnaden mellan "statsmakt" och "demokrati", "folket" och "eliten" och alla andra små men effektiva smockor hon hade kastat in i debatten. Han tyckte om att få mothugg, lät sig gärna eggas av hennes näsvisheter, men ibland blev hon ett snäpp för provocerande för hans smak. Som om hon bara sa emot för utmaningens skull. För att reta honom. Snärja honom med den paradoxen att han aldrig hade haft så mycket makt men aldrig haft så svårt att använda den. Han höll på att kvävas av hänsyn och goda råd och analyser och opinionsundersökningar och fan och hans moster, och hennes iakttagelse var fullkomligt riktig när hon påstod att hans politiska instinkter hade trubbats av. Han hade blivit mer tveksam. Kände sig mindre säker när han äntligen fattade ett beslut. Ändrade sig oftare. Det var därför han hade blivit så arg på henne, det var därför hon hade kört sin väg med skrikande däck, det var därför han återigen inte hade fått något sex, det var därför hans tålamod med Gert Jacobsen denna ljusa junidag, när han längtade så outsägligt efter att få gå barfota i daggvått gräs, var så ytterst begränsat.

"Gert, ärligt talat, vad är det egentligen du vill säga? Både du och jag har väl också deltagit i demonstrationer när vi var unga! Du brukar till och med skryta med att du gick med i Vietnamdemonstrationerna! HO-HO-HO-CHI-MINH! Ni fick Onkel Sam på fall! Har du glömt det?"

Vittrup log retsamt, men Gert Jacobsen lät sig inte bekomma. "Jag

anser samma sak som jag hela tiden har ansett. Att Charlotte Dam-
gaard inte passar i den här regeringen, vilket så småningom borde stå
tydligt för alla och envar. Hon är otvivelaktigt en kompetent kraft
inom de alternativa rörelserna, men det här senaste exemplet med
hennes mans beteende i ett utomparlamentariskt sammanhang bevi-
sar mer än väl att hon kör sitt eget race, har sin egen agenda och är
fullkomligt likgiltig inför vår."

"Vad menar du mer exakt?" frågade Per Vittrup och sköt fram ha-
kan en aning.

"Ja, att mannen uppträder i enlighet med sina instruktioner, om du
förstår. Hon kunde ju knappast själv delta i gatustrider med polisen,
så mycket har hon åtminstone fattat …"

"Å, Gert, du menar väl inte …?"

"Jo, det menar jag. Hon är inte bara en belastning för sig själv, sitt
ministerium och sin regering. Hon håller medvetet och avsiktligt på
att obstruera regeringens och därmed dina möjligheter till återval.
Hon har ju inga aktier i det här företaget, Per! Hon har inget mandat,
och såvitt jag vet har hon inte heller några ambitioner om att få ett.
Charlotte Damgaard är bara en gästartist, en femtekolonnare, om du
så vill. Hon kommer att fälla krokodiltårar den dag Venstres ledare
installerar sig här på ditt kontor."

Per Vittrup betraktade sin gamle vän och fiende med skeptiskt ryn-
kad panna. Hans intuition sa honom att karln hade blivit galen. Att
han hade fått Christiansborg-spader och led av akut paranoia, miss-
unnsamhetsinflammation eller fåfängeförstoppning. Men eftersom
han inte längre litade på sin första tanke avfärdade han inte Gert Ja-
cobsen med ett gapskratt utan lät honom utveckla sin fixa idé.

"Så vad har du tänkt dig att jag ska göra?" frågade han med en lätt
antydan till ironi, avsedd att markera det nödvändiga avståndstagan-
det.

"Sparka henne."

"Därför att hennes man har utsatts för polisvåld under en laglig
demonstration i utlandet?"

"Du hittar säkert en anledning", svarade Gert Jacobsen. "Annars
gör jag det. Jag ska förresten träffa henne vid budgetförhandlingarna
i kväll."

När Gert Jacobsen visslande hade lämnat kontoret satt statsministern kvar i fem minuter och stirrade obeslutsamt på telefonen medan hans sekreterare stod och trampade. Han hade stor lust att ringa till Charlotte Damgaard och varna henne. Och han kände ett starkt behov av att fråga Meyer till råds. Vid närmare eftertanke avstod han emellertid från att göra någotdera. Det passade sig inte. För en man i hans ställning.

*

Svend Thise hade lett i mjugg och önskat henne "good luck!" när han hörde att det var hennes tur att få audiens hos skattmästaren. Och hon kunde inte låta bli att le när Gert Jacobsen slog ut med handen och bad henne ta plats i den tagelsoffa som Svend så målande hade beskrivit för henne. Att finansministern inte var hennes främste beundrare hade han aldrig försökt dölja, så hon var spänd och märkte till sin förtret att hon hade fått svettfläckar under blusens korta holkärmar. Hon och Sand och ett par andra medarbetare hade tragglat igenom budgeten, så hon tyckte att hon behärskade materialet och borde kunna argumentera för sina önskemål inför nästa år. Själv var han känd för att kunna slå ner på enskilda poster och nitiskt sätta fingret också på små siffror, som han hade en formidabel förmåga att lägga på minnet.

Men i kväll var han mild som ett lamm. Lyssnade vänligt till hennes utläggning, avbröt inte och ställde bara några få fördjupande frågor. Accepterade skenbart hennes förklaringar, både vad gällde utgiftsökningen för personal inom Danmarks Miljøundersøgelser, som berodde på ett större antal ärenden – "Så länge EU:s kemikalievitbok inte är färdig måste vi själva undersöka de hundratals nya ämnen som hela tiden kommer ut på marknaden" – och hennes önskan om att öka resurserna för hållbarhetsprövning och miljöbiståndsprojekt i Östeuropa. På hennes önskelista stod också medel till den merkostnad som skulle bli följden om ministeriet som ett pilotprojekt genomförde den totala gröna omställning som hon var så engagerad i. Slutligen ville hon gärna ha ökade medel till naturskydd och etableringen av "Hundra trädgårdar", ett projekt som hon hade fått idén till under de mer långtråkiga delarna av mötena i Luxemburg.

"Något annat?" log han älskvärt.

"Jag anser att det är hög tid att vi inrättar ett sekretariat med sikte på hållbarhetskonferensen i Johannesburg nästa år. Där borde Danmark gå i täten."

"Det är ju litet smådyrt, alltihop, inte sant?" sa han faderligt.

"Jo, men det är dyrare att låta bli", log hon och lutade sig bakåt i soffan. "Och vi kommer också att få använda mer pengar på nya brunnsborrningar nästa år. Mycket, mycket mer …"

"Ja, ja", sa han och trummade med fingrarna mot pärmarna. "Jag ska se vad jag kan göra."

"Jag behöver inte skära ner?" frågade hon rent ut. Litet för rent ut kanske, för han sköt fram underläppen och tittade ut genom fönstret med ett outgrundligt leende.

"Nej, då. Det finns det inga planer på. Det hela ser ju förnuftigt ut, eller hur?"

"Det tycker vi i alla fall själva", nickade hon och tömde kaffekoppen. "Vad säger oppositionen? Är den på krigsstigen mot gröna avgifter?"

"Säkert. Det är den ju reflexmässigt. Men uppgörelserna gäller ju i ytterligare några år. Hur står det till med din man?" frågade han sedan plötsligt. "Har han repat sig?"

"Tack, han mår bättre", svarade hon och ställde ifrån sig koppen.

"Du har väl själv varit med om den sortens *aktioner*? Under din Greenpeacetid?"

"Inte riktigt. Jag bröt med dem av just det skälet. Jag är inte så militant lagd", log hon, tunnare den här gången.

"Jaså, inte?" skrockade han. "Jaha, då säger vi väl så."

Kort efteråt stod hon utanför hans kontor, förkrossad som en elev som har blivit underkänd i examen utan att ha en aning om varför.

"Hur gick det?" Så snart Louise Kramer fick syn på Charlotte avbröt hon sitt samtal med Mikkel Bøgh, som precis som hon stod och väntade.

"Hej, sötnos!" ropade han och kom fram till henne. "Flickan från åkern …"

"Sitter mitt huvud fortfarande kvar?" frågade Charlotte retoriskt.

"Ha, ha! Det dinglar i sin sista tråd", flinade han och stoppade ner Louises visitkort i fickan samtidigt som han gick bort till dörren för att knacka på. "Vi ses i midsommar, eller hur?"

★

"En krona för dina tankar!"

"Vad då?" frågar Henrik Sand och möter sin frus halvt leende, halvt bekymrade blick.

"Vad tänker du på?" viskar hon och sticker sin arm under hans. "Din barndoms midsommarfester med bål?"

"Något i den stilen", ljuger han och zoomar ut och får med hela den klassiska midsommaraftonscenen. Hipp, hipp hurra, och eldslågornas sken över främmande ansikten.

"Vi ska sjunga nu", säger hon och håller ut Högskolans sångbok till vänster framför sig så att han kan se han också. Han ler åt hennes energi när hennes spröda sopran lyfter från bladet, ger hennes arm en tryckning och stämmer själv in. Men han hinner inte många strofer av Drachmanns Midsommervise förrän hans tankar svävar ut med de knastrande gnistorna över Öresund. Hon plågar honom, Charlotte. Det är hennes äktenskap. Det knakar i fogarna, han kan höra det. Även om hon heroiskt låtsas som om allt var bara bra och spelar sin mans tappra soldathustru och bjuder in vännerna till kalas i sommarstugan. Han känner igen symtomen. Vet att upprymdheten brukar föregå brytningen.

"*Var stad har sin häxa …*" ljuder det massivt omkring honom medan elden redan har tagit sig i käringen på bålet. Han har alltid betraktat de här fingerade häxbränningarna som en makaber sed, och i år tycker han inte alls om det.

"*… och var socken sina troll!*" sjunger han så demonstrativt högt att hans fru hyssjande vänder sig mot honom och missar en ton.

★

När insåg hon att det skulle komma att sluta illa? När de stod vid tomtägarföreningens bål och Thomas inte lade armen om henne, fastän hon frös under jackan och sjalen och kände sig utstirrad av de fasta sommargästerna som samtidigt som de nyfiket sneglade på henne och hennes sällskap i samförstånd utbytte kommentarer om väder och vind, strandens skick och reparationen av badbryggan.

Eller var det under middagsbuffén, när det plötsligt gick upp för henne att de enda som sa något var Mikkel och hon själv, medan Maria och Thomas antingen teg eller tog hand om utfodringen av barnen och det logistiska flödet och därmed oftare stod vid diskbänken än satt vid bordet? Eller var det redan när de kom och Maria av någon anledning hade svårt att se henne i ögonen under den ceremoniella välkomstkramen och Mikkel i stället föreföll mer högljutt påträngande än han brukade? Eller var det när de litet för snabbt hade tömt den första flaskan vin och var på väg till bålet och Maria erbjöd sig att stanna kvar och koka kaffe? Eller var det kanske först när alla barnen hade lagts att sova i de båda sovalkoverna och det i den plötsliga tystnad som fyllde de fyrtio kvardratmeterna likt en kvävande krockkudde inte längre gick att dölja att stämningen dem emellan snarare var norénsk än drachmannsk, att det osagda vägde mycket tyngre än det sagda?

Efteråt hade hon svårt att sätta fingret på när hon hade insett att det skulle bli en sådan där kväll som man önskade att man kunde dra ett streck över men där man redan medan den pågick visste att den bara var följden av en eller flera tidigare inträffade händelser som ingen längre hade förmåga att återkalla. Sådana kvällar har sin egen obönhörliga och fortskridande dramaturgi som, om dramatikern är tillräckligt skicklig och professionell, präglar varenda scen. Därför hade hon naturligtvis vetat att den här kvällen skulle sluta illa redan innan gästerna hunnit komma. Kanske till och med redan innan de blev inbjudna. Även om det inte stod klart för henne förrän de hade givit sig av igen.

*

Cathrine Rørbechs föräldrar har åkt ut till västkusten. De brukar alltid resa till Løkken på midsommarafton, och det gör de även i år. Det är hon, modern, som ser till att hålla fast vid ritualerna, även om också hon tycker att det blir svårare och mer meningslöst för varje år. Som att stå där småfrysande i hård västvind på Løkken Sønderstrand bland hundratals andra och se den med tiden något glesa och åldrande flickorkestern ta sig ton framför det ännu otända jättebålet i en ojämn kamp för att överrösta bränningarnas dån. Talet, återgivet via högtalarbil, hör de som vanligt inte mycket av, men det beror inte bara på ljudkvaliteten. Ingen av dem skulle vara i stånd att lyssna, om talet så leddes in i deras öron via öronsnäckor. Deras uppmärksamhet blockeras hela tiden av spekulationerna kring dottern, Cathrine, som just nu befinner sig i häktet i Göteborg, anklagad för "sabotage" och för att stå bakom "de militanta upploppen under EU-toppmötet". Att en så prominent aktivist stammar från Brønderslev har varit lokaltidningens huvudnyhet i flera dagar. För trots att inga namn får avslöjas kan det efter den ingående beskrivningen av den anklagade och hennes bakgrund inte råda stort tvivel om hennes identitet. Inte heller för föräldrarna, som ändå förargat avböjde att kommentera saken när en journalist från *Nordjyske Stiftstidende* ringde upp dem. De önskar att de kunde dra ur jacken, för fler mediagamar har naturligtvis följt efter. Men de vet ju inte om hon kanske får för sig att ringa efter hjälp. De tog omedelbart kontakt med polisen i Göteborg, har lämnat sitt telefonnummer och meddelat att de gärna betalar sin dotters eventuella advokatkostnader. Och om hon mot förväntan skulle vilja att de kom dit har de en tyst överenskommelse om att ta första bästa färja från Frederikshavn. Vad hon än kan ha gjort vet de ju att det är deras fel. De har svikit. Om de bara visste hur.

*

Sättet det sker på är så banalt att bara det är skäl nog att gråta. De har tömt den fjärde flaskan vin och är nu i färd med att dela på den halva flaska sambuca som Mikkel har grävt fram längst ner i en gammal svensk skänk. Han hävdar bestämt att de måste ha nyttjanderätt till hyresvärdens barskåp när de har hyrt hela stugan, en uppfattning som Charlotte flinande delar. Vid det här laget är hon tämligen packad, för packad, men hon tror fortfarande att hon dricker å ämbetets vägnar för att få Mikkel att prata bredvid munnen så att hon får veta vad den där Gert Jacobsen egentligen har i kikaren. I och för sig en framgångsrik strategi, Mikkel pladdrar på och berättar allt om hur Gert Jacobsen är en ulv i fårakläder som bara väntar på första bästa tillfälle att sätta dit henne.

"Han kommer att blåsa dig, bara vänta och se!" snörvlar han och fyller på sitt glas igen, trots att Maria säger att han inte ska ha mer.

"Ja, men *hur*?" frågar hon och skakar fram sin sista cigarrett ur pa-

314

ketet och inkasserar en ogillande blick från Thomas, som inte har sagt ett ord under den senaste timmen. I stället är köket rent och prydligt.

Mikkel rycker på axlarna i en överdriven gest. "Han lurar dig när det gäller budgetpropositionen. Tvingar dig att göra nedskärningar. Säljer dig till oppositionen. Träffar överenskommelser med dina kolleger på muggen. Vad vet jag … Men SKÅL! …"

"Hör du, Mikkel", säger hon när han har tömt sitt glas. "Varför har Gert så mycket emot mig? Är det personligt eller politiskt?"

"Oh, come on!" Han låter höra ett teaterskratt. "Det förstår du väl! För det första har hans fru lämnat honom, eller hur? Så nu är han sur på kvinnor. För det andra vill han knulla med dig, och det får han ingen chans att göra och då blir han så *jävla* elak! Sådana är män! Inte sant, Thomas?" säger han plötsligt och låter sin hand falla ner på Thomas. "Vi vill knulla andras fruar, eller hur? Jag vill knulla din och du vill knulla min …"

Thomas rycker olustigt åt sig sin hand. Maria tittar panikslagen upp, och Charlotte behöver plötsligt kräkas. Har redan satt händerna mot bordskanten redo att fly när Mikkel kastar lasson som lägger sig som en snara kring hennes hals.

"Helvete, varför ser ni ut så där?" skrockar han och drar till. "Thomas, din skenheliga rackare, jag vet ju att du knullar Maria! Det vet väl du också, Lotte? Vad fan, det är väl bra att de kan underhålla varandra medan vi är ute och gör karriär. Vi har ju också våra små nöjen, inte sant?" säger han och försöker fokusera blicken på Charlotte, som sitter med gallan skvalpande upp och ner i matstrupen, ur stånd att vända sig mot Thomas, som sitter till vänster om henne och med halvöppen mun stirrar ner i träbordet.

"Är det sant?" frågar hon i stället Maria, som sitter mitt emot, darrande av skräck som en djurunge fångad i en fälla.

"Ja, men inte på det sättet", viskar hon och brister sedan i gråt.

Till sin egen förvåning vänder sig Charlotte om till hälften och ger Thomas en örfil när han äntligen tittar upp.

Sedan går hon.

Hinner höra Mikkels lallande *The minister has left the building* när hon smäller igen dörren efter sig. Rusar som en galning nedför backen, ner mot havet, som ligger med famnen utbredd, redo att ta emot henne.

Hon dränker sig inte, även om hon står länge på badbryggans yttersta bräda och hoppas att vinden ska ta henne och kasta henne ner i det svarta djupet under det vita skum som lyser upp det blåaktiga halvmörket, som redan börjar vika för det första gryningsljuset. Men vinden, som hon tjuter rakt mot, låter henne stå, och därför slutar det med att hon rör sig in mot stranden igen för att långsamt som en sömngångare söka sig tillbaka till gärningsplatsen, där ett fruktansvärt brott just har berövat henne hennes man och hennes liv.

Där väntar Thomas på henne, ensam, sedan de andra har brutit upp med sovande barn i baksätet och Maria vid ratten. Mikkel följde endast motvilligt med, nu när festen äntligen höll på att komma i gång. Men Thomas lämpade honom personligen och tämligen omilt in på passagerarsidan och bad honom ta sig i häcken när han ville förbrödras och "vara goda vänner".

Han reser sig för att ta tag i henne när hon blek kommer instapplande i huset, men hon håller avvärjande ut händerna rakt framför sig och ber honom lugnt och myndigt att inte röra vid henne. Sedan sjunker hon ner på en stol, tar emot den mugg nybryggt kaffe han räcker henne och tiger så länge att han blir tvungen att säga något.

"Förlåt", inleder han trevande. "Jag är hemskt, hemskt ledsen över det. Det var inte meningen, det har bara hänt en enda gång och det kommer aldrig att hända igen. Varken med henne eller någon annan."

"När?" frågar hon och harklar sig, som om hon just hade begärt ordet under ett möte. "När hände det? När jag var i Afrika? I Östeuropa? I Paris? I Luxemburg? I Stockholm?"

"I Bryssel", svarar han, torr i munnen. "När jag blev sjuk."

Hon nickar och iakttar honom med ett förakt som han aldrig någonsin har sett hos henne förr.

"Å, den gången. När du fick influensa och jag satt mitt i ett rådsmöte och själv föreslog att du skulle ringa efter Maria? Och sedan tröstade hon dig?"

Han vrider sig. Ja. Den gången.

"Det är fan patetiskt, Thomas!" Hon skakar på huvudet och för muggen till läpparna.

Han drar nervöst med händerna över hjässan. Vill säga tusen saker

316

men vet att vad han än säger kommer det bara att göra ont värre. Så i stället reser han sig, går bort till henne, sätter sig på huk framför henne och vilar sina händer på hennes knän.

"Jag älskar dig", slipper det ur honom. Han sänker skamset huvudet, önskar intensivt att hon förlåtande ska lägga sin hand på det. Men hon rör honom inte. Däremot fjärmar hon sig från honom, sekund för sekund, där hon sitter käpprak på stolen med kaffemuggen i händerna.

"Det tror jag faktiskt inte att du gör", säger hon till sist. Hennes röst är klar, bara en lätt skälvning röjer hennes sinnesrörelse.

"Det gör jag", viskar han, lyfter på huvudet och möter en främlings blick.

"Då skulle det väl inte ha hänt? Ingenting av det."

"Lotte, så får du inte säga ..." protesterar han och vill fatta hennes händer men knuffas omedelbart undan.

Hon drar ett djupt andetag, suckar utdraget och tittar bort. Tårar börjar sippra fram ur ögonvrån, och hon fångar dem med en snabb rörelse.

"För helvete", mumlar hon ilsket i ett försök att behärska gråten, som har satt sig på rösten och gjort den tjock och sprucken. "Thomas, vi har aldrig provat på det här förr. Jag hade aldrig trott att vi skulle komma att göra det, och jag förstår det inte. Jag måste tänka över det. Ensam ..."

"Nej!" utbrister han.

"Jo", framhärdar hon. "Du kan sova här inne på soffan i natt. Sedan får du ge dig i väg tidigt i morgon, när barnen har vaknat ..."

"Vart ska jag ta vägen?" frågar han hest.

Hon rycker på axlarna, gråten har hon trängt tillbaka. "Du känner så många. Åk upp till dina föräldrars sommarstuga. Du har väl semester?"

"Och ungarna? Hur ska det bli med dem?" frågar han och reser sig.

"De stannar hos mig. Antingen här eller i stan."

"Lotte! Var inte löjlig! Det är ju fullkomligt orealistiskt! Du ska ju arbeta, eller hur? Dina sedvanliga fjorton till sexton timmar? Eller tänker du skära ner till tolv?"

Återigen betraktar hon honom med detta allomfattande förakt som

317

får honom att smulas sönder och bli till stoft.

"God natt", säger hon sedan och ställer muggen ifrån sig. "Jag går in i badrummet först."

"Lotte", säger han och sträcker sig desperat efter henne när hon sveper förbi honom. "Var inte så hård!"

"Dra åt helvete!" morrar hon och ger honom fingret när hon har slingrat sig undan. Sedan låser hon in sig i badrummet, kissar, borstar tänderna, tar bort mascaran och smörjer in sig med nattkräm. Han är välbekant med hela proceduren, det är likadant varje kväll. Skillnaden är att han brukar stå bredvid henne och samsas om tandkrämen och höra henne berätta allt möjligt om den gångna dagen. Han brukar lägga an på henne där, bita henne i axeln, ta henne på brösten, daska henne i baken som hon alltid säger är för stor. Eller rättare sagt, det var så det var. Innan det gick snett.

Han blundar hårt och biter sig i tumfingernageln medan hans huvud blir tungt som bly. Han kan inte leva utan henne. Det vet han ju redan. Han saknar henne, längtar alltid efter henne, dag och natt.

"Älskade Charlotte, du får inte gå ifrån mig", mumlar han grötigt och tar tag i vardagsrummets bärande stolpe när hon spottar ut på andra sidan om den stängda dörren och ljudlöst hulkar i en hoprullad handduk.

*

Sand kallas in till möte tidigt på måndagsmorgonen före kontorstid, och han behöver bara kasta en enda blick på hennes strimmiga och förgrämda ansikte för att förstå varför.

"Thomas har flyttat", meddelar hon kortfattat bakom sitt skrivbord med ett tillkämpat lugn som skär i hjärtat på honom.

"Det var hemskt tråkigt att höra…" får han fram i brist på bättre.

Hon nickar medan fingrarna letar sig upp till munnen och ögonen blir blanka. Men sedan samlar hon sig, sätter sig ner och ser rakt på honom. "Rent praktiskt innebär det att jag är något mer pressad än förut. Barnen bor hos mig, den här veckan här i Köpenhamn, och sedan räknar jag med att vi ska kunna åka ut till landet nästa vecka som planerat. Det borde inte vara några större problem före Bonn, och i så fall kan jag antingen komma in, eller också kan du komma upp till oss på Sjællands Odde. Jag behöver nog få ett modem installerat så att jag kan ta emot e-post där uppe."

Han nickar instämmande. No problem.

"Jag anser själv att jag är fullt kapabel att hantera situationen. Men förutsättningen är givetvis att vi inte hamnar på Ekstra Bladets förstasida. Barnen vet inte heller något än, bara att deras pappa har rest till Nordjylland några dagar. Så …"

"Charlotte", avbryter han henne. "Du är skakad. Det är okej. Ta det lugnt, vi ska nog hjälpa dig igenom det här."

Hon ler stelt, tänder en cigarrett och öppnar fönstret ut mot torget. Det ligger redan två fimpar i askkoppen.

"Jag uppskattar om det stannar mellan Kamal, Louise, Freddy och dig", säger hon till hälften bortvänd.

"Naturligtvis."

"Och för övrigt gäller business as usual. Till dess att …"

"Till dess att han kommer tillbaka", tillägger Sand försonligt.

"Det tror jag inte att han gör", kommer det snabbt. Skärpan går inte att ta miste på, och så mycket har han i alla fall lärt sig om kvinnor att den bittra klangen bara kan betyda en sak. Den idioten har varit otrogen, och nu har hon upptäckt det och slängt ut honom, som den stolta amason hon är. Måste vara. I sin ställning.

Henrik Sand gnider sig över näsryggen. Helvetes skit. Varför är män sådana primitiva fårskallar? Någonstans var han ju rädd för att det var så det skulle sluta. Att hon som så många andra kvinnor före henne skulle falla på det privata.

"Charlotte …" prövar han.

"Men jag *är* okej!"

"Ja, ja. Jag ville bara säga att jag står till förfogande tjugofyra timmar om dygnet för privata konsultationer."

"Tack", säger hon och blinkar och tvingar fram ännu ett leende. "Tror du att du skulle kunna skaffa mig några pappersnäsdukar? I all diskretion?"

Det kan han. Åtminstone.

Å andra sidan kan han inte förhindra att nyheten sprids via de gängse kanalerna. Inte därför att de invigda själva skvallrar, utan därför att alla som träffar ministern, inte bara den här dagen utan de följande veckorna, blir chockade över hur hon ser ut. *Mer död än levan-*

de. På gränsen till ett sammanbrott. Som om hon hade råkat ut för en olycka. Och någon känner alltid någon som känner Thomas och Mikkel och därför kan pussla ihop historien. Emellertid får de den av någon anledning om bakfoten. Det kommer nämligen att heta att Charlotte Damgaards man har lämnat henne för en annan. Vilket de flesta ärligt talat kan förstå.

*

"Jag sitter här och skriver i huset vid havet, sömnlös för femtonde natten i rad. Lisbeth har lånat mig en sömntablett; den ligger här bredvid mig som en liten ljusblå frestelse. Jag är i desperat behov av att få sova, borde ta den och slumra in. Avstår ändå, vågar inte, är rädd för att om jag kan ta en kan jag också ta hundra. Om jag inte hade haft Jens och Johanne att ta hand om, att påminna mig om min förpliktelse och min oersättlighet som deras mamma, skulle jag kanske ha gjort det. Det är skrämmande att känna denna efterlåtenhet mot mörkret, behovet av att släppa taget och låta sig dras ner. Aldrig har jag varit så nära min far, känt en sådan ödesgemenskap med honom, en som jag nästan inte kan stå emot. Han måste ha genomlevt nätter som de här, fört samma diskussioner med sig själv om varför man har hamnat här på jorden, vilken meningen egentligen är, hur man orkar med livet när det är tungt som ett kors. Vad är det jag inte orkar med? Sveket, tror jag. Ingen annan i mitt liv har jag vågat visa den tillit som jag visade Thomas. Jag litade fullständigt barnsligt naivt på honom. Trodde på att vår kärlek var av den odödliga, oändliga sort som tål allt. Och sedan visar det sig att den är lika banal och begränsad som alla andras. Existerar kärleken över huvud taget som något annat än en romantisk föreställning som ska hålla drömmarna svävande och få oss att stå ut med vardagens enformighet? Och om inte Thomas kan älska mig, obetingat, vem kan då göra det? Då kan jag inte vara värd att älska. Då har mina kritiker rätt. Jag är ingenting annat än en egocentrisk, maktlysten jävla kärring som har lyckats tränga sig fram i främsta ledet genom att trampa på andra. Däribland min egen man, som jag själv har kastat i armarna på en mullig brunett. Å, min vrede är inte annat än en halvvåt kinapuff som knappt kan fyras av. För det är ju det värsta, att jag innerst inne håller med. Vet att hela mitt liv har handlat om att få tillträde, att göra mig förtjänt av att bli insläppt i värmen, alla mina fel och brister till trots.*

Oroande nog känner jag mycket tydligt att jag har förflyttats tillbaka till barndomen, till de stora gåtorna och samma förtvivlan som då. Jag tror inte att jag valde Thomas därför att han påminde om min far. Det tycker jag inte att han gör. Men en sak har de gemensamt – renheten, godheten. Jag har alltid uppfattat Thomas som ren, en alltigenom god människa. Mitt livs gåva, miraklet. Det gör jag fortfarande, och någonstans är det naturligtvis därför som jag drabbas så hårt. För om han är ren är han också skuldfri. Och vem återstår då att ta på sig skulden för att allt är förlorat – utom jag själv? Jag har alltså mig själv att skylla för att jag har förlorat honom, för att kärleken har vittrat sönder framför ögonen på mig därför att jag inte har varit tillräckligt rädd om den. Det för mig tillbaka till nollpunkten. Isöknen. Den nattliga skräcken. Frågan är om jag orkar börja om från början. Jag tror att jag tar sömntabletten. Bara en halv. Freddy kommer och hämtar mig tidigt i morgon bitti. Sand och jag och några medarbetare måste ägna dagen åt att avsluta förberedelserna inför Bonnmötet. För det ska de åtminstone inte få anklaga mig för. Att kaptenen lämnade skutan vind för våg. Jag ska minsann städa upp efter mig."

*

De har hamnat i en färjekö, men egentligen passar det honom bra att ligga och köra i sakta mak mellan 80 och 90 kilometer i timmen. Hans erfarenhet av den här sträckan säger honom att det är lika bra att låta bli att köra om härifrån och fram till Holbækmotorvägen. Det är för chansartat och skulle hur som helst bara föra honom en liten bit längre fram i kön. Dessutom skulle det kunna väcka henne. Hon sov redan innan de hade kommit till Vig. Han har tillåtit sig att stänga av hennes mobil, som hon bad honom passa, medan hon "bara blundade en liten stund". Och om han låter bli att trampa för hårt på gaspedalen har hon åtminstone en dryg timmes sömn framför sig.

Freddy Jensen är ingen sentimental man. Men han står inte ut med olyckliga kvinnor.

*

Ingrid Damgaard brukade inte göra sådana saker. Men de senaste par tre veckorna hade hon gjort så mycket som hon aldrig hade gjort tidigare. Och att världen plötsligt öppnade sig på nytt berodde inte på att hon var på rundresa i Kina. Det berodde på att hon helt oväntat hade blivit förälskad. I en frånskild gymnasielärare från Slagelse som var med på resan och som redan på planet till Beijing hade fått henne att skratta så att magmusklerna värkte. Kurt hette han, spelade amatörteater och talade entusiastiskt om sina gymnasieelever som om de hade varit hans egna barn. Bland annat därför att han inte hade några själv, eftersom han bara hade "lösa skott i bössan", en sorg som han hade vänt till förtjust glädje inför allting som så mycket som påminde om lek och spontanitet, skoj och spektakel. Dessutom var han en livsnjutare som prompt skulle smaka på allt, antingen det gällde bisarra kinesiska specialiteter i fråga om såväl mat som dryck eller kvinnorna på hans väg – han stal sig till att åtminstone kindkyssa de flesta, även de kinesiska kvinnor som fnittrande vek sig dubbla när han via den beström tolken förklarade att han reste världen runt för att notera och beskriva kvinnors olika smak beroende på ras, nationalitet och religion.

Ingrid, som i snart tre decennier inte hade släppt in någon man i sitt strängt skyddade liv, kunde trots förnuftets samlade reservationer inte stå emot Kurt. Som den förste fick han fritt tillträde till hennes förbjudna stad och doftande trädgård och lotusblommor och vilka andra metaforer han nu strödde över hennes nakna yppighet när de för första gången – redan den första natten i Beijing – älskade natten igenom. Att han inte hade tillbringat livet sedan skilsmässan för åtta år sedan som munk insåg hon mycket väl. Att han kanske inte heller var något för vardagsbruk misstänkte hon, men märkligt nog gjorde det henne detsamma. Hon tog emot honom, njöt av honom, lät sig uppvaktas och förföras, antingen de seglade uppför Yangtzefloden, fotvandrade i de sydkinesiska kalkstensbergen, besåg terrakottaarmén i Xi'an eller gick på kasino i Shanghai. Hon skrattade, suckade och stönade sig igenom dessa tre fantastiska veckor, som var på upphällningen när de åter i Beijing hade givit sig ut på den sista utflykten, till Kinesiska muren. Och det var där Kurt, som alltid lika hänförd över en ny upplevelse, propsade på att hon skulle låna hans "mobilos" och ringa till sina barn. Bara för att dela ögonblicket med dem – det ögonblick i sitt liv då hon stod där på muren, den största av människohand frambringade skapelsen på jorden. Kanske möjligen överträffad av mobiltelefonen, som *"jävlarimig"* hade bra mottagning just där. Hon skrattade tveksamt men tog emot telefonen och ringde först till Lisbeth på Mors. Fick tala med Erik, hennes man, som buttert meddelade att hon inte var hemma. Han lät sig inte heller imponeras av att svärmor var i Kina och hade över huvud taget påfallande bråttom att lägga på. Sedan ringde hon till Lars mobil; han var ute och körde i sin lastbil någonstans i Makedonien, och han var som alltid sprudlande glad och skrattade och tyckte det var roligt att hon ringde. Sålunda uppmuntrad ringde hon till Charlottes mobil för att slippa ministeriets växel och sekreterare och vad hon mer kunde ha för sköldar. Till hennes besvikelse måste den ha varit avstängd, för hon fick bara mobilsvars lakoniska upplysning om att hon kunde tala in ett meddelande till den uppringda personen. I normala fall skulle hon bara ha stängt av utan att säga något. Men eftersom Kurt stod och kysste henne i nacken talade hon in ett meddelande i alla fall.

"Det är mamma", sa hon. "Jag vill bara tala om att jag står på Kinesiska muren ..."

"Tillsammans med Kurt!" sa Kurt ner i mikrofonen. Hon fnissade.

"Tillsammans med Kurt. Jag hoppas du mår bra ... lilla älskling. Hälsa de andra. Hej, hej."

"'Lilla älskling'", sa Kurt när hon räckte honom telefonen. "Det lät rart. Det är bestämt så det är att ha barn?"

Hon nickade. Jo, det var så det var att ha barn. Om man vågade kännas vid det. Moderskapet. Bindningen. Oron. Kärleken.

★

"Lyssna på det här meddelandet!" säger Charlotte och räcker mobiltelefonen till systern när hon på kvällen är tillbaka på Odden efter en lång dag i Köpenhamn. Ungarna är utfodrade och befinner sig nu borta hos grannen och leker med ett jämnårigt syskonpar. Såvitt Lisbeth vet håller de på att tillverka en nyckelpigebur.

Lisbeth sätter telefonen till örat och spärrar häpet upp ögonen. "Är det mamma?"

"Ja! Det skulle man väl aldrig tro?"

Lisbeth lyssnar till meddelandet igen. "Hon *är* ju i Kina, men ... hon låter så konstig ... som om hon var berusad eller något?"

"Och vem är Kurt?" frågar Charlotte med höjda ögonbryn.

Lisbeth skakar på huvudet. "Ingen aning …"

"Tror du att hon har ihop det med någon som heter Kurt?"

"Mamma? Hon har väl inte ihop det med karlar!" Lisbeth ler snett och häller upp ett glas vitt vin åt sin lillasyster. De sitter vid det rangliga trädgårdsbordet mitt i det höga gräset på den vanvårdade naturtomten. Solen värmer fortfarande fastän klockan är halv åtta. Ungarnas stojande från granntomten blandas med ljudet av en motorsåg, fåglarnas tilltagande kvällssång och det svaga susandet från färjetrafiken ute på stora vägen. "Vill du inte ha något att äta?"

Charlotte skakar på huvudet och tänder en cigarrett. Fäller ner solglasögonen som hon har haft uppskjutna i pannan och lutar sig tillbaka i stolen. "Jag har ätit."

"Hur mycket?"

"Tillräckligt."

"Jag har gjort köttbullar. Med färskpotatis …"

"Jag är inte hungrig."

"Det finns jordgubbar med grädde också … Jag har lovat ungarna att de skulle få när du kom hem."

"Okej, då äter vi jordgubbar med grädde om en stund." Charlotte ler trött och skålar med sin storasyster. "Herregud vad jag är glad för att du är här!"

Lisbeth snurrar glaset i handen. "Jag är glad att du ringde efter mig", säger hon sedan. "Även om jag nog tycker att ni borde ordna upp det här … du och Thomas."

Charlotte suckar. Askar. Drar ett nytt bloss. Smuttar på vinet. Fingrar på örhänget. Tar sedan språnget. "Lisbeth, hur mådde du egentligen när det där hände med pappa?"

Ett förskräckt uttryck drar över Lisbeths osminkade, fräkniga ansikte, som om någon plötsligt hade slagit ihop två grytlock bakom henne. "Hur jag mådde när det hände med pappa?" flämtar hon överrumplad. "Hemskt, precis som du. Jag trodde det var mitt fel."

Charlotte vänder sig mot henne med ett ryck, skjuter upp solglasögonen.

"Trodde du? Varför skulle det ha varit det?"

"Därför att kalven han hade låtit mig sköta om dog." Lisbeth biter sig hårt i underläppen med ena hörntanden.

"Men den fick ju trumsjuka? Det kunde väl inte du rå för?" protesterar Charlotte full av förtrytelse med blicken riktad mot systern, som hon tydligen med blixtens hastighet har befordrat ner i minnenas tortyrkammare. Det var inte meningen att Lisbeth skulle få sota för hennes egen förtvivlan.

"Nej, men det trodde jag då. Och även om jag som vuxen mycket väl förstod att det var rena dumheterna sitter det ju kvar, eller hur?"

Charlotte tiger eftertänksamt. Sneglar medlidsamt på systern, som sitter och tittar ner på sina grova arbetshänder med jord under de korta naglarna.

"Har mamma någonsin pratat med dig om det?" frågar hon försiktigt.

Lisbeth skakar på huvudet.

"Så du vet inte heller *varför* han gjorde det?"

"Nej. Det var ju en del bönder som gjorde det i den vevan. Det var någonting med de nya tiderna, EG och allt det där. De kunde inte tänka sig att behöva göra sig av med korna. Har jag läst. Men jag har alltid varit rädd för att själv komma på samma idé. Redan som barn. Det var därför jag aldrig vågade någonting. Jag vågade inte åka bergochdalbana eller gå över Limfjordsbron eller simma på djupt vatten eftersom jag alltid var rädd för att jag skulle resa mig i vagnen eller hoppa ut över räcket eller simma så långt ut att jag inte kunde ta mig in igen."

"Nej, är det sant?" frågar Charlotte häpet. "Är det så du har haft det?"

"Mmm. På många sätt är det fortfarande likadant. Jag vågar ju inte flyga heller", ler hon. "Jag vågar inte särskilt mycket över huvud taget. Jag är inte som du, som kastar dig ut i allt möjligt. Jag kommer aldrig till Afrika. Eller Kina …"

"Men Lisbeth, det är ju samma sak!" avbryter Charlotte. "Jag är ju också livrädd innerst inne. Jag utmanar bara skräcken, försöker få kontroll över den."

"Lyckas det?"

"Ja. Tillsammans med Thomas lyckades det i varje fall nästan …" Charlotte tittar bort, följer med blicken en trollsländas fladdrande flykt medan det vänder sig i magen på henne. "Men nu känner jag att det blossar upp igen. På nätterna …"

"När du inte kan sova …"

Lisbeth rynkar ögonbrynen under luggen, där de första grå hårstråna har framträtt som stänk av vit målarfärg. "Lotte, jag har läst ganska mycket om sådant här. Om barn till självmördare, menar jag."

"Ja?"

"Det är mycket vanligt att känna som vi gör. Och rädslan är faktiskt inte obefogad. Vår rädsla för att få för oss att göra likadant …"

"Inte?" Charlotte skjuter tillbaka solglasögonen på plats.

"För det första är somliga så att säga ärftligt belastade om det finns psykisk sjukdom i familjen. Om det är någon form av psykisk sjukdom som har lett till självmordet riskerar avkomman naturligtvis att vara genetiskt betingad att hamna i samma kris."

"Var pappa psykiskt sjuk?" frågar Charlotte, fimpar sin cigarrett, tar av sig solglasögonen helt och hållet och lägger dem omsorgsfullt ifrån sig. Solen har försvunnit bakom trädtopparna i väster, och värmen flyr genast för den kyliga kvällssluften.

Lisbeth huttrar till. "Nej, det tror jag inte. Svag, kanske. Inte uttalat sjuk. Men vi tillhör riskgruppen i alla fall."

"Därför att?" frågar Charlotte och gnider sina bara överarmar.

"Därför att han med sitt oåterkalleliga exempel har lärt oss att det alltid finns en väg ut."

"Ja!" utbrister Charlotte instämmande och lutar sig så långt fram på stolen att hon inte bara kan urskilja sin egen blick i systerns mörkgröna ögon utan också sin egen rädsla. "Den möjligheten finns alltid."

Just som de båda systrarnas koordinater skär varandras axel avbryts de av en ringande telefon. Det är Erik, som ringer för att höra när hans fru har tänkt komma hem.

"Saknar du mig?" frågar Lisbeth med en ohöljd syrlighet i tonfallet som får Charlotte att se på henne med nya ögon.

★

När domen lästes upp i Göteborgs tingsrätt den 18 juli bröt Rosa snyftande ihop. Hon var ändå den enda som blev frikänd. Tämligen uppseendeväckande med hänsyn till att gruppen stod anklagad som grupp och dömdes som sådan. Men försvararen drog en tårdrypande

historia om hennes eländiga uppväxt på Bornholm med en svårt al-
koholiserad ensamstående mor som låtit skiftande partner utnyttja
dottern i utbyte mot betalning och underhåll av familjen, som också
omfattade tre yngre syskon. Rosa, som inte hette Rosa utan Michelle,
lät bli att gå till myndigheterna av rädsla för vad som skulle hända
med småsyskonen, som hon kände sig ansvarig för. "I alltför tidig ål-
der fick Michelle ikläda sig modersrollen, och det var först när hon
för tredje gången gick till sin läkare för att få en remiss till abort som
man insåg hur illa det egentligen var ställt i hemmet. Småsyskonen
blev tvångsomhändertagna, och Michelle, som nu hade hunnit bli ar-
ton år, lämnade ön och tog sig till Köpenhamn. Ensam, olycklig och
utan kännedom om gällande normer blev hon ett lätt offer för den
anarkisktiska miljöns radikala gestalter, och trots att de inte var myck-
et äldre än hon själv kände hon där för första gången i sitt unga liv
hur hon kunde släppa ansvaret och överlåta det åt de ledartyper som
hon alltid hade saknat. Dock råder inget tvivel om att hennes föräls-
kelse i Teis Rosborg är äkta och djup och, visar det sig, ömsesidig. Att
paret nu väntar barn måste därför anses både glädjande och förmild-
rande ..."

Åklagaren, som hade varit särskilt skoningslös i sin framställning
av den benhårda Cathrine Rørbech, enligt hans uppfattning den
egentliga hjärnan bakom gruppen, som en farlig terrorist som inte
skydde några medel i sin kamp mot statsmakten, det vill säga demo-
kratin, lade märke till att hon inte rörde en min oavsett vad han sa om
henne men att hon med en halvkvävd flämtning förde handen till
munnen när försvararen höll sin plädering. Det kom uppenbarligen
både som en överraskning och en chock för henne att hennes kamrats
flickvän var gravid. Däremot föreföll hon helt opåverkad när hon för-
klarades skyldig till våldsamt upplopp mot den svenska polisen och
mottog utan att blinka sin dom på fem månaders fängelse. Åklagaren
hade krävt ett längre straff men tvingades böja sig för att man bara
hade indicier att gå på. Lägenheten som de hade hittat och sökt ige-
nom, mobiltelefonsamtalen, slangbomberna och rånarluvorna. Me-
dan det fanns vittnesutsagor som beskrev hur gruppens övriga med-
lemmar hade kastat gatsten mot polis och hästar fanns det ingen som
med säkerhet kunde peka ut Cathrine Rørbech som våldsam. Att det-
ta uteslutande berodde på att hon hade brutit foten och därmed blivit

stridsoduglig och gripen innan hon hann gå till ytterligare handgripligheter stod enligt åklagaren utom allt tvivel. Vilket också hade bekräftats av Michelles vittnesmål. I motsats till de andra i gruppen hade hon ingenting emot att köpslå. Sannolikt var det också hon som fick Teis Rosborg att samarbeta. Som belöning fick han bara tre månaders fängelse med den motiveringen att han var yngre än Rørbech, bara nitton år. Ocn när han sedan domarna avkunnats, varvid hela gruppen frigavs fram till dess att straffen senare skulle avtjänas i Danmark, kastade sig om halsen på sin mor var han faktiskt bara en gänglig pojkvasker. Medan Cathrine Rørbech, som av allt att döma inte hade någon väntande familj som välkomstkommitté, lämnade domstolsbyggnaden lika skrämmande rak och stridsberedd som hon hade trätt in i den.

*

Det var det dummaste han kunde göra, Thomas. Ändå hade han kört till Løkken en lördagskväll under högsäsongen och satt nu och hängde över en öl i exakt samma båtformade bar där han en gång hade träffat henne. Personalens röda och blå matrosuniformer var desamma som på den tiden, den maritima inredningen densamma, sjömansbiffen densamma, ja, till och med innehavaren, en liten med tiden medelålders spelevink, var densamme. Och precis som för tio år sedan skrålade gästerna högt och hjärtligt med i ställets signaturmelodi, två enkla strofer som upprepades i det oändliga – *Peter Bådsmand, Peter Bådsmand, åhåhåh, Peter Bådsmand.* Men för övrigt var det plågsamt och påfallande annorlunda. Hon var ju inte där. Stod inte bakom bardisken med sina flätor och gjorde fiskargubbarna kåta och honom själv varm och andfådd genom sin blotta närvaro. Hon log inte mot honom, snuddade inte med handen vid hans höft när de gick förbi varandra bakom fatölstunnan. Retades inte med honom, gav honom inga löftesrika blickar eller skrev små lappar som hon rev av från notablocken. Hon var försvunnen härifrån, här där ingen, inte ens innehavaren, verkade känna igen honom och därför inte heller skulle kunna hjälpa honom att rekonstruera historien om deras första möte, än mindre förklara varför han så plötsligt hade förlorat det mest värdefulla i sitt liv. Sin älskade, sin kärlek.

Tvärtom förstod han ännu mindre nu när han satt här och spolade tillbaka filmen till start, för det fanns ingenting i början som varslade om problem. Ingen som kände dem på den tiden skulle kunna säga att ja, de var säkert väldigt förälskade, men vi visste ju att det förr eller senare skulle komma att gå illa. Det fanns inga moln på himlen på den tiden han var galen i henne och hon i honom. Inga gungflyn, no loose ends. Inte ens några vardagliga motsättningar, som att den ena drack rödvin och den andra vitt vin, att den ena föredrog skidsemester och den andra solsemester, att den ena var ordningsmänniska och den andra en slarver. Än mindre att den ena var jyllänning och den andra köpenhamnare, den ena rik och den andra fattig eller den ena vit och den andra svart. De var själsfränder i allt, i såväl stort som smått. Så vad var det som hade gått snett?

När han ställde den frågan till henne under de långa, nattliga telefonsamtal som de hade haft vid ett par tillfällen och som trots allt var en öppning i hennes annars blanka avvisande, svarade hon att det måste han veta. Eller åtminstone ta reda på. Eftersom det var han som hade ändrat sig. Hans känslor som hade ändrat karaktär. Hon hade bara fått ett nytt jobb. Innan han själv gav ett svar ville hon inte ens överväga att träffas igen. "Se in i dig själv, Thomas!" uppmanade hon honom, "och ta reda på vad du är för slags man! Vem du är och vem du älskar. Mig eller föreställningen om mig."

Det var den uppgift hon hade förelagt honom innan hon reste till klimatkonferensen i Bonn för två dagar sedan. Och sedan hade hon bett honom att lämna henne i fred tills hon kom hem igen. Naturligtvis både respekterade och förstod han hennes behov av att få lugn att koncentrera sig på ett så viktigt möte, men han kunde inte låta bli att uppfatta det som ett avvisande, ytterligare en markering av att han även om de befann sig i sitt förhållandes första allvarliga kris ändå var hänvisad till andraplatsen. Så han hade spydigt önskat henne lycklig resa och ilsket slängt på luren, men vreden hade slocknat i samma sekund han hämtade barnen vid färjeläget i Ebeltoft, dit Lisbeth hade följt med dem. Erik var där för att hämta henne, och även om han inte direkt lyste av återseendets glädje gav han sig ändå så snabbt i väg med sin fru att Thomas knappt hann växla ett ord med henne. Hann bara med ett snabbt "Hur mår hon?" som besvarades med en sorgsen huvudskakning och ett "Väldigt dåligt. Ordna upp det här nu!" Hoppet om att ungarna skulle vara opåverkade krossades i faderns direktörs-Audi, när Johanne utan förvarning tillkännagav att "Mamma gråter hela nätterna", och sedan de kom upp till föräldrarnas sommarstuga hade Jens till sin farmors uttalade förargelse kissat i sängen varje natt. "Mamma måste komma", upprepade han flera gånger om dagen, uppbackad av Johannes mer raffinerade "Varför är vi inte tillsammans *allihop*?" Förklaringen att deras mamma var i Bonn gick de inte på, trots att hon flera gånger förekom i nyhetsinslagen på TV. "Ska vi vara tillsammans *allihop* när hon kommer hem igen?" frågade Johanne misstroget och genomskådade utan svårighet sina farföräldrars menande blickar. "Det hoppas jag", svarade Thomas bestämt och riktade sig därvid särskilt till sina föräldrar, som med sin triumferande beskäftighet drev honom bort från det 150 kvadratmeter stora, lyxiga sommarhuset med inomhuspool, spa och solarium. Han stod inte ut med dem. I synnerhet modern gick honom på nerverna med sin hänförelse över att ha fått sin förlorade son tillbaka. Han stod inte ut med hennes babblande, hennes hycklande medkänsla och veckotidningsanalyser av hans äktenskap. Och hennes små kritiska kommentarer om Charlotte fick honom vid ett tillfälle att explodera rakt upp i hennes häpna ansikte. *Du ska fanimig inte tala illa om min fru och mina barns mor! Jag har betett mig som ett svin och en idiot, okej?* Men faderns smått menande far-till-son-förtroende – *Å, ett enstaka snedsprång, det borde hon väl komma över? Det brukar de ju göra, ha, ha!* – fyllde honom också med leda. De fattade inte ett skvatt, och det hade de aldrig gjort. Det framgick om inte annat tydligare dag för dag, medan saknaden slet sönder honom och han i timmar vandrade utmed de skummande bränningarna. Ungarnas närvaro hade visserligen en dämpande effekt, han kände sig inte lika ensam tillsammans med dem, och där fanns åtminstone något att kämpa för. Men till och med när de hade det som roligast, hoppade över höga vågor eller skickade upp drakar och han kunde se att de för en kort stund glömde sin bedrövelse, genomsyrades han av en allt uppslukande känsla av meningslöshet. Utan Charlotte fanns det ingen mening, utan henne var färgerna försvunna ur tillvaron, framtiden kapad med ett enda hugg.

Thomas tog en klunk av sin öl, som avgjort hade blivit tunnare än förr. Visst fan älskade han henne. Men om det var henne eller föreställningen om henne, som hon sa, kunde han vid närmare eftertanke inte svara på. Inte med den säkerhet hon krävde av honom. Han visste ju att han älskade barflickan i matrosmunderingen. Älskade han också den kortklippta ministern med de höga kindknotorna och den vassa tungan? Och vad för slags *man* var han? Han som en gång hade varit en okomplicerad pojke med livet som en färgskiftande kula i händerna? Hade han fegt tagit betäckning bakom henne nu för att sedan förebrå henne för att hon hade ställt honom i skuggan?

Han drack ur och var på väg att beställa ännu en halvliter när trions mossige sångare stämde upp en Kim Larsen-evergreen som sände honom i vild flykt mot dörren. Han kunde emellertid inte undgå att höra den efter sig:

"Kvinde min jeg elsker dig och/ jeg ved du elsker mig/ og hvad der så end sker/ åh lad det ske/ for jeg er din ..."

*

Varifrån hon fick krafterna var det ingen i delegationen som begrep. Men från den stund hon tillsammans med de övriga 177 av världens miljöministrar anlände till Bonn på torsdagen utstrålade hon energisk kampvilja och en vital iver att uppnå resultat som lurade alla utom Henrik Sand att tro att ministerns vitt omtalade äktenskapliga kris tydligen inte hade satt några djupare spår. Han kände henne vid det här laget tillräcklig väl för att inse att det bara var ett tecken på att det fanns rum som hon hade valt att låsa för att över huvud taget kunna fungera. En ofta använd maskulin strategi – att koppla högra hjärnhalvan ur drift och låta den rationella vänstra hjärnhalvan ta över. Tills vidare. Sorgligt ofta för åratal framåt. Ingen särskilt rekommendabel taktik om man ville överleva som hel människa. Men i Charlottes fall trodde han inte att den skulle bli bestående längre än över veckoslutet. Och gudarna skulle veta att de behövde en stark och duglig förhandlare, så han gjorde själv vad han kunde för att hålla henne på den strikt fackliga kurs som hon själv hade stakat ut. Frågade inte om privatlivet, inledde inget kallprat om barnen eller sommarstugan som han annars skulle ha gjort för att få en taggad minister att slappna av.

Precis som hon var han fast besluten att de skulle komma hem med det enda resultat som kunde vara tillfredsställande för Danmark och EU – nämligen att hålla Kyotoavtalet vid liv trots USA:s demonstrativa sätt att lämna det fina sällskapet. Kosta vad det kosta ville av kompromisser och urvattning måste med andra ord Japan och USA:s allierade i klimatfrågor, Kanada och Australien, övertalas att följa EU utan USA och ratificera fördraget. Som hon sa när hon höll sin första briefing inför de utsända representanterna för den danska pressen: "Det skulle vara ett katastrofalt fiasko om Haagkonferensens sammanbrott upprepades. Det finns inte mer tid att ta av. Det är uppenbart att klimatet påverkas mer och mer. Se bara på det tropiska oväder vi anlände i! Nu *måste* här handlas."

På politikerspråk betydde det i första vändan att det måste *förhandlas*, och det gjordes det, intensivt, dygnet runt. Naturligtvis blev även hon trött allteftersom dagarna gick, men hennes engagemang, hennes förmåga att hitta kreativa lösningar och komma med förlösande formuleringar eller fyndiga repliker vid rätt tillfälle satte henne i respekt, inte bara utåt utan också bland de egna. Man kunde vara stolt över att ingå i den danska delegationen, för ministern kunde sina saker. Därtill kom att hon med sin speciella bakgrund inom de alternativa rörelserna fungerade som medlare gentemot *vännerna*, de högt uppsatta gräsrotslobbyister som annars hade svårt att svälja en del av de kameler som antog allt större format ju längre förhandlingarna framskred och kraven på reducering av koldioxidutsläppen sänktes.

Henrik Sand ertappade sig flera gånger med att nicka skollärararaktigt uppskattande mot henne; lyckligtvis tog hon inte illa upp. Log bara hastigt och hade säkert roligt åt den överlägsenhet som präglade hans faderliga stolthet. Men han *var* stolt över sin minister. Önskade att vissa intellektuella pygméer på hemmaplan, däribland den allt mer ofokuserade statsministern, kunde se vad Sand såg. En genomprofessionell dansk politiker som skickligt navigerade i främmande farvatten och därmed var i färd med att åstadkomma ett gesällprov som inte många, vare sig junior- eller seniorministrar, kunde ha kopierat. Reportrarna upptäckte det, åtminstone de bästa och kunnigaste bland dem. Och de som inte själva kunde se tvingade han upp ögonen på. Bet för en gångs skull huvudet av skam och lät sig citeras som en "icke namngiven källa i miljöministerns närhet" och berömde och höjde till skyarna och mer därtill. Det var dags att hon fick den uppskattning hon förtjänade. Den som hon var för stolt för att erkänna att hon behövde. Bara en pytteliten offentlig klapp på axeln skulle göra underverk. Särskilt nu.

Tyvärr blev såväl Henrik Sand som världens övriga miljödiplomater och deras hårt arbetande ministrar tvungna att frustrerat konstatera att det inte blev Bonn som skapade rubriker helgen mellan den 20 och 22 juli. Det blev Genua. Inte på grund av G8-mötet mellan industriländernas mäktigaste stats- och regeringschefer utan på grund av de våldsamma sammanstötningarna mellan demonstranter och italiensk polis som uppstod trots de massiva åtgärder myndigherna hade vidtagit.

"Det är inte klokt", mumlade Charlotte när hon och Sand under en paus stannade till framför en upphängd TV medan staden fortfarande höll på att förbereda sig inför invasionen. "Attackrobotar mot aktivister! Då tigger man ju om bråk! Har de inte lärt sig någonting av Göteborg?"

"Kanske", sa Henrik Sand med en lätt krusning på läpparna och drog henne med bort till kaffebordet. Lade upp en bit kaka på en assiett åt henne. Hon måste utfodras och hållas på rätt kurs. Inga tankar på avvägar förrän de var färdiga här.

"Du menar väl inte att det är något principiellt fel med *dialog*?" framhärdade hon.

"Du vet vad jag menar. Dialog kan bara föras mellan parter som vill ha dialog. Här! Ät litet äppelkaka! Middagen blir säkert försenad."

*

Allt var klappat och klart. Två medlemmar av nätverket stod och väntade på henne i en hyrd vit Fiat Punto när hon kom ut ur domstolsbyggnaden i Göteborg. Prydliga unga svenskar i sommarkläder, en kille vid ratten och en tjej bredvid honom. De bar båda märkessolglasögon med spegelglas och såg i alla avseenden ut som skådespelare i en konventionell ungdomsfilm. I baksätet låg två H&M-påsar av plast med liknande kläder åt henne själv och Teis, så att de kunde bilda kvartettens andra halva och fullända illusionen om att man här hade fyra unga skandinaver på väg söderut mot sol och värme. En ka-

nonbra plan som Teis genast var med på när hon före en av domstols-
förhandlingarna hastigt förklarade den för honom. "Coolt!" hade han
nickat, och sedan dess hade hon föreställt sig det. Att han skulle följa
med. Tillsammans med henne. Trots det som hade avslöjats under
rättegången. Ändå hade hon tillåtit sig att se fram mot det här, en
liten, liten smula. De var inte ihop, det insåg hon. Inte på det sättet.
Men det skulle bli kul att låtsas. Att spela förälskad. Utan Rosa.

Överenskommelsen var att han skulle vänta en stund och sedan
smyga sig bort från familjen under förevändning att han behövde pis-
sa eller vad han nu kunde hitta på. Högst tio minuter hade han på sig,
annars kunde de väcka för stor uppmärksamhet genom att stå där,
och dessutom hade de rejält bråttom om de skulle hinna. Efter tio
minuter startade Lasse motorn. Efter en kvart sa Stina att de inte
kunde vänta längre, och efter tjugo minuter blev Cat tvungen att ge
sig. Han tänkte inte komma. Inte ens för att säga hej då.

"Kör!" beordrade hon kort och tog på sig solglasögonen. Lasse
skruvade självmant upp volymen på stereon, och Stina låtsades som
om hon inte hörde de omisskännliga snyftningarna från baksätet.

"Okej", sa Lasse när de hade tagit sig igenom staden och var ute
på motorvägen. "Genua, here we come!"

★

Det är föräldrarnas sätt att inte säga något när inslaget om Genuas
hysteriska toppmötesberedskap flimrar över skärmen. På samma sätt
som de knappt har nämnt Göteborg. Thomas, den skötsamme gos-
sen, har aldrig haft den stora uppgörelsen med föräldrarna. Men da-
garna i sommarstugan, som stramar mer och mer över axlarna, för
honom allt närmare den direkta konfrontationen. Det är pinsamt pu-
bertalt att bete sig som en trotsig tonåring när man är över trettio. Det
inser han. Kastar ändå ut små smällare för att provocera fram en re-
aktion. Som nu under TV-nyheterna.

"Attackrobotar! Det är ju inte klokt! Tjugotusen poliser och para-
militära styrkor! Tänker de mörda folk?"

"Ja, ja", grymtar hans far. "Man har väl rätt att försvara sig. Som
medborgare. De kan ju stanna hemma i stället!"

"De *är* ju bråkmakare, inte sant, Thomas?" säger modern medan hon dukar fram kaffekoppar och termoskanna. "Jag förstår faktiskt inte vad de demonstrerar mot. De har det väl bra! Som hon den där i Brønderslev. Hennes far är överläkare! Och så går hon och blir *terrorist!*"

Thomas suckar och biter på nagelbanden. Sneglar på barnen som låtsas vara upptagna av att leka med Playmobil på golvet men har sett att de har skjutit upp antennerna.

"Hon är inte terrorist", svarar han lågt. "Hon är en stackars ensam flicka som har haft det svårt redan från början."

"Hur vet du det?" frågar modern med nyfiket fladdrande näsborrar.

"Jag träffade henne. I häktet. När jag hade fått stryk av svensk polis därför att jag deltog i en laglig demonstration mot globaliseringen och utsugningen av de fattiga. Hallå där, ungar! Ska ni med ner till strandkiosken och köpa en godnattglass?"

"Ja!" hojtar de i korus och far upp, lika lättade över att slippa därifrån som han själv.

★

Lasse och Stina turas om att köra de närmare 2 000 kilometerna ner genom Danmark, Tyskland och Schweiz, och redan nästa förmiddag är de framme vid den italienska gränsen. De släpps igenom tack vare sommarkläderna och inte minst Cats falska pass, en ersättning för det som dragits in av den svenska polisen, efter en undersökning av bilen och deras låtsasbagage, som inte innehåller annat än mer sommarkläder, inklusive bikinis och badshorts, kriminalromaner, Britney Spears-skivor, discmans och solkräm. Allting är så oskyldigt det kan vara, och deras påstående att de är på väg till Amalfikusten accepteras också utan vidare, och de vinkas igenom med ett leende och ett *Ciao!* till den nordiskt ljusblonda Stina vid ratten. Redan fyrtio kilometer före Genua svänger de av från motorvägen och följer den rutt på små lands- och sidovägar som de har fått beskriven. Och precis som planerat möter de "Antonio", som i en lokal postbil kör dem ända in i ett för övrigt avspärrat centrum. Där hittar de en port där de på nytt kan klä om till de svarta kläder som utgör en del av innehållet i de ryggsäckar som "Antonio" har utrustat dem med. Som Lasse säger när de vinkar farväl till honom: "That's what networking is for."

En kort stund senare hittar de några som kan visa dem till de militanta kamraterna i "Black Block", och sedan förlorar de varandra ur sikte. För nu har de kommit in i den avspärrade röda zonen, och här kokar det. Här är det precis som i Göteborg, bara vildare och farligare. Detta är Sydeuropa, maffians, Aldo Moros och Röda brigadernas land och inte det gemytliga Norden, där man fortfarande ser en dygd i att uppnå enighet genom diskussion. För Cat är detta verkligheten; här, i detta larmande inferno av skrikande aktivister, tjutande sirener, skällande hundar och vrålande carabinieri, finner hon till sist den fullkomliga friden. Här kan hon gå på hägringar, vandra oberörd genom tårgasen, använda sina sparade titankrafter åt att utkämpa sin sista strid, välta containrar över polisbilar, kasta sten mot levande mål, slunga brinnande anarkistflaggor mot poliskedjorna. Oförskräckt söker hon det, det slutgiltiga motståndet, en fiende att se i ögonen så att hon till sist får möta sig själv. Men inte ens den gåvan vill de ge henne. Även här möter hon bara avvisande. Medan kamrater skrikande faller runt omkring henne, halvkvävda av sina egna uppkastningar, träffade av gummibatongernas brutala rapp, panikslaget flyende genom röken när de första varningsskotten faller, är det som om hon medvetet ignorerades, som om hon med sitt vederstyggliga födelsemärke var för frånstötande för att slå eller sikta på.

"Ta mig! Motherfucker!" skriker hon framför en av de paramilitära, i färd med att ladda sitt vapen. Även han ignorerar henne och vänder sig bort. "För helvete!" kvider hon, men sedan känner hon ett grepp om sin handled, sneglar åt sidan och ser en kille, svartklädd och barhuvad som hon själv, med nedre delen av ansiktet täckt av en orangefärgad scarf.

"Come!" ropar han på engelska, men hans konstiga uttal av det enda ordet avslöjar för henne att han är italienare. "Come, we get them bastards!"

"Yes!" säger hon och ler saligt, för där är han, inte motståndaren utan Messias. Han har den, blicken som hon har letat efter. Den glöd som hon trodde sig ha funnit hos Teis, förrädaren, som inte var något annat än en snorunge och societetsbracka. Tvåtusen kilometer och tjugofyra timmar har hon ägnat åt att riva bilden av honom till konfetti, tvåtusen kilometer och tjugofyra timmar har hon ägnat åt att inse sin definitiva ensamhet, tvåtusen kilometer och tjugofyra timmar har hon ägnat åt att närma sig sin död. Och så står han plötsligt här, frälsaren själv, i en kvävande svart rök av tårgas och förbrända däck och ber henne följa med. Självklart följer hon honom, vart som helst. Himmel eller helvete. Det gör detsamma nu.

"Carlo!" ropar han med ena handen på bröstet.

"Catherine!" ropar hon hostande tillbaka på engelska, och han nickar och upprepar ett *Caterina* så att det låter som en dikt.

"Look!" skriker han och pekar i riktning mot en polisbil som står parkerad vid kanten av torget, Piazza Allmonda, som nu håller på att fyllas med demonstranter. På avstånd tror hon att bilen är tom och att han bara vill att de ska välta den och sätta eld på den. Kanske är det vad han tror. Men när de kommer fram ser hon att den är bemannad. Inne i bilen, en ö av plåt på det kaotiska slagfältet, sitter två unga beväpnade poliser i framsätet och darrar av skräck när de plötsligt ser att de är omringade av en hel skock svartklädda aktivister lysande av oförsonlighet.

"Fascists, fascists, fascists!" skriker flocken i kör och tar tag i bilen för att välta den. Cat vrålar så att lungorna är nära att sprängas: "FASCISTS!" Fångar sin frälsares blick och smälter när han mitt i vrålet ler mot henne. De båda står framtill vid kofångaren, ser hur paniken får de båda i bilen att fäkta med armarna och kalla på hjälp via radion, och hon vet att de om ett ögonblick själva kommer att vara fast om de inte skyndar sig. Så upptäcker hon plötsligt att hon står ensam, ser sig om över axeln och uppfattar som i slow motion hur Carlo kommer springande med en röd brandsläckare som han gör en ansats att kasta mot bilens framruta. Hon hoppar åt sidan i samma ögonblick som den unge, skräckslagne polisen trycker på avtryckaren och projektilen tränger igenom framrutan för att susa genom luften och borra sig in i den 23-årige Carlo Giulianis olivfärgade panna, så att han tappar brandsläckaren, faller omkull och med ett uttryck av djup förundran utandas sin sista suck i armarna på en vanmäktigt skrikande dansk flicka.

*

337

Per Vittrup var liksom den övriga världen uppriktigt skakad över att toppmötet i Genua trots de drastiska åtgärderna hade provocerat fram de mest våldsamma gatustriderna i Europa under de senaste trettio åren. Han stod naken i lägenheten i Nice med ett vitt badlakan om midjan och en klirrande Noilly Prat i handen och lutade sig över soffan för att kika på de franska nyheterna medan Gitte stod lika lättklädd på altanen och med en Cartiercigarrett nonchalant dinglande mellan fingrarna njöt av sin kvällsdrink och utsikten över Côte d'Azur. Naglarna var nymålade kvällen till ära; de skulle på Negresco och äta dyrt och spela roulette. En tradition som Gitte hade infört och som han motvilligt hade anslutit sig till, på samma sätt som han också hade fogat sig beträffande den här lägenheten. Helst skulle han ha köpt en ruin någonstans högre upp inåt landet, anonym och tillbakadragen. Men Gitte hade denna fäbless för dekadens, som han gav efter för, väl medveten om att det krävdes massiv botgöring från hans sida om han skulle få behålla henne. Dessutom måste han ju medge att det i hans arbetsliv fanns ett överflöd av exklusivitet, medan det i hennes snarare fanns en stigande tendens till fältarbete och mödosamma strapatser som en statsminister alltid var förskonad från.

"Å, nej. Fan också! Gitte! Kom och titta! En ung demonstrant har blivit skjuten i Genua!" utbrast han förfärat och sträckte sig efter henne när hon kom instörtande från terrassen. De stod tysta medan bilderna avlöste varandra på skärmen, dels av chock, dels för att kunna uppfatta den franska speakertexten.

"Nu har makthavarna givit dem deras martyr. Då kanske de slappnar av en smula", sa Gitte efter inslaget och ställde förargat ifrån sig sin drink. "Eller också fungerar det precis tvärtom."

"Det här problemet måste och ska lösas före toppmötet nästa år! Jag vill mycket, mycket ogärna stå med en huvudstad i ruiner, än mindre med en ihjälskjuten demonstrant!" sa han i sin statsmannaton men kom ändå motvilligt att tänka på sina båda söner som visserligen hade kommit över aktiviståldern men som sannerligen hade stått i kraftig opposition till etablissemanget, symboliserat av deras egen far, som de praktiskt taget inte träffade längre. Han hade gjort ett par välmenta försök att öppna fredsförhandlingar, men varje gång slutade det med samma gräl om hans "svek", i största allmänhet men med särskild tonvikt på deras mor och dem själva. Giftermålet med Gitte hade inte gjort det lättare, de tyckte att han lade sig platt för henne och gillade absolut inte de brutala sanningar hon hävde ur sig. Som att de var bortskämda snorungar som inte hade fattat att det var dags för dem att bli vuxna. Som inte begrep vad det *innebar* att vara vuxen. Nämligen att ingå i ett likställt förhållande till andra vuxna, däribland föräldrar, som med full rätt kunde förvänta sig ett rimligt mått av ömsesidighet. "Men precis som så många andra i er generation förblir ni barn, som med hänvisning till er eländiga uppväxt anser att ni under resten av era liv har rätt att ställa ensidiga krav. Ni bjuder inte till ett skvatt själva, och definitivt inte om det kostar er något!" Salvan hade avslutats med ett rungande *"Get a life!"* och sedan dess hade de inte sett till dem. Det hade varit strax före påsk, när pojkarna krävt att få disponera lägenheten i Nice. Och när fadern glatt föreslog att de kunde åka dit ner tillsammans var det inte längre aktuellt. De ville vara där *ensamma* med sina flickvänner. Och så vidare. Gitte höll för troligt att de skulle komma hem "när de blir hungriga". Men honom plågade det. Inte minst sedan han av deras mor hade hört att äldste sonen väntade barn med flickvännen, som han knappt kände. Det var inte hans dröm om ett familjeliv, på samma sätt som flygande gatstenar och visslande kulor inte var hans dröm om ett samhälle. Det måste kunna göras bättre. Han måste kunna förstå vad som pågick. Och lösa problemet. Varför i helvete hade de inte redan ringt från Köpenhamn?

"Honey", sa Gitte och gick bort till telefonen. "Det är ju inte säkert att det blir ditt problem."

"Vilket då?" frågade han och rättade till badlakanet så att den lätt solsvedda magen inte vällde ut över kanten.

Hon lyfte luren. "Ja, det är väl rätt sannolikt att du inte är statsminister under det där toppmötet?" log hon och började trycka in ett nummer. "Som det ser ut just nu", tillfogade hon lent.

Per Vittrup rynkade ögonbrynen. Någonstans hade hans söner förmodligen rätt i sin analys. Han måste ju vara under toffeln. Eftersom han fann sig i det.

"Du ringer väl inte till redaktionen?" frågade han helt i onödan medan hon väntade på att komma fram. Hon nickade kort. "Det är bara tjugo mil härifrån till Genua. Jag kan vara där på två timmar. Jag ska bara dra ihop ett team ..."

Per Vittrup tömde sitt glas, ruskade på huvudet och lufsade ut på altanen, varifrån utsikten fortfarande bredde ut sig i lavendelblått och rosa. Men Danmarks statsminister såg bara en betonggrå mur av Ingenting torna upp sig rakt framför näsan.

*

I princip drog Meyer ur jacken när hon var på semester. Men även om hon var ute och fotvandrade på Jotunheimen med sin kära kustredare var hon trots de respektlösa myggsvärmarna, skavsåren och de primitiva förhållandena fortfarande landets utrikesminister. Så hon höll kontakt med basen och såg till att vara så minimalt orienterad som kunde anses acceptabelt. Instruktionerna var att hon i stort sett bara skulle involveras om Danmark blev indraget i krig, och det respekterade man. Men klimatkonferensen i Bonn och det spektakulära G8-mötet i Genua bad hon själv om att få refererade i detalj. Även hon var chockad över mordet på demonstranten och bekymrad över sammandrabbningarnas våldsamhet; å andra sidan gladde hon sig åt resultatet av själva mötet, som bland annat mynnade ut i ett löfte om massivt ekonomiskt bistånd till Afrika och en gemensam överenskommelse om att inrätta den globala hälsofond som var nödvändig för att få bukt med hiv, aids, malaria och andra av de sjukdomar som höll hela den afrikanska kontinenten i ett strupgrepp. Att man också erkände klimatförändringarna som "ett brådskande problem som kräver en global lösning" kändes också inspirerande, inte minst i kombination med resultatet från Bonn.

Att Charlotte enligt de rykten som nådde henne hade klarat sig så utmärkt och så konstruktivt bidragit till att mötet hade slutat framgångsrikt med en aptitlig kompromiss och inte i oförsonlig splittring gladde henne nästan allra mest. Till och med här uppe på fjället, där man efter många timmars fotvandring kunde komma så långt in i det meditativa tillståndet av ickevara att medvetandet löstes upp och försvann i den storslagna urnaturen, dök Charlotte med jämna mellanrum upp som en speciell tyngd i ryggsäcken. Hon hade bara hunnit träffa sin unga väninna vid kampanjgruppens sista möte före sommaruppehållet, och då hade hon sett så sliten och eländig ut att Meyer hade varit nära att tro på ryktena om problem i äktenskapet. Utåt avvisade hon dem naturligtvis som *helt ogrundade*. Om inte det äktenskapet kunde fungera kunde inget göra det. De båda var otänkbara utan varandra, som en högerhandske utan den vänstra. Att tillvaron hade lärt henne att ingenting var otänkbart, på samma sätt som man hade en åsikt till dess att man fick en ny, var något som hon i det här sammanhanget bortsåg från. Och *om* det skulle ha gått ett par skärvor ur förhållandet skulle hon personligen sörja för att limma fast dem igen. Så med det stiliga resultatet i Bonn som förevändning ringde hon till Charlottes mobiltelefon och förde ett samtal med sin protegé som fick Kjell Dahl att le bakom kikaren.

"Du låter som hennes *mor*!" sa han och uttalade "mor" med dansk stöt.

"Gör jag?" undrade hon och stängde av mobilen. "Jag skulle hälsa."

"Tack", sa han och följde en pilgrimsfalks flykt ovanför bergsgsluttningen. "Mådde hon bra?"

"Det sa hon", svarade Meyer och slickade sig tankfullt om läpparna. "De är i sommarstugan. Har semester och äter jordgubbar. Vädret är fantastiskt. Det är tjugo grader varmt i havet."

Att Meyer inte exakt visste vad detta *de* stod för, eftersom Charlotte själv hade använt ett diffust "vi", som inte nödvändigtvis innefattade Thomas, sköt hon för ovanlighetens skull ifrån sig.

"Jag bjöd in dem till middagen", upplyste hon.

"Jag hörde det", sa han och räckte henne kikaren. "Titta! En pilgrimsfalk. Och en hona till på köpet. Visste du att honan är betydligt större än hannen? Hon har ett vingspann på 110 centimeter!"

"Nej", log hon bakom kikaren medan hon letade efter den. "Det visste jag inte. Varför är den det?"

"Å, det är väl naturens mening. Det är så det borde ha varit. Över hela fältet, inte sant?" retades han.

"Akkurat!" replikerade hon på norska och inkasserade en smällkyss och en bit Frejachoklad som lades direkt på tungan.

*

Varje gång hon var i konsumaffären för att handla var hon rädd för tidningarnas förstasidor. Av samma anledning behöll hon alltid solglasögonen på, låtsades att de gjorde henne oigenkännlig, så att ingen skulle uppfatta att det var miljöministern som stal sig till att bläddra igenom kvällstidningarna för att med lättnad kunna konstatera att det inte heller i dag stod något om hennes brytning med Thomas. Däremot rapporterade man nyheten om utvecklingsministerns graviditet och började genast spekulera kring hennes avgång, och där fanns också ett par banala historier om en Folketingsledamot som hade fått böter för fortkörning och en annan som hade blivit inlagd med legionärssjuka efter ett besök i Rom. Så visst hade de ont om snaskigheter, och precis som väntat hade de ringt, både Berlingske Tidende och Ekstra Bladet, flera gånger, mer och mer framfusigt för varje gång. Att de kunde förmå sig till det fattade hon inte. Senast hade hon hotat med advokat och polisanmälan och blankt vägrat uttala sig.

"Då skriver vi ju bara vår egen version!" snäste den senaste som blev satt på plats. Hon önskade babianen lycka till och avslutade med ett "Vi ses i rätten!" Hittills hade det räckt för att hindra dem. Varifrån de över huvud taget hade fått historien hade hon ingen aning om. Thomas hade precis som hon vägrat uttala sig, och till och med de mest välunderrättade skulle ha svårt att komma med något tvärsäkert påstående om vad som var i görningen. Frånsett att det faktiskt varken var tal om separation eller skilsmässa. Själv visste hon knappt hur hon skulle definiera det tillstånd deras förhållande befann sig i, även om *kris* i all sin banalitet antagligen var det mest täckande uttryck hon kunde komma på. Så det använde hon, ironiskt, när hon och Lisbeth på kvällen satt och drack gin med fläderblomssaft och talade om sina livs misslyckanden. Lisbeth, som lyckligtvis hade kommit tillbaka tillsammans med Jens och Johanne och som allt tydligare visade att det inte bara var för lillasysterns skull. De hade plötsligt blivit *kvinnor i kris*, och även om det inte lindrade den bultande smärtan att vara två om det kastade det ändå ett tragikomiskt skimmer över hela situationen. Att de allteftersom veckorna gick lärde känna varandra så väl och vande sig så mycket vid att vara tillsammans att de så småningom blev till *Systrarna solidaritet* upptäckte de först när deras mor en dag ringde och frågade om hon fick titta förbi. Bara på kaffe. Jomenvisst. Fick hon ta Kurt med också? Hm, Kurt? Kurt från Kina! Å, jaså … Visst, gör det.

Och Kurt kom, och mycket kunde man säga om honom, men tråkig var han inte. Han skrattade och spexade, åt tre bitar hemgjord hallontårta, trollade tjugofemöringar ur näsan och drog tändstickor ur öronen så att ungarna höll på att ramla omkull av skratt. Och så kysste och smekte han oupphörligt den mormor som rodnade och blossade och hela tiden log så brett att hon blottade det hål som hon hade i överkäken efter en utdragen tand och som man annars sällan brukade se. Av samma skäl hade hon inte velat kosta på en guldkrona, men det skulle hon bli tvungen att göra nu, som Lisbeth torrt konstaterade medan de satt på stranden och iakttog modern som likt en skumfödd badnymf gällt skrikande klamrade sig fast vid en knappt sextioårig gymnasielärare med sparsam hårväxt och kortklippt skägg. Det blev Johanne som yttrade de förlösande orden: "Är ni inte för gamla för att vara kära?" när de hade kommit upp på stranden igen och stod och torkade varandra med den begärliga blick som hade fått döttrarna att prudentligt rynka på näsan med en blandning av irritation och missunnsamhet. Ingrid vek sig skrattande dubbel, medan Kurt listigt svarade att om han var för gammal för att vara kär så var han också för gammal för att bjuda på ridturer. Och det var han faktiskt mycket, mycket bra på! Och sedan fick både Johanne och Jens galoppera i väg längs stranden med sanden sprutande om hovarna och ett ljudligt gnäggande som fick de övriga badgästerna att ohöljt stirra på den tokiga morfadern. Jens skrattade så att han fick hicka, och Charlotte kapitulerade och skrattade med och vände sig uppskattande mot modern som ropade att han måste vara försiktig. Och i en glimt såg hon den, moderns rädsla för att förlora honom. Även honom. Denna avslöjande glimt fick Charlotte att göra något som hon inte hade gjort på många, många år. Hon sträckte ut handen för att röra vid sin mor, gripen av den sårbarhet hon plötsligt visade. Smekte henne hastigt över armen och sa att han var rar, Kurt. Modern log flickaktigt osäkert med en tacksam nick, och längre kom de inte den dagen, för det var en färja till Jylland som plötsligt skulle passas, semestern var slut för Ingrids vidkommande. Underförstått, Kurt skulle följa med henne hem.

Lisbeth var en smula stött över att "det nya paret" i sin självupptagna lycka inte hade haft ögon för döttrarnas "kris" utan litet för lätt låtit sig lugnas med några snabba bortförklaringar. Men Charlotte var lättad över att få ha sina kärleksbekymmer för sig själv och unnade dessutom modern en liten gnutta sorglöshet. Ingrid hade, insåg hon när hon diskade efter besöket, i sin strävan att klara sig som änka med tre minderåriga barn, haft ett hårt liv. Som hade gjort henne hård. Det var följden av att gömma sig innanför ett formgjutet, ogenomträngligt skal som visserligen höll smärtan ute men också hindrade glädjen från att tränga in. Att den här Kurt hade slagit hål på det var en bedrift som han aldrig skulle klandras för. Förutsatt, givetvis, att han inte svek henne.

"Då skär vi picken av honom", sa Lisbeth lakoniskt och började torka.

"VAD?" utbrast Charlotte och tappade diskborsten i baljan.

Lisbeth flinade. "Nej, det är synd. Det är Erik som ska ha den avskuren. Det har jag drömt om i många år. Det är ju alla kvinnor han har haft, eller hur? De första åren var jag jävligt svartsjuk, men så småningom blev det honom jag ville straffa. Det är sjukt, jag inser det ..."

"Det är i varje fall förbjudet!" påpekade Charlotte medan hennes egen svartsjuka brände sig upp genom halsen från magsäcken. I början hade hon varit för bedövad för att tänka på själva könsakten, men nu hemsöktes hon av sådana fantasier under de sömnlösa nätter då hon redan låg och vred sig i sängen av längtan efter Thomas. Den fysiska saknaden, närd av sommarens stegrade sinnlighet, fick henne att viska hans namn, suckande hejda sig mitt i vardagsgöromålen, bli stående över tvätten, som hon om morgnarna hängde upp på klädstrecket mellan två björkar. Vattendropparna på huden, sandkornen i hudvecken i skrevet, svedan mellan brösten, nakenheten – utan honom kändes det som slöseri, som vallmoblommor som vissnade innan de hade slagit ut. Hon behövde älska med honom, röra vid honom, lukta på honom, höra hans röst, känna hans tyngd, sova naken bredvid honom, vakna till morgonlukterna tillsammans med honom, se honom komma ut ur badrummet, raka sig, dricka mjölk ... Men var gång längtan gjorde henne vek och fick henne att kärlekskrankt sträcka sig efter telefonen så att hon kunde ropa sitt "KOM HEM TILL MIG NU!" dök hon upp, bitchen. Maria i närbild, Thomas händer på Marias hud. Thomas stönande i hennes öra, Thomas tunga i hennes mun, Thomas lem i hennes *piip* ... Den sista bilden hann hon alltid censurera bort innan den lät sig framkallas *in extenso*.

Men när Maria en dag ringde upp henne för att hackande och stammande ursäkta sig och förklara trängde den sig på i all sin vulgaritet: *Thomas kuk i Marias fitta.* Fan vad det var äckligt, och fan vilken lust hon hade att mörda henne, slita loss hennes svarta lockar i testar, sticka ut hennes bruna dockögon, kväva henne med hennes egna runda pattar! "Din lilla hora!" fick hon ur sig med en mörk, guttural röst som skrämde henne själv från vettet och omedelbart fick Maria att lägga på luren. Efteråt fick hon dåligt samvete, men det hjälpte. Och Lisbeth skrattade högt och sa att det var det enda rätta. Att ge igen. Att slå tillbaka. Själv hade hon bara inte vågat.

"Saknar du inte Erik alls?" frågade Charlotte ibland, och varje gång fick hon ett lika snabbt "Nej!" till svar. Och det var skillnaden mellan dem båda, som Lisbeth såg det. Att hon måste lämna sin man för att överleva, medan Charlotte måste återföras till Thomas för att kunna leva. "Du älskar honom ju!" Så enkelt var det.

Men så enkelt var det ju inte. Eftersom Thomas kanske inte älskade den hon var utan bara den hon hade varit.

"Ursäkta att jag säger det, men är det inte rena skitsnacket?" frågade Lisbeth, vars språk hade undergått en markant förvandling i systerns sällskap.

"Inte om han inte kan svara. Och det kan han inte, det erkänner han. Han kan inte svara på om han älskar mig oavsett om jag är miljöminister eller u-landsfrivillig eller bullbakande mamma!" hävdade Charlotte envist.

"Ja, men du måste ju se det från hans sida också!" protesterade Lisbeth. "Han är ju man! Erik fann sig inte ens i att jag visade så mycket självständighet att jag gick till biblioteket! Eller på föredrag!"

"Det är väl därför du har lämnat honom också? Därför att du inte fick lov att vara dig själv?"

"Vill du påstå att du är mer dig själv när du är miljöminister än när du är mamma?"

"Nej, men jag vill inte heller påstå att jag är *mindre* mig själv när jag är miljöminister än när jag är mamma. Eller min mans hustru. Men det är visst det jag ska vara? För att bevisa min kvinnlighet måste jag låtsas som om det inte var särskilt viktigt för mig att vara miljöminister. Att det är litet av "Hoppsan, det var bara för skojs skull!" Charlotte höjde rösten.

"Men är det så viktigt då?" frågade Lisbeth illmarigt.

"Ja, för helvete! Inte att vara miljöminister i sig men att få lov att vara där jag kan och bör vara vid en given tidpunkt. Där jag kan göra en insats!"

"Men är det så viktigt att du är villig att offra ditt parförhållande för den skull?"

Charlotte suckade. "Varför frågar man aldrig tvärtom? Varför frågar du inte Thomas om det är så viktigt för honom att få känna sin maskulinitet att han är villig att offra sitt parförhållande för den skull? Varför är det alltid vi som tvingas ut i sådana där försakelsedilemman? Jag har aldrig betraktat mig som någon feminist, men det *är* ju så, eller hur? Att männen triumferande står och svingar med sina både-och, medan vi står och smusslar med våra antingen-eller!"

"Det är ju vi som föder barn", invände Lisbeth spakt och förlorade som alltid drivkraft när hon blev påmind om sina stora pojkar. Trots att hon hade ställt upp för dem och just bakat bullar och "offrat sig" hade de valt fadern. Även nu. De stannade kvar hos honom. Ville inte ens komma och hälsa på i sommarstugan.

"Vi föder väl inte barn hela tiden!" sa Charlotte argt, dödstrött på att bli ställd mot väggen av samma urvattnade argument. Att det också hade visat sig äga giltighet för henne själv låg än så länge bara och skvalpade som en oformulerad insikt, som något av bottensatsen i sommarens brygd av nya erfarenheter. Veckorna här hade fört henne närmare barnen än hon någonsin förr hade varit, detta helt enkelt därför att Thomas inte var där. Emellanåt var det påfrestande, också för tvillingarna själva, som inte var vana vid att ha sin mamma omkring sig dygnet runt och i början inte tyckte att hon gjorde någonting rätt, det vill säga på *pappas* sätt. Hon hällde upp havregryn på fel sätt, hon tog bort fästingar på fel sätt, hon tvättade deras hår på fel sätt. Särskilt Johanne var på dåligt humör och beklagade sig ideligen över att hon längtade efter pappa. "Vi ska vara tillsammans *allihop*!" tillkännagav hon när hon satt och surade under bordet eller hade sprungit runt till andra sidan huset, där hon hade hittat ett gömställe bredvid en rävlya under en stor tall. Ja, visst skulle de det. Snart? Ja. Snart. Vad skulle hon annars säga till det barn som genomskådade alla prydliga bortförklaringar och ända in i sina minsta molekyler uppfattade situationen som den var, nämligen att hennes eget lilla liv var hotat. Några gånger brusade Charlotte upp och skällde ut än den ena, än den andra, för att strax efteråt be om förlåtelse och dra dem intill sig medan hon fylldes av en överväldigande ömhet. Hon var deras beskyddare, och de var hennes tröst, hennes glädje och det mest värdefulla hon hade, och hur det här än slutade, vilka val hon än kom att göra, skulle politiken aldrig skilja henne från dem. Inte mer. För även om hon inte tyckte om att tänka på det hade hon ju under det senaste halvåret förlorat dem mer än hon stod ut med genom att själv avstå från dem och överlåta dem åt deras pappa. I det avseendet hade Lisbeth helt rätt. Hon hade fött barnen, var bunden till dem med en navelsträng som visserligen gick att sträcka långt men som hon själv skulle bli hårdast straffad om hon kapade.

Genom att kännas vid bindningen till dem och hålla det löfte hon upprepade kväll efter kväll sedan de hade somnat med hennes händer i sina, en i varje solbränd näve – *Ni ska inte vara rädda, jag sviker inte, jag tar hand om er* – blev hon också påmind om det barnsliga löfte hon en gång, postumt, hade givit sin far. Att hon skulle skapa en värld där ingen behövde ge upp och gå under. I grund och botten var det därför hon hade givit sig in i politiken. Och om hon skulle bli kvar där måste hon se till att bereda plats för denna ursprungliga medkänsla, hur anspråkslös och skröplig den än var. För utan medkänsla ingen indignation, ingen förpliktelse, ingen förändring.

Så det valkampanjsupplägg som hon hade lovat Per Vittrup att levera till sommargruppmötet i augusti kom att handla om *back to basics*. Om nödvändigheten av att känna efter varför man stod där man stod. Om grundläggande känslor. Om sorg, uppgivenhet, tro och hopp.

Lisbeth läste över axeln på henne medan hon satt vid datorn på kvällarna sedan barnen hade lagt sig. Nickade eftersinnande. Kom med förslag och invändningar. Förbättrade hennes formuleringar. Och hällde upp jasminte i husets kantstötta muggar. Charlotte var varken prosaist eller lyriker, men hon njöt av att skriva den här texten. Medan konturerna av hennes egen värld flöt ut och det självklara upplöstes framför ögonen på henne var det en enorm befrielse att sysselsätta sig med något konkret. Att skriva en sammanhängande analys utan paradoxer och inre motsägelser blev den livboj hon kunde sträcka sig efter när hon emellanåt blev så förvirrad av att tänka i cirklar att hon hyperventilerade tills hon blev yr i huvudet. Lisbeth rekommenderade nyktert att hon skulle skära ner på kaffet och cigarretterna, ett förnuftigt råd; å andra sidan tog hon miste när hon ville få henne att låta bli att arbeta. Utan den struktur arbetet gav skulle hon gå under.

Så utöver att arbeta med valkampanjen skrev hon krönikor i tidningarna, försökte analysera kravallerna i Göteborg och Genua och det skottdrama som hon telefonledes hade diskuterat med Thomas, som hon också saknade intensivt som samtalspartner, lät sig briefas dagligen från kontoret och stod till pressens förfogande. Bland annat när det kom några trevare från Venstres miljöordförande, hennes med tiden svurne motståndare som hon inte hade blivit vän med under resan till Rumänien, som gick ut och påstod att den vikande turistströmmen trots den fantastiska sommaren än en gång gjorde det angeläget att häva "miljöministerns onyanserade förbud mot byggnation inom kustnära områden". Han ville ha hotell och semesterbyar av "internationell standard", och hon gav svar på tal genom att bjuda in TV 2-nyheterna på kvällspromenad utmed stranden med ostörd solnedgång, blommande trift och lokala nöjesfiskare i sjöstövlar. Med hennes diskreta hjälp hittade de också fram till några tyska sommargäster, vilka gick på som om de hade fått betalt och lovordade den skyddade danska kuststräckan och framhävde lugnet som den största attraktionen med Dänemark. Som de sa: *"Wir wünschen kein Griechenland!"* Så den duellen vann hon, Danmark skulle inte bli något charterland. Mer problematiskt blev det när hon i Information ombads kommentera finansministern, som på Socialistisk Folkepartis sommarläger hade slagit på trumman för att "vi i framtiden ska arbeta mer, inte mindre". Hon kunde inte kosta på sig att trotsa Gert Jacobsen direkt utan nöjde sig med att betona att arbete naturligtvis var en förutsättning för fortsatt materiell tillväxt men att det också var viktigt att diskutera hur tillväxten skulle användas och hur högt priset fick bli. "Vi har säkert nog av TV-apparater, datorer och bilar i det här landet. Men pröva att slita dina barn från barnprogrammet och gå ut och titta i närmaste vattensamling och försök hitta en groda som dina barn kan se *live*. Om du har tid, vill säga!" citerades hon. Rätt harmlöst, tyckte hon själv, men Gert Jacobsen var uppenbarligen *not amused*, framgick det under middagen i Meyers sommarstuga, som hon av goda skäl helst hade velat skolka från. Både före och efter.

Fegt hade hon i stället för att själv ringa till Meyer mejlat till hennes sekreterare och lämnat återbud å Thomas vägnar med den genomskinliga förklaringen att han tyvärr hade fått "förhinder". Att Meyer skulle propsa på att få den sanna versionen tvivlade hon inte en sekund på. Vad hon skulle anse om saken krävde inte heller något särskilt väl utvecklad fantasi.

Så när hon nyss anländ hade fått ett glas crémant stucket i handen och klarat av hälsningsvarvet, som innefattade en tafatt kram av en något för översvallande Christina Maribo och hennes man, drogs hon genast avsides och ut i köksträdgården, som låg försummad och igenväxt efter sommaren till fjälls, där hon sedan fick uttala den replik som hon hade övat på den sista timmen i bilen: "Det handlar om ett slags moratorium ..."

"Moratorium?" utbrast Meyer och rynkade med oförställt ogillande på näsan. "Vad *menar* du?"

"Hm, ja, jag har bett om en time-out, vi gör ett uppehåll ..." Charlotte slog uppgivet ut med armarna.

"Varför det?" fräste Meyer.

"Ja, varför?" Charlottes blick sökte sig undvikande mot en grupp solrosor. "Därför att ..."

Meyer smackade med tungan. "Så det är alltså sant, det som sägs?"

"Vad är det som sägs?" sa Charlotte snabbt.

"Att han har hittat en annan? Har lämnat dig?"

"Va-ad?" utbrast hon och råkade spilla av det mousserande vinet när en plötslig skälvning for genom hennes kropp. "Vem säger det?"

"Gert har just stått och underhållit mig med det. Och Kasper Maribo säger att han har träffat honom i Blokhus?"

"Äsch!" Charlotte fnös hysteriskt. "Om du verkligen vill veta det har han varit ihop med en annan en enda gång."

"Påstår han?"

"Påstår han. Det har jag valt att tro på. Och han har inte lämnat *mig*. Det är jag som har bett *honom* att flytta."

"Hm", brummade Meyer och förde glaset till munnen. Tog tid på sig att njuta av klunken innan hon vände sig mot Charlotte igen. "Hör på här. Naturligtvis har du blivit sårad, och det reagerar du på. Inget konstigt med det. Men det tjänar ingenting till att ta så hårt på sådana saker. I den här branschen är vi tvungna att leva med snedsprång. Både våra partners och våra egna. Det kan helt enkelt inte undvikas. Man blir konstant förälskad och fascinerad och … ja, frestad. Det är ju en offentlig hemlighet att Christiansborg är en enda stor bordell. Om du inte redan har trillat dit kommer det att hända …"

"Det har jag inte!" protesterade Charlotte upprört och spillde igen.

"Nej, nej, då säger vi det." Meyer log avfärdande och rörde vid en vinbärsbuskes röda klasar. "Hur som helst är det viktigt att man är diskret, att man inte brusar upp och att man inte lägger större vikt vid sådana, hm … saker … än vad de förtjänar. Det viktigaste är ju att bevara kamratskapet och se till att det äktenskapliga samarbetet fungerar."

"Samarbetet?" upprepade Charlotte oförstående.

"Passion är nog bra, men samarbete är bättre", nickade Meyer. "Inte minst i ditt fall. Du måste se litet pragmatiskt på det hela – du kan inte klara uppgiften utan Thomas. Åtminstone inte om du vill behålla barnen …"

"Hallå! Jaså, det är där ni gömmer er!" Kjell Dahl uppenbarade sig med kockförkläde runt magen. "Soppan är serverad, mina damer!"

Kjell Dahl bjöd dem var sin arm, så det fanns ingenting att göra. Hon blev tvungen att följa med, kunde inte gräva ner sig i potatislandet.

Middagen satt hon av med autopiloten påslagen. Märkte knappt när samtalet rörde sig in på minerat område, svarade rutinmässigt på Gert Jacobsens gliringar à la: "Har du egentligen klart för dig hur många danskar som sätter det materiella i första hand" och vaknade bara kortvarigt till när man diskuterade sommarens demonstrationer och i synnerhet mordet på den unge italienaren Carlo Giuliani. Diskussionen gällde om detsamma kunde ha hänt i Danmark. Underförstått skulle kunna hända i framtiden. Nästa år. Under toppmötet. Här var hon och Gert Jacobsen för en gångs skull eniga; de ansåg båda att det mycket väl kunde hända. Inte heller den danska polisen var annat än människor som i stridens hetta kunde bringas i affekt. Men medan hon argumenterade för att man redan nu måste göra en massiv satsning på att förebygga och förstå vad som rörde sig i huvudena på globaliseringsmotståndarna, både de aktiva och de passiva, ansåg han att man dels borde isolera dem genom att omringa och "neutralisera" dem och dels flytta toppmötet till Læsø, Anholt eller något annat avgränsat område där det skulle vara möjligt att skydda sig mot "radikala element".

"Men problemet försvinner ju inte för den skull! Tvärtom blir de ju tvungna att ta till ännu mer rabiata metoder om de inte får någon möjlighet att avreagera sig", hävdade hon. "Då hamnar vi i bioterrorism och radikalt politiskt våld. De vill ju ha ett svar, eller hur?"

"Du låter som om du hade specialkunskaper", log Gert Jacobsen, och allas ögon, av vilka flera par tillhörde ministerkolleger och andra var helt okända, riktades mot henne.

"Det låter det däremot inte som om du hade", smashade hon tillbaka över bordet, varvid servetter fördes till mungipor, salt skickades vidare, vatten hälldes upp.

"Det var väl en dansk flicka där nere? I Genua? Hm, när pojken blev skjuten?" inflikade en av de utomstående gästerna, en dallrande dogmafilmdiva, flickvän till en självgod debattredaktör från Politiken.

"Ja", nickade Gert Jacobsen. "Gitte Bæk gjorde ett inslag med henne där nedifrån. Hon påstod att hon hade varit med under incidenten, men den italienska polisen känner inte till henne. Säger justitieministern."

Sällskapet skrattade, som sällskap gör för att komma förbi en död eller pinsam punkt, och Meyer började samla ihop tallrikar.

"Hur såg hon ut?" frågade Charlotte på en plötslig ingivelse och riktade sig till skådespelerskan i en privat samtalskorridor tvärs över bordet. Hon hade inte sett inslaget, men någonting sa henne vem den omtalade flickan kunde vara.

"Rädd", svarade skådespelerskan. "Rädd på ett drogpåverkat sätt. Och en liten smula motbjudande. Det var någonting med hennes ansikte. Var hon missbildad eller någonting ditåt? Jag tittade mest på hennes ögon. Förstår du vad jag menar?"

Skådespelerskan log osäkert. Charlotte nickade vänligt. Det förstod hon mycket väl. Även om Cathrine Rørbechs födelsemärke var stort och skämmande var det ändå hennes ögon man mindes bäst. För trotset och den kalla elden.

"Ursäkta, men var det inte något med att din man var med uppe i Göteborg?" återtog skådespelerskan oskyldigt. "De var rätt tuffa mot honom, polisen, inte sant?"

"Jo", smålog Charlotte medan samtalet ebbade ut omkring dem och all uppmärksamhet åter koncentrerades och riktades mot henne som en bländande strålkastare.

"Har jag sagt något olämpligt?" frågade skådespelerskan nervöst i den plötsliga tystnaden och tittade osäkert bort mot sin fästman, som hade börjat analysera integrationsproblematiken och komma med andra kloka idéer till den kommande valkampamjen. Ett annat hett samtalsämne var ju när Vittrup skulle komma att utlysa nyval.

"Honey, om du skulle börja läsa tidningar? Bara min?" log debattredaktören spydigt, medan skrattet återigen klingade sprött och ansträngt, och sedan blev det kaffe och chokladtårta.

Kjell Dahl serverade avecer, Charlotte tackade nej, hon skulle köra, fick i stället en liten uppmuntrande tryckning kring överarmen som tvärtemot vad som var avsett fick henne att känna sig ännu mer ensam och beklämd. Humöret blev inte bättre av kaffekonversationen, som nu började utveckla sig till rena skvallret. Man började med att dissekera en med tiden "kriminellt alkoholiserad" Farumborgmästares sicilianskinspirerade ledarstil, tangerade den "politiskt talanglösa" radikala utvecklingsministern och hennes förväntade avsked från dansk politik eftersom fästmannen tydligen hade fått ett stort filmjobb i Los Angeles, för att fullt förutsägbart sluta med statsministerns bisarra äktenskap med Gitte Bæk, om vilken Gert Jacobsen kunde berätta att hon vid statsbesök och andra officiella evenemang inte utan pinsamma diskussioner fann sig i att bli förvisad till "damprogrammet". Detta föranledde en hel del skratt och oenighet, men Gert Jacobsen vidhöll att det ju måste vara mannen som bestämde var skåpet skulle stå.

Att hon själv skulle bli samtalsämnet så snart hon hade lämnat festen var uppenbart. Ändå bröt hon upp först, orkade inte sitta kvar längre och le tillkämpat med magen full av krossat glas. Ursäktade sig med huvudvärk, fick genast en tablett inför hemfärden och eskorterades ut till bilen av värdinnan.

"Se nu till att ordna upp det här", beordrade Meyer. "Du ser ju eländig ut! Vi behöver en miljöminister i toppform!"

"Det ska ni få också!" försäkrade Charlotte och vred om tändningsnyckeln.

Tutade kort och backade ut från infarten. Meyer stod kvar och vinkade. Till dess att Gert Jacobsen dök upp och hon vände sig mot honom.

*

Hon kör in på den första rastplatsen. Stiger ur. Tänder en cigarrett. Böjer huvudet bakåt och stirrar sig blind på stjärnmyllret. Där ska hon en gång sluta. Som stoft på Mars. Som ett gasklot av väte och helium. Som en avlägsen himlakropp. Ett svart hål. Ett ljus som har varit.

"Vad ska jag göra?" frågar hon. Väntar sig inget svar, får inte något heller.

*

Märkligt att det är detta främmande timmerhus med andras affischer på väggarna, andras porslin i skåpen, andras rangliga bambumöbler, som ska utgöra skådeplatsen för så avgörande händelser. Men så är det, och kanske är det bra. Så att det egentliga hemmet, lägenheten i Köpenhamn, som de snart ska tillbaka till, inte fylls med viskningar och rop och skuggor som inte kan tvättas bort.

För när Lisbeth reser en vecka in i augusti, tyvärr hem till Mors i alla fall, till sjuka smågrisar och två gängliga pojkar som fadern håller som surmulen gisslan, kommer Thomas. Oväntat, så gott som oanmäld. Ringer inte förrän han redan har stigit i land. Naturligtvis kör de ner till färjan och hämtar honom, med detsamma, hon hinner bara borsta tänderna och sätta på mascara, och hon har ingen tid alls för kyligt övervägande och gråblek eftertanke. Och scenen är också som gjord för att filma, happy ending vid färjeläget med full stråkorkester – ungarna som kastar sig om hans hals, brisen som får hennes prickiga klänning att fladdra kring de solbruna benen, omfamningen och kyssen, tillräckligt lång för att eftertexterna ska hinna rulla förbi.

Men hon ser genast på honom att han är en man med ett ärende. Och även om de anstränger sig för att hålla ballongen i luften hela kvällen genom att säga så litet som möjligt och spela rollerna som sina barns återförenade föräldrar kommer den ju att spricka till slut. Det är denna visshet som får dem att halvkvävt stöna och sucka med flikar

353

av täcket i munnen under kärleksakten, ivrig och het, för att efteråt ligga tätt hopslingrade, uppspolade på samma skär.

"Jag älskar dig", viskar han, för det är han som ska säga något först.

"Ja", viskar hon och hör sig själv snörvla.

"Men jag kan fortfarande inte svara dig."

"Nej", snörvlar hon igen.

"Så jag reser. Till Zambia." Han vilar läpparna mot hennes axel.

"Mmm."

"Om tre dagar. Det har just blivit bestämt. De ringde i dag. Det är en projektledare som har gjort bort sig. Jag ska ut och vikariera. Tre månader, ett halvår högst …"

Nu svarar hon inte. Tårarna rinner, nej, *forsar*, som en översvämmad älv nedför kinder, mun, haka, hals.

"Älskling", säger han grötigt och vänder hennes ansikte mot sitt. "Du får inte gråta så där …"

"Jo", hickar hon och överlämnar sig hämningslöst åt gråten. "Det får jag visst."

"Personligen är jag ingen sladdertacka. Jag struntar faktiskt i om folk gifter sig eller skiljer sig eller hur fan de springer omkring och beter sig. Jag har minsann själv inte lagt band på mig, vare sig med det ena eller det andra – jag har som sagt tillbringat ett halvt liv på Ekstra Bladet, ha, ha ... Och om vi båda skulle sitta i en diskussionsklubb och dryfta det politiska reportagets utveckling skulle jag begråta den. Att det har blivit så extremt personfixerat, menar jag. Politikerna får ju inte ens prutta utan att det ger eko i spalterna. Tyvärr är min privata uppfattning fullkomligt ointressant, jag är ju bara en springpojke åt läsarna, och läsarna vill ha intima detaljer från kändisarnas liv, gärna med förledet under ... Ja, ja. Och nu var det faktiskt så att Charlotte Damgaard ända sedan hon första gången trädde in på scenen hade haft en enorm fascinationskraft. Hon hade under loppet av mindre än ett år blivit något av en ikon, särskilt för yngre kvinnor. De tyckte hon var häftig. Cool, whatever. Så när ryktena om hennes äktenskapliga kris blev allt mer ihärdiga blev vi tvungna att skriva om den. Vi kan väl inte förtiga nyheter? Så när jag kom tillbaka från semestern – ja, du tror det väl inte, men jag hade bland annat tillbringat två veckor på en mediafri sommarkurs på högskolan och blivit en tämligen hyfsad akvarellmålare och även vandrat omkring litet grand i den norska fjällvärlden, där jag för övrigt stötte ihop med Elizabeth Meyer, som knappast var lika entusiastisk som jag över sammanträffandet – tog jag över historien från de fårskallar som hade haft hand om den. Jag har försökt lära dem att den gamla skjutjärnsmetoden inte alltid är den bästa. Och Charlotte Damgaard sluter sig som en mussla om man börjar hota henne. Hon är jyllänning, jag är jyllänning, och vi talar länge om saker och ting. Förhandlar litet fram och tillbaka. Det måste finnas något att hämta för oss båda två, inte sant? Också för framtiden. Så naturligtvis fick jag min story. I gengäld lovade jag att behandla henne hyggligt och skriva hennes version. Ord för ord. Jag var också nere och kollade förstasidan, men de rackarna måste ha gjort om den sedan jag hade gått hem."

~

"Minister lämnad." Rubrikerna skrek mot henne från hörn och fasader när hon cyklade med barnen till dagis första dagen efter semestern. Egentligen kändes det som en befrielse. Att inte längre behöva vänta på när slaget skulle komma. Inte längre behöva låtsas. Thomas *hade* ju rest sin väg. För två dagar sedan. Hon hade inte ens krafter att parera. Det var bara för dem att slå. Skriva vad de ville. Ett slag till eller från betydde ingenting.

*

Thor Thorsen ringer runt till vännerna. Ekstra Bladet ligger uppslaget på bordet framför honom. Redan före middagstid har han fördjupat historien. Detaljer antecknas. Stickord stryks under. Han har snart material för att skriva den artikel han har haft i tankarna i flera månader nu. Dispositionen är klar. Nu väntar han bara. Tiden är snart inne, det är de allihop överens om. Förr eller senare kommer hon att vara dum nog att gå rakt ut på Sniper Street.

*

Henrik Sand var inte allsmäktig. Men när han såg det eländiga skick hans minister befann sig i efter semestern stod det klart för honom att han tills vidare måste koncentrera sig på en enda sak: att skydda henne genom att se till att det hände så litet som möjligt som hon tvingades ta ställning till. Lyckligtvis var augusti normalt ingen märkvärdig period, Folketinget hade ännu inte öppnats, och på det hela taget befann sig landet fortfarande i en litet halvloj efter semestern-stämning. Departementschefens vacklande hälsa och nu officiella långtidssjukskrivning dämpade också ministeriets effektivitet, så om han bara kunde få henne att sitta knäpptyst tills hon var någorlunda återställd skulle det *kanske* gå.

Denna reservation var något nytt, det insåg han, men hans intuition sa honom att något illavarslande var under uppsegling, något som stöddes av den rationella analysen att hennes motståndare otvivelaktigt skulle komma att utnyttja hennes privata försvagning, en försvagning som måste isoleras som just något privat som inte fick underminera henne politiskt.

De ägnade alltså de första par tre veckorna åt att städa skrivbordet, gå igenom ärenden, hålla möten, öppna konferenser, besöka styrelser och allt det löpande arbete där hon hade hamnat på efterkälken. Hon föreföll visserligen samlad men sa inte mycket utöver det förväntade och gick oftast hem tidigt för att hinna hämta barnen på dagis. Ett arrangemang som i sig var enormt osäkert, för att inte säga orealistiskt, när säsongen drog i gång på allvar. Att vara ensamstående mor och inneha en ministerpost var bara möjligt om hon fick massiv hjälp. Dygnet runt.

"Borde du inte skaffa en ung flicka i huset?" föreslog han rent ut.

"Tja, kanske det", svarade hon oengagerat, som om det fortfarande inte hade gått upp för henne vad den nya "situationen" innebar.

Det var det mest oroande, denna zombieartade dvala som hon såg ut att ha tagit sin tillflykt till. Han var ingen psykolog, än mindre psykiater, men han hade själv varit ute i gränslandet en gång och var rädd att hon var på väg mot något som skulle kräva behandling. Funderade på om det var hans plikt att skicka henne till doktorn och kontaktade till och med i smyg några experter i den yttre vänkretsen. Nämnde inte hennes namn, naturligtvis, men berättade om hennes fars självmord, som han mycket tydligt kunde se för sig: den store mannen i dörren till ladan med den döde uppslängd över axeln. Fjärrdiagnosen tydde på att det troligen handlade om en allvarlig depression som kunde utvecklas i ödesiger riktning. "Är hon suicidal?" frågade man. Detta förnekade han omedelbart, men hur skulle han veta det? Han kunde ju inte fråga henne om hon hade planer på att ta livet av sig! Men en dag när hon hade varit särskilt frånvarande ända sedan morgonmötet bet han ändå huvudet av skam.

"Charlotte", inledde han osäkert. "Jag inser att jag egentligen inte har med det att göra, men är det så att du har börjat se allt i nattsvart?"

"Kanske det", svarade hon och sträckte sig efter cigarretterna. Tände den tjugonde, minst, för dagen.

"Behöver du hjälp? Sjukskrivning? Medicin?"

"Lyckopiller?" log hon ansträngt.

"Är bättre än sitt rykte", påpekade han. "Jag har själv prövat."

Hon gömde sig bakom röken. Teg, medan han väntade. Tålmodigt. Han var förtrogen med hennes rytm.

"Vet du när man blir deprimerad?" frågade hon och svarade sedan själv: "När man inser sin begränsning. Och jag har ramlat rakt in i min."

"Därför att Thomas har rest?"

"Därför att jag inte kunde hålla honom kvar. Därför att jag inte förstår det. Hur det kunde hända."

"Han kommer tillbaka."

"Hur vet du det?"

"Det skulle jag göra."

Hon log så pass att läpparna skildes åt. En ovanlig syn på senaste tiden.

"Skulle du?"

"Ja!" Han log själv brett.

"Om han kommer igen, vill jag ha honom då? Är det inte för sent?"

"Nej!" konstaterade han mot bättre vetande. "Det är aldrig för sent. Och du får inte ge upp. Du är en exceptionell och stark kvinna, Charlotte. Vi behöver dig allihop."

Den här gången blev leendet bara till en skeptisk grimas, men det var ändå något slags leende.

*

Och mirakulöst var det; som om hon långsamt började komma över den första chocken och bli sig själv igen. Det skrevs fler anteckningar i dokumentens marginaler, fler utropstecken sattes dit, fler mejl skickades. Hennes steg blev mer energiska, hennes röststyrka tilltog och hon började ta emot de telefonsamtal som kontoret utanför tidigare hade ombetts förskona henne från. Än en gång kastade hon sig in i diskussioner om nya dagordningar, hon både läste tidningar och tittade på TV, och när de satt i bilen kunde hon få för sig att skråla med i radions popmusik som hon brukade, så att till och med Freddy gav sig och nynnade med i *"Kald det kærlighed/ kald det lige hvad du vil …!"* Hon pumpade åter Kamal och Louise om deras privatliv, gjorde på nytt ihärdiga försök att para ihop dem, kallade samman sitt NGO-nätverk och bjöd på ost&rödvin, utlovade belöningar till medarbetare för nya spännande idéer och bad honom läsa igenom och kritisera programmet inför det sommargruppmöte som hon stridsberedd såg fram mot att delta i. Den här gången skulle det gå av stapeln på en högskola på Jylland med deltagande av hela kompaniet av socialdemokratisk kanonmat.

Han förberedde henne på att hon förmodligen på nytt skulle mötas av en korseld av kritik; programmet var inte särskilt partipolitiskt i traditionell mening, snarare essäistiskt för att inte säga filosofiskt, ja, somliga kunde kanske till och med vara elaka nog att kalla det "pseudoreligiöst".

"Omsorg och medkänsla gentemot nästan … Hm. Du har hamnat ganska långt bort från fördelningspolitik och integrationsproblem", påpekade han.

"Ja, där finns inte heller mycket om sjukhusen eller äldrevården", medgav hon. "Och det är hela poängen. Att vi som parti behöver gå djupare. Koppla ihop känsla och förnuft. Vi måste ju ge ett modernt socialdemokratiskt recept för världen, som den ser ut i dag. Det kan hända att det här är fel grepp, men hellre ett felgrepp än inget grepp alls."

Av allt att döma blev det också den ungefärliga kontentan av den debatt som hon, precis som han hade förutspått, hamnade i på mötet. Men till Henrik Sands stora lättnad var Charlotte inte den enda kontroversiella personen på det mötet. Det var i synnerhet inrikesministern som hade ådragit sig uppmärksamhet genom att flera gånger råka i luven på både Vittrup och Meyer i sin vrede över att inte ensam få köra sitt race inom invandrarpolitiken, som hon ville strama till betydligt. Berit Bjørk var också ute med kvasten; hon anklagade "toppen" för att vara handlingsförlamad och förvirrad och ansåg inte, med Charlottes idéer som enda undantag, att man över huvud taget hade presenterat någonting som pekade framåt. "Var finns inte bara *det* nya utan också *de* nya som ska vinna valet åt oss?" I gruppen fick kritiken överraskande starkt gehör; det visade sig att alla icke-ministrar länge hade känt sig toppstyrda och vingklippta. Och för en gångs skull var det faktiskt många som tvärs över de olika fraktionerna stödde Charlotte och berömde hennes förslag för att åtminstone försöka "bryta igenom betongen".

De politiska reportrarna, som också hade inlett valkampen i sin analys av det slutna mötet, som de bara kunde få refererat i andra hand via lösmynta "källor inom den socialdemokratiska gruppen", påpekade även att det verkade som om "Charlotte Damgaard efter en något knackig start i gruppen är på väg att få sitt verkliga genombrott internt inom Partiet. Inte bara gruppmedlemmar, utan också flera betydande fackföreningsrepresentanter och till och med vissa av de socialdemokratiska borgmästarna, har börjat viska ordet 'kronprinsessa'; somliga uttalar det till och med högt, och fastän hon fortfarande har många hårdnackade motståndare i gruppen märks en växande respekt för den unga miljöministern, som nybörjarfel till trots kanske kan visa sig vara den tronföljare som socialdemokratin så smärtsamt saknar. Detta kräver dock att Charlotte Damgaard så snabbt som möjligt själv tar steget och ställer upp och kandiderar till Folketinget. Av helgens stormiga möte att döma finns det tecken som tyder på att socialminister Berit Bjørk går i pensionstankar. Vilket inte kommer oväntat, eftersom statsministern under längre tid har angripit sin tidigare så goda kamrat. Mycket tyder alltså på att Amagerdistriktet snart blir ledigt: frågan är bara om Charlotte Damgaard kan och vill överta Berit Bjørks mandat ..."

"Vill du det?" frågade Henrik Sand när de tillsammans hade läst Politikens kommentar, som uppenbarligen muntrade upp henne avsevärt.

"Jag funderar fortfarande. Jag har lovat att lämna besked i morgon", sa hon och sög på tänderna. "Vad tycker du?"

"Jag tycker först och främst att du ska bli dig själv igen", sa han som en omtänksam familjeläkare som avrådde en ung fotbollsspelare från att spela match samma dag som gipset tagits av.

"Det kommer jag aldrig att bli", sa hon. "Inte helt och hållet."

Kanske inte. Men mer tid skulle ha gjort henne mer motståndskraftig. Skulle ha gjort det möjligt för henne att resa nya försvarsmurar. Mobilisera trupper och ingå nya allianser. Styra spelet. Om Henrik Sand hade fått bestämma skulle händelserna inte ha inträffat förrän långt senare. Men, som sagt, Henrik Sand var inte allsmäktig. När lavinen väl kom i gång rullade den. Det var det som vissa fann så fascinerande med politik. Däribland han själv.

*

Man väntar på hennes telefonsamtal. Vissa med skräck, andra med hoppfull förväntan. Hon svettas under armarna, blir kall om händerna. Skjuter upp det tills barnen har kommit i säng. De skäller på henne för att hon inte lyssnar på dem ordentligt. Förväxlar deras tandborstar. Säger god morgon i stället för god natt. Är nära att glömma att de ska skicka pussar med vingar genom mörkret till pappa i Zambia. Pappa, som de saknar, skickar teckningar till, mejlar till med hennes hjälp. Pappa, som kommer hem till jul. Pappa, som har sett ett riktigt lejon och hjälper andra barn. Hon sitter kvar hos dem tills hon har förvissat sig om att de sover. Tryggt. Sedan går hon tillbaka ut i vardagsrummet, lägger Lisa Ekdahl på CD-spelaren. Sneglar på telefonen och går ut i köket och häller upp en konjak. Tar också med en askkopp in. Tänder en cigarrett, säger strängt till sig själv att nu *ska* det skäras ner, fastnar framför serien med familjefoton från deras sista sorglösa sommar. Vad ungarna var små! Vad Thomas var glad! Och vad hon själv var ung – och tjock! Drar ett djupt bloss på cigarretten och tar en rejäl klunk av konjaken. Sedan slår hon numret, som står på lappen bredvid telefonen. Bestämmer sig inte definitivt förrän hon har distriktsordförandens röst i luren. Tack. Hon vill gärna. Hon ställer upp.

Efteråt står hon stel och stirrar ut i luften. Väntar på braket som måste komma. För med ens inser hon vad hon just har gjort. Kastat en handgranat och inlett kriget.

*

"Sand", säger hon morgonen därpå när de gör sällskap uppför trappan.

"Vad då?"

"Jag har sagt ja. Jag ställer upp."

Han stannar tvärt, tar stöd mot ledstången. "Okej. När blir det offentligt?"

"Berit skickar ut ett pressmeddelande under förmiddagen om att hon drar sig tillbaka. Sedan väntar vi några dagar med att gå ut med min kandidatur. De måste hinna samla sig där ute."

Henrik skakar överseende på huvudet. "Och varken distriktsordförande eller styrelse säger något till någon? Inte ens om de blir tillfrågade?"

"Å, Henrik", flinar hon och ger honom en puff. "Du är så paranoid!"

"Å, Charlotte", säger han och puffar tillbaka. "Jag är bara realist."

*

"Vi kan inte fortsätta träffas på det här sättet!" säger den ene mannen till den andre när de än en gång låter sitt vatten i samma ränna.

"Nej, folk kan ju få för sig något", svarar den andre, som fortfarande har svårt att se sitt bihang. "Det sägs att hon ställer upp."

"Ja, hon kandiderar i Berits distrikt."

"Det sägs att hon har goda chanser?"

"Å, vi får väl se", ler den förste, skakar av och drar upp blixtlåset.

*

Cat står utanför huset och räknar sig fram till rätt fönster. Stirrar upp mot det, tror att hon kan tvinga honom att komma fram till fönstret så att hon kan vinka åt honom att komma ner. Hon har kollat porttelefonen och hittat hans efternamn. Han bor ihop med någon, det står två namn på skylten. "Damgaard & Sørensen". Det är alltid hon som svarar när hon ringer. Om det inte är telefonsvararen. Då lägger hon på. Hon vill bara tala med honom. I hela världen. Sedan Genua har hon knappt talat med någon, bara yttrat det allra nödvändigaste för att överleva. Det hon hade att säga sa hon till den där kvinnliga TV-journalisten. Att statsmakten hade mördat Carlo. Att han måste få sin hämnd. Skulle få sin hämnd. Sedan smet hon sin väg. Försvann i den allmänna förvirringen. Ville bara hem till sina kor. Hon bytte sina

362

svarta, blodstänkta kläder mot den ljusa sommarklänningen som fortfarande låg hopknycklad i ryggsäcken. Med den på var det ingen konst att åka på tummen hem. Hon fick lift med ett par långtradarchaufförer, först en tysk och sedan en dansk. Den första ville ligga med henne på britsen bakom sätet. Det gjorde henne detsamma. Efteråt gav han henne 200 DM och släppte av henne på första rastplats. Dansken ville inte knulla. Han hade en dotter i hennes ålder, sa han. Däremot frågade han för mycket. Hon var rädd för att han skulle ringa till polisen när de kom fram till Rødby. Så honom stack hon ifrån, hoppade ur bilen medan han tankade och började gå till fots. Hittade ett fallfärdigt stall att sova i första natten, stannade kvar där ett par dagar, traskade vidare och kom ut till kusten. Fortsatte i stort sett utmed kustlinjen, försökte hålla en nordlig kurs under den luffartur som hittills har gäckat polisen. De har inte kommit på idén att leta efter henne i tomma husvagnar, igenbommade sommarstugor, bortglömda båthus. Hon är efterspanad, det vet hon, för att ha avvikit från att avtjäna sitt straff. Om de hittar henne kommer de att mörda henne också, det är hon övertygad om. För att täppa till munnen på henne. Hon var ju vittne. Hennes liv är ingenting värt, det tycker hon inte själv heller. Även om något slags djup självbevarelsedrift har hållit henne flytande under sommaren och givit henne styrka att bryta sig in var som helst, stjäla i butiker och kiosker och söka tröst hos de livgivande kor som det är alltför glest mellan. I sället har det varit andra djur – kattungar, fåglar med brutna vingar, igelkottar och de stora skarvkolonier som hon har studerat i timtal. Hon älskar skarven, identifierar sig med den, en ful, svart fågel, skrämmande som en dödens budbärare. En varelse så hatad att folk skjuter ihjäl den med lättnad. Som om de hade befriat världen från ett monster.

Cats hat till människor har blivit mer inbitet. Hon tycker de är vidriga. Elaka. Feta. Svekfulla. Evigt ätande. Om hon måste leva vidare skulle hon vilja leva bland djuren. Låta sig upptas i deras rike. Utveckla fjäderdräkt eller päls. Tassar, klor, växelvärme, nattsyn. Instinkter i stället för medvetande. Drift i stället för känslor. En sjuk önskan, född hos någon vars psyke är på väg att bryta ihop. Där överansträngning, undernäring, kroniska infektioner och posttraumatisk chock håller på att kortsluta den redan tidigare överbelastade hjärnan. Det inser Cat. Hon inser också att hon inte kommer att kunna överleva vintern som ett kringstrykande djur. Nattkylan har trängt in i märgen, vinden redan börjat vina i skelettet. Blåskatarren ger henne feber. Krafterna ebbar ut. Det är därför hon har trotsat rädslan för polisen och tagit sig ända in till staden. För där bor Thomas. Den enda människa hon har förtroende för. Den enda som kan rädda henne från undergången.

Varför kommer han inte fram i det där jävla fönstret? Han måste väl märka att hon ropar på honom?

Äntligen, äntligen uppenbarar sig en gestalt. Cat lyfter armen till en vinkning, men sedan lutar sig varelsen fram och hon ser att det inte är han. Det är en kvinna. Hans kvinna. Kvinnan ser rakt på henne, forskande, nyfiket. Och hon reagerar som det djur hon håller på att bli: står först helt paralyserad. Vänder sedan på klacken och börjar springa.

*

Han sover lätt, så redan vid första signalen hinner han ta luren. Klockan är 04.15, ser han på den digitala väckarklockan. Det kan vara sjukhuset, det är nog bara avdelningen, signalerar han till sin fru, som förskräckt har satt sig upp i sängen redan innan han har svarat: "Rørbech."

Men barnets mor ser det med detsamma. På oron som snabbt ersätts av ett lättat, ännu tveksamt leende.

"Har de hittat henne?" frågar Bodil Rørbech mellan handens fingrar.

Ja. De har hittat henne. Nere på en av centralstationens perronger. Medtagen men för övrigt välbehållen. Tack. Å, Gud!

*

Vecka 36. Ingen vecka som man på förhand skulle utnämna till något särskilt. Det fanns inte heller något i Charlottes kalender som tydde på att dessa sju dagar på tidslinjen skulle komma att flyta ihop och bli till ett enhetligt händelseförlopp, ett *"den gången när …"* En historia som en gång skulle kunna berättas. Som skulle komma att berättas. Av första-, andra- och tredjehandsvittnen. Av reportrar och historiker. Av huvudpersonen själv, som inte hade haft för avsikt att just vecka 36 skulle bli den avgörande. Och som inte hade en aning om att den veckan på ett märkligt sätt skulle komma att bli den sista i den gamla tideräkningen.

Charlotte var alltså lika oförberedd, lika aningslös veckan före som den som gnolande sätter sig i sin bil för att köra över bron till konfirmation på Jylland och med huvudet fullt av vardagsdetaljer – den läckande toaletten, kontroversen med kollegan, den ostrukna klänningen – möter sin död i form av en krängande långtradare i närheten av avfart 19. Henrik Sand däremot, som hade fått vad han hade bett om – en lugn augusti – var retlig och nervös, som en hund före ett åskväder. Och han blev direkt upprörd när Andreas Kjølbye ringde från Søndagsavisen och upplyste om att han nu hade ett långt, färdigredigerat inslag om den explosiva utvecklingen av svinbeståndet. Ett annat inslag hade däremot blivit försenat, så på fredag eftermiddag skulle de göra en omflyttning och sända hans inslag. Vilket i all hast gjorde det nödvändigt att miljöministern infann sig som *live*-gäst tillsammans med den nuvarande ordföranden i Naturens vänner.

"Nu går de banne mig för långt!" sa han och drämde näven i bordet av irritation över att släpas runt i manegen av arroganta medier.

"Vi blir ju tvungna", påpekade Charlotte i lätt ton. Alltför lätt, tyckte han och ringde tillbaka till TV-staden och bad att omedelbart få bandet skickat till påseende. Men tyvärr, nej, så brukade man inte göra, för då skulle det ju snarare vara förvaltningen och inte politikern som fick komma till tals och bla, bla, bla.

Han kokade av ilska, men Charlotte skrattade och bad honom tänka på sitt blodtryck. En relevant kommentar, för det var exakt vad läkaren hade sagt när han var på sin årliga hälsokontroll för ett par dagar sedan. Och ja, han ville väldigt gärna bli femtio, och om han inte drev sig själv för hårt skulle han säkert klara det. Det handlade ju bara om två månader, hade läkaren skrockat. En morbid form av humor, tyckte patienten, som ännu inte hade vågat skicka ut inbjudningar trots att hans fru, som svävade i barmhärtig okunnighet om de begynnande varningssignalerna, hade börjat trycka på.

Medan han lugnade ner sig ringde Charlotte till sin gamle vän Andreas och fick ett referat av innehållet.

"We are family", sa hon när de efter några medarbetares flitiga insats kunde gå hem med var sin tjock, grön mapp. Sedan var det överenskommelsen om att hålla möte med insatsstyrkan på söndagen, och därefter insisterade Sand på att hon skulle ha "hela gänget med", det vill säga Kamal, Louise och honom själv, när hon begav sig till TV-staden på söndagen. Helst skulle han ha velat följa med henne in i studion och ställa sig bakom henne som en bodyguard med solglasögon och handen på avtryckaren. I första hand för att rädda henne från henne själv. Han visste ju att hon hade en speciell förmåga när det gällde TV-mediet. I motsats till de flesta andra politiker kunde hon kommunicera med kameran. Ja, det var till och med som om den förstärkte hennes talang, som om hon hittade något slags gudomlig inspiration när hon var *i bild.* Det var den där spontaniteten som hade gjort henne till en av de tre mest populära ministrarna enligt den senaste barometern. Men det var samma spontanitet som kunde bringa henne i svårigheter. Därför att ord väger tungt i politiken.

Och trots hans instruktioner, deras enighet om hennes linje, de omsorgsfulla formuleringar de hade övat på, var det exakt vad som hände. I stället för att glida undan och säga att det avgjort var djupt oroande *att* den fridlysta Nakskov Indrefjord nu också hotades av gödselföroreningar från Ryde Å, Lollands längsta vattendrag, *att* en årlig svinproduktion på 24 miljoner svin nog var i överkant av vad naturen och samhället kunde klara av, *att* det givetvis inte var tillfredsställande att amten antingen inte ville eller inte kunde avslå ansökningar om ytterligare utbyggnader och *att* hon följaktligen skulle ta omedelbar kontakt med dem om att ändra praxis och påskynda det utskottsarbete som hennes företrädare hade inlett och slutligen *att* överläggningarna om utvecklingen av det industriella jordbruket och de därav följande ammoniakutsläppen givetvis skulle bli en viktig bricka i förhandlingarna om Vattenmiljöplan III … sa hon vad hon tänkte. Att hon var helt enig med ordföranden i Naturens vänner och följaktligen ansåg:

Att den döende Nakskov Indrefjord bara var ytterligare ett indicium på att de 20 miljarder kronor skattebetalarna hade pumpat in i Vattenmiljöplan I och II höll på att drunkna i gödsel. *Att* antalet svin i Danmark hade passerat smärtgränsen. *Att* antalet ansökningar om nya utbyggnader och amtens administration av gällande tillstånd tydde på att situationen var helt utom kontroll. *Att* man inte längre kunde betrakta svinfabrikerna såsom tillhörande lantbruket utan måste se dem som en industri som måste leva upp till de hårda miljökrav som ställdes på industrin. *Att* den buffertzon på 300 meter som införts som en ny restriktion sannolikt skulle behöva utvidgas till att ingen svinfarm fick uppföras närmare än 500 eller kanske 800 meter från bebyggelse och känsliga naturområden. Och slutligen *att* amtens miljökonsekvensprövningar, de så kallade VVM-undersökningarna, *Vurdering af Virkning for Miljøet*, som för närvarande skulle träda i kraft vid 250 djurenheter i framtiden måste gälla redan vid 200 eller färre enheter. För att sedan avsluta med sin syster på Mors, som varken kunde sitta ute och dricka kaffe eller hänga ut tvätt eftersom ön med tiden hade kommit att ligga täckt av en gödselsoppa. "Det öppna landskapet håller ju i realiteten på att förvandlas till en öppen latrin. Det tycker jag personligen är ganska äckligt."

Sand, Kamal och Louise stod utanför studion och stirrade växelvis upp på en upphängd monitor och på varandra. Det *sa* hon bara inte! Louise blev tvungen att undertrycka en fnissning; någonstans tyckte hon att hennes minister var för härlig! Men till och med hennes leende stelnade när programledaren, den gråhårige men fortfarande hippe Paul Weber, med den flörtiga glimt som var hans hemliga vapen, frågade: "Hör jag dig säga att du i själva verket håller med Naturens vänner?"

"Det är svårt att göra något annat, som läget är för närvarande", sa Charlotte Damgaard och såg honom rakt i ögonen. "Därför vill jag gärna säga att jag nu tänker vidta åtgärder för att genomföra det akuta svinstopp som vi antagligen borde ha haft för länge sedan. Naturen behöver en paus, och vi behöver tänka oss för."

Så föll orden. Ett av dem utlöste ett ramaskri.

Svinstopp.

*

Ute i stugorna var det många som satte kvällskaffet i halsen.

"Tokiga fruntimmer!" utbrast exempelvis finansministern.

"Hon ber själv om det!" skrockade Søren Schouw.

"Å, nej", stönade Elizabeth Meyer.

"Yes!" skrattade Lisbeth och satte tummen i vädret medan Erik fnös.

"Lilla vän", mumlade hennes mor.

"Bravo!" sa Svend Thise med en vissling.

"Det där borde hon nog inte ha gjort!" sa Christina Maribo med ett stänk av skadeglädje.

"Oh, my God!" flämtade Sofie och sträckte sig efter karamellskålen.

"Hm", grymtade Freddy.

"Hur dum får man vara?" sa Jakob Krogh och skakade på huvudet.

"Nu kör vi!" ropade Thor Thorsen högt.

"Jag säger då det!" utbrast Gitte Bæk.

Statministern sa ingenting. Visste knappt ens vad han skulle tänka.

*

"Kära vänner, nu brinner dasset", hade Henrik Sand sagt redan innan hon hann ut ur studion. "Det inser ni väl?"

Kamal hade nickat, det sa sig självt. Dasset brann. Ytterligare ett av de danska uttryck som han hade tillägnat sig utan att egentligen förstå vad de betydde. Detta var faktiskt hans första brinnande dass. Och medan han så sent som i söndags kväll skulle ha haft svårt att exakt definiera ett brinnande dass hade han redan på måndagseftermiddagen kunnat ge en uttömmande förklaring till detta kärndanska uttryck. När dasset brann kunde det inte bli värre. Då gällde det att rädda vad som räddas kunde. I det här fallet den minister, hans högsta chef, som nu angreps från alla tänkbara och otänkbara håll.

Oppositionen rasade och anklagade henne för att ha brutit mot en uppgörelse. Jordbruket rasade och anklagade henne för löftesbrott. Svinproducenterna rasade och anklagade henne för avtalsbrott. Slakterierna rasade och anklagade henne för att vara okunnig. Amten rasade och anklagade henne för att vara oansvarig. Det var illa nog. Värre var att mediastormen bara tilltog i styrka efter den första dagen, då hon blev häcklad i praktiskt taget varenda nyhetssändning och tvingades uttala sig i varenda dagstidning. Hon svarade väl för sig, stod fast vid sitt förslag och fick också stöd av sina vänner – med

SF:s Svend Thise som den mest ihärdige försvararen. Men just som de hoppades att stormen skulle lägga sig fick den ny styrka. Då inledde nämligen Jyllands-Posten sin hetsjakt. Vad det ordet betydde hade han som andra generationens invandrare inga problem att förklara. Och det var vad hon blev utsatt för, Charlotte Damgaard, en sann hetsjakt.

★

Kontorsassistenten bryter ihop och erkänner efter Henrik Sands effektiva detektivarbete redan före middagstid samma dag som Jyllands-Posten publicerar historien om "ministerns missbruk av kreditkort" och återger kontoutdraget i faksimil. Det vill säga, hon berättar att hon har "glömt" att ombesörja saken och vidarebefordra den till sekretariatet, vilket betyder att ministern aldrig har fått kontoutdraget. I stället har hon, trots upprepade påtryckningar från Kamal, lagt det på hög redan före semestern, varpå hon reste till Kreta utan att ge ministern möjlighet att betala sin skuld. Jakob Krogh nämnde hon däremot inte, och någon plausibel förklaring till hur Jyllands-Postens Thor Thorsen kan ha kommit i besittning av dokumenten kunde hon inte heller ge.

"Det var hemskt att stå vid sidan av och se det hända. I en sådan situation finns det verkligen ingenting man som politiker kan göra. När ett medium väl går ut så hårt som Jyllands-Posten gjorde följer de andra ofelbart efter. Det är som ett virus, en smitta eller en skogsbrand som breder ut sig. Och man kan lika gärna avstå från att försöka släcka en skogsbrand med skumsläckare, eller hur? Och för att stanna kvar i den metaforen är det ju så att rök aldrig uppstår utan eld. Hur horribla påståenden de än har tillåtit sig att trycka så står det ju i tidningen, inte sant? Det ger en viss auktoritet som man inte har något att sätta emot. Man kan förklara och dementera och vad vet jag, men i den direkta situationen är det fullkomligt likgiltigt om du verkligen har eller inte har missbrukat ministeriets kort för att köpa Kenzokläder i Paris, om du har en parkeringsbot som har gått till inkasso, om ministerbilen har utnyttjats att hämta barn i, om du är eller inte är involverad i den anarkisktiska aktivistmiljön och har hållit något som heter *Grön gerilla* bakom ryggen, om din man har lämnat dig för en annan, om du agerar utifrån omedelbara personliga sym- och antipatier, är känslomässigt i obalans och behöver psykiatrisk hjälp, försummar dina barn, är en dålig mor och har ett förhållande med din närmaste medarbetare. Om det är vad medierna kommer dragande med, så släpp ratten och enjoy the ride. Nej, ingenting av allt detta hade ett smack med gödsel och svinstopp att göra, men det spelar ingen roll. Deras strategi är att framställa dig som icke trovärdig, lögnaktig, girig och vad som helst som kan bli ditt fall. Det var ju uppenbart vad de var ute efter, och de fick ju också väldigt god hjälp av sina motbjudande X-files, som de alltid har liggande. Jag vet ju inte vad som sas till Vittrup, men att han stod under press råder inget tvivel om. Så mycket vill jag ändå säga till hans försvar, trots att jag för övrigt inte tycker att jag är skyldig honom särskilt mycket. Nu längre. Däremot är det svårt att skyla över det faktum att Meyer inte kom till hennes hjälp. Hon var faktiskt hennes protegé. Eller hade åtminstone varit det. Jag vet inte … på något sätt hade Charlotte kanske blivit för självständig för henne. Eller också var hon besviken över det där med Thomas. Vad vet jag. Det är ju så att svaghet skrämmer bort människor. Vid minsta antydan till nederlag har till och med så kallade vänner en benägenhet att försvinna i stora flockar. Jag stannade kvar, och jag stod också fast vid att hon var min kandidat till att bli min efterträdare. Distriktsstyrelsen, i varje fall majoriteten, stod också fast vid att hon var deras kandidat. Men det var naturligtvis en smula olyckligt att det extra möte, där hon skulle ställa upp till val, var bestämt redan till följande tisdag. Hon erbjöd sig också själv att dra sig tillbaka, men det ville varken ordföranden eller jag acceptera. Förr eller senare måste stormen också lägga sig, antingen hon vek sig eller inte."

~

Henrik Sand trampade på pedalerna så att svetten lackade. Klockan var bara strax före sju på morgonen, men hans stridshormoner gjorde honom rasande. Först och främst var han rasande på sig själv över att i brist på erforderlig försiktighet ha låtit Jyllands-Posten få en så saftig godbit. Vad var det han alltid betonade inför unga medarbetare som skulle läras upp att arbeta åt en minister? *Kolla, kolla, dubbelkolla!* Det *får* inte finnas sådana gungflyn i en ministers liv, och även om han i upphetsningen hade givit Charlotte en rejäl utskällning för att hon inte själv hade tagit hand om återbetalningen påtog han sig det fulla ansvaret för att hon nu framstod som en dekadent powershopper med kaos i bokföringen. Helvetes skit!

Han trampade så fort att cykeln susade fram och fradgan stänkte kring munnen. Säkert inte bra för blodtrycket, men det sket han i. Att det inte var särskilt professionellt att reagera så känslomässigt var han också medveten om. Det var därför han var tvungen att cykla som en galning, så att han kunde bränna av den värsta aggressionen innan han kom fram till Højbro Plads och tvingades vara en nykter och opartisk rådgivare, kaptenen med överblick och med is i magen. Han hade redan talat med henne ett par gånger under morgonen; återigen hade hon nämnts i morgonens nyhetssändningar. "Som tur är var det bara radio", hade hon sagt torrt. "Jag ser för jävlig ut. Så blir det när man läser Jyllands-Pesten."

Och det måste han ge henne obetingat rätt i. Det var en sak att den där nollan Thor Thorsen, vars våta dröm var att bli presschef hos Venstres Stora stygga varg *när* snarare än *om* denne blev statsminister, satsade på kvinnan och inte på bollen. Men att borgråttorna nu under anonymitetens skyddande mantel började avlossa artilleri fabricerat innanför murarna gjorde honom förbannad. Det var helt enkelt för lumpet. Bland annat därför att det var lögn. Mycket kunde sägas om hans minister, till exempel att det var dumt att över huvud taget använda sig av ministeriets kontokort, men i helvete att hon var inkompetent. Det var inte heller något fel på ordningen i hennes bokföring. Och hon var aldrig illojal, vilket tidningen påstod, varken gentemot sitt ministerium eller sitt parti. Hon kunde vara kritisk, ha en annan åsikt, men han hade aldrig hört henne tala illa om någon, och definitivt inte om statsministern, som man också oförskräckt hade börjat antyda.

Vad gällde det där mediaproducerade kronprinsesstjafset kom det inte heller från henne själv. Enligt hans fasta övertygelse hade hon inga lömska planer på att störta vare sig kungen, drottningen eller någon som helst från tronen. Att det med tiden kunde komma att sluta med att hon gjorde det, tvingades göra det, var en helt annan sak. Det kunde man ju hoppas, för nationens skull, även om mycket tydde på att hon skulle komma att lägga av. Helt frivilligt. Vilket han inte kunde klandra henne för. Varför skulle hon *egentligen* ställa upp på det här? Afrikahistorien hade varit otrevlig men framstod som en blek generalrepetition i jämförelse med den här komplotten. De ville göra sig av med henne. Hon skulle bort. Oskadliggöras. De var nära att skita knäck av rädsla för att hon kunde bli invald. Få ett mandat. Då skulle hon bli farlig. Det löjligaste var att de inte insåg att hennes undergång också skulle bli deras undergång. *På sikt*, som de älskade att säga. Fastän siktsträckan var så kort att den inte räckte längre än till nästa val. När det än kom.

"Idiot!" vrålade Henrik Sand till en medcyklist, som svängde ut rakt framför honom.

"Tänk på blodtrycket, hörru!" hörde han när han sammanbitet spurtade förbi.

*

När Ingrid Damgaard på onsdagsmorgonen hade hört radionyheterna och läst Jyllands-Postens ledare, som krävde hennes dotters avgång som miljöminister, ringde hon till Ålborgs flygplats och bokade en plats på första planet till Köpenhamn. Med öppen återresa. Sedan ringde hon till avdelningen och till några kolleger för att skaffa ersättare till sina pass. Först därefter ringde hon till Miljöministeriet, ville inte störa ministern, som satt i möte, utan bad dem bara meddela Charlotte att hennes mor var på väg.

"Å, det blir hon glad att höra!" utbrast Louise Kramer, som visste att barnen var Charlottes största bekymmer dessa hektiska dygn under vilka hon hade tvingats lämna dem till mer eller mindre provisorisk passning.

Och det blev hon. Faktiskt var det det mest uppmuntrande denna dag, då hon stod under intensiv skotteld från soluppgång till solnedgång.

"Ringde hon verkligen *själv*?" frågade Charlotte förvånat när hon fick meddelandet.

"Ja", log Louise. "Det är väl bara naturligt! Hon är din mamma! Vem skulle annars hjälpa dig?"

Charlotte log blekt. Nåja. Så brukade det ju vara. Mellan mödrar och döttrar.

Sedan gick hon till ännu ett möte. Den här gången med svinproducenterna. De ville också få henne att dra tillbaka svinstoppet. Hon lyssnade till dem. Mycket lugnt, medan de utgöt sig om hur de minsann hade visat sig medgörliga och villigt funnit sig i förbudet mot att sprida gödsel med vattenkanoner, och de skulle gärna gå med på att lägga lock på gödselbrunnar och hjälpa till att sprida information om nya fodertyper som kunde minska fosforutsläppen och så vidare. Men om hon lät det här svinstoppet träda i kraft skulle det "med största säkerhet" skapa ett mycket dåligt förhandlingsklimat, inte minst i samband med Vattenmiljöplan III, och de kunde inte lämna några garantier för vad deras medlemmar kunde komma att hitta på. De hade ju investerat och köpt mark i förlitan på att få bygga ut och få tillbaka sina pengar och så vidare och så vidare, och ville hon få samtliga danska bönder att blockera infarterna till Köpenhamn?

"Hotar ni mig med franska aktioner?" frågade hon rent ut. "Det tror jag befolkningen kommer att finna mycket intressant."

Det fick dem att sitta där och rodna och skruva på sig, för det var just det som var problemet. Deras akilleshäl. Att deras *image* var så solkig i kanterna. Folk var dödströtta på deras svinfabriker. Pensionskassorna hade börjat ta ut sina pengar; de ville trots allt inte investera i nya farmer. Så om de inte lyckades sätta en käpp i hjulet skulle det sluta med att hon fick stoppet infört.

De var tvungna att ta till mer effektiva metoder. Då skulle hon kanske sluta sitta där och flina dem rätt upp i ansiktet. Och var fanns statsministern mitt i allt det här?

★

Statsministern deltog i ett möte med Nordiska rådet i Oslo. En intressant plats, för övrigt, eftersom Norge skulle gå till val om bara några dagar och Arbeiderpartiet såg ut att förlora. Stort. Trots sin unge, karismatiske ledare som gjorde sig så bra på glättat papper. Norrmännen tyckte han var *hyggelig*, men det var tydligen inte tillräckligt.

Meyer, som också var med, sa på sitt vanliga osminkade sätt att de måste bereda sig på att själva få en snyting. "Om inte *den* unge mannen kan vinna ett val kan ingen göra det." När Per Vittrup var utomlands – och Norge måste trots allt räknas till utlandet – hade han som princip att inte befatta sig med inrikespolitiska frågor om det inte var absolut nödvändigt. Så egentligen hade han helst låtit Charlotte Damgaard och hennes svinstopp anstå tills de kom hem. Men med Elizabeth Meyer som följeslagare var det omöjligt att glömma henne. Alltså diskuterade de saken. Var överens om att den inte fick utvecklas utom kontroll. Under några som helst omständigheter. I så fall var inblandning nödvändig. Inte minst i skenet av ett förväntat norskt valnederlag.

"Vi har inte råd att förlora några bollar. Över huvud taget", sa han.

374

"Nej", instämde hon och bet sig fundersamt i underläppen. "Det har vi inte. Jag ska nog ta hand om henne."

Han var på vippen att falla för frestelsen. Men sedan lade han handen på hennes axel. "Nej, Beth. Det gör jag själv. Jag är faktiskt regeringschef."

Hon sa det inte, men han tänkte det själv: "Än så länge." Han var faktiskt regeringschef än så länge.

*

När Elizabeth Meyer, nyss anländ med kvällsplanet från Oslo, oanmäld tittade in hos Charlotte på Drejøgade, strömmade Mozarts Requiem ur högtalarna och fyllde lägenhetens fyra rum.

"Kan du inte stänga av den där begravningsmusiken", bad Meyer så snart hon hade kommit innanför dörren. Hon kastade en forskande blick på Charlotte, som just hade fått mens och därför utstrålade en genomskinlig labilitet som Meyer under inflytande av dödsmässans patos inte kunde låta bli att övertolka. En övertolkning som bara förstärktes när Charlotte i tystnaden sedan musiken stängts av vände sig mot henne och sa: "Vet du om att Mozart bara var 35 när han dog? Jag är 36 ..."

"Charlotte", sa Meyer utan att släppa henne med blicken. "Hur mår du?"

"Bra!" försäkrade hon med ett matt leende som inte nådde upp till ögonen. "Min mamma har kommit för att hjälpa mig i ett par dagar. Hon är bara nere i kiosken ..."

Meyer nickade ut i luften. "Jag tycker inte heller att du ska vara ensam. I den rådande situationen ..."

"Vad menar du?" frågade Charlotte och förde ett finger till munnen.

Charlotte fick aldrig veta vad Meyer menade, för i samma ögonblick surrade porttelefonen.

"Mamma!" utbrast hon och gick på nytt leende för att släppa in modern. Men Elizabeth Meyer lät sig inte luras. Inte igen. Det hade hon gjort en gång för mycket, när Eva på samma sätt försäkrade att hon mådde utmärkt. Bara några timmar innan hon hoppade.

Så Elizabeth Meyer trodde åtminstone att hon gjorde det hon gjorde för Charlottes egen skull. För att skona henne. Rädda hennes liv, helt enkelt.

*

"Varifrån vet Jyllands-Posten att vi kommer att åläggas besparingar på minst 150-200 miljoner i nästa budget?" frågar Charlotte på torsdagen och tittar upp från pressklippen. "Det har vi väl inte hört något om själva? Har vi?"

"Nä", säger Sand och öppnar ett par flaskor Søbogaardsaft. Svart vinbär åt henne, äpple åt honom själv. "Det är en del av taktiken."

"Psykologisk krigföring?" frågar hon. "Jag ska komprometteras offentligt? Förstå att jag kopplas in på ett stickspår? Att jag till slut kommer att stå ensam och övergiven i världen?"

"Ja."

"Och det är min kära kollega och partikamrat, finansminister Gert Jacobsen, som går i täten? Assisterad av min gamle vän Mikkel?"

"Det får man anta", svarar Henrik Sand kort.

Hon funderar en stund och vänder sig sedan mot honom. "*Är jag korrumperad, Sand?*"

"Nej." Henrik Sand gnider sig om näsan. Vad mer finns att säga? Annat än att fråga den dödsdömda om hon har en sista önskan. För nu är det *pay back time*.

*

Statsministern har nätt och jämnt hunnit hem från Oslo och stigit in på sitt kontor förrän Gert Jacobsen står där. Han går rakt på sak, medan Per Vittrup tömmer en påse Samarin i ett glas vatten.

"Per, du måste göra något."

"Åt vad då?" frågar han och ser pulvret lösas upp.

"Ja, åt Charlotte Damgaard och hennes förbannade svinstopp! Har du inte hört nyheterna? Danish Crown i Horsens har givit sig in i leken. De har investerat två miljarder i ett nytt slakteri som ska sysselsätta 1 300 anställda från årsskiftet. Om inte det där svinstoppet dras tillbaka hotar de med att stoppa bygget ..."

"Nå, nå ...", säger Vittrup och för glaset till munnen.

"… och Livsmedelsarbetareförbundet hotar med strejk från nästa vecka. Om det inte finns svin till slakterierna går det ut över deras medlemmar. Livsmedelsutskottet har uppvaktats av hela Axelborg, och inrikesministern har fullt sjå med amt och kommuner. De kommer att betrakta oss som idioter om vi låter det här passera! Jyllands-Posten är i extas! De bevisar ju ideligen att hon inte har grepp om någonting! Nu har de begärt insyn i dokumenten!"

"Mmm", brummar Vittrup, ovillig att låta sig hetsas upp av den så småningom knallröde Gert Jacobsen, som irriterar honom något alldeles oerhört. "Den där kreditkortshistorien betraktar jag som en ren bagatell."

Gert Jacobsen fnyser. "Har du tänkt dig att helt enkelt *skänka bort* regeringsmakten åt Venstre, för i så fall tycker jag att vi lika gärna kan hoppa över valet!"

Det räcker. Det är rätt knapp att trycka på. Snabbt som en boxare snurrar Vittrup runt med ett pekfinger i luften. "Gert, med all respekt! Vad jag tänker är fortfarande mitt privilegium att hålla för mig själv! Och vad Charlotte Damgaard beträffar ska jag nog vidta nödvändiga åtgärder."

"Gör det då!" fnyser Gert Jacobsen och stormar ut ur rummet, förbi Tove Munch, som än en gång får bekräftelse på sitt goda väderkorn. Charlotte Damgaard har faktiskt kommit att betyda bråk.

*

"De är bestämt ute efter henne?" sa Rørbech med en blick på den upphängda TV-apparaten i ett av Rigshospitalets sällskapsrum.

"Ja", nickade hans fru och lät för ett ögonblick sin uppmärksamhet fångas av inslaget om Charlotte Damgaard, Ingrids dotter, innan hon på nytt försjönk i egna tankar. Hon var van vid sjukhus, men det var ovant för henne att vara anhörig. Anhörig till en patient som vägrade att träffa en. Ett flickebarn som nu på åttonde dagen vägrade att inta föda. Kriminalvården kunde inte ta hand om hungerstrejkande intagna, och därför hade hon flyttats till Rigshospitalet, som å andra sidan inte kunde tillåta patienter att ligga och svälta ihjäl. Så nu hade man kommit överens med henne om att hon skulle sondmatas och därmed inta så många kalorier att hon precis hölls vid liv. Hon övervakades dygnet runt, av en medicinstuderande på rummet och en polis utanför. Den förste skulle se till att hon inte drog ut sonden, den andre hindra henne från att fly. Själv kunde hon använda de sista resterna av energi åt att se till att hennes föräldrar inte fick tillträde. Hon vägrade helt enkelt att träffa dem. Föredrog att dö utan att ta farväl. Och som prognosen såg ut skulle det kanske sluta med att hon fick sin vilja fram. Som överläkaren hade uttryckt det samma dag: "Livet håller på att ebba ut. Hon vill inte leva. Då kan vi inte göra något."

Nej, det kunde de inte. Som verksam i yrket visste man sådana saker. Hade till på köpet själv använt samma fras inför andra anhöriga, vilkas kära befann sig i den terminala fasen. Rått dem att förlika sig med det oundvikliga, att släppa taget om den döende. Och lika svårt som det hade varit för andra var det för henne nu. Hon kunde inte. Ville inte. Fick inte förlora henne.

En sjuksköterska visade sig i dörren, log snabbt för att sedan försvinna igen. De hade lovat att tillkalla dem omgående vid minsta förändring. Om hon plötsligt ändrade sig och tog dem till nåder igen. Om det så bara var för att ta farväl.

Cathrine Rørbechs mor reste sig och gick bort till fönstret. Söndagskväll i Köpenhamn. Om allting hade varit annorlunda, ända från början, kunde de ha gått på Tivoli. Ätit räksmörgåsar i Grøften. Tittat på fyrverkeriet tillsammans. Med sin vuxna dotter. Och hennes tvillingbror.

*

Sent på söndagskvällen, då hon har varit med i Deadline för att både försvara kreditkortssjabblet och förklara det förnuftiga med svinstoppet för gud vet vilken gång i ordningen, släpar hon sig svimfärdig uppför trappan till tredje våningen och drömmer bara om att få stupa i säng. Hon är inte bara trött, hon är så utmattad att hon skulle kunna kräkas. Dörren till vardagsrummet är stängd; då har hennes mor också gått och lagt sig. De har knappt hunnit träffa varandra, veckan igenom har Charlotte i stort sett bara varit hemma för att sova. I köket ligger en lapp bredvid en öppen, halvfull flaska rödvin och en tallrik med en ostsmörgås täckt med plastfilm. "Du klarade dig riktigt bra i kväll. Ska hälsa från Kurt. Väck mig om du behöver mig. Kära hälsningar, Mamma. PS: Ungarna mår bra. Vi har varit på Zoologisk Have, men de tyckte visst att Kurt var roligare än aporna. Glöm inte att äta!" Hon smyger in och sätter sig vid barnens sängar, pussar dem, hoppas att de ska vakna men nänns inte väcka dem. Blir sittande tills hon ser Thomas i dem, känner hur det svider i hjärtats sår och traskar tillbaka ut i köket. Prövar att ta en tugga av ostsmörgåsen, ger upp och skjuter ifrån sig tallriken. Häller upp ett glas vin, släcker lyset och tar med sig glaset in i sovrummet. Hoppar över kvällstoaletten och kryper ner under täcket, tänker bara sluta ögonen i en sekund. Och somnar som en stock.

När hon vaknar ett par timmar senare tror hon att hon är barn. Barnet i drömmen. För hennes mor står böjd över sängen i nattlinne och hyssjar lugnande. "Såja, det var bara en dröm. Lotte ..." ruskar hon mjukt så att Charlotte förvirrat sätter sig upp.

"Du drömde", säger modern. "Du skrek."

"Väckte jag dig?" frågar Charlotte och sneglar på klockan. "Förlåt."

"Det gör ingenting. Vad drömde du?" Modern sätter sig på sängkanten.

"Det har jag glömt", ljuger hon medan dörren till ladan bleknar bort.

"Har du ofta mardrömmar?" frågar modern med en liten bekymrad rynka.

"Ibland. Då brukar Thomas väcka mig." Hon pallar upp sig med kuddar bakom ryggen.

"Mmm." Modern nickar framför sig. "Han borde ha varit hos dig nu, eller hur? Det måste vara jobbigt för dig. Det är åtminstone jobbigt att se på!"

Modern kväver en gäspning. Charlotte sträcker sig efter vinglaset som står kvar på sängbordet. "Det är antagligen *värre* att se på. Vill du ha en skvätt?"

Modern ler. "Nej, tack."

"Men jag är glad över att du är här", säger hon sedan.

"Är du? Jag var faktiskt rädd för ..." Modern tvekar och tar sats. "Ja, jag klarade inte av det så bra som jag borde ha gjort den där gången ... Den där gången med pappa, menar jag ..."

Charlotte håller andan.

"Jag var ju inte så gammal, och jag hade uppriktigt sagt svårt att hantera situationen … ensam med tre barn och … ja."

Modern slår ut med händerna, tittar ner på nattlinnets mönster av honungsgula Nalle Puh. Det måste vara en present från Kurt.

"Mamma", säger Charlotte sedan med hårt dunkande puls. "Är jag lik honom? Jag menar, skulle jag också … om jag nu är disponerad för det, ärftligt, menar jag? Det finns ju en väg ut om det blir för … svårt?"

Modern lyfter på huvudet, tittar först oförstående på henne, sträcker sedan fram handen och smeker hennes kind. "Nej då, Lotte! Det ska du inte vara rädd för. Det var ju ingenting psykiskt eller så …"

Hon drar åt sig handen, suckar djupt.

"Vad var det då?" frågar Charlotte och ställer vinglaset ifrån sig. "Mamma, varför gjorde han det? Varför tog pappa livet av sig?"

Länge gnager modern på den yttersta delen av tummen. Sedan kommer snyftningen. Därefter de första tårarna som tunga droppar från ett svart moln. Sedan öppnar och stänger hon munnen flera gånger.

"Din pappa … tog livet av sig … därför att han … å, nej, Charlotte, vill du verkligen veta det?"

"Ja", viskar hon och drar täcket om sig.

"Din pappa tog livet av sig därför att han … därför att han skämdes över vad han hade gjort …"

"Vad hade han gjort?" Charlotte famlar andlöst efter moderns hand.

"Han hade tömt Kesses sparbanksbok." Modern tittar upp.

"Nej!" flämtar Charlotte.

"Jo!" Modern nickar. "Han hade fått fullmakt att sköta alla Kesses affärer, du vet ju att han var en smula efterbliven. Och när vi sedan hade de där magra åren i början av sjuttiotalet och inte kunde betala räntor och amorteringar och foderräkningar tömde han lugnt och stilla Kesses konto. 107 419 kronor."

"Hur kunde Kesse ha så mycket pengar?" Charlotte sjunker vimmelkantig bakåt mot kudden.

"Han hade ärvt efter sina föräldrar. Och så fick han ju litet lön hos oss också. Gjorde aldrig av med pengar, sparade och gnetade för jämnan. Han ville ju så gärna ha ett eget litet ställe."

Charlotte skakar mållös på huvudet. "Men hur upptäcktes det? Om han inte använde pengar?"

"Han ville skänka en summa till Missionen. Det hade de lyckats övertala honom till, en inte heller särskilt vacker historia egentligen. Jag skjutsade honom in till sparbanken, och sedan visade det sig att han inte hade några pengar på boken ..."

"Nej!" Charlotte sätter handen för munnen. "Men, vad ...?"

"Kamreren hade haft misstankar om att något var fel. Det var ju en liten sparbank. De förstod inte vad Kesse skulle med så mycket pengar till. Kamreren hade egentligen gått med på att skydda pappa mot att vi betalade tillbaka. De var villiga att ge oss en avbetalningsplan. Kesse ville inte heller anmäla det, men skvallret gick ju som det gör. Och sedan blev polisen inkopplad i alla fall, det var Missionen som anmälde honom, och sedan var det ju ... Han skulle säkert ha fått fängelse om inte ..."

"Å, nej." Charlotte gömmer ansiktet i händerna. Hennes far en svindlare, bedragare, tjuv ...

"Han ville skona oss, tror jag. Han skrev ju ingenting mer än det där 'förlåt'."

"Och det ville du också", mumlar Charlotte och torkar sig i ögonen med baksidan av handen. "Det var väl därför vi flyttade? Så plötsligt?"

"Ja. Och jag var ju tvungen att sälja. Vi var skyldiga pengar överallt, och Kesse skulle också ha sina pengar. Vartendaste öre. Det har han fått också. Med ränta på ränta."

Charlotte fiskar upp en näsduk ur den ask Kleenex hon har vant sig vid att ha stående på sängbordet. Ruskar på huvudet, torkar näsan.

"Han har det riktigt bra nu. Jag har varit och hälsat på honom."

"Det såg jag nog." Modern ler tunt. "Och han håller fortfarande på med den där arken."

Charlotte skrattar hickande och betraktar sedan sin mor som om hon tog gestalt mitt framför ögonen på henne. Sträcker sig återigen efter hennes hand.

"Mamma, herregud. Du var ju bara i min ålder?"

"Ja. Men jag överlevde. Och det gör du också. Du brås ju på mig, eller hur?"

"Ja", mumlar Charlotte. "Det är väl det jag gör", säger hon och låter sig kramas om. Känner ett nattlinnes flanell mot sin kind för första gången sedan hon var nio och minns plötsligt mycket tydligt den lukt som nu fyller hennes näsborrar. Doften av mamma.

*

Man måste vara avtrubbad för att inte reagera på ett avhugget grishuvud. Ett avhugget grishuvud kastat av en flock Venstreungdomar utanför ens dörr i en trappuppgång på Østerbro. Ett grishuvud som ligger och flinar mot en när man intet ont anande och redan sliten kilar ut för att hämta sina tidningar en tidig måndagsmorgon.

Charlotte var inte avtrubbad. Hon skrek. Så högt att hon lockade dit barnen, dessvärre, och de andra boende i uppgången, som också blev förskräckta. Och även om hennes mor gjorde sitt bästa för att avdramatisera situationen och även var den som med stor självklarhet avlägsnade huvudet och kastade det i sopcontainern nere på gården, kunde hon inte förhindra att Charlotte uppfattade det som ett illavarslande tecken. En verkligt otäck början på en ny vecka. Vecka 37, för att vara exakt.

*

Svend Thise hade tvingats kalla in miljöutskottet. Inte bara därtill pressad av *the ususal suspects* inom oppositionen utan också för att ge Charlotte en möjlighet att förklara sig i ett mer civiliserat sammanhang. Mediahysterin hade nått nya höjder under veckoslutet, då ingen längre verkade bry sig om att skilja på sant och falskt och alla besserwissrar hade haft bråttom att hinna först med hennes politiska nekrolog. Det mest uppmuntrande var att insändarsidorna, åtminstone i huvudstadspressen, svämmade över av sympatibevis. Folk gillade henne i allmänhet, och det kunde kanske bli hennes räddning. Annars såg det inte ut att finnas många andra som var villiga att ge henne en räddande hand. Statsministern spelade fortfarande Den tyste mannen, men ryktena och spekulationerna gick ut på att han snarast möjligt skulle göra något för att få lugn i huset. Om hon inte hann före, förstås.

För som hon stridslystet och tydligt tillkännagav inför utskottet hade hon och hennes medarbetare ägnat helgen åt att utarbeta ett förslag som skulle presenteras för "berörda parter" samma eftermiddag. Hon stod visserligen fast vid svinstoppet men hade ingen önskan om att "nagga på demokratin" och tänkte därför bjuda in parterna att komma med en handlingsplan till hur man tänkte sig framtiden för dansk svinproduktion. Och ju förr man kunde enas om nya riktlinjer, desto snarare skulle stoppet kunna hävas. Om det visade sig att man var så förhandlingsvillig som man hade givit uttryck för var hon inställd på att stoppet, som annars planerats träda i kraft senast inom en vecka, skulle komma att dras tillbaka.

Ganska elegant, om han fick säga det. Hon tog dem bakifrån, och det avskydde de. Efter den första förlamningen utbröt ett upphetsat kacklande, som om en kvinna hade sluppit in i ett turkiskt kaffehus. Ord som "tagande av gisslan", "exportkatastrof", "maktmissbruk" och "inkompetens" haglade genom luften och landade på ministerns tämligen breda axlar, varifrån de lätt kunde borstas av. Först när någon slutligen sa "misstroendevotum" tittade hon upp, fuktade läpparna och sa: "Var så god!"

Efteråt hade hon bråttom därifrån; hon hade sagt ja till att titta in i Straxstudion och medverka som dagens gäst i direktsändning. Men Svend Thise fångade henne och höll henne kvar.

"Herregud", stönade hon. "De tröttnar visst inte? De är över huvud taget inte intresserade av att diskutera innehåll!"

"Nej." Han skakade på huvudet. "Nu handlar det bara om att skjuta vilt."

"De vill ha mitt huvud på ett fat, inte sant?" frågade hon dystert och signalerade till sina trogna vapendragare, Kamal och Louise, att hon strax skulle ansluta sig till dem.

"Jo", sa han tveksamt. "Mitt får de i varje fall inte", sa han sedan plötsligt.

"Vad menar du?" frågade hon, omedelbart alert.

"Jag drar mig tillbaka. Jag lämnar politiken innan gruppen mobbar ut mig. Jag har fått jobb som agronom, mitt gamla yrke."

"Nej, Svend!" utbrast hon.

"Jo! Det har blivit mer och mer klart för mig att jag har en rival som har som sitt främsta mål att utradera mig. Även om det kostar

383

partiet politiskt inflytande. Och det vill jag inte ställa upp på. Det knäcker mig. Min fru klarar det inte längre hon heller, hon har ingen lust att ägna helgerna åt att lappa ihop mig ..."

"Men ni är ju socialliberaler! Både röda och goda!"

Han log snett och klämde ut en bit nikotintuggummi från en karta. "I all vår dårskap är vi nog bara människor, som alla ni andra."

"Men jag då?" frågade hon.

"Ja, vad då? Du får se till att klara dig. Kämpa för oss båda två. Sedan kan vi ju bilda vårt eget parti när du tröttnar på sossarna."

"Nu?" Hon gjorde en grimas och gav honom en slängkyss samtidigt som hon tog ett steg emot sina trampande sekreterare.

"Hör du", sa han efter henne. "Jag vet inte om du har användning för det. Men jag hörde nyligen att försvarsministern pippar justitieministerns fru."

Hon brast i skratt. "Tack! Synd att man är en sådan kultiverad människa."

★

Besöket i Straxstudion var en oas av lättsam munterhet och otvunget kallprat. Programledaren var i första hand intresserad av hur hon *mådde*, vad hon *kände* inför att vara den hon var just nu, nämligen "hela Danmarks boxboll".

"Det är jättejobbigt", svarade hon sanningsenligt. "Särskilt när de slår under bältet."

"Men varför gör de det?" var han ändå rapp nog att fråga.

"Fråga dem!" parerade hon med leende tonfall.

"Beror det på att de blir provocerade av att en sådan flicksnärta som du ställer sig upp och säger det vi andra tänker? Jag tycker också det är äckligt att trampa omkring i svinpiss ..."

"Kanske det ..." Hon skrattade.

"Varför vill du inte säga mer, jag ser ju vad du tänker?"

"Därför, Mats, att allt jag säger kan och kommer att användas emot mig just nu."

"Uppriktigt talat, Charlotte, är inte politik egentligen ett genomruttet spel genomsyrat av fula trick?"

"Jo, det kan man gott säga. Ibland är det så man upplever det. Det

384

är en maktkamp om intressen och privilegier, men det är ju nödvändigt att våga förhålla sig till makt, att våga ta den och använda den även i det godas tjänst …"

"Charlotte, du har ju en gång i tiden varit en sådan där idealistisk gräsrot, och du propagerar ju också för Det gröna Danmark och ekologi hit och ekologi dit. Håller det egentligen … Kan man vara och förbli idealist inom politiken?"

"Ja, för sjutton! Annars skulle jag ju inte vara där!"

"Innan du önskar en skiva, Charlotte, hur länge tror du själv att du sitter kvar på ministerposten?"

"Inte för länge, hoppas jag", log hon och fick sin skivönskan uppfylld. Wagners "Valkyrieritt".

*

P3-signalen försvann när de körde ner i en sänka på väg till en avsides belägen lantegendom. Inte för att det gjorde honom något, han hade hört nog av den där smörjan. Förhoppningsvis skulle hon snart vara bringad till total tystnad. Morgondagens knockouthistoria skulle utan tvivel tvinga henne ner för räkning. Mycket kunde de tåla, men till och med de segaste hade sin akilleshäl, och han hade hittat hennes. Fadern och hans självmord. Nu saknade han bara de sista pusselbitarna, några uttalanden och ett foto som dokumentation.

"Undrar om det inte är här?" sa fotografen när de kom fram till den sista infarten. På det ställe där det stod en stor, krokryggig man och misstänksamt tittade efter den vita Passaten. Thor Thorsen vinkade lugnande åt honom. Han kände igen honom, *Kesse*, från bilderna på TV.

*

Telefonsamtalet kom när de alla fyra satt i bilen på väg tillbaka från Livsmedelsarbetareförbundet. Sand hade just börjat skönja en glugg i molntäcket – mötet hade gått alldeles utmärkt, hon hade fått dem att dra tillbaka strejkvarslet och till och med tvingat dem att blotta den splittring som fanns, där som på alla andra ställen. Flera medlemmar i förbundsledningen hade svårt att acceptera att de hade gått hand i hand med arbetsgivarna och "de borgerliga" i saken, och det fanns också de som ansåg att vissa delar av partitoppen hade lagt sig litet för platt för de ekonomiska intressena. Det var ju på det sättet hon brukade påverka människor – mediernas fantombild av henne splittrades när de träffade henne *live*. Hon var sympatisk och rolig och först och främst någon som det gick att tala med. "Stod med båda fötterna på jorden", som särskilt jyllänningarna lade märke till.

"Puh", utbrast hon lättad och bad själv Freddy att gräva fram en chokladbit. Han log och räckte en Maraboukaka bakåt, uppmuntrad av att se henne litet mindre nedstämd. "Om det är en journalist så säg att jag har gått under jorden!" sa hon när Louise svarade i telefonen.

"Det är det inte", sa Louise mörkt. "Det är Statsministeriet. Vittrup vill gärna träffa dig klockan 20.00. Passar det dig?"

"Har jag något val?" frågade hon medan chokladen växte i munnen på henne.

*

Elizabeth Meyer sitter mitt i en intervju med Norges största dagstidning, Verdens Gang, som ska göra ett reportage om "Redarkungens danska darling", när hennes sekreterare ringer och säger att hon har Charlotte Damgaard på tråden. Normalt har miljöministern obehindrad tillgång till utrikesministern; instruktionerna är att hon alltid ska släppas fram. Men denna sena septembereftermiddag i den blå dagern på gränsen till tidig kväll upphävs den regeln.

"Säg till henne att jag har gått för dagen", säger Meyer och ler mot fotografen.

*

"Ministeriets maskineri har stängts av. Nu på kvällen märker man det på den tystnad som plötsligt breder ut sig när turbinerna ställs av och folk har gått hem. Sedan sitter man här. Lyssnar. Upptäcker att man är alldeles ensam. Sofie sa en gång att hon aldrig har känt sig lika ensam som på sitt ministerkontor, och det stämmer ju att makten isolerar en från de andra. Som ledare blir man både den som själv går men också den som blir lämnad ensam. Ibland i sticket. Jag vet fortfarande inte vad det är med mak-

ten. Meyer säger ju att det inte finns något som helst försonande med att mista den. När man väl har haft den. Kanske är det först i det ögonblick man förlorar den som man upptäcker att man har haft den. Precis som med kärleken, vilken ironi! Märkligt nog känner jag mig samlad och lugn, trots att jag kanske om en kort stund måste inse att jag har förlorat bådadera – både makten och kärleken. Sand knackar på, han insisterar på att följa med mig till Statsministeriet. Tio, nio, åtta ..."

★

Bara Tove Munch, som hade ställt in biobesöket med sin äldste son, var kvar på kontoret utanför. Hon bad om ursäkt för att statsministern var försenad och erbjöd miljöministern och hennes vapendragare något att dricka så länge. Charlotte tog en Coca-Cola. Sand citrondricka. Och sedan väntade de. I samma rottingstolar som första gången.

Under tiden stod Per Vittrup vid fönstret och stirrade ut över Ridebanen. Solen hade gått ner, månen var på väg upp som en halv skiva. "Sommeren er forbi nu ..." sjöng C.V. Jørgensen någonstans i bakhuvudet på honom och överröstade Gerts enerverande svada. Dennes till idiosynkrasi gränsande motvilja mot henne var i och för sig tillräckligt för att få honom att göra det motsatta mot vad Gert ville få honom till. Gitte avrådde också – "Behåll henne, för sjutton!" – men hon var i Långtbortistan och gick inte att prata ordentligt med. Hans så kallade spin doctor ogillade av princip bångstyriga ministrar, och Meyer hade själv kommit med denna utmärkta idé till lösning på "problemet". Hon insåg ju klart och tydligt att oavsett om han utlyste valet nu eller senare så fanns det risk för en brakförlust. Därför var tiden inte den rätta för experiment och spekulationer om ledningskris och kronprinsesseri. Om de förlorade valet, vilket ingen fick honom att erkänna någon rädsla för, skulle han inte efteråt klandras för att ha varit för släpphänt gentemot en lustseglare som Charlotte Damgaard.

Han var tvungen att spela på säkerhet, så att han kunde övertyga väljarna om att han och hans team skulle vara kapabla till en *skärpning* – både vad gällde flyktingar/invandrare, sjukhusen och äldrevården. Inga valfrågor som han själv fann särskilt fantasifulla eller inspirerande, men tyvärr såg det på opinionsmätningarna inte ut som om det skulle bli han som delade ut korten. Följaktligen hade han inget alternativ. Hon måste offras.

"Okej, Tove, be henne stiga på", sa han och intog den rätta hållningen. Vänlig, tillmötesgående, översta skjortknappen uppknäppt. Hans gäst däremot verkade tillknäppt, på sin vakt.

"Vill du ha något?" frågade han när hon hade satt sig vid sammanträdesbordet. "Tove har bestämt bryggt kaffe?"

"Nej, tack", sa hon och såg rakt på honom med de stora, grönbruna ögon som han även i dag kände en viss efterlåtenhet inför.

"Charlotte", började han och flackade själv med ögonen inför hennes fasta blick. "Du vet att jag personligen sätter stort värde på dig, både som människa och politiker ..."

"Men?" Hon lyfte på det ena ögonbrynet.

"Men ... som vi talade om redan förra gången har jag vissa hänsyn att ta. Vi har ett val framför oss, vi tappar i opinionsmätningarna och vi är tvungna att framstå som en samlad enhet, ett lag, du vet. Det trodde jag du hade förstått. Det finns inte utrymme för profilering."

Hon nickade vagt.

"Om vi förlorar regeringsmakten kan allt som vi har ägnat de senaste tio åren åt att bygga upp, också på miljöområdet, mycket väl förvandlas till grus. Allting tyder på att den borgerliga sidan förbereder ett systemskifte, som, om den kommer till makten, kommer att försätta oss i sysslolös opposition. Det skulle vara förödande både för oss och för Danmark. Så" – han harklade sig, generad inför hennes uttryckslösa tystnad – "så därför har jag ett erbjudande till dig."

"Ett erbjudande?" frågade hon och lade skeptiskt huvudet på sned.

"Jag skulle till och med vilja säga *an offer you can't refuse!*" Han slog leende ut med armarna, vilket bara fick henne att dra ögonbrynen tätare ihop.

"Ja?"

"Som du själv har påpekat skulle det vara en god idé om vi snarast inrättar ett hållbarhetssekretariat med sikte på Johannesburgkonferensen år 2002. Ett sådant sekretariat måste ju ha en arbetande ordförande, och där anser jag att du är den helt rätta. Så den uppgiften vill jag härmed gärna erbjuda dig."

Hon såg kisande på honom, och ett litet leende spelade i hennes mungipa. "Du ger mig sparken, eller hur?"

Han ryckte mångtydigt på axlarna. "Det är klart att du blir tvungen att lämna din post för att kunna ta på dig en sådan uppgift."

Hon skrattade till, kort och hårt. "Och om jag avvisar ditt erbjudande, blir jag då ombedd att avgå i alla fall?"

Vittrup lät tungan glida över guldframtandens släta kant. Det fanns ingen anledning att tubba på sanningen. Inte med henne. "Ja. Det blir du nog. Tyvärr."

"Men varför ska jag få sparken?" frågade hon. "Är det Jyllands-Postens kreditkortsstorm-i-ett-vattenglas? Pengarna har betalats tillbaka, det vet du väl? Det var en tabbe i systemet!"

Han ändrade olustigt ställning. "Ja. Det var en dum historia. Men det är inte det ..."

"Är det svinstoppet? Det har jag grepp om! Livsmedelsarbetareförbundet har dragit tillbaka strejkvarslet, jag har lyckats släpa amten och svinuppfödarna till förhandlingsbordet, oppositionen kommer att bli glad igen, exporten är inte i fara ..."

Vittrup slog ut med armarna. "Snälla Charlotte, jag behöver driftsäkra ministrar! Någon sådan är du väl inte? Dina familjeförhållanden är instabila, din man är i Afrika, du befinner dig själv i kris, talar innan du tänker, whatever ... Ta det där jobbet nu! För din egen skull!" bad han.

"Men jag kandiderar ju till Folketinget! Alla vet att jag har sagt ja till Amagerdistriktet. Det är valmöte i morgon ..."

"Dra dig tillbaka den här gången och kom igen senare. Du behöver lugn och ro, vi behöver lugn och ro ..."

Hon kastade ilsket med huvudet på samma sätt som Gitte när hon var arg. Det fick honom att förskräckt rygga tillbaka på stolen, redo att värja sig mot projektiler.

"Jag drar mig inte tillbaka. Varken från det ena eller det andra", sa hon sedan. "Om du vill bli av med mig får du sparka mig!"

I samma ögonblick kom Henrik Sand inrusande med en mobiltelefon i handen. "Ursäkta att jag avbryter. Det är telefon till dig, Charlotte. Det är Rigshospitalet. Det låter viktigt."

Ungarna, flög det genom hennes huvud när hon skramlande reste sig.

"Tänk på saken till i morgon. Ska vi säga att du har tid på dig till klockan tio?"

"Hallå?" sa hon och gav Per Vittrup en bister blick medan hon med Henrik Sand i släptåg skyndade ut från statsministerns kontor med telefonen mot örat.

*

"Det var bra att du kom", säger sjuksköterskan och presenterar henne för föräldraparet, som reser sig från två av de tre stolar som står i korridoren utanför sällskapsrummet.

Faderns hållning är rak, handslaget myndigt och fast. "Hej, Charlotte", hälsar han igenkännande. "Du minns väl oss?"

"Jovisst", nickar hon och tar moderns slappa hand. Hon förefaller skrämmande åldrad, som en hopsjunken gammal kvinna jämfört med den välvårdade läkarsekreterare hon minns från sjukhuset.

"Jag tror vi ska gå in nu medan hon är vaken", uppmanar sjuksköterskan lågt och skjuter upp dörren så pass att de kan slinka in. Föräldrarna stannar uppgivet kvar i korridoren men sträcker sig båda fram och kikar över hennes axel för att få en glimt in i rummet där deras dotter ligger som ett bylte med ryggen till i sängen borta vid fönstret. Sängen bredvid står tom och obäddad.

"Cathrine", säger sjuksköterskan och rör mjukt vid patientens axel. "Thomas fru är här. Hon vill gärna tala med dig."

Först en lång paus. Sedan en tunn men trotsig röst: "Jag vill bara prata med Thomas."

Charlotte närmar sig sängen. Tecknar åt sköterskan att hon kan gå. "Ring bara på klockan om det är något. Hon är nära koma."

När sjuksköterskan har gått sätter hon sig ner på sängkanten. Knäpper upp sin trenchcoat och kränger försiktigt av den.

"Cathrine", säger hon. "Vi känner varandra …"

Mer behöver hon inte säga, byltet vänder sig om, och ett fågelaktigt, skrumpet ansikte med en sond i en spetsig örnnäsa och ett blålila födelsemärke över hela den ena kinden stirrar på henne.

"Är *du* hans fru? Miljöministern? Det är ju inte klokt …" Hon drar upp läpparna över tänderna, som står ut som på en dödskalle.

"Ja, så länge det varar …"

"Varför kommer inte Thomas?"

"Därför att han är i Zambia. Jag har försökt ringa till honom, men han är ute någonstans på fältet där mobilen inte har någon täckning ... Jag har lämnat ett meddelande till kontoret där nere, men jag är rädd för att vi inte kan få tag i honom förrän i morgon ..."

"Då är det för sent", säger hon matt och låter tungspetsen glida över de torra läpparna.

"Varför det?"

"För då är jag död", svarar hon lakoniskt. "Gå. Jag vill dö ensam."

"Ingen vill dö ensam", säger Charlotte.

"Jag har levt ensam."

"Ingen vill leva ensam", framhärdar Charlotte. "Hur känner du Thomas?"

"Göteborg. Vi satt i finkan tillsammans. Han gav mig sitt telefonnummer. Han var ... snäll ... mot mig. Hjälpte mig ... Jag hade brutit foten ..."

Hennes ögon faller ihop, hon är på väg bort, men just som Charlotte ska till att ringa på klockan vaknar hon till igen. "Låt bli att ringa! Jag vilar mig bara."

"Får jag stanna kvar?" frågar Charlotte.

"Det bestämmer du själv", svarar hon dåsigt och slumrar till igen.

Charlotte låter henne sova i en halvtimme. Smyger sig ut för att röka och ringa hem och hinner också tala med föräldrarna som har fått sällskap av en vakthavande polis.

"Hon skulle kunna leva om hon ville", säger fadern saktmodigt medan modern vädjande ser på Charlotte och fattar tag om hennes underarm. "Kan du inte få henne att ta emot oss? Bara ett ögonblick?"

Charlotte är nära att brista i hysteriskt skratt. Hon, som har förlorat allt hon har haft, är nog inte den rätta att anförtros rollen som fredsmäklare. Hon är på väg att vrida sig loss med en ursäkt och ett beklagande, men så veknar hon av desperationen i moderns rödkantade ögon. Minns något som Thomas en gång har sagt: "Hur ska man kunna rädda världen om man inte kan rädda en?"

Hon drar ett djupt andetag. Nickar mot föräldrarna. "Jag ska försöka. Det lovar jag."

När Cat vaknar igen fuktar hon flickans läppar med en svamp.

"Cathrine", säger hon.

"Cat, kalla mig Cat."

"Okej, Cat. Jag vill bara tala om för dig att jag stannar här. Hela natten."

"Varför?"

"Det skulle väl Thomas också ha gjort? Han tog hand om dig när ni var i Göteborg, och jag tar hand om dig nu. Så är det bara."

Hon svarar inte, Charlotte tiger, känner sig oändligt trött.

"Berätta om Thomas", kommer det plötsligt.

"Thomas?" Hon rätar på sig. Sedan harklar hon sig. "Thomas är en mycket fin människa. En god människa … när jag träffade honom var han nästan bara en pojke. Så ung, så ung", börjar hon och förirrar sig långt in i berättandets universum, som Rödluvan som bara ska plocka en blomma till och så ännu en.

Det är en lång berättelse, detaljerad och färgrik, full av städer och landskap och vardag och helg. Även om hon ser att Cat emellanåt dåsar till och faller i sömn igen kan hon inte låta bli att berätta vidare – om tvillingarnas födsel, om morotspuréns tid, om de politiska diskussioner om mål och medel som de har fört, om vad de skulle göra tillsammans och vad de gjorde, om vad de skulle göra och inte gjorde. Och när klockan har passerat midnatt och hon är säker på att Cat sover berättar hon också om det senaste året och om sommaren som drog ett streck i sanden. Om sveket, längtan och skräcken för att han aldrig ska komma hem.

Till sist sitter hon tyst. Huttrar litet. Betraktar det utmärglade skelett som ligger med klolika fingrar på täcket och har ingen aning om hur hon ska föra henne tillbaka till de levande.

"Jag var i Genua", kommer det sedan lågt som en viskning. "Där träffade jag Carlo. Honom de sköt. Jag tror att han var som Thomas. God."

"Det var fruktansvärt att de sköt honom", säger Charlotte lamt.

"De borde ha skjutit mig", nickar Cat. "Det var det jag ville."

Charlotte suckar. Ser gatustriderna framför sig, vattenkanonerna, de ridande poliserna, sköldarna och de förvridna, skrikande ansiktena.

"Varför vill du dö?" frågar hon sedan.

"Jag är ett missfoster. Jag borde aldrig ha blivit född."

Dörren går upp, sjuksköterskan kommer in för att byta dropp och "se att allt är som det ska". Det försäkrar Charlotte, även om Cat genast vänder sig bort och måste lockas tillbaka när de blir ensamma igen.

"Jag hatar dem", grimaserar hon. "Jag hatar vita rockar."

"Cat", säger Charlotte. "Berätta för mig om ditt liv."

Återigen svarar hon med samma ohyggliga grimas som ska föreställa ett leende. "Det finns ingenting att berätta."

"Det gör det alltid. Småsaker. Berätta, precis som jag gjorde."

Hon tvekar. Börjar. Tar lång tid på sig. Stannar upp. Söker efter försvunna ord. Förlorar sig i lakuner av minnen för att sedan komma tillbaka, hest och hackande. Charlotte lyssnar intensivt. Går inte miste om en enda nyans eller ett enda tonfall. Upptäcker fascinerad att hon känner igen historien, åtminstone element av den. Om hon hade varit bara aningen mer ömtålig kunde vågskålen ha tippat över och hon kunde ha slutat där. I skuld och uppgivenhet.

När Cat har kommit till vägs ände är klockan över två. Hon verkar utmattad, drar täcket hårt om sig. "Nu tänker jag sova", tillkännager hon.

"Ja. Men innan du somnar så lyssna på mig!" säger Charlotte bevekande. "Det är inte ditt fel att din tvillingbror dog! De levande ska aldrig gottgöra de döda! Och dina föräldrar, din mamma och pappa, Cat, de älskar dig! Vad de än har gjort mot dig, och vad du än har gjort mot dem, är det alltid så. Föräldrar älskar sina barn villkorslöst! ALLTID!"

Hon nästan skriker rakt upp i ansiktet på flickebarnet, som inte verkar reagera. Men hon andas fortfarande, och när Charlotte reser sig för att sträcka på sin värkande kropp ser hon att Cat iakttar henne genom en springa mellan ögonlocken.

"Får jag ligga en stund hos dig?" frågar hon. "Jag är så fruktansvärt trött."

Hon nickar, och Charlotte sparkar av sig skorna och kryper ner under täcket bredvid den skelettunna varelse som kanske alltid har varit mer död än levande. Tänker på mötet hos statsministern som nu känns surrealistiskt och avlägset. Oväsentligt.

Några timmar senare vaknar hon med ett ryck. Fruktar omedelbart att hon har förlorat henne, att Cat har dött för henne. Men flickans blick vilar på henne, nötbrun och mjukare än hon har sett den förut.

"Jag behöver kissa. Tror du att du kan hjälpa mig ut? Så att jag inte behöver göra det på bäckenet?"

"Självklart", säger Charlotte och reser sig rådbråkad. Granskar Cats magra kropp, lyfter upp henne och bär henne ut till den angränsande toaletten. Flickan känns lättare än hennes egna barn.

"Jag tror faktiskt att jag kan gå tillbaka själv. Om du stöder mig", säger hon när hon har kissat och tvättat händerna men omsorgsfullt undvikit att se sig själv i spegeln.

De hasar långsamt tillbaka till sängen. Cat sitter på sängkanten medan Charlotte fluffar upp kudden och täcket.

"Så där gjorde min mamma också alltid", säger hon med ett blekt leende.

"Det *gör* mödrar", svarar Charlotte och hjälper henne att lägga sig ner.

"Hur mår hon?" frågar hon sedan.

Charlotte sätter sig. Ser rakt på henne, gör blicken så sträng hon förmår. "Din mamma är djupt olycklig över att hennes dotter väljer att dö ifrån henne utan att vilja träffa vare sig henne eller sin pappa. De har varit på det här förbaskade sjukhuset i en hel vecka och väntat på att du skulle ta emot dem. Din mamma är alldeles förstörd!"

"Nej!" säger Cat trotsigt igen.

"Jo! Fem minuter, Cat! Det är allt de begär!"

"Nej." Hennes läppar har börjat skälva.

"Jo! Hörde du inte vad jag sa förut?"

"Nej." Hon stoppar fingrarna i öronen, men Charlotte tar tag om hennes handleder och drar ut dem igen.

"Du ska höra på mig nu, okej? Din mamma och pappa miste din bror. Det har de sörjt över. Men de ÄLSKAR dig. Det har de alltid gjort. De är villiga att göra allt för att få dig tillbaka. För att hjälpa dig. För att få dig att LEVA!"

"NEJ!" snyftar Cat och drar ut sonden. "Jag vill DÖ! Nu, i natt!"

Charlotte suckar djupt. Går på nytt bort till fönstret. Det börjar ljusna. De första bussarna kommer snart att sätta sig i rörelse och lägga sin bas under stadens ljud.

"Där Thomas är, i Zambia", börjar hon sedan med ryggen mot Cat, som nu gråter ljudligt. "Där har var fjärde hiv eller aids. Barnen föds med det, mödrarna dör. Han arbetar bland de där smittade barnen och deras mödrar, och det han försöker göra är att få mödrarna att knyta an till barnen även om de vet att de kommer att förlora dem. Så att de små barnen som också ska dö hinner uppleva den kärleken ... För den är så stark, Cat, så viktig, kärleken mellan föräldrar och deras barn. Och inga gatstenar, inga krossade fönster, ingen strid mot polisen, inget hat kan *någonsin* ersätta den."

"Det vet du ingenting om!" fräser hon från sängen.

Charlotte står kvar, ser hur månen har börjat blekna, tänker på barnen hon födde här och på fadern hon förlorade i andra änden av landet.

"Jo", säger hon och vänder sig om. "Det vet jag allt om. Jag har tvillingar, Cat. När de var alldeles nyfödda låg de i kuvös därför att de hade fötts för tidigt och hade en släng av gulsot. Det var inget fel på dem, men jag var så rädd, så rädd för att förlora dem. Jens var den svagaste av dem, det har han alltid varit. Så det var honom jag bad mest för. Men om jag hade fått välja mellan att förlora dem båda två eller att få behålla Johanne så hade jag valt det. En är bättre än ingen. Då hade hon varit den starka dottern, den överlevande, därför att hon skulle vara det. Därför att det var meningen. Naturens eller ödets eller Guds eller ..."

"Och din pappa då?" kommer det spakt med den sista resten av anklagelse i rösten. "Var det meningen att han skulle hänga sig också?"

Charlotte tittar upp i gipstaket som blir suddigt och flyter ut. "Nej", säger hon och skakar på huvudet. "Det var inte meningen. Han misstog sig. Han visste inte hur mycket vi älskade honom. Allihop. Trodde inte att vi kunde ha överseende. Men det skulle vi ha haft. Självklart skulle vi ha haft det."

Hon snörvlar, går bort till tvättstället och stänker kallt vatten i ansiktet. Fyller en plastbägare med vatten och tömmer den i ett svep.

"Jaha", suckar hon sedan, som hennes mor kunde ha gjort, och går bort och sätter sig på huk framför sängen så att hon hamnar i ögonhöjd med Cat. För smeksamt ett finger över födelsemärket. "Du ska leva, flicka lilla."

"Jag kommer att åka i fängelse ..."

"Det ska vi ordna ..."

Det tog lång tid. Längre än hon hade väntat sig. Så lång att hon trodde att det hade misslyckats. Men vid halvsextiden, när hon på nytt låg och blundade bredvid Cat, kände Charlotte en liten fjäderlätt knuff.

"Du får hämta dem. Och så vill jag gärna ha ett glas vatten och en banan."

*

Sedan klockan fem har Henrik Sand suttit i sin trädgård och tänkt. Det är en vacker morgon, ingen dålig dag att dö på om så skulle vara. Vid halvsjutiden viker han undan pläden, reser sig och tar sin rosensax från trädgårdsbordet. Går bort till spaljén och väljer ut ett exemplar med den mest fulländade, djupröda knopp på väg att slå ut. Han sticker sig lätt på en tagg när han håller om stjälken under avklippandet. Suger snabbt av blodet från fingret och vet att han kommer att finnas där och ta emot henne när hon faller. Om de så ska falla tillsammans.

*

Yes, yes, yes! ringde det inom henne när hon taktfast gick genom vestibulen, förbi en sjalettprydd städerska och bort till de automatiska dörrarna. Hon satte på mobiltelefonen på vägen och hann inte ens ut förrän den ringde.

"Thomas?" frågade hon andfått.

Det var Radioavisen som ville ha hennes kommentar till "de starka rykten" som hävdade att hon tänkte dra sig tillbaka, både från sin ministerpost och från kandidaturen i Amagerdistriktet.

Hon skrattade högt och en smula exalterat. Stannade upp mitt i en solstrimma och fick be den förvirrade reportern om ursäkt. "Nej", sa hon. "Jag drar mig inte tillbaka från någonting. Tvärtom."

Efteråt SMS:ade hon till Thomas i Zambia. "Cat är OK. Jag är OK. ILY. C."

Sedan gick hon och hejdade en morgontidig taxi, kröp in i baksätet och bad att få bli körd till Drejøgade.

"Tidning?" frågade chauffören vänligt och räckte Jyllands-Posten bakåt. Hon kastade en blick på den hopvikta framsidans feta bokstäver och kunde se att hon var dagens huvudnyhet.

"Nej, tack", sa hon lugnt, lutade sig tillbaka i sätet och satte sig att titta ut på världen. Det var tisdagen den 11 september 2001 och hon var inte rädd längre.

★

"Vi bygger upp dem och river ner dem. Visst fan gör vi det. Men hon är en fighter. Hon kommer igen. Det är jag övertygad om. För nog vore det synd om Charlotte Damgaard gick till historien som den första kvinnliga statsminister Danmark aldrig fick."

Aktuella böcker från Bonnierpocket:

Mende Nazer & Damien Lewis – Slav
Mende Nazer föddes på landsbygden i Sudan. 1994 gör arabisk milis ett
brutalt tillslag och hennes tillvaro krossas för alltid. Mende säljs som slav.
Mende Nazer har med hjälp av den engelske journalisten Damien Lewis
skrivit ner sin historia – en personlig och mänsklig tragedi.

Laurie Graham – Livets goda
Laurie Graham är författaren till succén *Framtidens hemmafruar*. En varm
och humoristisk roman som tar sin start i New York 1912. Poppy Minkel är
en modern kvinna i viktoriansk tid. Hon har tovigt hår och utstående öron.
Finns det alls något hopp för Poppy Minkel?

Anna Gavalda – Jag skulle vilja att någon väntade på mig någonstans
En rapp och rolig novellsamling om kärleken och livet i stort och smått skri-
ven av en mycket uppmärksammad fransk författare, översatt till en mängd
språk.

Bodil Malmsten – Det är fortfarande ingen ordning på mina papper
Efter succén med *Priset på vatten i Finistère* kommer Bodil Malmsten här,
tolv år efter den första "oordningen på papperen", med en bok som får en
att förstå hur otroligt intressant det är att vara vid liv.

Maria Scherer – Du är inte ensam – en läkebok för själen
I sin nya mycket omtalade bok tar Maria Scherer sina läsare med på en spän-
nande resa i själens och känslornas värld. Hon skriver rakt och direkt om
varför våra liv blir som de blir. Hon kommer med utmanande tankar om hur
vi kan hoppa av grötlunken, tristessen och gråheten – befriande fri från pek-
pinnar, diagram och patentlösningar.

Joyce Carol Oates – Jag ska ta dig dit
Hon har inget namn – den spröda flickan som växer upp i en familj som inte
vill kännas vid henne. Som en kameleont byter hon skepnad för att få män-

niskor att acceptera henne. Men till slut bryter hon upp från Strykesville och familj och väljer farligast möjliga väg i det tidiga 60-talets USA: en svart älskare. Ännu en fascinerande bok av en av Amerikas mest intressanta författare idag.

Conn Iggulden – Roms portar

Roms portar är den första delen i *Kejsaren* – en historisk trilogi om Rom – ärans och dekadensens, skönhetens och ränkernas stad.

Gladiatorspel och intriger i senaten, krig i främmande länder och interna politiska konflikter är alla ingredienser i romanen som berättar den otroliga historien om mannen som skulle bli den störste romaren av alla: Julius Caesar.

Håkan Anderson – Breven – Debut!

I trettiotalets Italien möter den unge Ernst Weber, till synes slumpartat, Jacob Arnauti. Han företräder ett esoteriskt sällskap med centrum i Alexandria som i sin ägo har fem brev, skrivna av Cicero på 50-talet e. Kr. Breven döljer hemligheter från de medeltida korstågen om en stor skatt, och åtrås även av en fanatisk tysk orden med förgreningar över hela Europa. Femtio år senare flätas än fler öden in i historien då svensken Jan Eklöv möter sitt livs kärlek i den tjeckoslovakiska Elena Franková. (utk januari-05)

Hillary Rodham Clinton – Levande historia

Hillary Rodham Clinton skriver öppenhjärtigt, humoristiskt och lidelsefullt om sin uppväxt i en typisk amerikansk förstad på 1950-talet, hur hon blev politiskt aktiv och till slut omstridd First Lady. Som hustru, mor, advokat, påtryckare och internationell ikon har hon genomlevt stora politiska kriser, från Watergate till Whitewater. Hennes skildring av åren i Vita huset är samtidigt historien om livet med Bill Clinton, om ett trettioårigt äventyr i kärlek och svek.

Will Ferguson – Lycka™

När ett tjockt manuskript med den omöjliga titeln "Insikter som jag fick på berget" landar på förlagsredaktören Edwins bord tycks det ämnat att åka rätt ner i papperskorgen. Men ödet vill annorlunda. Tupak Soiree har nämligen lyckats skriva den ultimata självhjälpsboken – som till skillnad från alla andra böcker faktiskt fungerar. Ett fenomen vars konsekvenser ingen hade kunnat förutse. En komiskt skruvad och ogudaktig satir som lyckas med att vara både rörande och rolig. (utk januari-05)